COMMENTAIRE SUR JOB

SOURCES CHRÉTIENNES

N° 346

JEAN CHRYSOSTOME

COMMENTAIRE SUR JOB

TOME I
(Chapitres I-XIV)

INTRODUCTION, TEXTE CRITIQUE,
TRADUCTION ET NOTES

PAR

Henri SORLIN

AVEC LA COLLABORATION DE

Louis NEYRAND, s.j.

*Ouvrage publié avec le concours
du Centre National de la Recherche Scientifique*

LES ÉDITIONS DU CERF, 29, Bd de Latour-Maubourg, PARIS
1988

*La publication de cet ouvrage a été préparée avec le concours
de l'Institut des « Sources Chrétiennes »
(U.A. 993 du Centre National de la Recherche Scientifique)*

IMPRIMATUR

Lyon, le 16 mai 1988
J. ALBERTI, p.s.s.
Cens. dep.

AVANT-PROPOS

Qu'il nous soit permis, ici, de remercier, sans prétendre en épuiser la liste, tous ceux qui, d'une manière ou d'une autre, nous ont aidé à réaliser l'édition de ce Commentaire de S. Jean Chrysostome sur le livre de Job :

Le P. Michel Aubineau, directeur de recherche au C.N.R.S., qui nous a engagé à entreprendre une édition critique de ce commentaire et à en présenter le projet dans une communication au Congrès de Patristique, à Oxford, en 1964.

Mademoiselle Anne-Marie Malingrey, spécialiste de Chrysostome, qui nous a aidé, au départ, à délimiter le sujet et à en dégager les grandes lignes.

Le regretté abbé Marcel Richard et le P. Joseph Para-melle, ancien et actuel directeurs de la section grecque de l'I.R.H.T., qui nous ont facilité l'obtention des photos et des micro-films de nos huit manuscrits.

Les bibliothécaires de l'Ambrosienne, de la Lauren-tienne et de la Vaticane, qui nous ont toujours réservé, à chacun de nos passages, le meilleur accueil et nous ont fourni, souvent, de précieux renseignements sur nos manuscrits.

Les PP. Claude Mondésert et Dominique Bertrand, ancien et actuel directeurs des Sources Chrétiennes, qui nous ont toujours ouvert largement la porte de leur maison où nous avons pu travailler dans une atmosphère studieuse et amicale.

Nous voudrions enfin, en terminant, remercier d'une façon toute particulière le P. Louis Neyrand, des Sources

Chrétiennes, pour la part capitale qu'il a prise à l'élaboration de ce commentaire. En effet, non seulement il nous a initié à la technique de l'édition, mais il n'a cessé d'être pour nous, pendant toute la durée de ce travail, un compagnon éclairé et rigoureux, un guide compétent et efficace. Intimement associé à notre propre effort, il n'a ménagé ni son temps ni sa peine pour nous aider à parfaire cette édition qui lui tenait à cœur. Qu'il veuille bien trouver ici l'expression de notre respectueuse, amicale et profonde reconnaissance.

INTRODUCTION

On connaissait depuis longtemps, par la tradition littéraire et par les chaînes exégétiques, manuscrites ou imprimées, l'existence d'un commentaire grec du livre de Job,
attribué à S. Jean Chrysostome, archevêque de Constantinople. A. Bandini en avait signalé l'existence explicitement
en 1762, dans les *Novelle Letterarie di Firenze* (XXIII,
p. 299-320) et en avait publié la première page dans son
catalogue de la Laurentienne en 1764[1].

Deux tentatives pour publier ce commentaire, celle de
F. Fontanius, en 1793[2], et celle de L. Dieu, en 1912[3],
n'eurent jamais de suite. Par conséquent, en dehors des
chaînes éditées par Comitolus, en 1585, et par Young, en
1637[4], qui en donnent des fragments, souvent infidèles, ce

---

1. C'est cette page que Migne a reproduite, à titre de spécimen, au
tome 64 de la *PG*, col. 504-505.

2. Cf. *Novae eruditorum deliciae seu veterum opusculorum collectanea*, t. III,
Florence 1793, p. XVI de l'Avis au lecteur.

3. Cf. dans *RHE* (XIII, p. 650-668) l'article de L. DIEU : «Le
commentaire de S. Jean Chrysostome sur Job, contenu dans un
manuscrit de la Laurentienne, codex XIII, pluteus IX».

4. Les extraits donnés par la chaîne de Young sous le nom de
Chrysostome ont été publiés par Migne dans le *Supplementum ad
S. J. Chrysostomi opera*, PG 64, 505-656, sous le titre *Fragmenta in beatum
Job*.

texte était, jusqu'à présent, demeuré inédit[1]. Le vœu exprimé par A. Mai, en 1847, de voir paraître une édition critique de ce commentaire, demeure donc encore justifié[2].

C'est à ce vœu que nous avons essayé de répondre, en établissant le texte de ce commentaire, et en étudiant les critères qui peuvent permettre de prouver son authenticité[3].

---

1. Pour l'étude des chaînes imprimées sur Job, voir R. Devreesse, «Les chaînes exégétiques sur Job», dans *SDB*, t. I, 1140-1145.

2. Cf. *Nova Patrum bibliotheca*, t. IV, 2, p. 154; *PG* 64, 657-658.

3. La présente édition reprend une thèse de 3e Cycle, dont le R. P. Aubineau, maître de recherche au C.N.R.S., m'avait proposé le sujet : «Un commentaire grec inédit sur le livre de Job, attribué à S. Jean Chrysostome». Cette thèse a été soutenue le 23 juin 1975, devant l'Université de Lyon II. Un exemplaire y est déposé. Dans cette édition, destinée aux lecteurs des «Sources Chrétiennes», qui ne sont pas tous des spécialistes, nous n'avons retenu de la thèse que les conclusions essentielles, en évitant tout appareil d'érudition pure. Nous avons eu soin, notamment, de ne conserver que les leçons et les notes indispensables à une lecture éclairée et fructueuse du texte. Cette édition est annoncée dans la *Clavis Patrum graecorum* de M. Geerard (*CC series graeca*, t. II, 1974, n° 4443).

Première partie : Étude du texte

L'établissement du texte repose sur une double tradition.

I. *La tradition directe,* représentée par les deux manuscrits de base :

1º *Le Mosquensis.* Musée hist. Bibl. Syn. 114 *(Vlad. 55),* Xᵉ s. = **M**.

2º *Le Laurentianus Med. IX, 13,* Xᵉ-XIᵉ s. = **L**.

Seuls, ces deux manuscrits donnent le texte du commentaire de façon continue, compte tenu de trois lacunes de **L**, qui sont comblées par **M**, et de l'absence du chapitre XLI, commune à **L** et à **M**.

II. *La tradition indirecte,* représentée par les nombreux manuscrits des chaînes exégétiques[1], qui donnent le texte de façon fragmentaire et dont nous avons retenu :

1º *Le Vaticanus gr. Pii II 1,* XIᵉ s. = **p**.

2º Trois représentants de la chaîne I

Le *Patmiacus 171,* VIIIᵉ s. = **b**.

Le *Vaticanus pal. gr. 749,* VIIIᵉ/IXᵉ s. = **c**.

L'*Athous Vatopedinus 590,* XIIᵉ s. = **a**.

3º Deux représentants de la chaîne II

Le *Vaticanus gr. 230,* Xᵉ/XIᵉ s. = **y**.

L'*Ambrosianus B 117 sup.,* XIIIᵉ s. = **z**.

C'est sur cet ensemble de huit manuscrits, choisis pour

---

1. Cf. Karo-Lietzmann, *Catenarum graecarum catalogus* (p. 319-331). Dans leur étude consacrée aux chaînes manuscrites sur Job, les auteurs, se basant sur le choix des prologues et l'examen parallèle de certains chapitres, ont pu classer les chaînes sur Job en deux grandes familles, que l'on a appelées, à leur suite : type I et type II. R. Devreesse (cf. *SDB,* article «Chaînes», *l.c.*) y ajoute une troisième famille représentée par le seul *Vat. gr. Pii II 1* = **p**, d'une valeur toute particulière à ses yeux.

leur ancienneté ou leur caractère exemplaire[1], que repose l'établissement du texte. Après une brève description de chacun des témoins, nous en examinerons la valeur.

Chapitre I : Description des témoins

I. Les témoins directs

1° **M** = *Mosquensis Vlad. 55*[2], Xe s. Museum historicum; Bibl. Syn. 55 (olim *114*); parch.; 352 × 225 mm; 262 ff.; 2 col. à la page; 30/31 lignes par col.[3].

Le *commentaire sur Job* occupe dans **M** les folios 147^V-262^V[4]. *Titre* : Τοῦ ἐν ἁγίοις πατρὸς ἡμῶν Ἰωάννου ἀρχιε-

---

1. Sur le conseil de l'abbé M. Richard, nous avons retenu pour la première chaîne : **a b c**, à cause de leur ancienneté ; de plus, **c** a une valeur exemplaire parce qu'il est, selon R. DEVREESSE (cf. *SDB, l.c.,* col. 1142), chef de file de toute une série de *Vaticani graeci ;* pour la chaîne II, nous avons choisi **y**, le plus ancien de tous, et **z**, parce qu'il a permis à Comitolus d'améliorer la première édition de sa chaîne, en l'enrichissant de notes et d'appendices (cf. R. DEVREESSE, *l.c.,* col. 1140).

2. Cf. *Description systématique des mss grecs de la Bibl. syn. de Moscou* par l'archimandrite VLADIMIR, parties I-II, 1894. Nous avons pu étudier ce manuscrit (dont l'existence semble avoir échappé à L. Dieu et à R. Devreesse) grâce à l'obligeance de M. Richard qui l'avait remarqué, lors de sa mission en U.R.S.S., en octobre-novembre 1960, et en a procuré le micro-film dont l'I.R.H.T. a fait tirer d'excellentes photos (cf. Compte-rendu dans le Bulletin d'information de l'I.R.H.T., 10, 1961, p. 43-56).

3. Une note, à la fin du manuscrit, nous apprend qu'il avait appartenu à un ancien patriarche de Constantinople, Jérémie, retiré à l'Athos, au monastère de Stavronikita : Ἰερεμίου Πατριάρχου Μονῆς Σταυρονικήτα. Une autre note, au v° du fol. 348, nous informe qu'à la mort du patriarche, ce ms. devint la propriété du monastère : Ἡ βίβλος αὕτη ἐστὶ τῆς Μονῆς τοῦ Σταυρονι *(sic)*. C'est de là qu'Arsène Suchanof l'apporta en Russie.

4. **M** contient encore, en commun avec **L** : a) un *commentaire sur Isaïe* dont l'authenticité chrysostomienne n'est plus contestée (fol. 1-87) ; cf. *PG* 56, 11-94 ; voir L. DIEU, *RHE,* XIII, 1912, p. 641-642 ; J. QUASTEN, t. III, p. 611-612. Ce Commentaire a été édité tout

πισκόπου Κωνσταντινουπόλεως τοῦ Χρυσοστόμου ὑπόμνημα εἰς τὸν Ἰώβ.

Le texte de **M**, contrairement à celui présenté par **L**, n'a subi aucune mutilation. L'écriture, qu'aucune tache ne vient ternir, est grande et élégante, et toujours parfaitement lisible.

On notera que les rares mots abrégés dans le texte de **M** (Θεός, Κύριος, ἐστιν et καὶ) sont les mêmes que ceux abrégés dans le texte de **L**.

Dans les marges, les six abréviations que présente **M** (ση[μειῶσαι], ὅρ[α], ὡρ[αῖον], Ⲭ = Χρυσοῦν, ὑ ou ὑπ[ό-δειγμα], γν[ῶθι]), se retrouvent dans les marges de **L**, aux mêmes endroits et à peu près dans les mêmes proportions[1]. Ces détails indiquent que **M** et **L** copient un même modèle.

2° **L** = *Laurentianus Med.*[2]; *pluteus IX; codex XIII;* X/XIe s.; sur parch. (sauf la première page, récrite plus tard sur papier)[3]; catenatus; 360 × 260 mm; 204 ff.; 2 col. à la page; 32/34 lignes par col.; divisé en quaternions; le manuscrit a subi des accidents. Le texte de **L** comporte les trois lacunes suivantes :

— I, **26**, 34 : κατεχώσθησαν [à II, **4**, 33 : χρή]ματα (= *Job* 1, 22a à 2, 5)[4].

---

dernièrement par Jean DUMORTIER dans *SC* n° 304. b) un *commentaire sur Jérémie,* dont l'authenticité chrysostomienne n'est pas encore établie (fol. 88-146); cf. *PG* 64, 739-1038; voir L. DIEU, *l.c.,* p. 642-643; sur son éventuelle attribution à Polychronius d'Apamée, voir *RHE*, XIV, 1913, p. 685-701. – **M** est, en outre, seul à posséder : a) Les deux *Lettres de Chrysostome à Innocent, évêque de Rome* (fol. 263-270); b) 17 *Épîtres à la diaconesse Olympias* (fol. 271-350).

1. Sur ces abréviations, on pourra consulter : L. DIEU, *l.c.,* p. 641, ainsi que MONTFAUCON, *Palaeographia graeca,* Paris 1708, p. 371-377.

2. Cf. A. BANDINI, *Catalogue des mss grecs de la bibl. Laurentienne* (tome I, 1764), p. 408, col. 2, et 409, col. 1 et 2.

3. Au XVe s., selon BANDINI, *Catalogue,* p. 409, col. 2.

4. *In marg. inf.,* on lit cette indication, peut-être de Bandini lui-même, quand il établit son catalogue : Λείπουσιν ἐνταῦθα φύλλα δύο, ἀγαπητοί.

– XXXIV, **4**, 10 : πονηρίας [à XXXVI, **2**, 3 : με]γάλα (= *Job* 34, 18 à 36, 24a)[1].

– XL, **6**, 2, à la fin (= *Job* 40, 20 à 42, 17). Le manuscrit **L** se termine sur les mots : ἐν τῷ Ταρτάρῳ · τοῦτ' ἔστιν[2].

Pour les ressemblances et les différences entre **L** et **M**, concernant le contenu des deux manuscrits, leurs abréviations et leurs signes, on se reportera à la description de **M**, p. 17 et 18.

II. Les témoins indirects : les Chaînes

1° **p** = *Vat. gr. Pii II 1*[3], XIe s. ; parch. ; 385 × 280 mm. ; 230 ff. ; deux col. à la page ; 35 lignes par col. environ ; le texte scripturaire, rubriqué, est incorporé dans la chaîne. Ce codex contient six livres de l'Ancien Testament ; seul le livre de Job comporte une chaîne qui occupe les folios 4-163[4].

Inc. : Ὅρα πρῶτον ἐγκώμιον τοῦτο...

Des. : Ἰὼβ ἐτῶν ἤθλησεν ἕπτα.

C'est Chrysostome (326 fois nommé) et Olympiodore

---

1. Cette lacune n'est pas signalée par Bandini dans son Catalogue. Peut-être est-elle postérieure à 1764, date de la publication du Catalogue. Là encore, ce sont deux folios qui manquent.

2. **L** ne cite pas *Job* 42, 14-17. En comparant avec **M**, on peut dire qu'il manque dans **L** les deux derniers folios. Le verso du second folio se terminait approximativement en milieu de page.

3. Voir : 1°) Sur le ms. lui-même : a) L. DUCHESNE, *Bibliothèque des écoles françaises d'Athènes et de Rome*, fasc. XII, Paris 1880 : *De codicibus Pii II graecis*, p. 5 ; b) *Catalogue du Vatican : Codices Reginae Suecorum et Pii II graeci* (1888), p. 131-132 ; c) KARO-LIETZMANN, *Caten. graec. Catalogus*, p. 324-325, Göttingen 1902 ; d) R. DEVREESSE, *SDB*, *l.c.*, col. 1142-1143. – 2°) Sur la bibliographie concernant le ms., P. CANART et V. PERI : *Sussidi bibliografici*, 1970 (*Studi e Testi* 261), p. 289.

4. Sur le prologue de Polychronius, les deux ὑποθέσεις, la liste des 27 chapitres, le prologue de Chrysostome, c.-à-d. celui de notre commentaire, et la προθεωρία au livre de Job, qui précèdent la chaîne (fol. 1-4), voir K.L., *l.c.*, p. 324.

(207 fois nommé) qui constituent le fonds de la chaîne; les autres auteurs cités sont ceux que Karo-Lietzmann attribuent à la chaîne I (cf. K.L., *l.c.*, p. 324). Le manuscrit est en bon état, mais l'ordre de ses quaternions a été bouleversé[1].

2° *Les trois représentants de la chaîne I*

a = *Athous Vatopedinus 590*[2], XIIe s.; parch.; 168 ff.; à pleine page; 33 lignes environ à la page; en minuscule; souvent difficile à lire, à cause de grandes taches[3], nombreuses miniatures, souvent très effacées. Les noms d'auteurs sont indiqués dans le texte ou dans les marges. En voici la liste : Apollinaire, Évagre, Clément, Didyme, Jean Chrysostome, Julien, Méthode, Olympiodore, Polychronius d'Apamée, Sévère. Quant aux prologues, ce sont ceux de la première chaîne (cf. K.L., *l.c.*, p. 520) sauf les numéros 9 et 10, qui sont absents.

b = *Patmiacus 171*[4]; monastère de S. Jean le théologien, VIIIe s.; parch.; en onciale; à pleine page; 35/37 lignes à la page environ. Le manuscrit comporte trois mutilations. Actuellement le texte de *Job* commence par I, 3 : Καὶ ἦν τὰ κτήνη αὐτοῦ... et le commentaire par : ῞Ορα αὐτὸν πλοῦτον ἔχοντα (cf. I, **3**, 4). Manque ensuite *Job* 4, 9-12c

---

1. Sur ce désordre du *Pii II 1*, on pourra se reporter à notre article paru dans *Scriptorium*, t. XXXIV, 1980, 1.

2. Cf. S. EUSTRATIADES et A. VATOPEDINOS, *Catalogue of the greek manuscripts in the Library of the Monastery of Vatopedi on Mount Athos* (Harvard Theological Studies XI), Cambridge 1924, t. I, Paris 1924. = Κατάλογος τῶν ἐν τῇ ῾Ιερᾷ Μονῇ βατοπεδίου ἀποκειμένων κωδίκων (῾Αγιορειτικὴ βιβλιοθήκη, t. I).

3. Cf. M. RICHARD, *Répertoire des Bibl. et des Catalogues des mss grecs*, p. 43.

4. Cf. Jos. SAKKELION : παθμιακὴ βιβλιοθήκη, Athènes 1890, p. 90-92. Ce ms., signalé par R. DEVREESSE (*SDB, l.c.*, col. 1142), par M. RICHARD (*Répertoire...*, p. 189), est inconnu de Karo-Lietzmann.

(cf. IV, **9**, 3-6; **12**, 3-5). Enfin 4 ff. ont disparu entre la page 512 et la page 513 du manuscrit, depuis XLII, **8**, 4 : κέρας ὀνομάσας, c.à.d. le commentaire de *Job* 42, 16c-17e, et pour notre texte tous les extraits de Chrysostome jusqu'à la fin.

c = *Vat. gr. 749 (olim 480)*[1]; VIIIᵉ/IXᵉ s.; parch.; 380 × 275 mm.; 250 ff.; sur deux col.; en onciale; 40 lignes environ par col.; orné de 57 miniatures[2]. Divisé en deux parties (1ʳᵉ partie : ff. 16-108; 2ᵉ partie : ff. 109-150). Le manuscrit est mutilé; aucune de ces mutilations n'intéresse notre commentaire sauf celles qui concernent *Job* 31, 6a-25 (cf. XXXI, **2**, 5-7; **3**, 3-9; **5**, 5-8; **6**, 4-5; **7**, 3-4; **8**, 5-9; **9**, 2-9) et *Job* 34, 35-37 (cf. XXXIV, **9**, 2-4; **10**, 4-8).

3° *Les deux représentants de la chaîne II*

y = *Vat. pal. gr. 230*[3]; Xᵉ/XIᵉ s.; parch.; 225 × 170 mm.; 246 ff.; *in quarto;* à pleine page; en minuscule; nombreuses miniatures, généralement en très mauvais état. Le manuscrit est mutilé, et des folios ont été déplacés[4].

z = *Ambrosianus B 117 sup.*[5]; XIIIᵉ s.; parch.; 278 × 186 mm.; 477 ff.; à pleine page; en minuscule; 20/22 lignes environ à la page.

---

1. a) Sur le ms. lui-même, voir *Catal. vat. : Codices graeci vaticani*, t. III (Cod. 604-866) *recensuit* DEVREESSE, 1950, p. 264-265; KARO-LIETZMANN, *l.c.*, p. 322; R. DEVREESSE, *SDB, l.c.*, col. 1142-1144. b) Sur la bibliographie concernant le ms., voir P. CANART et V. PERI, *Sussidi* p. 480.

2. Sur ces peintures, cf. J.B. PITRA, *Analecta Sacra* II, 1864, p. 393-394.

3. a) Sur le ms. lui-même, voir *Cat. du Vat. : Codices palatini graeci* (1885), p. 124; KARO-LIETZMANN, *l.c.*, p. 328.   b) Sur la bibliographie concernant le ms., voir P. CANART et V. PERI, *Sussidi* p. 260-261.

4. Sur ces accidents, voir K.L., *l.c.*, p. 328.

5. Cf. Aem. MARTINI - D. BASSI, *Catal. codicorum graecorum Bibliothecae Ambrosianae*, t. I, Milan 1906, p. 155; K.L., *l.c.*, p. 328; R. DEVREESSE, l.c., col. 1140.

Chapitre II : La valeur des témoins

I. *Examen critique de* **L** *et de* **M**

Ces deux manuscrits présentent des textes assez voisins l'un de l'autre. Leurs ressemblances autorisent à les grouper dans une même famille. Leurs différences permettent, cependant, de supposer qu'ils ne dépendent pas directement l'un de l'autre.

A. Leurs ressemblances :

1°) externes. Les deux manuscrits présentent trois premières séquences identiques; ils comportent, par ailleurs, un seul et même prologue pour le commentaire de Job. Tous deux commentent les mêmes versets, groupés de la même façon, et ne commentent, ni l'un ni l'autre, le chapitre 41 de Job.

2°) internes :

a) **L** et **M** présentent deux cas de doublets identiques.

— I, **23**, 48-49 : Μικρὸν... ἐγώ, repris de la même façon dans **L** et **M** deux lignes plus bas.

— VII, **7**, 4 - **8**, 1 : φυλακὴν δὲ... κλίνη μου, repris avec les mêmes corrections en VII, **8**, 2, après κοίτης μου.

b) Certaines omissions, rendant le texte inintelligible, sont communes à **L** et à **M**. Par ex. XXI, **1**, 9 : ὅτι τῷ > **L M**; XXI, **1**, 15 : παραδοὺς αὐτὸν βίῳ > **L M**; XL, **2**, 7 : τίνος δὲ ἕνεκεν > **L M**, etc.

c) **L** et **M** ont en commun quelques fautes caractéristiques. Ainsi :

XXIII, **1**, 6 :	ἤμην	pour	ἐνῆν
XXIX, **2**, 7 :	ἐκ τοῦ θεοῦ	pour	ἐκ τοῦ λέγειν
XXIX, **7**, 2 :	ἣν ἐδεδοίκειν	pour	ἐνεδεδύκειν
XXXVIII, **1**, 15 :	φιλαρτικῶς	pour	φορτικῶς
LX, **8**, 4 :	μέμψασθαι	pour	χρίμψασθαι
XLII, **3**, 7 :	πάλιν ὠδίνησεν	pour	παλινωδίαν ᾖσεν.

Toutes ces ressemblances permettent d'affirmer que **L** et **M**
constituent une famille à part, dépendant d'un modèle
commun.

B. Leurs différences :
1⁰) externes. Dans l'intitulé :
M Εἰς τὸν Ἰώб.
L Εἰς τὸν μακάριον Ἰώб.

2⁰) internes. Sans parler de l'addition ou de l'omission de
petits mots, propres à **L** ou à **M**, de quelques lacunes de **L**
dont le copiste a reporté le texte en marge, on trouve
un certain nombre de variantes, dont voici quelques
exemples :

I, **23**, 35 :	**M**	ἀλείμματα	**L**	ἐγκλήματα
II, **9**, 56 :	**M**	λέγων	**L**	λέγουσα
II, **17**, 13 :	**M**	ἦν	**L**	πῶς
VII, **4**, 4 :	**M**	παρέρχομαι	**L**	προσέρχομαι
XXXII, **7**, 1 :	**M**	ὑμῶν	**L**	ὑμῖν, etc.

Ces différences prouvent que, si ces deux manuscrits
proviennent d'une source commune, ils supposent, cependant, l'existence, entre eux et l'archétype, d'un ou de
plusieurs intermédiaires[1]. Bien que les deux présentent un

---

1. Peut-on aller plus loin et établir une dépendance entre ces deux
manuscrits? Nous pensons que oui, car certains faits sembleraient
indiquer que c'est **L** qui dépend de **M**, ou, du moins, d'un modèle de **M**.
En effet :
1⁰) C'est **L** qui corrige **M** et non l'inverse. Par ex. :
En II, **17**, 13, **M** : Ἐννόησον ἦν ἑαυτὸν ἐν τούτοις ὁρᾷ. **L** corrige ce
texte inacceptable et écrit : Ἐννόησον πῶς ἑαυτὸν ἐν τούτοις ὁρᾷ. Il est
probable que **M** a laissé tomber un mot. On trouve, en effet, dans **p** :
Ἐννόησον ὅσον ἦν ἑαυτὸν ἐν τούτοις ὁρᾶν. **L** a donc corrigé le texte
inadmissible de **M**.
En XXIII, 1, 6, **L** a réparé un texte fautif de **M**. Il corrige, à tort, en
παρ' αὐτῷ le παρ' αὐτό de **M**, parce que **M** et donc **L** portent ἤμην au
lieu de ἐνῆν, leçon donnée par **pabc**, et la seule possible.
2⁰) On peut ajouter toute une série de corrections indiquées dans **M**
et qui ont passé dans le texte de **L**. Par ex. :

texte de valeur sensiblement égale, on a accordé, pourtant, la préférence à **M**, dont les leçons sont généralement meilleures[1], et qui offre l'avantage de présenter un texte complet.

II. Examen critique de p

Le *Vat. gr. Pii II 1* est présenté par R. Devreesse comme un manuscrit d'une valeur exceptionnelle[2]. Au moment où il rédigeait son article, R. Devreesse n'avait pu comparer **p** qu'avec les mss de chaînes sur Job du Vatican *(Vat. gr. 338, 697, 749, 750)*, les seuls qu'il ait étudiés «avec quelque loisir». Son jugement garde, cependant, toute sa valeur. Mais le parallèle entre **LM** et **p** nous a permis de nuancer cette appréciation. Si **p** est, en effet, le meilleur manuscrit des chaînes sur Job, il présente, cependant, des faiblesses qu'il convient de mettre en évidence, pour mieux marquer les rapports entre lui et **LM**.

A. Valeur de p

1°) **p** est, de tous les mss de chaînes, le seul à donner presque la totalité du commentaire. Dans le chapitre I, par

II, 9, 6	**M** : κατέχωσέ̃ς	**L** :	κατέχωσα (pour κατέχωσας)
IX, 11, 3	**M** : κενὲ̃ς	**L** :	κενῆς
X, 2, 2	**M** : ἔκρινέ̃ς	**L** :	ἔκρινας
XXXI, 6, 17	**M** : μανθάνό̃μεν	**L** :	μανθάνωμεν

Sans doute, le cas des corrections placées au-dessus d'un mot est ambigu. On pourrait, en effet, conclure de là, ou bien que **M** a été corrigé d'après **L**, ou que **L** a recopié **M** en utilisant ses corrections. Cependant, la seconde solution semble plus probable. Plusieurs exemples le prouvent. Nous n'en retiendrons qu'un. En XXXVIII, 5, 1 *(Job* 38,16) **L** a rétabli au-dessus de la ligne φωνὴ μεγάλη. La correction n'existe pas dans **M**. Elle s'y trouverait si **M** dépendait de **L**.

1 Le copiste de **L**, en effet, semble particulièrement négligent. Son texte comporte des omissions, dues à des homoiotéleutes, des oublis de petits mots et des corrections marginales nombreuses.

2 Cf. R. DEVREESSE, *SDB,* col. 1142-1143.

exemple, le plus long du commentaire (36 pages dans notre texte), on ne relève que dix courtes omissions de **p** — quelques mots, plus rarement quelques lignes — représentant au total une dizaine de lignes du texte, alors que les chaînes, pour ce même chapitre, ne donnent environ qu'un huitième du commentaire. On ne trouve, en revanche, que 120 cas environ — tous indiqués dans notre apparat — où notre texte est absent dans **p**, alors que, parfois, on le retrouve dans les autres chaînes.

2°) On peut, d'autre part, presque toujours lui faire confiance pour l'exactitude de ses attributions. Si le nombre des auteurs cités est moindre que dans les autres chaînes, l'attribution en est beaucoup plus exacte[1].

3°) La chaîne **p** ne cite de Chrysostome que les textes tirés du commentaire sur Job et qu'on retrouve dans **L** et **M**[2].

B. Ses faiblesses. Les comparaisons qu'on a pu établir avec **LM** et les passages des chaînes qui lui sont parallèles, montrent que **p** présente bien des négligences et une méthode qui lui est très particulière.

1°) Les négligences. Non seulement le copiste de **p** ne s'est pas aperçu du grave désordre de certains folios dans son modèle (cf. *supra,* p. 15, note 1), mais il a dû aussi reporter en marge des fragments du texte scripturaire ou du

---

1. Il ne met, en effet, que deux fois un même extrait sous le nom de deux auteurs différents (Chrysostome et Polychronius; Théodoret et Méthode); six fois seulement, il attribue faussement des textes de Chrysostome à un autre auteur (3 fois à Julien; 2 fois à Olympiodore; 1 fois à un anonyme : ἄλλος); enfin, il ne met que 3 fois sous le nom de Chrysostome, des textes qui ne sont pas de lui.

2. S. Haidacher a prouvé que, au contraire, les mss de la chaîne II, et plus rarement ceux de la chaîne I, n'hésitent pas à commenter le texte de *Job* par des passages de Chrysostome tirés d'œuvres autres que notre commentaire; cf. S. HAIDACHER, *l.c.,* t. I, p. 218-225.

commentaire qu'il avait oublié de transcrire[1]. Il y a plus grave que ces simples oublis, c'est sa méthode.

2°) La méthode de p.

a) Tout d'abord, **p** n'hésite pas à contaminer les textes de Chrysostome, en ajoutant à leur suite, sans mentionner l'addition, des textes que l'on retrouve dans les chaînes sous d'autres noms. Un exemple suffira à illustrer la chose. Au ch. XVI, **6**, 7, après πάσχω, **p** ajoute un passage donné par Young comme d'Olympiodore et de Polychronius (cf. Young, *Catena* p. 308, l. 3 *a.i.* : οὐκ ἀπεκρύβη — p. 309, l. 3 : ἀναγόρευσιν).

b) On comprend fort bien qu'il supprime des passages qui lui semblent inutiles. C'est le propre des chaînes de résumer les textes pour n'en garder que l'essentiel. Notre ms. **p** ne s'en prive pas (cf. II, **9**, 45-46; **18**, 8-9; III, **1**, 23-24; 38-39, etc.). Mais il va plus loin. Soucieux de rendre le texte plus compréhensible, il n'hésite pas

– à préciser ce qui reste imprécis dans le texte de **LM**. Ex. VI, **8**, 4 : οὗτος en Ἐλίφαζ;

– à corriger, en XXXII, **2**, 12 un οὗτοι en οἱ φίλοι; en XIX, **6**, 2, un τοὺς ἀτραπούς, incorrect, en τὰς ἀτραπούς, contre **LM** et toutes les chaînes;

– à ajouter, en XIX, **1**, 3, un pronom sujet dans une infinitive;

– à restituer un ἄν, un ὅτι indispensables au sens.

– à multiplier les γάρ, les οὖν, les δέ, pour rendre son texte plus lié et plus logique.

Son besoin de donner un texte plus compréhensible le pousse parfois à des initiatives heureuses[2]. C'est ainsi qu'en

---

1. On a relevé 13 cas de κείμενα, et 10 cas de textes du commentaire reportés ainsi dans les marges.

2. Ce n'est pas que **p** ne possède ses erreurs personnelles : cf. XXXI, **9**, 3, un μέτρῳ pour μέτριος; XXXII, **2**, 7, un οὐχ οὕτως au lieu de οὐχ ὅτι, qui rendent le texte inintelligible.

XXXII, 1, 2, il est le seul à présenter un οὐδὲν qu'il a sans doute ajouté et qui rétablit le sens évident du texte; de même en XVI, 2, 8, **p** restitue un εἶχον au lieu de εἶπον donné par **LMabcyz**, absolument nécessaire à la compréhension du texte. Autre exemple : **LM** écrivent (II, 1, 12-14) à propos de l'arrivée des anges et du diable auprès de Dieu (*Job*, 2,1) : Ὁρᾷς ἐπὶ τίνι μὲν ἐκεῖνοι παρίστανται, ἐπὶ τίνι δὲ οὗτος · ὥστε πειράζειν ἐκεῖνον, ὥστε οἰκονομεῖν τὰ ἡμέτερα. «Tu vois les raisons qu'ont les anges d'être présents. Mais, le diable, pourquoi? C'est pour tenter Job, pour administrer nos affaires.» Ce texte paraît étrange à **p** qui n'hésitera pas à introduire une phrase et à modifier l'ensemble : ὥστε πειράζειν ἐκεῖνοι μὲν ὥστε οἰκονομεῖν τὰ ἡμέτερα, οὗτος δὲ ὥστε διαστρέφειν. «Pourquoi donc sont-ils présents? C'est pour essayer, les uns (les anges), d'administrer nos affaires, lui (le diable), de les bouleverser.»

Parfois aussi, il lui arrive d'être moins heureux, comme en XXXI, 1, 13-15. Le texte primitif était, sans doute, le suivant : εἰκότως ἄν τις εἰς τὴν ἐναντίαν καταστήσειεν, ἕξει γοερῷ τινι καὶ πολυθρήνῳ παραδοὺς αὐτὸν βίῳ (il s'agit de celui qui aime s'amuser et s'adonne à la sensualité). «Il est normal qu'on le place dans une situation opposée, en le mettant dans un état d'affliction et une vie de désolation.» Mais, se trouvant devant un texte corrompu où le verbe manque εἰκότως ἄν τις εἰς τὴν ἐναντίαν κατάστασιν ἐν[1] ἕξει γοερῷ τινι καὶ πολυθρήνῳ παραδοὺς αὐτὸν βίῳ, **p** n'hésite pas à restituer ce verbe en transformant ἐν ἕξει en ἐνάξῃ (itacisme pour ἐνάξοι).

On voit, par conséquent, qu'on ne peut faire une confiance absolue à **p**, car, outre ses négligences, il prend des libertés avec son modèle, ajoutant, supprimant, ou

---

1. Peut-être s'agit-il d'une mélecture pour καταστήσειεν.

même modifiant carrément[1]. Cette méthode aboutit souvent à plus de précision, de clarté, d'élégance et de logique, mais aussi parfois à des obscurités, voire même à une incompréhension du texte. On ne l'a donc utilisé qu'à bon escient, dans la mesure où ses leçons peuvent éclaircir la «lectio difficilior» de **LM**, finalement préférable dans bien des cas, d'autant plus qu'elle est souvent appuyée par les autres chaînes contre **p**.

C. Les rapports de LM et de p

Si les chaînes donnent parfois raison à **LM**, notamment lorsque **p** abrège, on peut dire généralement que c'est **p** qui appuie le texte de **LM** contre celui des autres chaînes. Il suffit de parcourir l'apparat pour s'apercevoir que ces cas sont innombrables.

On soulignera cependant certains faits qui, à nos yeux, sont particulièrement importants, car ils montrent que **p**, s'il ne dépend pas de **LM**, recopie un modèle qui en est très proche. On retrouve, en effet, chez les trois des leçons qui les situent dans un rameau très ancien, différent de celui des chaînes. On ne retiendra qu'un exemple. En XXIX, 2, 7, on retrouve une faute du modèle commun de **LMp**. Ce dernier avait sous les yeux : ὅτι γὰρ διὰ τοῦτο ἐζήτει τὴν προτέραν εὐπραγίαν, ἵνα δειχθῇ τοῦ θεοῦ ἡ πρόνοια δῆλον ἐκ τοῦ λέγειν... «Il est clair que c'est pour montrer la providence de Dieu que (Job) recherchait son bonheur d'antan, puisqu'il dit...» Or, dans **LM**, au lieu de ἐκ τοῦ λέγειν on trouve ἐκ τοῦ Θεοῦ. Grave erreur qui rend le texte inintelligible. C'est certainement ce texte incompréhensible que le copiste de **p** avait sous les yeux, mais il n'a pas accepté de transcrire une sottise, et il a réparé en ἐκ τῶν προλαβόντων : «(C'est clair), d'après ce qui précède.» Cela

---

1. Ex. I, **16**, 27 : καταλείπωμεν **LMabcyz** καταλίπῃ **p**; XIX, **1**, 3 : ἀπὸ τῆς παραμυθίας **LMabcyz** εἰς τὴν παραμυθίαν **p**.

prouve que **p** appartient à la famille de **LM**, et qu'il n'a pas non plus sous les yeux le texte des autres chaînes, qui, toutes, portent le bon texte : ἐκ τοῦ λέγειν.

Au terme de ces analyses, il apparaît donc que **p** appartient à la famille de **LM**, sans dépendre d'eux directement, car on retrouve chez lui d'excellentes leçons perdues par **LM**[1], des leçons conservées par les autres chaînes[2], d'autres enfin qui s'imposent pour le sens[3].

Les réserves qu'on a pu faire à son sujet n'empêchent pas que **p** soit de loin le meilleur manuscrit des chaînes, et, pour reprendre le mot de R. Devreesse, «de première autorité pour la reconstitution du commentaire de Jean Chrysostome sur Job». On a donc pris soin de relever intégralement ses leçons pour établir le texte qui repose essentiellement sur **LM** et **p**.

III. Examen critique de la chaîne I

R. Devreesse donne à cette chaîne une importance bien supérieure à celle de la chaîne II. Il classe, par exemple, le *Vat. 749* (= **c**), parmi les excellents témoins du premier groupe de chaînes (*l.c.*, col. 1144, l. 32). Elle constituerait un développement de la chaîne représentée par le *Pii II 1*. L'essentiel, à ses yeux, c'est que «les morceaux chrysostomiens ont été écourtés» dans le type I (*ibid.*, col. 1144, l. 15 *a.i.*), et que ce fonds «fragmenté en courtes citations» a été «augmenté d'emprunts à d'autres commentateurs» (*ibid.*, col. 1143, l. 13). Que faut-il penser de ce jugement?

Pour répondre à la question, nous étudierons les trois

---

1. II, **17**, 13 : **p** : ὅσον ἦν ἑαυτὸν ὁρᾶν; **L** : πῶς ... ὁρᾷ; **M** : ἦν ... ὁρᾷ. – XXIX, **7**, 2 : **p** : ἐνεδεδύκειν; **LM** : ἦν ἐδεδοίκειν, etc.

2. XXXI, **1**, 9 : **pabcyz** : ὅτι τῷ; **LM** omis. – XXXVIII, **14**, 3 : **pabcyz** : οὐ γὰρ ἂν ὡς; **LM** οὐ γὰρ ὡς ἄν. – XL, **8**, 4 : **pabcyz** : χρίμψασθαι; **LM** : μέμψασθαι etc.

3. XXXVIII, **1**, 15 : **p** : φορτικῶς; **LM** : φιλαρτικῶς etc.

manuscrits **a b c** retenus comme témoins de la chaîne I.
Nous établirons d'abord qu'ils appartiennent à une même
famille. Nous essayerons ensuite de déterminer la valeur de
leur témoignage.

A. *a b c appartiennent à une même famille.*

1°) Identité des prologues[1]; **a** et **c** ont des prologues
qui coïncident; ils ne possèdent pas le prologue de **LM**,
que **p** est le seul ms. de chaînes à reproduire, n'attribuent
aucun prologue à Chrysostome, présentent dans le même
ordre un prologue d'Olympiodore, deux prologues de
Polychronius (le second n'étant pas nommément attribué
par **c**).

2°) Même liberté des trois mss à l'égard des textes. On
retrouve dans les trois, parfois les mêmes additions[2], plus
souvent les mêmes omissions[3], parfois aussi les mêmes
déplacements de textes[4].

3°) Même accord de **a b c** sur des variantes importantes,
qui rendent souvent le texte inintelligible. Par ex. :

XXI, **2**, 8 : πῶς au lieu de πλὴν.

XXXI, **1**, 14 : ἀντιθεὶς au lieu de ἄν τις εἰς.

XXXVII, **1**, 5 : κλῆσιν au lieu de κρᾶσιν.

XXXVIII, **31**, 5 : δέον au lieu de λέων, etc.

---

1. Cet argument ne vaut pas pour **b**, qui a perdu ses neuf premiers
folios.

2. Ainsi, en VI, **7**, 6, après ὑπομένω **abc** ajoutent : Ποίαν γὰρ ἔχω,
φησί, δύναμιν ὥστε τὰ τηλικαῦτα καρτερῆσαι. En XVIII, **5**, 3, après τοῦτ'
ἔστιν, on lit dans **abc** : ἀπαραίτητος τιμωρία.

3. Voici quelques exemples tirés de la vingtaine de cas que nous
avons relevés : VI, **7**, 7 : Εἰ γὰρ ἐβούλετο > **abc**. – IX, **18**, 3-4 : Οὐχὶ
ἐγκαλοῦντός ἐστιν ἀλλὰ ζητοῦντός ἐστιν > **abc**. – XIV, **6**, 6-8 : ῍Η
ἐπιλέλησαι — τῶν ἐμῶν κακῶν > **abc**. – XXVIII, **3**, 5-6 : Τοῦτό ἐστιν τὸ
μέγιστον ἀγαθόν > **abc**.

4. Ainsi en III, **4**, 5-6, Τί λέγεις — παραμυθίας est déplacé par **abc**
après le mot μητρός (III, **4**, 53). En XXXVIII, **1**, 4-5, ὥστε αὐτοῦ
διαναστῆσαι — φέρεται ἡ φωνή, est inséré par **abc** entre πλησίον αὐτοῦ et
τοῦτο δοκεῖ (**1**, 8); etc.

Toutes ces fautes, communes à **a b c**, prouvent qu'ils appartiennent à une même famille, mais posent en même temps la question de leur crédibilité.

B. *Valeur de* **a b c**

1°) Tout d'abord, on ne peut faire fonds sur leurs «lemmes», c.-à-d. les attributions de leurs extraits à tel ou tel auteur. Il y règne une grande incertitude. Tantôt, ils ne sont pas d'accord entre eux, tantôt ils ne sont pas d'accord avec **y z**, tantôt enfin **a b c** ne sont pas d'accord avec **L M p**. On n'accordera donc à leurs attributions qu'une valeur très limitée[1].

2°) De plus, le texte donné par **a b c** ne reproduit pas fidèlement celui de notre commentaire. Ils contractent parfois le texte[2], et même le résument[3], comme c'est le propre d'une chaîne.

3°) Il faut reconnaître qu'en dépit de ces insuffisances, il arrive à **a b c** de conserver quelques bonnes leçons qui ont

---

1. Ils ne cherchent pas, d'ailleurs, à donner le change, puisque, une fois au moins, ils avouent explicitement prendre leur texte dans une autre œuvre de Chrysostome. On lit, en effet, en toutes lettres, en **a** (29ᵗᵒ), **b** (p. 24, l. 6 *a.i.*), **c** (37ᵛᵒ, l. 6 *a.i.*) : Τοῦ ἁγίου Ἰωάννου ἀρχι-Κωντ *(sic)* ἐκ τοῦ εἰς τὸν Ματθαῖον ὑπομνήματος Λόγου ΛΔ (= 34) en face du texte : Ἐν πλουτῷ καὶ ἐν τρυφῇ ------ μεγάλων καὶ ἀφορήτων (cf. YOUNG, p. 135, l. 4 *a.i.* = *PG* 64, 584, l. 21). Ce passage de l'*homélie 34 sur S. Matthieu* se retrouve en *PG* 57, 396, l. 7 s.

2. Par ex. en VI, 1, 18-22, où **abc** contractent le texte en passant du premier ἀφ' ὦν au second. En V, 7, 3-4, ils passeront de même du premier δίκαιος au second.

3. Par ex. en VI, 6, 2-4 :

LMp	abc
Οὐ μὴ φείσωμαι τῆς πρὸς ὑμᾶς	Τοιγαροῦν, φησίν, τῆς πρὸς ὑμᾶς
ἀντιλογίας, φησίν · οὐ γὰρ	ἀντιλογίας οὐ φείσομαι,
σύνοιδα ἐμαυτῷ τοιοῦτον	ἐπειδὴ μὴ σύνοιδα ἐμαυτῷ
οὐδὲν οἷον ὑμεῖς λέγετε.	παραβεβηκότι ἐντολὴν τοῦ Θεοῦ.

Ici, **abc** non seulement modifient l'ordre des mots, mais reprennent la pensée sous une autre forme.

paru s'imposer, quand le texte de **L M p** n'était pas satisfaisant. Ainsi :

en XXIII, 1, 6 : **abc** : ἐνῆν, **yz** : ἦν, **LMp** : ἤμην

XXXI, 1, 14 : **abc** (+ **yz**) : καταστήσειεν, **LMp** : κατάστασιν ἐν

XXIX, 2, 7 : **abc** (+ **yz**) : ἐκ τοῦ λέγειν, **LM** : ἐκ τοῦ θεοῦ, **p** : ἐκ τῶν προλαβόντων; etc.

L'étude attentive de **abc** montre donc que, malgré l'antiquité de ces trois témoins, leur texte est très inférieur à celui de **L** et de **M**. Ils attestent, cependant, un témoignage indépendant, où l'on peut parfois percevoir un écho de la tradition authentique. C'est pourquoi, sans citer systématiquement toutes leurs leçons, nous en avons néanmoins fait état, toutes les fois qu'elles semblaient pouvoir éclairer le texte de base, et permettre parfois de choisir entre les leçons de **LM** et celles de **p**.

IV. Examen critique de la chaîne II

Ce sont les manuscrits **y** *(Vat. gr. 230)* et **z** *(Ambrosianus B. 117 sup.)* qui, dans notre étude, représentent le type II des chaînes. Cette seconde famille est considérée par R. Devreesse, comme «un nouveau remaniement» de la chaîne I, «avec de nouveaux auteurs introduits dans la collection, déjà élargie», avec «des lemmes brouillés, des citations arrangées». «Encore faut-il noter», précise-t-il, «que les mss les plus récents et les plus corrompus ont été précisément ceux que reproduit Young; c'est de là que procède la plus grande partie des exégèses fragmentaires sur Job qui nous sont présentées dans les éditions». «Le meilleur sort qu'on puisse leur faire», conclut-il, «sera donc de ne jamais s'en servir pour illustrer la pensée des Pères grecs sur le livre de Job.» (cf. *l.c,* col. 1143, l. 16 s.).

La suspicion dans laquelle R. Devreesse tient cette chaîne est légitime, s'il s'agit de l'exactitude de ses lemmes et de la fidélité de son texte. Il faut avouer, cependant, que cette

seconde chaîne a son intérêt. Elle nous présente un texte
plus lisible, s'il est moins fidèle. Quand la première chaîne
écourte et résume, la seconde arrange, explique et para-
phrase. Son texte est souvent si libre qu'il n'est pas difficile
d'y reconnaître une chaîne distincte de **a b c**. Pourtant, il
faut souligner avec R. Devreesse que c'est du type I qu'elle
dépend (cf. *l.c.*, col. 1143), et on montrera comment **y z**
utilisent différemment le même texte que **a b c**.

A. **y z** constituent un type de chaînes différent de celui
d'**a b c**. On notera d'abord que leurs prologues (cf. Karo-
Lietzmann, *l.c.*, p. 319 et 327) se distinguent de ceux d'**a b
c**. D'autre part, les mss de la chaîne II – comme l'a bien
montré S. Haidacher – contiennent des textes empruntés à
d'autres œuvres de Chrysostome et qui n'appartiennent pas
au commentaire primitif. Ces textes ne se retrouvent pas
dans **a b c**[1], et c'est là une seconde différence avec les mss
de la chaîne I; mais l'analyse de **y z** amène à faire encore
deux remarques décisives.

1°) **y z** citent des passages de notre commentaire que ne
citent pas **a b c**. Nous avons relevé 28 cas où **y z** sont
présents quand **a b c** sont absents.

2°) Cependant, il arrive aussi que **y z** ne citent pas des
passages de notre commentaire, que conserve la chaîne **a b
c**. Nous avons relevé 27 cas où **y z** sont absents quand **a b
c** sont présents. Ainsi, mêmes prologues, mêmes présences
de **y z** en l'absence de **a b c**, ou mêmes absences de **y z**
quand **a b c** sont présents, voilà autant de preuves qui
montrent que nos deux mss sont bien des représentants

---

1. Nous avons pourtant retrouvé dans *Vat. gr. 749* (= **c**), fol. 25ʳ,
l. 11, le texte : Προσέθηκε τὸν στέφανον τῆς ἀκακίας ... cité par Young,
p. 69, l. 6 *a.i.* (cf. PG 64, 548) et qui a été identifié par S. Haidacher
(cf. *l.c.*, p. 223) comme étant un extrait du *IVᵉ sermon sur Job* (cf. PG 56,
577). On se rappellera aussi le texte du *commentaire sur S. Matthieu,* cité
plus haut; cf. *supra,* p. 26, n. 1.

d'une chaîne distincte de celle à laquelle appartiennent **a b c**.

B. Par ailleurs, cependant, **y z** semblent se rattacher à une source identique à celle de **a b c**.

1°) Souvent, en effet, ils se retrouvent avec **a b c** contre **L M**, comme le montre le tableau suivant (XVIII, 1, 12-15) :

L M	p	a b c	y z (Young 319, l. 14)
πλειόνων πλείονα ποιήσει, φησίν, αὐτὸς νικήσας	πλείονα ποιήσει, φησίν, [ ] νικήσας	πλέον ἀπόισει, φησίν, αὐτὸς νικήσας	πλέον ἀπόίσῃ, φησίν, αὐτὸς νικήσας
. . . .	. . . .	. . . .	. . . .
ὅρα μεμφομένους	ὅρα μεμφομένους καὶ αἰτιώμενους	ὅρα μεμφομένους καὶ αἰτιώμενους	ὅρα μεμφομένους καὶ αἰτιώμενους

2°) Souvent le texte de **y z** ne peut s'expliquer que par celui de **a b c**. Ainsi en IV, 2, 3, en face de : οὐκ εἶπεν · μὴ ἔπραξας : (Éliphaz) n'a pas dit : « N'as-tu pas fait quelque chose de mal? », **a b c** présentent un : μὴ ἐπράξαμεν qui n'a aucun sens; **y z** arrangent, en proposant : μὴ πέπρακται.

En XXXVIII, 4, 27, en face de : ἄρα οὐχ ἁπλῶς τοσαῦτα γεγένηται, **a b c** présentent un τοσαύτης dénué de sens; **y z** corrigent : ἄρα οὐχ ἁπλῶς τοσαύτη < ἡ γῆ > γεγένηται et retrouvent un sens. On voit comment **y z** n'hésitent pas à arranger le texte qui leur est proposé.

Pour mieux faire ressortir cette méthode, nous citerons un texte caractéristique qui permettra d'embrasser d'un seul regard les procédés des différents témoins. Dans la première colonne, nous placerons le texte du commentaire; dans la deuxième, celui de **p**; dans la troisième, nous verrons le traitement que lui fait subir la chaîne de type I, essentiellement des abréviations. Dans la quatrième

colonne, nous constaterons toutes les faiblesses de la
chaîne représentée par **y z** : elle déplace les textes, les
modifie, les présente sous des lemmes erronés. Ce parallèle
montrera combien nous étions fondés à prendre le texte de
L et de **M**, comme texte de base de notre commentaire.

L M (XIX, 9, 18-24)	p (attribué à Julien)	a, b, c (Chrysostome)	y, z (Polychronios)
Ἤτοι τὰ τῆς συμφορᾶς,	Ἤτοι τὰ τῆς συμφορᾶς,	Ἤτοι τὰ τῆς συμφορᾶς,	Ἤτοι τὰ τῆς συμφορᾶς, ὥστε πάντοθέν τινα θηρᾶσθαι συμπάθειαν ἐπειδὴ φέρει τινὰ καὶ τοῦτο παραμυθίαν
ἤτοι τὰ τοῦ βίου τὰ ἐν ταῖς ἀρεταῖς ἃ ἐμαρτύρει ἑαυτῷ ὅτι οὐκ ἦν πονηρός (γίνεται δὲ τὸ μὲν ἐκ τοῦ συνειδέναι ἑαυτῷ)	ἤτοι τὰ τοῦ βίου τὰ ἐν ταῖς ἀρεταῖς ἃ ἐμαρτύρει αὐτῷ ὅτι οὐκ ἦν πονηρός (γίνεται δὲ τὸ μὲν ἐκ τοῦ σφόδρα συνειδέναι ἑαυτῷ)	ἤτοι τὰ τοῦ βίου τὰ ἐν ταῖς ἀρεταῖς ἃ ἐμαρτύρει ἑαυτῷ ὅτι οὐκ ἦν πονηρός	εἴτε τὰ τοῦ βίου τὰ ἐν ταῖς ἀρεταῖς ἐμαρτύρει αὐτῷ ὅτι οὐκ ἦν πονηρός
οὕτω γὰρ θαρρῶ, φησίν, οὐδένα ἠδικηκώς, ὥστε ἐβουλόμην καὶ μετὰ ταῦτα γραφῆναι	οὕτω γὰρ θαρρῶ, φησίν, οὐδένα ἠδικηκώς, ὥστε ἠβουλόμην καὶ μετὰ ταῦτα γραφῆναι	οὕτω γὰρ θαρρῶ, φησίν, οὐδένα ἠδικηκώς, ὥστε ἐβουλόμην εἴπερ ἐνῆν γραφῇ παραδοθῆναι	οὕτω γὰρ θαρρῶ, φησίν, οὐδένα ἠδικηκώς, ὥστε ἐβουλόμην εἴπερ ἐνῆν γραφῇ παραδοθῆναι

L M (XIX, 9, 18-24)	p (attribué à Julien)	a, b, c (Chrysostome)	y, z (Polychronios)
τὰ τῆς συμφορᾶς	τὰ τῆς συμφορᾶς	τὰ κατ' ἐμέ, καὶ τοῖς μετὰ ταῦτα γενέσθαι γνώριμα.	τὰ κατ' ἐμέ, καὶ τοῖς μετὰ ταῦτα γενέσθαι γνώριμα.
Ἐπειδὴ φέρει τινὰ καὶ τοῦτο παραμυθίαν	Τὸ δὲ ὅτι φέρει τινὰ καὶ τοῦτο παραμυθίαν		

Traduction du texte de **LM**

(Il veut parler) ou bien du récit de son malheur, ou de celui de sa vie, de ses actes vertueux, qui témoignent à ses yeux qu'il n'était pas un méchant (et cela vient de ce qu'il en avait conscience). Je suis si sûr, en effet, dit-il, de n'avoir commis d'injustice envers personne, que je voudrais, même après ce qui est arrivé, qu'on écrive le récit de mon malheur. Car cela aussi apporte quelque consolation.

Au terme de ces analyses, nous nous risquons à proposer le stemma suivant, qui matérialise bien nos conclusions : la parenté de **p** avec **L M** et celle de **y z** avec **a b c**.

STEMMA

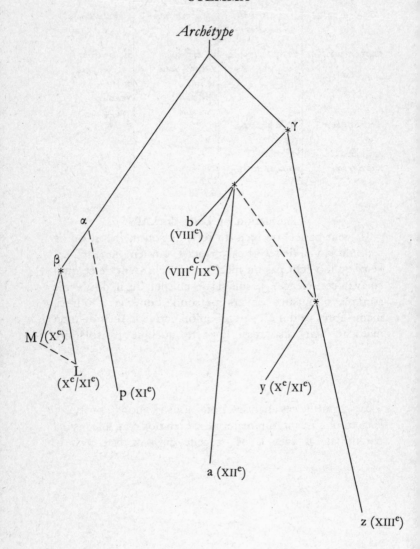

Archétype

γ

α

β

b (VIIIe)

c (VIIIe/IXe)

M (X^e)

L (X^e/XIe)

p (XIe)

y (X^e/XIe)

a (XIIe)

z (XIIIe)

Deuxième partie : authenticité chrysostomienne

Cette authenticité n'est pas évidente, à première vue.

1°) On trouve, en effet, dans les chaînes, des textes donnés sous le nom de Chrysostome, que l'on ne trouve pas dans notre commentaire.

2°) On a proposé, justement, de voir dans le *Laurentianus* un compendium d'extraits chrysostomiens tirés d'une chaîne[1], et qui constituerait comme un abrégé d'une œuvre primitivement plus développée[2].

3°) Enfin, la rudesse du style, l'aspect souvent négligé de l'expression ne semblent guère dignes du grand orateur qu'est Chrysostome.

C'est à ces objections qu'il faut donc tout d'abord répondre.

1°) Il y a, dans les chaînes, des textes qui sont bien de Chrysostome, mais qui n'appartiennent pas à notre commentaire. Le travail de S. Haidacher[3] a suffisamment montré la liberté avec laquelle la deuxième chaîne fait appel à des textes appartenant à d'autres œuvres chrysostomiennes[4]. Or, aucun de ces textes ne se retrouve dans notre commentaire, et c'est déjà là une preuve, négative, de sa valeur.

---

1. Cf. R. Devreesse, *l.c.*, col. 1142, l. 7.

2. Cf. J.B. Pitra, *Analecta sacra*, t. II : *Patres antenicaeni*, p. 360, n. 3 : «Sed multum vereor ne hic tantum teneamus majoris commentarii breve et exsangue compendium...», L. Dieu, *l.c.*, p. 651, *in fine*.

3. Cf. S. Haidacher : «Chrysostomus-Fragmente, A : Chrysostomus-Fragmente zum Buche Job», dans χρυσοστομικά, *Studi e Ricerche intorno a San Giovanni Crisostomo*, t. I, p. 217-234 (Roma 1908).

4. Nous en avons aussi retrouvé deux dans les représentants de la première chaîne; l'un dans **abc** (cf. *supra*, p. 26, n. 1); l'autre dans **c** seulement (cf. *supra*, p. 28, n. 1).

Mais beaucoup d'autres extraits mis par les chaînes sous le nom de Chrysostome, ne sont pas de lui. Sans doute ne nous est-il pas toujours possible de restituer à leur véritable auteur les textes présentés par les chaînes comme chrysostomiens et qui sont absents de notre commentaire. Trop d'œuvres anciennes, en effet, sont perdues pour nous. Mais on sait le peu de confiance qu'il faut accorder aux lemmes de nos chaînes. Bien souvent, leurs attributions se contredisent; et, à notre avis, c'est seulement lorsque **LMp** s'accordent pour attribuer le texte à Chrysostome que l'on peut affirmer qu'il appartient bien à notre commentaire sur Job.

2°) Pour répondre à la deuxième objection, nous dirons que l'hypothèse qui voudrait voir dans le texte de **L** et de **M** un compendium des extraits de Chrysostome tirés d'une chaîne, ne paraît guère plausible, car la chaîne la plus complète que nous possédions est justement celle que contient le manuscrit **p**. Or, même lui ne possède pas tous les textes que l'on trouve dans **L M.** Voir dans ces deux manuscrits une chaîne plus complète apparaît comme une hypothèse gratuite.

3°) La rudesse du style pose un problème plus délicat. A notre avis, elle soulève la question de la manière dont bien des textes chrysostomiens nous sont parvenus. De soi, un texte rude et mal dégrossi n'est pas une preuve d'inauthenticité. On sait depuis longtemps que certaines œuvres de Chrysostome s'offrent à nous sous deux formes, qui représentent deux traditions différentes. C'est ainsi que pour les homélies – surtout celles prononcées à Constantinople, où Jean, accablé de travail et de difficultés, n'avait pas toujours le temps de revoir son texte – «il n'est pas rare que les manuscrits offrent deux éditions, l'une dans un style relativement uni, l'autre dans un état plus rude. La première représente une révision postérieure faite de façon délibérée, mais la supériorité et la plus grande autorité du texte rude sont trop évidentes pour être mises en doute, et le texte uni est sans autorité[1].»

Ces objections ne semblent donc pas contraignantes. Mais il ne suffit pas d'y répondre. Il faut encore étudier, d'une manière plus approfondie, l'authenticité chrysostomienne de notre texte.

Cette question, L. Dieu se l'était déjà posée, et y avait répondu par l'affirmative, sous réserve d'une étude plus attentive[2]. C'était aussi la position de R. Devreesse qui considérait l'article de L. Dieu «comme l'avance la plus sérieuse vers une solution définitive[3]».

Nous voudrions simplement ici reprendre la question sur des bases plus larges, en examinant les données de la tradition littéraire et de la critique interne.

Chapitre I. Les témoignages de la tradition littéraire

L'ensemble de la question a été présenté par L. Dieu[4].

1°) Il s'agit d'abord d'une citation du commentaire de S. Jean Damascène dans le «*De imaginibus*», III (*PG* 94, 1377 A). Cf. I, **26**, 3-10[5]. La concordance des deux textes

---

1. Cf. J. QUASTEN, *Initiation aux Pères de l'Église*, t. III, p. 607-608. Voir aussi : A. PUECH : *Histoire de la littérature grecque chrétienne*, t. III, p. 507 et n. 3. Ces observations de Quasten, qui s'appliquent tout particulièrement au *Commentaire sur les Actes* et à certaines homélies de Jean, ne pourraient-elles convenir pour notre commentaire? Ne serions-nous pas en présence d'un texte incomplètement élaboré, de notes de lecture dans lesquelles Chrysostome se proposait de puiser ultérieurement, en vue d'éventuelles homélies sur le livre de Job? On comprendrait, alors, le caractère «sauvage» du texte, qui n'aurait pas été révisé par l'auteur.

2. Cf. L. DIEU, *l.c.*, p. 658, *in fine*.

3. Cf. R. DEVREESSE, *l.c.*, col. 1141.

4. Cf. L. DIEU, *l.c.*, p. 653-657.

5. Cf. **L**, f. 139^{r2}, l. 8 *a.i.* – 139^{v1}, l. 12; **M**, f. 165^{r2}, l. 5 *a.i.* – 165^{v1}, l. 19.

est indiscutable; les deux excerpta se recouvrent et l'on doit voir dans le commentaire de Florence-Moscou, l'ἑρμηνεία τοῦ δικαίου Ἰώβ, à laquelle fait allusion S. Jean Damascène. Sans doute, faut-il remarquer que le texte se retrouve aussi dans la chaîne de Young, mais les légères variantes du Damascène par rapport à Chrysostome sont plus proches du texte de **LM** que de celui de Young. L. Dieu pouvait donc légitimement conclure : «En toute hypothèse, nous avons la preuve que dans le premier quart du VIIIe s. circulait sous le nom de Chrysostome, l'ἑρμηνεία τοῦ δικαίου Ἰώβ, que nous lisons dans le codex *Laurentianus XIII, Pluteus IX*[1]» (et dans **M**).

2°) Par ailleurs, la *Syro-Hexaplaire* atteste que cette œuvre était attribuée à Chrysostome dès le VIe s.[2]. En effet, on trouve dans cette version, en marge du livre de Job, des extraits en latin, tirés «ex ipsa explanatione ipsius Joannis», dans lesquels on reconnaît, littéralement traduits, des passages de notre commentaire[3].

On doit noter évidemment aussi, avec L. Dieu, le témoignage de la tradition manuscrite qui attribue à Chrysostome dans **L** (et dans **M**), l'ὑπόμνημα εἰς τὸν Ἰώβ, et qui remonte au Xe/XIe s.

Depuis l'article de L. Dieu, M. Richard, dans un article du *Muséon* de Louvain, t. LXXXVI, p. 249 s., paru en 1973, a publié des extraits du florilège du *codex Athous Vatopedinus 236* (XIIe s.), dans lequel il a repéré deux extraits de notre commentaire, qui sont référés expressément à : ἐκ τοῦ εἰς τὸν Ἰώβ ὑπομνήματος τοῦ Χρυσοστόμου. Il s'agit de notre texte, I, **23**, 51-57 : οὕτω... δέδοται (**LM** : δίδοται), et IV, **16**, 1-13 : εἰ κατὰ παίδων... γένοιτο, (**LM** :

---

1. L. Dieu, *l.c.*, p. 654.

2. Cf. *Monumenta sacra et profana ex codicibus bibliothecae Ambrosianae*, 1866-1874. VII : *Codex Syro-hexaplaris Ambrosianus photographice editus.*

3. L. Dieu, *l.c.*, p. 655-656.

ἐγένετο). Remarquons que les deux passages ne se trouvent que dans **LMp**; les chaînes, autres que **p**, ne présentent que deux petits extraits du second. Ces citations n'ont donc pu être tirées de notre première chaîne, mais bien de la branche **LMp**.

Ainsi, il semble que dès la fin du VIᵉ s. (la version syro-hexaplaire, en effet, fut faite en 616-617, à Alexandrie, par Paul, évêque de Tella), circulait un commentaire sur Job attribué à Chrysostome.

Chapitre II : La critique interne

La récolte des témoignages de la tradition littéraire pourrait paraître un peu maigre. Il faut, par conséquent, interroger la critique interne pour corroborer nos conclusions. Là encore, L. Dieu a ouvert la voie[1], mais on ne saurait se limiter à ses arguments, dans un domaine où c'est la multiplicité d'indices convergents qui est déterminante.

On envisagera donc, tour à tour, le texte scripturaire, la technique du commentaire, les principaux thèmes développés, enfin la langue et le style.

I. *Le texte scripturaire*

L'étude exhaustive du texte scripturaire utilisé par Chrysostome dans notre commentaire suffirait, à elle seule, à faire l'objet d'une étude particulière. Nous essayerons ici simplement de déterminer si le texte scripturaire du commentaire s'accorde avec celui qui est habituellement utilisé par Chrysostome. Nous examinerons donc, d'abord, le texte scripturaire du *Livre de Job* suivi par notre commentaire, ensuite, les autres textes de l'Écriture que cite l'auteur au cours de son exposé.

1. L. Dieu, *l.c.,* p. 657-658.

A. Le texte scripturaire suivi par notre commentaire.

C'est un fait connu et établi depuis longtemps que le texte de Jean est habituellement celui que présente l'*Alexandrinus* (**A**).

E. Grabe l'avait déjà souligné, et en particulier à propos du *Livre de Job,* au tome IV, cap. I, § 7, des Prolégomènes à son édition du « *Vetus Testamentum ex Versione LXX* », faite « *ad fidem codicis ms. Alexandrini*[1] ».

Le chanoine J. Dumortier a pu nuancer cette remarque de Grabe, grâce à un examen attentif des citations scripturaires des *Cohabitations suspectes*[2], et des *Lettres à Théodore*[3]. Il précise que, si le texte de **A** appuie souvent les leçons chrysostomiennes, la tradition des œuvres du grand docteur n'est point toujours unanime, et qu'on ne saurait, en cas de désaccord, préférer automatiquement la leçon des mss conforme au texte de l'*Alexandrinus.* «Il sera, en somme, toujours malaisé», conclut-il très justement, «de déterminer quelle fut la Bible de Jean. S'il a dû se servir d'une version grecque dont dériverait **A**, il n'est pas impossible qu'il ait consulté diverses versions, selon les auteurs qu'il cite. Dans certains cas, même, il n'est pas exclu qu'il ait pu consulter le texte hébraïque, ou, du moins, une version grecque qui suivait fidèlement le texte hébraïque.»

Plus récemment encore, dans sa communication sur les «Problèmes posés aux éditeurs de Jean Chrysostome par la richesse de son inspiration biblique[4]», donnée

---

1. Cf. L. Dieu, *l.c.,* p. 657, III, 1.

2. Cf. J. Dumortier : «Les citations scripturaires des Cohabitations suspectes, d'après leur tradition manuscrite», *Studia Patristica,* I (*TU* 63) 1957, p. 291-296.

3. Cf. J. Dumortier : «Les citations bibliques des Lettres de S. Jean Chrysostome à Théodore», *Studia Patristica,* IV (*TU* 79), 1961, p. 78-83.

4. Cf. Ἀνάλεκτα βλαταδῶν, 18. Συμπόσιον. *Studies on S. John Chrysostom,* Thessalonikè 1973, p. 59-76.

au *Colloque de Patristique* qui s'est tenu à Salonique en 1973, M.-L. Guillaumin a rappelé que « le ms **A**, qui appuie bien des leçons chrysostomiennes », présente un caractère composite : « Il accueille aussi bien, sur la base d'un texte reçu à Alexandrie, des apports antiochiens que des leçons origéniennes. »

A notre tour, nous avons étudié, chapitre par chapitre, la concordance du texte scripturaire présenté par les mss **LM** avec le texte de **A**. On se contentera de retenir ici, à titre d'exemple, les conclusions qui concernent le chapitre I dans lequel, sur 54 particularités que présente le texte de **A** par rapport au texte reçu, on en retrouve 37 dans le texte scripturaire de notre commentaire ; dans les autres cas, il les abandonne au profit du texte reçu.

Si l'on considère le texte scripturaire dans sa totalité, sur un ensemble de 1395 cas, on constate 853 accords et 542 désaccords avec le texte de **A**.

De ces observations, il ressort que, si notre texte n'est pas le texte pur et simple présenté par l'*Alexandrinus,* il est toutefois fortement influencé par lui. Lorsqu'il y a désaccord, en effet, notre texte, généralement, retrouve le texte reçu. Les concordances de notre texte scripturaire avec les particularités de **S** (= *Sinaïticus*) ou de **B** (= *Vaticanus grec. 1209*) sont très rares. Il ne s'écarte que 14 fois du texte commun pour suivre **B**, et que 7 fois pour suivre **S**.

Pour respecter l'originalité des leçons des mss, nous avons donc tenu scrupuleusement à présenter le texte scripturaire tel qu'on le trouve dans **L** et **M**. Nous ne l'avons jamais corrigé d'après les textes que présentaient les chaînes, sauf en de rares exceptions[1], où l'erreur du

---

1. Nous ne parlons pas, évidemment, de quelques corrections orthographiques : confusions entre des terminaisons verbales : ει/η (XIV, 4,4), εις/ης (XIV, 5, 1-2 ; XXII, 6, 3) ; une confusion entre -ην et -εν (V, 21, 6 : ἐξιχνιάσαμεν). En revanche, nous avons corrigé μεθ'ὑμῶν en

copiste était manifeste. Nous avons jugé, en effet, qu'il serait intéressant, notamment pour les biblistes, de présenter tel quel le texte que lisait Chrysostome, si toutefois il ne lisait qu'un seul texte.

Ce qui frappe, en effet, c'est l'homogénéité qui existe entre le texte scripturaire présenté par **L** et **M** et le commentaire qui en est fait, surtout lorsque ce texte scripturaire s'écarte de celui présenté par les chaînes. Il est très normal de découvrir dans les chaînes, c'est-à-dire dans tous les mss autres que **L** et **M**, un texte scripturaire différent de celui que commente Chrysostome. Le caténiste, en effet, se trouve devant plusieurs extraits d'auteurs divers, qui ne suivent pas toujours le même texte scripturaire. Il choisit donc celui qui s'adapte le mieux à l'ensemble, c'est-à-dire le texte reçu. Dès lors, tout normalement aussi, on pourra découvrir des discordances entre le texte scripturaire donné par les chaînes et le commentaire qu'en fait Chrysostome, lorsque son texte se sépare du texte reçu. Il ne s'agit pas là de l'erreur d'un copiste; cela met seulement en lumière le caractère particulier du texte suivi par Chrysostome et que l'on retrouve dans **L** et **M**.

Ainsi, en *Job* 38, 4, le texte reçu porte : ποῦ ἦς ἐν τῷ θεμελιοῦν με τὴν γῆν; : «Où étais-tu lorsque je jetais les fondements de la terre?» Nos mss **L** et **M** avec **A** donnent le texte : Ποῦ ἦς ὅτε ἐθεμελίωσα τὴν γῆν; (XXXVIII, **4**, 12). Or, c'est cette forme du texte qui est reprise par toutes les chaînes (**pabcyz**) à l'intérieur du commentaire : Οὐκ εἶπεν · ὅτε ἐποίησα, ἀλλ' ὅτε ἐθεμελίωσα (**4**, 16).

De même, en *Job* 38, 8, le texte reçu porte : ἔφραξα δὲ

μετ'ἐμοῦ (XVII, **3**, 9); ἐάν en ἔα (XIX, **4**, 1), rétabli une omission en XX, **8**, 19 : κατέδεται πῦρ ἄσβεστον, rétabli une autre omission : εἰ ἐπῆρα ὀρφανῷ χεῖρα πεποιθώς (XXXI, **10**, 7). D'autres modifications eussent été bien tentantes : δικῆς en δικαιοσύνης (XXXIII, **4**, 5), ἔρημον en ἄβατον (XXXVIII, **21**, 7). Mais, dans ces cas-là, moins évidents, nous avons préféré rester fidèle au texte de nos manuscrits.

θάλασσαν πύλαις : « J'ai fermé les portes de la mer. » Mais le texte de **A**, suivi par **L** et **M**, porte : ἔφραξας : « As-tu fermé...? » (XXXVIII, **6**, 1). Et le commentaire poursuit (**6**, 3) : τοῦτ' ἔστιν ὅτε ἐγένετο, σὺ αὐτὴν ἐτείχισας : « c'est-à-dire, lorsqu'elle fut créée, est-ce toi qui l'as entourée d'une digue? » (**pabcyz**).

Nous pourrions multiplier les exemples[1]. Si nous les avons pris dans le chapitre XXXVIII, c'est parce que les citations des chaînes y sont particulièrement abondantes.

Ainsi, le texte scripturaire présenté par **L** et **M** est bien celui qui est développé par notre commentaire. Comme ce texte, avec ses particularités, répond au texte scripturaire qu'avait l'habitude de lire et de commenter Chrysostome, on a là un argument de poids en faveur de l'authenticité chrysostomienne du commentaire sur Job tel qu'il est présent dans **L** et **M**.

B. *Les citations bibliques*

Si le livre de Job constitue naturellement le fonds scripturaire de notre commentaire, bien d'autres livres de l'Ancien et du Nouveau Testament y sont également cités.

Nous ne nous étendrons pas sur les leçons choisies par Chrysostome. Les citations empruntées à chacun des livres de l'Écriture sont, en effet, trop peu nombreuses pour permettre de déterminer avec certitude, dans chaque cas, la tradition qu'il a suivie. Cette enquête, du reste, ne contribuerait que bien faiblement à étayer l'authenticité de notre texte.

Nous nous sommes plutôt attaché à étudier les proportions des citations de l'Ancien et du Nouveau Testament que l'on trouve dans notre commentaire, pour voir si ces proportions coïncident avec celles déjà établies pour

---

1. Il y a pourtant quelques exceptions, que nous signalons dans les notes du commentaire (note à II, **16**, 3 ; VIII, **4**, 2 ; XV, **1**, 3 ; **4**, 3 ; XXIX, **6**, 4 ; XXXII, **2**, 4 ; XXXIII, **4**, 5).

l'ensemble de l'œuvre de Chrysostome[1]. On trouvera dans notre thèse le détail de toutes ces analyses[2].

Sur 108 citations de l'A.T. repérées dans notre texte, 79 appartiennent au groupe Pentateuque Psautier Prophètes, soit 73,15 %; 28 aux livres historiques et aux Sapientiaux (*Job* non compris), soit 25,93 %; les écrits historiques post-exiliens ne représentent, par conséquent, que 0,92 %, c.-à-d. une proportion insignifiante.

Avec ces chiffres, nous ne sommes pas très éloignés des proportions indiquées par M.-L. Guillaumin, dans sa communication au colloque de Salonique[3], proportions tirées des index établis par les grands éditeurs de Chrysostome[4].

Or ce résultat, comme le souligne encore M.-L. Guillaumin, s'accorde avec ce que l'on sait du programme des études dans

1. Outre les Index de Montfaucon, de Gaume et de Jeannin, que nous citons plus bas (n. 4), il convient de mentionner aussi un fichier exhaustif des citations bibliques de Chrysostome, établi séparément par J.M. Leroux, ingénieur au *CNRS,* et Dom Bède, de l'abbaye d'En Calcat. Ce fichier est déposé à la Faculté de Théologie protestante de Strasbourg.

2. H. Sorlin, *Un commentaire grec inédit sur le livre de Job attribué à S. Jean Chrysostome,* Thèse dactylographiée, Université de Lyon II, 1975.

3. Voir M.-L. Guillaumin, *l.c.,* p. 60-61. Sur cette question des pourcentages scripturaires dans l'œuvre de Chrysostome, on pourra consulter aussi : Chrysostome Baur, O.S.B. : *S. John Chrysostom and his time* (trad. anglaise M. Gonzaga) Sands, London 1959, vol. I : *Antioch,* chap. 25 : «Chrysostom as exegete», p. 316, l. 15-35.

4. Voir : Index bibliques, établis aux XVIIe, XVIIIe s., par les grands éditeurs de Chrysostome. a) *Sancti patris nostri Joannis Chrysostomi... Opera omnia quae exstant...* Bernardi de Montfaucon. Tomus XIII (Paris 1738), p. I-LI (après les p. I-XVIII; 1-332; 1-114), «Index locorum scripturae sacrae». b) *Sancti patris nostri Joannis Chrysostomi... Opera omnia quae exstant...* Bernardi de Montfaucon. Editio parisiana altera. Tomus XIII, pars altera (Paris, Gaume, 1839), 1-167, «Index locorum scripturae sacrae», précédé d'une préface par les *Bénédictins de Solesmes.* c) *Saint Jean Chrysostome, Œuvres complètes traduites pour la première fois en français sous la direction de* M. Jeannin. Tome XI (Bar-le-Duc 1867), 600-642. «Tables des passages de l'Écriture Sainte cités ou commentés par S. Jean Chrysostome».

l'asceterion de Diodore[1], puisque ce programme avait pour base le même ensemble, c.-à-d. : Pentateuque + Psautier + Prophètes.

Quant aux citations du Nouveau Testament[2], relevées dans notre commentaire, toutes correspondent à des livres de l'Écriture que Chrysostome a abondamment commentés. Là encore, le pourcentage des citations : Évangile + Paul (92,7 %), Actes des Apôtres (7,3 %), Épîtres catholiques (0 %)[3], rejoint d'assez près ceux indiqués par les trois Index, et s'accorde encore plus nettement avec le programme de l'école de Diodore[4].

Ainsi, l'examen des citations scripturaires de l'Ancien et du Nouveau Testament qui accompagnent notre commentaire

---

1. Sur le programme de cet asceterion, on pourra consulter R. LECONTE : *S. Jean Chrysostome, exégète syrien,* Paris (thèse dactylographiée de l'Institut Catholique de Paris) 1943, p. 89; cité par J. DUMORTIER : *Jean Chrysostome, A Théodore* (*SC* 117, Introd. p. 8). Voir aussi L. MEYER : *S. Jean Chrysostome, maître de perfection chrétienne,* p. 16 s.

2. Comme pour l'A.T., nous ne nous appuierons pas sur le texte des citations néo-testamentaires données par notre commentaire. Leur petit nombre rendrait nos conclusions trop aléatoires. Consulté sur ce point, J. Duplacy, l'éminent spécialiste de la critique néo-testamentaire, nous avait autorisé à faire état de son enquête : «Au total, on pourrait qualifier le texte néo-testamentaire de notre auteur, de 'syro-byzantin', étant entendu que la rareté et la brièveté des citations rend cette appréciation extrêmement relative. Du côté de la tradition indirecte (c'est-à-dire, si l'on compare le texte de nos citations néo-testamentaires avec celui que présentent ces mêmes citations chez les autres Pères de l'Église), la balance penche certainement du côté Syrie-Cappadoce et rejoint ainsi la qualification de texte plutôt 'syro-byzantin' à laquelle amenait l'examen des citations à la lumière de la tradition directe. Mais, encore une fois, de telles affirmations sont très relatives.»

3. On ne saurait être surpris de l'absence des Épîtres Catholiques dans notre commentaire. On sait, en effet, que ni l'Épître de Jacques, ni la seconde de Pierre, ni la deuxième et la troisième de Jean, ni l'Apocalypse non plus, «n'étaient admises sans réticences en Syrie, et qu'elles étaient absentes du Canon de la Peshitto». Cf. M.-L. GUILLAUMIN, *l.c.,* p. 61. Quant au reste des Épîtres Catholiques, leur proportion est insignifiante dans l'ensemble de l'œuvre de Chrysostome (0,5 % d'après l'*Index de Solesmes,* qui semble le plus précis des trois).

4. Cf. M.-L. GUILLAUMIN, *l.c.,* p. 61.

montre que leurs proportions ne sont pas en contradiction avec les habitudes de Jean en la matière, et qu'elles s'accordent même assez bien avec elles.

Argument négatif, dira-t-on. Peut-être, mais, par ailleurs, d'autres légers indices, comme la citation de *Tobie* 4, 15[1], l'allusion possible au verset 10 tiré du *IVᵉ Livre des Maccabées*, spécialement «goûté» de Chrysostome[2], la forme très particulière de la citation de *II Cor.* 4, 16 (cf. II, **8**, 9-10)[3], ne tisseraient-ils pas comme un réseau de présomptions dont le faisceau, joint à l'indice très favorable du pourcentage, pourrait étayer discrètement l'authenticité chrysostomienne de notre commentaire?

II. *La méthode du commentaire*

Lorsque L. Dieu étudiait le ms. de Florence, une première constatation s'était imposée à lui : l'étendue très variable du commentaire suivant les chapitres. Il remarquait que, plus on avançait dans le livre de Job, plus le

1. La citation de *Tobie* 4, 15, la seule du commentaire qui soit tirée des écrits historiques post-exiliens, est très caractéristique, car c'est justement la seule qui soit signalée par les Index scripturaires de Chrysostome, et sous la forme particulière qu'elle revêt chez lui : μὴ ἄλλῳ ποιήσῃς au lieu de μηδενὶ ποιήσῃς; elle se trouve accompagnée dans notre texte de la citation de *Matthieu* 7, 12, exactement comme dans les deux autres passages de Chrysostome où elle apparaît (cf. *Hom. ad pop. Antioch.* 13, 3, *PG* 49, 140 B; *Exp. in Ps. 5*, 1, *PG* 55, 62 C).

2. Il serait tentant de considérer l'expression γενναῖος ἀθλητής qu'on lit en II, **6**, 25, comme une référence à *IV Maccabées* 6, 10. Elle a, certes, une résonance bien chrysostomienne; mais son caractère allusif permet-il de la considérer comme une citation certaine de l'Écriture? On lira toutefois avec intérêt les réflexions de M.-L. GUILLAUMIN sur la place que tient le IVᵉ livre des Maccabées dans l'œuvre de Chrysostome (*l.c.*, p. 69-76).

3. La forme très particulière de la citation de *II Cor.* 4, 16 (cf. *Job* 2, 8; II, **8**, 9-10) : ὅσῳ... τοσούτῳ, curieusement analogue à celle qu'on trouve (d'après l'apparat de Tischendorf) chez Basile de Césarée et chez Théodoret : ὅσον... τοσοῦτον nous ramène vers l'horizon Syrie-Cappadoce. Nous devons cette remarque à l'obligeance de J. Duplacy.

commentaire était court, et il en déduisait que son auteur avait dû progressivement se lasser au cours des chapitres.

Il faut reconnaître que le ms. **L** qu'étudiait L. Dieu présente de sérieuses lacunes, et ne contient pas la fin du commentaire que nous restitue le ms. **M**. Cependant, même devant notre texte complet, sa remarque demeure juste, quelle qu'en soit l'explication.

Le premier chapitre de notre texte, en effet, comporte environ 900 lignes et le second 500, sur un total d'environ 5 600 pour l'ensemble du texte. Puis, les chapitres deviennent de plus en plus courts. Pour chacun d'entre eux, le commentaire ne porte plus que sur quelques versets et il se réduit parfois à moins de 40 lignes (c'est le cas, par exemple, pour les chapitres XVII, XXV, XXVI). Puis, l'auteur semble reprendre souffle à partir du chapitre XXIX ; il développe abondamment le chapitre XXXVIII, mais il omet entièrement le chapitre 41 de *Job,* et commente le dernier chapitre, y compris la finale 42, 17b-17c, qui ne se trouve que dans la *Septante.*

Ces constatations soulèvent trois questions.

1°) Pourquoi l'auteur commente-t-il avec une abondance très inégale les différents chapitres de Job ?

2°) Pourquoi, à l'intérieur des chapitres, n'hésite-t-il pas à sauter de nombreux passages ?

3°) Enfin, pourquoi le chapitre 41 est-il complètement omis ?

Une première interprétation de ces faits serait que notre manuscrit **M** lui-même comporte des lacunes[1]. Mais est-il

---

1. Il y a cependant au moins un passage où l'on a affaire à une lacune. Au chapitre XXXIII, **4,** 39 de notre texte grec, on trouve une citation tronquée de *Job* 33, 29, qui ne présente plus aucun sens : Τρεῖς, φησί, μετὰ ἀνδρός... Nous avons dû restituer le début de la citation. Il semble donc qu'une partie du texte serait omise. Manifestement, à cet endroit, le ms. qui a servi de modèle à **L M** et à **p** a subi des bouleversements, et nous avons dû modifier l'ordre du texte des mss. Chez eux le chapitre 34

besoin de le supposer? L'auteur lui-même nous a indiqué les principes de son commentaire. Il n'a pas cherché à présenter un exposé développé et exhaustif de tout le *Livre de Job*. On trouve, en effet, à la dernière page du texte (XLII, 9, 9) cette phrase significative : ὡς ἐν συντόμῳ : «Pour nous, nous avons parlé comme en raccourci»; il ajoute, du reste : «Il est loisible au premier venu, s'il s'applique attentivement au texte en question, d'y découvrir encore plus que nous n'avons dit.»

A. Priorité des préoccupations pastorales

Plutôt que de lacunes, il s'agirait donc ici d'un choix délibéré de l'auteur, qui a négligé certains versets pour

commence au nº 2 : Λέγεις, φησίν, ὅτι ἀδίκως... Le texte se poursuit jusqu'en 3, 15 et commente *Job* 34, 12-13. Puis nous trouvons : Εἶτα μετὰ πολλά φησιν et la citation du texte de *Job* 34, 12-13 : Οἴει τὸν Κύριον τὰ ἄτοπα ποιήσειν. C'est dire que le texte a été bouleversé, car le commentaire suit toujours le texte. De plus, la phrase de liaison : «Puis bien plus loin, le texte poursuit», qui souligne que délibérément l'auteur omet de commenter plusieurs versets, n'aurait plus de sens. Il suffisait de rétablir l'ordre et de remettre en tête du chapitre le Εἶτα μετὰ πολλά φησιν puis la citation. C'est ce que nous avons fait.

Mais on trouve d'autres bouleversements dans notre texte. Ils sont anciens, car nous les retrouvons aussi bien dans **p** que dans **L** et **M**. Il s'agit généralement de commentaires qui expliquent d'autres versets que ceux après lesquels ils ont été placés. Nous avons dû nous résoudre à rétablir la cohérence du texte et nous proposons dans notre édition un certain nombre de déplacements. Voici la liste de ces textes :

I, 1, 50-51 : se trouvait auparavait en 49; 1, 60-62 : auparavant en 2, 3. – II, 9, 62-64 : auparavant en 66. – VI, 3, 14-15 : auparavant en 16. – XII, 1, 12-13 : auparavant en 2, 7; 5, 8-9 : auparavant en 7, 3. – XIII, 7, 6-8 : auparavant en 8, 2. – XX, 4, 1 se trouvait en 5. – XXVIII, 1, 3-5 : cette fin de citation, placée en l. 6, coupait le commentaire qui est d'un seul tenant. – XXXI, 16, 8-22 : ce commentaire se trouvait rejeté en 17, 10. Nous l'avons replacé après le verset qu'il commente. – XXXIV, 1 : nous avons déplacé le texte de Job qui se trouvait en 3, 15 (cf. le début de cette note). – XXXV : nous avons mis en 3, 18 deux lignes qui se trouvaient primitivement en 4, 10, où elles n'avaient aucun sens. – XXXVI : nous avons remis en 1, 3-4 un verset de Job qui se trouvait en 2, 2.

s'étendre plus longuement sur d'autres. On n'en donnera qu'un exemple particulièrement significatif, tiré du chapitre XXVIII.

Ce chapitre, caractérisé par une longue omission qui va du verset 4 jusqu'au verset 28, c'est-à-dire le dernier du chapitre (avec une brève allusion au verset 23 b), nous montre assez clairement la manière dont Chrysostome procède. Son apparente liberté avec le texte cache en réalité une méthode très sûre. Il part de la remarque de Job : « Il existe un endroit d'où l'on tire l'or pour le purifier... ». Puis il commente : « Cela veut dire que Dieu a établi un ordre ; mais si l'ordre des réalités est bien visible, le dessein de Dieu, lui, est invisible ; l'argent et le cuivre ont une place, tandis que 'la place de la sagesse', personne ne l'a connue. » Tout le commentaire va donc porter sur la sagesse, et « la vraie sagesse, c'est la piété ».

On pourra reprocher à l'auteur de sauter allégrement des versets, mais il ne dissimule pas son omission : Πολλὰ

Tous ces déplacements sont indiqués dans le texte. Nous introduisons les textes à leur nouvelle place en les encadrant par des crochets aigus < >. Nous indiquons leur place primitive dans le texte des manuscrits par trois points encadrés de crochets carrés [...]. La modification du texte est, de plus, rappelée par une note. Mais, que conclure de ces bouleversements ? S'agirait-il de textes omis et rejetés en marge, qui n'auraient pas été replacés au bon endroit ? C'est possible et cela ferait comprendre certains de nos déplacements. Mais nous ne pensons pas pouvoir ainsi tout expliquer, et nous voudrions proposer une hypothèse : notre texte suivi, tel qu'on le trouve dans **L** et **M** (et indirectement dans **p**), n'aurait-il pas eu pour ancêtre un manuscrit où le commentaire se serait trouvé séparé du texte scripturaire. Celui-ci aurait occupé le centre de la page, tandis que le commentaire aurait encadré le texte scripturaire. C'est la disposition que présentent encore les manuscrits **b** et **c**. Le désordre de notre texte serait dû au premier copiste qui s'est efforcé d'intégrer le texte sacré à l'intérieur du commentaire. On remarquera, en effet, que pour la plupart des cas (ch. XIII, XX, XXVIII, XXXI, XXXIV, XXXV) c'est un texte scripturaire qui coupe le commentaire du verset précédent et qu'il suffit de remettre le texte scripturaire à sa bonne place pour retrouver la cohérence du commentaire.

μεταξὺ εἰπών : «(Le texte) a fait entre temps bien des considérations.» En réalité, Chrysostome a commenté admirablement tout le thème du chapitre, qui oscille autour de deux mots : τόπος et σοφία : il y a un τόπος caché pour l'or, l'argent, le cuivre, etc., mais le τόπος de la sagesse, plus précieuse que tous les trésors, où le trouver? (cf. *Job* 28, 12-20). Dieu seul connaît le lieu où elle est cachée : αὐτὸς δὲ οἶδεν τὸν τόπον αὐτῆς (*Job* 28, 23b), et il en a confié le secret à l'homme : la piété, c'est la sagesse (XXVIII, **3**, 1 s.).

En quelques lignes, l'auteur a su dégager la leçon essentielle du chapitre : Dieu peut tout, Dieu est sage, et l'homme n'a pas à lui demander des comptes. C'est cette leçon qui intéresse l'auteur et, dans ces trois pages, il la répète deux fois (cf. **2**, 3-5 ; **3**, 5-8).

Telle nous apparaît la méthode de notre commentaire. Il ne s'agit pas de lacunes, mais d'un procédé d'exégèse. Le choix des versets souligne l'intérêt porté à la leçon morale. On retrouve là les préoccupations d'un pasteur, et l'on sait que ce furent celles de Chrysostome.

Ne pourrait-on pas proposer une interprétation semblable pour expliquer l'omission du chapitre 41 tout entier? Il faut d'abord se rappeler que ces 26 versets ne constituaient pas pour les anciens un chapitre à part[1]. Ils ne

---

1. Pour des raisons pratiques, on a suivi ici (sauf pour le début du chapitre XXXIV), les divisions du *Livre de Job,* telles qu'elles se présentent dans l'édition de Rahlfs. Il est évident que la façon dont les anciens divisaient ce livre n'était pas identique à la nôtre. Ainsi, il est clair qu'ils considéraient le récit en prose qui clôt le *Livre de Job* (42, 7 s.) comme un chapitre spécial. D'ailleurs, en transcrivant le début de ce récit en petite onciale, le ms. **M** souligne bien qu'il s'agit d'un chapitre nouveau. La division du texte dans la chaîne de Young, qui suit la division d'Olympiodore, montre clairement, grâce à la présence des προθεωρίαι qui précèdent chaque chapitre, la différence entre la façon

font que prolonger la description des monstres : τὰ θηρία.
Or l'auteur en a déjà donné le commentaire essentiel dans
le chapitre XL : «Si Dieu a créé ces deux bêtes énormes,
c'est pour que tu saches qu'il peut toutes les faire sur ce
modèle-là, et, s'il ne le fait pas, c'est que sa création est
toute orientée vers ce qui t'est utile» (cf. XL, **6**, 4-6). «Ils
(les monstres) nous conduisent à la connaissance de Dieu»
(XL, **6**, 10). Il ne lui reste plus qu'à enchaîner sur le
chapitre 42 : εἶτα, μετὰ ταῦτά φησιν : «puis, après avoir dit
cela, il continue.»

Il est probable, d'ailleurs, que l'étude détaillée de ces
monstres ne l'intéresse guère; peut-être ne sait-il pas très
bien, du reste, de quels animaux il s'agit : «Ils nous sont
inconnus», dit-il (cf. XL, **6**, 17-18). Leur rôle, dans Job,
est simplement de manifester la puissance de Dieu.

Ces mêmes préoccupations pastorales ne pourraient-elles
expliquer aussi pourquoi notre auteur s'étend plus longuement sur certains chapitres? A ses yeux, sans doute,
étaient-ils particulièrement riches d'enseignement religieux
et d'applications pratiques, plus concrets aussi et, partant,
plus faciles à saisir pour ses auditeurs ou ses lecteurs. C'est
évidemment le cas pour les deux premiers chapitres de Job.
Leur caractère à la fois narratif, psychologique et dramatique, l'image du héros, parfait «athlète» de Dieu face à
l'adversité, modèle de soumission, qui, dans les pires
épreuves, ne cesse de redire : «Le Seigneur a donné, le
Seigneur a ôté; il en a été comme le Seigneur l'a décidé;
que le nom du Seigneur soit béni», leit-motiv où l'auteur
découvre comme une prophétie du «γενηθήτω τὸ θέλημά
σου» évangélique, tout cela était bien propre à toucher le
cœur de ses auditeurs chrétiens.

Au contraire, les discours des trois amis, aussi bien que

dont les anciens découpaient le texte de Job et celle dont il est divisé
dans nos éditions modernes.

ceux d'Élius, trop subtils et trop juridiques peut-être, sans
être négligés complètement par l'auteur, retiendront moins
son attention; mais il s'étendra à nouveau longuement sur
l'intervention divine; le chapitre XXXVIII comprend, en
effet, plus de 300 lignes, car il reprend le grand thème du
livre de Job, celui de la providence de Dieu, de sa
puissance et de sa sagesse.

Après avoir lu le commentaire d'affilée, on a bien
l'impression que Chrysostome a retenu finalement tout
l'essentiel du livre qu'il expliquait : au-delà des événements
mineurs et des comparses subalternes, ce qu'il a voulu
évoquer, c'est le drame de l'homme affronté à la souffrance,
en face d'un Dieu qui reste enveloppé de mystère, mais
dont l'amour pour l'homme doit avoir, pour permettre
cette souffrance, des «raisons que la raison ne connaît pas».

B. Les principes de l'exégèse

Ce que l'on découvre par l'analyse du commentaire sur
Job est confirmé par ce que l'auteur nous livre lui-même de
ses principes et de sa méthode. C'est au cours des deux
derniers chapitres qu'il va nous confier, en passant, les
deux grandes lignes directrices de son exégèse : d'abord, la
recherche de l'édification; ensuite, son attachement au sens
littéral. Dans le même passage où il nous a fait connaître
qu'il n'a pas entrepris de commenter tous les détails
du texte, il souligne aussi ses ambitions de pasteur :
entraîner ses lecteurs vers la sagesse : «Fournis au sage,
dit l'Écriture, une impulsion, il deviendra encore plus
sage (*Prov.* 9, 9). Que chaque lecteur, par conséquent,
jetant les yeux sur ce généreux athlète (Job), comme sur un
modèle et sur une image, imite sa vaillance, rivalise de
patience avec lui, pour que... il puisse obtenir les biens
promis à ceux qui aiment Dieu» (XLII, 9, 11-18). Il le
disait déjà au chapitre XL, en s'appuyant encore sur
l'Écriture : «Que tout serve à l'édification» (XL, 5, 9).

C'est dans ce même chapitre XL, qu'il exprime aussi les principes de son exégèse : «Nous n'ignorons pas que bien des commentateurs, interprétant ce passage (il s'agit des monstres) au sens spirituel (κατὰ ἀναγωγὴν), pensent que tout cela a été dit du diable; mais il faut d'abord se préoccuper du sens littéral (δεῖ δὲ πρότερον τῆς ἱστορίας ἐπιμεληθῆναι), et ensuite, si l'on peut en tirer quelque profit, ne pas négliger non plus le sens spirituel (καὶ τότε, εἴ τι τὸν ἀκροατὴν ὠφελεῖ, καὶ ἐκ τῆς ἀναγωγῆς μὴ παριδεῖν : XL, 5, 5-9). L'opposition entre κατ' ἀναγωγήν et καθ' ἱστορίαν ne doit pas nous surprendre. Elle est courante, et se trouve aussi bien sous la plume d'Origène que sous celle de Chrysostome. Mais cette attention à ne pas passer trop vite à l'allégorie est bien caractéristique de l'école d'Antioche[1].

Est-il possible, au terme de cette étude sur les passages commentés, de découvrir un argument en faveur de l'authenticité chrysostomienne de notre texte?

Sans doute, ce genre de commentaire sporadique n'est pas unique dans l'œuvre de Chrysostome. On trouve, par exemple, dans le *Commentaire sur Daniel,* qui est attribué à Jean (cf. *PG* 56, 193-247), des procédés qui rappellent ceux de notre texte[2]. L'identité de la méthode, dans les deux cas,

---

1. Pour le rattachement de Chrysostome à l'école d'Antioche, cf. Chr. BAUR, *l.c.,* p. 320 et n. 23. Sur l'histoire de l'interprétation de la Bible chez les Pères, cf. G. BARDY, dans *SDB,* t. IV, col. 561-646 : *Interprétation (Histoire de l') chez les Pères* (École d'Antioche : col. 579-582), 1949 (bibliographie à la fin de l'article); M.-L. GUILLAUMIN : «Recherches sur l'exégèse patristique de Job», dans *Studia patristica* 1975 (I); J. GUILLET, dans *RSR,* 34, 1947, p. 257-302 : «Les exégètes d'Alexandrie et d'Antioche, conflit ou malentendu?»

2. C'est ainsi que le chapitre III omet de développer les versets 14 à 22, 26 à 49, 51 à 90, 92 à 97. Le chapitre VIII commente en une colonne

est frappante, mais il est délicat d'appuyer un argument sur un texte dont l'authenticité n'est encore que présumée.

Plus solide semble le cas du *Commentaire sur les Proverbes,* contenu dans le codex *161* de Patmos, fol. 1-62 v° (début du Xe s.). M. Richard, qui l'avait étudié et envisageait de le publier, était «très tenté de croire» qu'il est authentique[1]. Ses procédés de style sont identiques à ceux notés par A.-M. Malingrey à propos du *Commentaire sur les Psaumes 103-106*[2]. Or, ce commentaire sur les *Proverbes* présente, vis-à-vis des chapitres et des versets expliqués, la même liberté que notre commentaire sur *Job.*

La ressemblance de méthode, dans les deux cas, avec celle de notre commentaire, ne laisserait pas d'être impressionnante, si la paternité chrysostomienne de ces deux œuvres était définitivement établie.

Pour le moment, il est sans doute plus prudent de ne voir dans ce rapprochement qu'un indice significatif qui, joint à ceux que l'on a déjà signalés, apporte sa note personnelle dans le concert des probabilités.

Il faut, en tout cas, insister sur l'importance attribuée dans notre commentaire aux leçons morales et pratiques

et demie les 25 premiers versets, tandis que le commentaire du verset 26 occupe toute une colonne. Quant aux chapitres XI, XII, XIII, ils ne commentent que quelques versets et n'occupent que quelques lignes.

1. Voir M. RICHARD : «Le commentaire de S. Jean Chrysostome sur les Proverbes de Salomon», dans *Studies on Saint John Chrysostom,* Συμπόσιον, Thessalonikè 1973, p. 99-103. On notera avec grand intérêt une remarque de cet article qui, à bien des égards, pourrait s'appliquer aussi à notre commentaire sur *Job* : «L'opus imperfectum de S. Jean Chrysostome sur les *Proverbes* est une de ses œuvres de jeunesse. Il a commencé ce travail avec enthousiasme, il a constaté que Salomon se répétait beaucoup, et, petit à petit, il est devenu de plus en plus éclectique, avec l'intention, peut-être, de reprendre ce travail plus tard. Quel auteur n'a pas connu cette expérience?» (*l.c.,* p. 102).

2. A.-M. MALINGREY : «Le commentaire de S. Jean Chrysostome sur les Psaumes 103-106», dans *Actes du XIIe Congrès International des Études Byzantines,* t. II, Beograd 1964, p. 491-494.

qui rejoignent les préoccupations habituelles de Chrysostome[1].

III. Les thèmes

Notre intention n'est pas de traiter ici tous les thèmes de notre commentaire : ils seraient innombrables.

Il nous faudrait, en effet, examiner d'abord les personnages qui interviennent dans ce drame, et, en premier lieu, le plus important de tous : Dieu, dans ses opérations et dans son essence, sans oublier pour autant les trois amis : Éliphaz, Bildad et Sophar, le sage Élius, et la perfide épouse.

Il faudrait ensuite étudier les grands thèmes du livre : la Providence, la souffrance du juste et la prospérité des impies, la tentation et la mort, sans négliger les thèmes mineurs comme le rôle des anges, l'éducation des enfants et bien d'autres encore.

Sans méconnaître l'intérêt de tous ces thèmes[2], ni celui des parallélismes de détail[3] entre notre texte et les autres

---

1. Sur ces préoccupations apostoliques, comme sur le rôle moral et spirituel de Chrysostome dans la société de son temps, voir : A. PUECH : *Un réformateur de la société chrétienne au IVᵉ s. S. Jean Chrysostome et les mœurs de son temps,* Paris 1891; L. MEYER : *S. Jean Chrysostome, maître de perfection chrétienne,* Paris 1934.

2. On a, du reste, consacré un certain nombre de notes à quelques-uns de ces grands thèmes. Ex. : le rôle de la liberté (προαίρεσις) dans nos actes, voir p. 88, n. 2; sur le rôle des anges, voir p. 106, n. 1; sur l'éducation des enfants, voir p. 98, n. 1; sur la Providence, voir p. 156, n. 1, etc.

3. On voudrait simplement signaler ici quelques parallélismes de détail particulièrement frappants : *1)* Le diable calcule ses coups contre Job, commençant par les plus faibles, réservant les plus durs pour la fin : I, **18**, 18-22; **21**, 19-20, comme en *PG* 48, 967 s. *2)* Job est appelé «un homme d'acier», ἀδάμας, dans notre texte I, **21**, 8; II, **8**, 4, comme en *PG* 49, 272, l. 3 *a.i.; PG* 52, 418, l. 5 *a.i.; PG* 57, 230, l. 22; *PG* 62, 244, l. 3. *3)* Job considérait plus la souffrance des autres que la sienne propre : II, **9**, 62 s.; cf. *PG* 57, 396, l. 6-9. *4)* Si nous désirons des enfants, c'est pour prolonger notre souvenir de façon

œuvres de Chrysostome, parfois si caractéristiques, nous nous bornerons ici à envisager les deux grands adversaires de ce combat héroïque, qui a Dieu comme agonothète : le diable et Job. Nous espérons ainsi montrer les conver-

durable : II, **10**, 28-30; cf. *PG* 61, 257, l. 3 *a.i.*   *5)* Chrysostome interprète *Job* 9, 8 b (καὶ περιπατῶν ἐπὶ θαλάσσης, ὡς ἐπὶ ἐδάφους) comme une prophétie, qu'il rapproche de *Matth.* 14, 25, évoquant Jésus marchant sur les eaux du lac de Tibériade, IX, 7, 4, comme dans l'*homélie in Joannem 43* (*al.* 42) : *PG* 59, 247, l. 8-11.   *6)* Job se considère comme l'administrateur des biens que Dieu lui a donnés, et se présente comme l'économe du Seigneur : XXXI, **16**, 12 et *PG* 57, 295, l. 6 *a.i.*, où, dans les deux cas, revient le mot οἰκονόμος.   *7)* La mort des enfants est évoquée dans notre texte (I, **20**, 1-15, et surtout I, **26**, 22-39) de la même façon que dans la 4ᵉ *Lettre à Olympias* (*PG* 52, 591-592 = *SC, Lettre XVII*, p. 372, l. 14 – p. 374, l. 49). Dans les deux cas, on reconnaît les mêmes procédés que ceux utilisés par la seconde sophistique pour développer un éloge funèbre (âge des victimes, leurs qualités, les circonstances de leur mort, etc.). Les deux textes s'inspirent d'une même technique oratoire. Voir L. MÉRIDIER : *L'influence de la seconde sophistique sur l'œuvre de Grégoire de Nysse,* Rennes 1906. Ce que l'auteur dit du style de Grégoire pourrait très bien s'appliquer à celui de Chrysostome. *8)* On soulignera, pour terminer, le parallèle que l'on pourrait longuement établir sur le rôle de la femme de Job dans notre commentaire et dans un passage de l'*homélie 28 aux Corinthiens* (*PG* 61, 235-240) qui représente l'un des plus longs développements de Chrysostome sur Job. Ce sont, de part et d'autre, les mêmes idées, le même vocabulaire, parfois des expressions identiques. Voici le détail de ces rapprochements : *PG* 61, 236, l. 8 : ὁ πολύπαις ἐξαίφνης ἄπαις ἐγένετο; I, **25**, 28 : ἐξαίφνης ἄπαις ὁ πολύπαις γέγονεν. – A propos des vêtements que Job a déchirés : *PG* 61, 236, l. 16 *a.i.* : Εἰ γὰρ μηδὲ τοῦτο ἐποίησε, τάχα καὶ ἀναισθησίας ἐνόμιζεν ἄν τις εἶναι; I, **21**, 3-4 : Εἰ μὲν γὰρ μηδὲν ἐποίησεν, ἔδοξεν ἄν ἀσυμπαθὴς εἶναι. – Sa femme attend qu'il soit à bout de forces pour l'attaquer : *PG* 61, 237, l. 16 : πολὺς προῆλθε χρόνος; II,**9**, 38 : ὅτε πολὺς διῆλθεν ὁ χρόνος. *PG* 61, 237, circa medium : θεά μοι τὴν κακουργίαν; II, **9**, 37-38 : ὅρα τὸ κακοῦργον. – Job s'étonne de la liberté de parole de sa femme : οὐχ οὕτω σε ἐπαίδευσα (*PG* 61, 238, l. 5 *a.i.*); et en II, **9**, 44 : Elle n'avait jamais parlé aussi librement : οὕτως αὐτὴν ἐπαίδευσεν ὁ Ἰώβ. – Leur postérité a disparu. On ne se souviendra plus d'eux. Or, c'est pour cela qu'on désire des enfants : *PG* 61, 237, l. 3 *a.i.* : δι' ὃ καὶ τὰ παιδία ποθεινά; II, **10**, 28 : τὰ γὰρ παιδία καὶ διὰ τοῦτο ποθεινά.

gences de notre commentaire avec les autres œuvres de
Chrysostome.

1°) Le diable

C'est un personnage que l'on voit souvent apparaître
dans les homélies et les traités de Chrysostome. La
formation monastique de Jean, son admiration pour
S. Antoine, comme aussi la doctrine de S. Paul, lui
rappellent que «ce n'est pas contre des adversaires de chair
et de sang que nous avons à lutter, mais... contre
les esprits du mal qui habitent les espaces célestes»
(*Éphés.* 6, 12). Il s'agit bien, en effet, d'une lutte
(cf. I, **10**, 7 : πάλης καὶ μάχης), et Satan est présenté
comme l'adversaire de l'homme, mais aussi comme celui
de Job, dont toute la conduite lui est un vivant reproche :
«As-tu porté ton attention sur mon serviteur Job?» «C'est
presque, à vrai dire, le ton de reproche de quelqu'un qui
cherche à présenter Job comme son opposé. Toi aussi, tu
étais jadis un serviteur : et tu n'as pas de corps, tandis que
Job, lui, en a un; lui vit sur la terre, toi, au contraire, tu
vivais dans le ciel» (cf. I, **11**, 27-30). «Toi qui, pourtant,
n'es pas un homme, tu n'as pas persisté dans la vertu»
(cf. I, **11**, 43-44). C'est aussi ce que rappelle Chrysostome
dans le *De diabolo tentatore,* hom. II, *PG* 49, 260, l. 16 :
«Mauvais, le diable ne l'était pas à l'origine, mais il l'est
devenu par la suite; c'est pourquoi il s'appelle (l'ange)
apostat.»

Quand Chrysostome parle du diable, il le qualifie par
deux épithètes. Il est «le Mauvais» (πονηρός : I, **9**, 43) et
«l'Impur» (μιαρός : I, **12**, 40). «Le Mauvais», c'est le terme
employé par le Seigneur dans l'Évangile : ῥῦσαι ἡμᾶς
ἀπὸ τοῦ πονηροῦ (cf. *Matth.* 6, 13) et Chrysostome commente : πονηρὸν δὲ ἐνταῦθα τὸν διάβολον καλεῖ; cf. *In
Matth. Hom.* 19, 6 (*PG* 57, 282, l. 13). C'est qu'en effet :
«Il est seul à être appelé «absolument mauvais» : ἁπλῶς

πονηρός (cf. *Expos. in Psalm.* 139, 1, *PG* 55, 420, l. 19; *De Diabolo tentatore*, 2, *PG* 49, 260, l. 18).

Pour Chrysostome, le diable est aussi «l'être impur» : «οὗτος ὁ μιαρός» (cf. *In Matth. hom.* 13, 4, *PG* 57, 212, l. 24 *a.i.*). C'est bien ainsi qu'il est qualifié également dans notre commentaire (cf. I, **12**, 17.40; **16**, 9.19; II, **3**, 21; **4**, 19, etc.).

Adversaire redoutable, pourquoi alors le laisser dans notre monde? Si Dieu veut sauver les hommes, pourquoi lui accorder un tel empire? Chrysostome pose partout la question, parce qu'elle est celle de ses auditeurs. «Pourquoi l'a-t-il laissé (ἀφῆκεν), alors qu'il est si méchant, pour faire tomber et jeter à terre?» (cf. *In Gen. hom.* 23, 6, *PG* 53, 205, l. 15). «Il fallait le supprimer : ἐκ μέσου γενέσθαι, et tous auraient été sauvés» (cf. *In Eph. hom.* 22, 4, *PG* 62, 160, l. 26).

C'est bien aussi le problème posé dans notre commentaire.

Chrysostome expose d'abord que Satan ne s'est présenté devant Dieu avec les anges que par image. En effet, «s'il est avec eux dans le monde» (cf. I, **9**, 8-9), si les anges et les démons sont mêlés ici-bas comme les hommes méchants et les hommes bons (cf. I, **9**, 9-10), le ciel, lui, est inaccessible à ce mauvais démon (cf. I, **9**, 42). L'auteur va faire alors tout naturellement l'objection attendue : «Eh quoi! le ciel lui est interdit, mais la terre l'a accueilli!» (cf. I, **9**, 43-44).

C'est alors que nous est exposée toute l'économie de la tentation. Si la terre a accueilli le démon, «c'est pour ton bien» (cf. I, **9**, 44 et tout le développement qui suit). Chrysostome ne parle pas autrement dans l'*homélie 13 in Matth.* (cf. *PG* 57, 208, et 209, l. 21).

Si donc Dieu ne l'a pas supprimé, c'est que sa présence nous est utile. Le diable ne peut rien, en effet, contre l'homme fidèle. Le péché n'est dû qu'à notre lâcheté. Tout ce que tente le diable, il le fait avec la permission de Dieu, qui ne lui laisse jamais les mains libres. Il y a des tentations que Dieu permet, d'autres qu'il n'autorise pas (καὶ συγχωρεῖ... καὶ οὐ συγχωρεῖ; cf. II, **6**, 15); «il ne peut rien faire de ce qui lui plaît, s'il n'en a pas reçu la permission d'en-haut» (cf. I, **8**, 54-55); «il ne peut de son propre chef s'en prendre aux justes, avant d'en avoir reçu de Dieu l'autorisation» (cf. II, **5**, 13 s.). Dieu lui permet certaines choses, et les autres non.

Se plaindre de la tentation, c'est le fait de chrétiens nonchalants. Il faudrait plutôt en rendre grâce à Dieu (δέον σε εὐχαριστεῖν : cf. *In Eph. hom.* 22, *PG* 62, 160, l. 28). C'est bien la leçon de notre commentaire : «C'est cette nonchalance que je cherche à réveiller. Ne te chagrine donc pas, mais rends grâce à Dieu de t'avoir contraint à la vigilance» (I, **9**, 57-59).

Nous sommes là au centre du mystère. Dieu livre son ami entre les mains du diable, mais c'est «pour faire apparaître le juste avec plus d'éclat» (cf. I, **16**, 25-26). Le diable commence par les coups les plus faibles, et retarde le moment de lui porter le coup de grâce, persuadé ainsi de l'abattre; or, c'est le contraire qui se produit, car les premiers coups l'ayant bien entraîné, c'est avec philosophie qu'il supporte les autres (cf. I, **18**, 19-24). Et si Job supporte tous ces coups, c'est «pour être mis à l'épreuve, et (remporter) davantage de couronnes : ὑπὲρ δοκιμῆς καὶ πλείονων στεφάνων (XIX, **4**, 7). Chrysostome le redit ailleurs : ἵνα λαμπρότερος ὁ στέφανος γένηται (*Ad Pop. Antioch. hom.* I, 8, *PG* 49, 27, l. 22), ou encore : «Pourquoi donc veux-tu supprimer l'occasion de notre gloire (εὐδοκιμή-σεως), la matière de nos couronnes (στεφάνων)?» (*Ad Stagirium* I, 4, *PG* 47, 432, l. 19-20).

On soulignera, pour terminer, une idée étrange que l'on retrouve dans notre commentaire et dans plusieurs autres passages de Chrysostome. Dieu se sert de Satan comme d'un «bourreau». On sort vraiment, avec cette expression, des rencontres de mots banales ou fortuites. Deux textes absolument parallèles permettent de mettre en évidence ces coïncidences de pensée et d'expressions. On lit, en effet, dans notre commentaire ce beau texte d'une éloquence passionnée : « Veux-tu que je te montre le profit qu'on peut tirer du diable ? Écoute parler Paul : 'J'ai livré ces gens-là à Satan, pour leur apprendre à ne pas blasphémer' (cf. I Tim. 1, 20). Veux-tu encore écouter un autre texte ? 'Livre, dit-il, cet individu à Satan pour que son corps soit détruit (cf. I. Cor. 5, 5)'. Ne vois-tu pas les bourreaux (τοὺς δημίους) qui accompagnent les chefs ? C'est ainsi que Paul utilisait les démons ; et ces bons résultats, ce n'est pas le diable qui en est cause, mais l'amour de Dieu qui utilise le Malin à propos » (cf. I, 9, 63-69). Or, Chrysostome ne parle pas autrement dans la deuxième homélie De diabolo tentatore (PG 49, 261-262) : « Si tu veux l'apprendre, le diable nous est même utile... et nous n'en tirons pas un mince profit (κερδαίνομεν). Nous l'avons montré abondamment à partir de Job, mais nous pouvons l'apprendre encore de Paul. Il écrit, en effet, au sujet du fornicateur : 'Livrez-le, dit-il, à Satan, pour que son corps soit détruit.' Voici que le diable est l'auteur du salut, non dans son intention (γνώμην), mais par l'habileté de l'Apôtre » ; et, plus loin (col. 262, l. 19) : « l'Apôtre s'est souvent servi du diable comme d'un bourreau (δημίῳ) ; les bourreaux, en effet, châtient ceux qui ont commis des fautes, non pas autant qu'ils le veulent, mais seulement autant que les juges le permettent ».

Tel est donc le rôle du diable dans notre commentaire comme dans l'œuvre de Chrysostome. Méchant, pervers, redoutable pour les nonchalants, faible devant les cœurs généreux ; dans ce combat aux péripéties multiples, il joue le rôle du grand vaincu.

2°) Job

Le vainqueur, c'est Job. Il existe vraiment, dans les œuvres de Chrysostome, un thème de Job. Parmi les

personnages de l'Ancien Testament, il est un de ceux que
Jean cite le plus souvent[1]. Et, chose curieuse, d'un bout à
l'autre de son œuvre, ce sont les mêmes caractères qui
l'ont frappé : Job est un homme ; il est le modèle de
cette philosophie qui, pour Chrysostome, est la véritable
sagesse, et il est enfin l'athlète de Dieu.

a) L'homme

Chrysostome se livre là à une exégèse curieuse de
l'expression biblique : «Il y avait un homme dans le pays
d'Ausitis...» Il y insiste. Celui qui va être glorifié par sa
patience est un homme : «Considère que c'est là un
premier éloge, d'être un homme. Et celui-ci était un
homme – un homme encore une fois» (cf. I, 1, 2.6-7). Être
vrai, non seulement en paroles, mais aussi en actes, c'est
cela être véritablement un homme ; «car tel est l'essentiel
pour tout homme : crains Dieu et observe ses commandements. Comme les statues sont des hommes faux, de même
aussi les hommes menteurs» (cf. I, 1, 32-34). «Qu'on ne
dise de personne (pour l'excuser) : C'était un homme.
Regarde : lui aussi était un homme... C'était un homme, et
pourtant, il a pu jusqu'au bout garder sa vertu ; dans un
corps de boue, il a fait preuve d'une si grande piété!»
(cf. I, 11, 46-48).

On retrouve la même exégèse dans la deuxième catéchèse *Ad illuminandos,* § 1, *PG* 49, 232 : «Être un homme,
ce n'est pas seulement avoir des mains et des pieds
d'homme, ce n'est pas seulement être raisonnable, mais
c'est s'exercer avec confiance dans la piété et la vertu.
Écoute ce que l'Écriture dit de Job. Après avoir dit : 'il y
avait un homme dans le pays d'Ausitis', elle ajoute
l'ensemble des indices de cette piété : 'juste, vrai, pieux,
s'éloignant de toute action mauvaise', montrant que c'est

1. Voir Index, *PG* 64, 280-281, au mot «Job».

cela être un homme. Comme le dit aussi un autre texte : « Crains Dieu et garde ses commandements, car c'est cela l'essentiel de l'homme. » De même, dans la *23ᵉ homélie sur la Genèse* (*PG* 53, 202), après avoir parlé de Noé, Chrysostome écrit : « On peut trouver un autre juste pour lequel ce nom d'homme est donné comme le plus grand éloge... Qui est-ce ? C'est le bienheureux Job, l'athlète de la piété... 'As-tu remarqué mon serviteur Job et qu'il n'y a pas d'homme semblable à lui ?' Tu as vu : lui aussi est proclamé d'abord par le nom de notre commune nature. Sans doute, nous sommes tous pareils par la forme et par l'aspect. Ce n'est pas cela être un homme, mais c'est s'abstenir du mal et rechercher la vertu (col. 202, *passim*). »

Comme tout homme, Job a une histoire. Chrysostome souligne, comme le fait notre commentaire, que rien dans ses ancêtres ne prédisposait Job à une pareille justice. Le cinquième après Abraham, il était de la lignée d'Ésaü (cf. Prol. **2**, 2 s.). Dans son traité *Ad eos qui scandalizati sunt,* après avoir fait l'éloge de Job, Chrysostome ajoute : « Pourtant, non seulement il n'avait pas d'ancêtres bons, mais ils avaient montré bien des vices. A propos de son ancêtre, Paul écrit : 'Que personne ne soit impudique ou profanateur comme Ésaü qui, pour un seul plat, vendit son droit d'aînesse' (cf. *PG* 52, 512, l. 6 *a.i.*). » De même, dans la *7ᵉ homélie sur la conversion,* Chrysostome montre que Dieu ne ferme pas son cœur aux enfants pour les crimes de leurs pères – Abraham était le fils d'un idolâtre –, puis il s'étend sur les vices d'Ésaü : « Écoute quelle fut sa descendance : Ésaü engendra Raguel, Raguel Zara, et Zara Job » (*PG* 49, 324, l. 26 *a.i.*).

C'est le mystère de la sainteté de Job : Dieu l'a enseigné lui-même. Il n'a rien appris de personne. Il vivait avant Moïse. Notre commentaire y insiste. Il vivait avant la Loi (cf. Prol. **2**, 9). « D'où vient que Job a découvert Dieu ? D'où vient qu'il l'a si bien servi ? D'où vient qu'il a évité l'erreur? D'où vient qu'il a fait preuve d'une si grande soumission? Il n'a, en effet, rien appris de personne... Qui l'a instruit. Qui l'a formé?» (cf. Prol. **4**, 8-13).

Cette idée a frappé Chrysostome : «Que dire de Job? Quels prophètes avait-il entendus? De quelle catéchèse (διδασκαλίας) a-t-il joui? Et pourtant, sans avoir rien reçu, il a manifesté toute forme de vertu» (cf. *Ad eos qui scandalizati sunt, PG* 52, 511, l. 23 s.). «La Loi n'avait pas été donnée, les Prophètes n'avaient pas paru, la Grâce n'avait pas été répandue» (cf. *A Olympias, lettre* IV, *PG* 52, 592, l. 3 *a.i.*; *SC* 13 bis *lettre* XVII, 3a, p. 377). «Qu'il me soit permis de vous le dire : ce bienheureux Job, s'il ne fut pas plus grand que les Apôtres, ne leur fut pas inférieur. Ceux-ci avaient la consolation de souffrir pour le Christ... Lui n'avait la consolation ni des signes ni de la grâce. Il n'avait pas une aussi grande puissance de l'Esprit... Nous donc, qui vivons après la Loi, après la Grâce, imitons le courage, imitons la douceur de celui qui vécut avant la Loi et la Grâce» (cf. *Hom. 23, al. 24, in Matth.* 7, *PG* 57, 397-398, *passim*).

En effet — et c'est là un leit-motiv de notre commentaire —, par suite de la révélation primitive, ou de la fidélité à sa conscience, Job a pratiqué, au-delà de la Loi, la doctrine évangélique. L'affection mutuelle qu'il a enseignée à ses enfants est déjà celle que recommande S. Paul (cf. I, **6**, 2-4)). S'il les purifiait pour des fautes invisibles, dépassant les exigences de la foi de Moïse (cf. I, **7**, 26-30), il pratiquait déjà l'enseignement de S. Paul (cf. I, **7**, 10-12). Et lorsqu'il proclame qu'il est sorti nu du sein de la terre et que nu il y retournera, il réalise déjà les paroles de l'Apôtre (cf. I, **23**, 43 s.). C'est exactement ce que développe Chrysostome dans son traité *Ad eos qui scandalizati sunt (PG* 52, 511) où il montre que Job a, par avance, pratiqué chacune des béatitudes : «Tu le vois : le Christ n'est venu enseigner rien de nouveau ni d'insolite» (cf. Prol. **4**, 13-14).

b) Le sage

Si Job a été glorieux dans l'adversité, c'est parce qu'il avait été détaché dans la prospérité. Il demeure pour nous le modèle de la philosophie. On sait toute l'importance que Chrysostome attache à ce terme. A.-M. Malingrey a donné quelques chiffres qui soulignent la fréquence du mot dans l'œuvre du grand docteur[1]. On le retrouve avec la même abondance dans notre commentaire.

Job est sage parce qu'il vénère Dieu. «C'est la suprême sagesse de vénérer Dieu au lieu de prendre une peine inutile... pour réclamer des comptes» (cf. XXVIII, **3**, 5-8). Il ne réclame ni comptes ni explications (cf. I, **25**, 14-16).

C'est, en effet, devant la puissance de Dieu que l'homme découvre la sagesse (cf. XXXVIII, **8**, 8). Il comprend alors la distance qui le sépare de Dieu (cf. XXXVIII, **2**, 12-13; **16**, 5). Job connaît la faiblesse de sa nature; il ne fait de lui-même aucun cas (cf. XLII, **3**, 7), cache ses bonnes actions, rabaisse ses éloges (cf. XXXI, **16**, 20-21), car la Sagesse est de craindre Dieu (cf. XXXI, **17**, 11-16). Job sait, en effet, la fragilité des choses humaines (cf. XXXI, **11**, 1-12). Telle est la source de sa sagesse.

Dès lors, il va user avec modération de tous les dons de Dieu. Sa richesse est utile et raisonnable (cf. XXIX, **3**, 2-4). Et lorsque ses biens lui sont retirés, il ne se révolte pas : «Job est un sage et triomphe même de sa nature» (cf. II, **9**, 24-25). Il est juste et vertueux (cf. II, **11**, 12-13); c'est un noble et pieux héros (cf. II, **13**, 2-3).

Tout naturellement, il reconnaît ses torts; notre commentaire développe longuement le texte de *Job* 31, 33 : «Je ne me suis pas détourné de la multitude de mon peuple pour éviter d'avouer ma faute en sa présence.» «C'est là», dit Chrysostome, «une profonde sagesse», et il commente

---

1. Voir A.-M. MALINGREY, *Philosophia. Étude d'un groupe de mots dans la littérature grecque des Présocratiques au IV⁰ s. après J.-C.*, Paris 1961.

en se référant à *Isaïe* 43, 26, comme il le fait dans sa
10ᵉ homélie sur les Éphésiens (cf. *PG* 62, 78, l. 8 *a.i.*) ou encore
dans l'*Ad eos qui scandalizati sunt* (cf. *PG* 52, 511).

Mais surtout, son humilité et sa sagesse se manifestent
dans sa bonté et sa douceur pour les autres (cf. XXXI,
7, 1). Il était doux à l'égard de ses serviteurs (cf. XXXI, 14,
1-6). Il compatit au malheur des persécutés, ne s'enor-
gueillit pas de l'infortune de son adversaire (cf. XXXI,
13, 1-7), réalisant ainsi l'idéal du Sage (cf. *Prov.* 24, 17). Il
est «l'œil des aveugles, le pied du boiteux, le médecin
commun à tous, le port commun, le refuge commun de
tous ceux qui étaient dans la détresse» (cf. XXXI, 9, 2 s.).

On retrouve toutes ces réflexions chaque fois que
Chrysostome nous fait l'éloge de Job (cf. *hom.* IV, *Adversus
eos qui non adfuerant, PG* 63, 477-486). Sa sagesse aboutit
finalement à la charité chrétienne des béatitudes (cf. *Ad eos
qui scandalizati sunt*, 13, *PG* 52, 511 s.).

c) L'athlète de Dieu

S. Paul avait déjà utilisé les images du stade pour
représenter la vie chrétienne. C'est une course (ἐν σταδίῳ
τρέχειν, *I Cor.* 9, 24), un pugilat (πυκτεύω, *I Cor.* 9, 27), ou
encore une lutte (πάλη, *Éphés.* 6, 12). Mais aucun docteur
n'a utilisé les métaphores athlétiques plus que Chrysostome[1]. Notre commentaire reste bien dans cette atmosphère olympique. L'épreuve de Job est toujours représentée comme une lutte sur le stade (cf. I, 8, 4-5 ; 21-22) et
Dieu a tellement confiance en son champion qu'il le
livre, comme désarmé, à son adversaire : le diable (cf. I,
11, 6.12-19).

Cet athlète est un athlète de grande classe (cf. I, 11, 14),
un athlète de valeur (cf. II, 6, 25). Il se prosterne devant

---

1. Sur les métaphores athlétiques chez Chrysostome, voir :
J.A. SAWHILL, *The use of the athletic metaphors in the biblical homelies of
St. John Chrysostom*. Diss. Princeton, 1928.

l'agonothète (cf. I, **23**, 14-17). Il se dépouille (cf. II, **7**, 20), et, après avoir été lié (cf. II, **6**, 29), privé de défense, il doit combattre à mains nues, recevant sur son corps tous les coups de l'adversaire (cf. II, **6**, 25-30).

Quand Satan se présente devant Dieu, «désormais le spectacle est ouvert : l'athlète est traîné sur le stade» (cf. I, **8**, 4-5). Dieu est tantôt l'agonothète, tantôt l'entraîneur qui laisse l'adversaire prendre l'initiative du combat, «pour que la victoire soit éclatante et la défaite plus infamante pour les adversaires» (cf. I, **11**, 18-19). Job pleure sur ses enfants, ce qui n'est pas un signe de défaite, mais de victoire (cf. I, **21**, 2-3). Il les a honorés comme un athlète (cf. I, **21**, 23). Tel le pugiliste du stade, il porte des coups terribles à son adversaire et l'étend à terre (cf. I, **23**, 8-9).

Nous pourrions prolonger les citations du commentaire. Mieux vaut montrer que la même présentation du personnage de Job se retrouve dans les œuvres de Chrysostome.

Dans la *3ᵉ Lettre à Olympias,* par exemple, Job est «le grand athlète de la patience» (cf. *PG* 52, 578, l. 18 = *SC* 13 bis, *lettre* X, p. 263). Même comparaison dans la *lettre* 4 (*PG* 52, 591-592 = *SC, lettre* XVII, p. 373-375) : «Quand le diable vit l'athlète demeurer calme et paisible, il s'élança dans la lutte...» Plus remarquable encore : dans sa *1ʳᵉ homélie sur les Statues,* après avoir comparé Job dépouillé de tout à ces athlètes des combats profanes qui quittent leurs vêtements, pénétrant sur le stade où ils font l'admiration des spectateurs (cf. *PG* 49, 26), Chrysostome poursuit : «Je l'ai déjà dit : Dieu ne voulut pas le frapper lui-même, pour que le diable n'ait pas le droit de lui dire : Vous l'avez épargné, vous ne l'avez pas soumis à assez d'épreuves. C'est au diable même que Dieu accorde le pouvoir et d'anéantir les troupeaux et de torturer la chair du Juste. Je compte sur mon champion, tu peux donc lui susciter tels combats que tu voudras... Dieu livra le Saint aux prises de l'ennemi, dans le but de lui donner une plus brillante couronne quand, malgré tous ces désavantages, il l'aurait vaincu et étendu à terre» (cf. *PG* 49, 27). On croirait entendre certains passages et les accents mêmes de notre commentaire.

Ainsi, l'étude des thèmes que l'on vient d'examiner confirme ce qu'avait déjà montré celle des parallélismes de détail (cf. *supra*, p. 53, n. 2) et que va achever d'établir l'examen de la langue et du style.

IV. Le style

Chrysostome est un apôtre, mais il ne néglige pas pour autant les moyens que lui fournit la rhétorique pour entraîner l'adhésion de ses auditeurs. L'orateur n'est jamais seul. Sans cesse, il interpelle des assistants réels ou fictifs. Son style est donc éminemment oratoire.

Dans sa communication au XIIe Congrès International des Études Byzantines (Belgrade, 1964), A.-M. Malingrey s'est appuyée sur les formes très particulières du style de Chrysostome, pour lui restituer le *Commentaire des Psaumes 103 à 106,* qui se trouve dans le *Parisinus graecus 139.*

C'est une tentative semblable que nous voudrions faire ici, en soulignant particulièrement les procédés oratoires et les procédés analytiques d'explication dont use Chrysostome dans le commentaire sur Job. Par les premiers, il éveille ou réveille l'attention, et la maintient en haleine. Par les seconds, il éclaire, précise et détaille la pensée du texte sacré, dont il facilite la compréhension à son auditoire.

1°) Les procédés oratoires

a) L'emploi de la deuxième personne du singulier. Les exemples surabondent, car le procédé est devenu comme une seconde nature chez Jean, apôtre convaincu et orateur né, pour qui chaque âme semble exister seule à ses yeux.

Ex : Σὺ δέ μοι θέα; ὅρα; εἰπέ μοι, μάθε, etc. Cf. Prol. **2**, 2.6; I, **1**,2.57-58; **2**, 2.3; **3**, 4.18; **4**, 14; **5**, 7.8; **6**, 10; etc.

b) L'emploi de la 1ʳᵉ personne du pluriel, procédé oratoire très psychologique qui permet à l'orateur de se mettre au niveau de ses auditeurs. Ex : μάθωμεν; ἴδωμεν; ἀποφαινώμεθα; etc. Cf. Prol. **1**, 4.5; I, **8**, 50; III, **5**, 33; IV, **1**, 19; etc.

c) Des termes ou des tours interrogatifs, destinés à piquer l'attention, à tenir l'auditeur en haleine, à créer une tension dramatique. Le procédé était cher à la diatribe qui aimait à instituer un dialogue fictif avec l'auditeur. Ex : Πόθεν; τίς; ποῦ; πῶς; etc. Cf. Prol. **4**, 8.9.10.11.12; I, **1**, 17.18.60; **6**, 15-18; **7**, 75-78, etc.

2°) Les procédés analytiques

a) Des définitions de mots, servant à préciser la pensée, selon la méthode stoïcienne, reprise par l'exégèse chrétienne.

– Sous forme interrogative. L'auditeur est invité à se demander le sens d'un mot avant que n'arrive la réponse. Procédé éminemment pédagogique, dont usent tous les maîtres en face de leurs élèves. Ex : Τί ἐστι; τί τοῦτο; etc. Cf. I, **6**, 18; **9**, 8; **16**, 22.24; **18**, 12; **24**, 8; **26**, 13, etc.

– Sous forme affirmative. Quand arrive la réponse de l'orateur, celle-ci est introduite par l'une des formules : τοῦτ' ἔστιν; τοῦτο λέγει ὅτι; ὃ λέγει τοιοῦτόν ἐστιν; etc. Cf. I, **7**, 6.53; **9**, 8.38, etc.

– Sous forme disjonctive, traduisant un souci de précision chez l'orateur qui envisage plusieurs interprétations possibles et en fait part loyalement à ses auditeurs. Ex : ἤ... ἤ ὅτι; ἤτοι... ἤτοι; ἤτοι ὅτι... ἤ ὅτι. Cf. IX, **17**, 2; XI, **6**, 2; XII, **5**, 4; XIX, **6**, 2-3; XXVIII, **1**, 5; XXXVII, **2**, 2, etc.

b) Des remarques sur l'emploi de tel ou tel mot, introduites par : «Il n'a pas dit ceci, mais ceci», apportent une plus grande précision dans une définition ou l'expres-

sion de la pensée. Cf. I, 1, 48; 3, 9; 10, 13; 15, 2; II, 5, 20-
30; 6, 31; 10, 5.6.21.23; etc.

c) Des remarques précisant les raisons de l'emploi de tel
ou tel mot : «il a dit cela, non pas pour... mais pour». Sous
cette forme nettement antithétique, ces tours sont rares
dans notre commentaire; voir cependant XL, 3, 3. Généralement, le membre négatif est absent. Cf. II, 10, 47.53;
III, 5, 39; etc.

d) Des répétitions de mots qui donnent un tour pressant
à la démonstration, entraînant l'auditeur par une avalanche
d'arguments, éclairant ou berçant sa pensée par la symétrie
d'un rythme. Ex : τί... τί δὲ... τί δὲ; πῶς... πῶς;
οὕτω... οὕτω; πάλιν répété sept fois en IX, 3, 20-23.
Cf. II, 8, 4.5.14-20, etc.

Parfois aussi, ce sont les synonymes qui s'accumulent,
comme en XV, 6, 18 : ἔλεγκος, κατηγορία, μαρτύριον; XV,
6, 20 : δῆλος, καταφανής, οὐδενὶ ἄγνωστος.

Ainsi, les procédés de style, oratoires ou analytiques,
dont use notre commentaire, rappellent ceux que l'on
trouve habituellement dans les autres œuvres de Chrysostome. Preuve nouvelle, qui vient s'ajouter aux précédentes,
pour plaider en faveur de l'authenticité chrysostomienne
de notre texte.

Conclusion

Au terme de cette étude, il convient maintenant de
conclure.

Nous appuyant sur nos deux manuscrits de base L et M,
qui – compte tenu des trois lacunes de L – nous donnaient
le commentaire complet et suivi, nous les avons confrontés
avec les manuscrits des chaînes; d'abord avec p, qui
mérite, avec des réserves, la juste place que lui accordait

R. Devreesse; ensuite avec les trois représentants de la première chaîne (**a b c**), la plus ancienne et souvent la meilleure; avec ceux enfin de la deuxième chaîne (**y z**) plus élégants, mais moins fidèles. Nous sommes arrivés à cette conclusion que, si, dans certains cas où les chaînes étaient les témoins d'une tradition plus ancienne, nous avons dû faire appel à elles pour appuyer, éclairer ou corriger le texte de **LM**, de façon générale on peut faire confiance aux deux manuscrits de base **L** et **M**.

Les objections, sans doute, ne manquaient pas. Le texte de **LM** était un texte rude, donnant parfois l'impression d'un certain décousu et comportant même, de temps en temps, un manque de suite dans les idées. A la réflexion, cependant, il nous a semblé que ces objections n'étaient pas décisives.

Texte rude? Inconstestablement, mais le cas n'est pas unique dans les œuvres de Chrysostome, qui n'a pas toujours eu le temps de les revoir avant leur publication. On aurait alors, dans le texte donné par **L** et **M**, un premier jet qui fait penser à un art spontané dont les gaucheries n'excluent pas la fraîcheur savoureuse.

Un certain décousu? C'est vrai également, mais cela peut tenir au caractère même du commentaire, qui est une explication «ad verbum», destinée à un auditoire populaire.

Manque de logique interne? Il est exact aussi que cela arrive parfois, et que nous avons dû déplacer certains passages pour les remettre à leur vraie place, et rétablir ainsi l'ordre normal des idées. Mais ce désordre n'est sans doute pas dû à l'auteur. On a proposé d'y voir le fait du copiste qui a effectué la translittération, c'est-à-dire le passage d'un manuscrit en onciale, où le commentaire entourait le texte scripturaire, à un manuscrit en minuscule où le texte scripturaire a été intégré à celui du commentaire.

Ce texte est-il de Chrysostome? Sans parler du témoi-gnage de la tradition littéraire, un peu grêle peut-être, mais ancienne et cohérente, la critique interne nous apporte d'autres arguments pour lui restituer cette œuvre. Le texte scripturaire cité par notre commentaire (texte de **A**) est celui que suit Chrysostome dans la majorité des cas. Les proportions des citations scripturaires, tant de l'Ancien Testament que du Nouveau, sont, à peu de chose près, celles que l'on retrouve dans l'ensemble de l'œuvre de Chrysostome. La méthode du commentaire, littérale et parénétique, est celle même des homélies de Jean.

Enfin – et c'est peut-être l'argument le plus décisif – les mêmes thèmes se retrouvent tout au long du commentaire, témoignant de son unité, et ils sont justement aussi des thèmes familiers à Chrysostome qui réapparaissent dans toute son œuvre.

Si l'on ajoute que le style et le vocabulaire portent la marque de Chrysostome, on comprendra qu'on puisse être légitimement convaincu de la paternité chrysostomienne de ce commentaire sur Job (voir Appendice p. 70).

Appendice

Pour ceux qui douteraient encore de l'authenticité de
notre commentaire, nous voudrions proposer une ultime
confrontation. Parmi les homélies de Chrysostome, il en
existe une et une seule, qui prend Job pour sujet; l'*homélie
sur les combats et les luttes du bienheureux et juste Job*[1]. Elle va
nous permettre, dans un exemple concret, de matérialiser
les ressemblances de style et de vocabulaire entre une
œuvre authentique de Chrysostome et notre commentaire.
Ce qui frappe, dans cette comparaison, c'est :

1°) La ressemblance des procédés : identifications par
τοῦτ' ἔστιν (cf. *PG* 63, 482, l. 2 *a.i.*); emploi de λέγω dans le
sens de : je veux dire (cf. 481, l. 12); interpellations :
ἀγαπητέ (cf. 484, l. 27).

2°) L'emploi de l'adjectif au neutre avec la valeur d'un
substantif. Cf. *PG* 63, 480, l. 3 *a.i.*; 481, l. 9; 484, l. 7 etc.

3°) L'emploi de formules typiques. Ex : *PG* 63, 483,
l. 21 *a.i.* : οὐχ ἁπλῶς οὐδὲ ὡς ἔτυχεν (cf. I, **26**, 44-45); 481,
l. 20 : οὐ μικρὸν δὲ τοῦτο εἰς παραμυθίαν (cf. XIII, **12**, 7-8).

4°) Un certain nombre d'idées que nous avons déjà
signalées comme caractéristiques de Chrysostome et de
notre commentaire, se retrouvent dans cette homélie.

A travers l'idée de la tempête et du naufrage : ναυάγιον
(478, l. 10; cf. IX, **16**, 8), l'auteur décrit l'accumulation des

---

1. Il s'agit de la 4ᵉ de ces onze homélies que Montfaucon éditait pour
la première fois et qu'il considère absolument authentiques. «Ce qui est
absolument nouveau et insolite», écrit-il, ... «c'est qu'elles ont été
transcrites par quelqu'un qui paraît avoir vécu très près du saint
Docteur, car dans les intitulés des homélies, il indique les lieux et
souvent l'occasion où elles ont été prononcées et il y mêle beaucoup de
renseignements historiques. Il est absolument certain qu'elles furent
prêchées à Constantinople, et toutes durant les années 398 et 399.» C'est
cette 4ᵉ homélie qui s'intitule : 'Des combats et des luttes du bienheureux et juste Job', *PG* 63, 477-486.

malheurs de Job qui en fait une tragédie (τραγωδίαν, 479, l. 11 *a.i.;* cf. II, 10, 10; 12, 8, etc.). Nous retrouvons encore tous les παλαίσματα (480, l. 5; cf. I, 23, 35); le rôle du démon, de la femme, les μηχανήματα (480, l. 1; cf. II, 9, 4); le rôle des amis, la souffrance en plein air (αἴθριος, 481, l. 2; cf. II, 8, 6), à la vue de tous. Chrysostome utilise pour la méchanceté de la femme cette image si curieuse du glaive (ξίφος, 481, l. 7; cf. II, 9, 49). Mêmes procédés de rhétorique : il avait vécu jusqu'ici dans le bonheur, il n'avait conscience d'aucune faute. Tout cela proclame la grandeur de l'athlète : ἀνακηρύττει τὸν ἀθλητὴν ἐκεῖνον (481, l. 25 *a.i.;* cf. II, 16, 1). Et pourtant, Job n'avait reçu aucun enseignement (481, l. 6 *a.i.;* cf. Prol. 4, 12-13), car c'est avant la Loi (481, l. 21 *a.i.*) qu'il a manifesté une telle philosophie.

Ce mot de philosophie, nous le retrouvons en 482, l. 1, 20, 21, etc. Job a fait preuve de sagesse en se montrant : κοινὸς λιμήν, κοινὸς πατήρ, κοινὸς ἰατρός (482, l. 22; cf. XXIX, 7, 16.17 et XXXI, 9, 3-4). Il circulait, cherchant ceux qui avaient commis l'injustice (περιήει ζητῶν, 482, l. 6 *a.i.;* cf. XXIX, 7, 69-73 : ἐζήτουν περιήειν). Il arrachait aux dents des méchants leur proie : 483, l. 11 : ἤδη καὶ τὸ καταποθέν; cf. XXIX, 7, 80 : καταποθὲν ἤδη καὶ προληφθέν. Modèle du sage que Job : οὔτε πλοῦτος αὐτὸν ἐφύσησεν, οὔτε πενία ἐταπείνωσεν (478, l. 17 *a.i.*), expression à laquelle fait écho notre commentaire : Ὅρα γὰρ αὐτὸν ἐν πλούτῳ καὶ ἐν πενίᾳ... οὔτε ἐκεῖθεν φυσηθέντα οὔτε ἐντεῦθεν ταπεινωθέντα (Prol. 4, 4-5). Il paraît difficile de mettre tant de concordances sur le compte du hasard.

Enfin, bien que cela soit moins probant, car c'est un genre littéraire qui présente des modèles établis, nous soulignerons aussi l'identité presque parfaite entre la conclusion et la doxologie de cette homélie et celles de notre commentaire. Cf. 485, l. 1 à 486, l. 3; XLII, 9, 14-21.

BIBLIOGRAPHIE

On ne trouvera ici que la bibliographie strictement limitée au sujet. Quand il s'agit d'un point de détail, la référence bibliographique est donnée en note. D'autre part, les catalogues qui décrivent les manuscrits, ainsi que les études qui les concernent, sont indiqués dans l'Introduction, à propos de chacun d'eux.

A. Bibliographie concernant l'étude critique du texte et le problème des chaînes exégétiques

*1°) Étude du Laurentianus gr. XIII, pluteus 9 (= **L**)*

DIEU (L.), «Le Commentaire de S. Jean Chrysostome sur Job», *RHE*, 1912, p. 650-658.

2°) Étude des chaînes

DEVREESSE (R.), Article : «Chaînes exégétiques grecques», dans *SDB*, t. I, col. 1084-1233 (IV : *Les chaînes exégétiques sur Job*, col. 1140-1145).

HAIDACHER (S.), «Chrysostomus Fragmente, A : Chrysostomus-Fragmente zum Buche Job» dans Χρυσοστομικά, *Studi e Ricerche intorno a San Giovanni Crisostomo*, t. I, p. 218-225, Rome 1908.

KARO (G.) et LIETZMANN (J.) (K.L.), *Catenarum graecarum Catalogus, Catenae in Job*, p. 319-331, Göttingen 1902.

COMITOLUS (Paolo Comitolo), *Catena in beatissimum Job absolutissima, e quattuor et viginti Graeciae doctorum explanationibus contexta, a Paolo Comitolo (S.J.) e graeco in latinum conversa*, Lyon 1585 (seconde édition de cette traduction latine à Venise, apud Iolittas, 1587).

YOUNG (Patricius Junius), *Catena graecorum Patrum in beatum Job, collectore Niceta Heraclea Metropolita ex duobus manuscriptis bibliothecae Bodleianae codicibus, graece nunc primum in lucem edita, et latine versa, opera et studio Patricii Junii Bibliothecarii Regii...*, Londini 1637 (réimprimée à Venise, texte grec seul, en 1792, sous le nom de Σειρά).

B. Bibliographie concernant l'authenticité

1°) Études sur le texte biblique de Chrysostome

DIEU (L.), «Le texte de Job du Codex Alexandrinus et ses principaux témoins», dans le *Museon* XXXI, 1912, p. 223-274.

DUMORTIER (J.), «Les citations scripturaires des 'Cohabitations suspectes', d'après leur tradition manuscrite», dans *TU* 63, p. 291-296.

– «Les citations bibliques des Lettres de S. Jean Chrysostome à Théodore», dans *TU* 79, p. 78-83.

GUILLAUMIN (M.-L.), «Problèmes posés aux éditeurs de J. Chrysostome par la richesse de son inspiration biblique», dans Ἀνάλεκτα βλαταδῶν, 18, Συμπόσιον : *Studies on S. John Chrysostom,* Thessalonikè 1973, p. 59-76.

LECONTE (R.), *S. Jean Chrysostome, exégète syrien* (thèse dactylographiée de l'Institut Catholique de Paris), Paris 1943.

LEROUX (J.-M.), «Relativité et transcendance du texte biblique, d'après Chrysostome», dans *Bibliothèque des centres d'études supérieures spécialisées* (Travaux du centre d'études supérieures spécialisées d'histoire des religions de Strasbourg), *PUF,* 1971.

2°) L'exégèse chrysostomienne ou la méthode du commentaire

BARDY (G.), «Interprétation (Histoire de l') chez les Pères», dans *SDB,* t. IV, col. 569-591 (École d'Antioche, col. 579-582).

GUILLAUMIN (M.-L.), «Recherche sur l'exégèse patristique de Job», dans *Studia Patristica,* 1975 (I), p. 304-308.

GUILLET (J.), «Les exégètes d'Alexandrie et d'Antioche, conflit ou malentendu?» dans *RSR* 34, 1947, p. 257-302.

3°) La pensée et la doctrine de Chrysostome

MEYER (L.), *S. Jean Chrysostome, maître de perfection chrétienne,* 2ᵉ éd., Paris 1934.

NOWAK (E.), *Le chrétien devant la souffrance*. Étude sur la pensée de J. Chrysostome (collect. *Théologie historique* 19) Paris 1912.

4°) La langue et le style

AMERINGER (T.E.), *The stylistic influence of the second sophistic on the panegyrical sermons of John Chrysostom*. A study on greek rhetoric *(Patristic Studies)*, Washington; The catholic university of America, 1921.

SAWHILL (J.A.), *The use of athletic metaphors in the biblical homelies of St John Chrysostom*, Diss. Princeton, 1928.

SOFFRAY (M.), « *Recherches sur la syntaxe de S. Jean Chrysostome d'après les homélies sur les statues* », Paris 1939.

SIGLES ET ABRÉVIATIONS

Références

Les références au texte de Job se présentent tout entières en chiffres arabes. Ex. : *Job* 33, 12.

Les références au Commentaire de Chrysostome sont données au chapitre (en chiffres romains), au numéro du paragraphe et à la ligne. Ex. : II, **10**, 13 = chapitre II, § 10, ligne 13.

Ainsi : 15, 7 est une référence au texte du *Livre de Job*; XV, **7** une référence au Commentaire de Chrysostome.

Il est important de remarquer que si les chapitres coïncident (XV commente *Job* 15), le n° des paragraphes ne correspond pas toujours au n° des versets. Ainsi, par exemple, I, **22** commente *Job* 1, 20; XV, **4** commente *Job* 15, 17-23, etc.

Abréviations

a.i.	=	ab imo.
des.	=	desinit.
DB	=	Dictionnaire de la Bible, Paris.
DSp	=	Dictionnaire de Spiritualité, Paris.
DTC	=	Dictionnaire de Théologie Catholique, Paris.
inc.	=	incipit.
K.L.	=	Karo G. et Lietzmann J., cf. Bibliographie p. 72
l.c.	=	loco citato.
op. cit.	=	opere citato.
PG	=	Patrologia graeca, J.P. Migne, Paris.
RHE	=	Revue d'histoire ecclésiastique, Louvain.
RSR	=	Recherches de science religieuse, Paris.
SC	=	Sources Chrétiennes, Paris.
SDB	=	Supplément au Dictionnaire de la Bible, Paris.
SP	=	Studia Patristica.
TU	=	Texte und Untersuchungen zur Geschichte der Alt-christlichen Literatur, Leipzig.

L'apparat

On trouvera sous le texte de Chrysostome un double apparat :

- l'apparat critique des trois mss de base LMp,
- l'apparat de la présence du texte dans les chaînes.

Sigles des manuscrits

M = *Mosquensis 55* (Xe s.)
L = *Laurentianus gr. 13* (X^e/XIe s.)
p = *Vaticanus gr. Pii II 1* (XIe s.)
a = *Athous Vatopedinus 590* (XIIe s.)
b = *Patmiacus 171* (VIIIe s.)
c = *Vaticanus gr. 749* (VIIIe/IXe s.)
y = *Vaticanus palatinus gr. 230* (X^e/XIe s.)
z = *Ambrosianus B 117 sup.* (XIIIe s.)

Sigles de l'apparat de la présence des chaînes

a b c : mss de la première chaîne (cf. Intr. p. 15).

y z : mss de la deuxième chaîne (cf. Intr. p. 16).

a : le texte se trouve dans le ms. a, mais très légèrement modifié.

(a) : le texte se trouve dans le ms. a, mais profondément remanié.

a, z : le texte se trouve dans a et z, mais la virgule indique que les modifications ne sont pas les mêmes dans les deux mss.

\> : un passage est omis.

tr. : un passage est transposé.

N.B. Les leçons de L, M et p sont toujours données. Les chaînes ont été entièrement collationnées, mais leurs leçons ne sont relevées dans l'apparat que dans les cas où leur témoignage unanime permet soit de trancher entre LM et p soit de retrouver un état ancien ou intéressant du texte.

Il arrive que p mette sous le nom de Chrysostome des textes que nous ne retrouvons pas dans LM. Lorsqu'ils sont placés aussi sous son nom par la 2e chaîne, nous renvoyons à Migne (*PG* 64) qui a recueilli ces extraits. Lorsque la 2e chaîne les attribue à d'autres auteurs, nous renvoyons à *Young : Catena graecorum Patrum in Beatum Job, Londini 1637.*

Symboles et conventions

+ = addidit, addiderunt
> = omisit, omiserunt
~ = mutato ordine scripsit, scripserunt

Dans le texte les crochets aigus < > encadrent un texte qui a été déplacé et les crochets droits [...] marquent l'endroit où il se trouvait dans les mss (cf. *supra,* p. 45-46, n. 1).

Τοῦ ἐν ἁγίοις πατρὸς ἡμῶν Ἰωάννου ἀρχιεπισκόπου Κωνσταντινουπόλεως τοῦ Χρυσοστόμου ὑπόμνημα εἰς τὸν Ἰώβ.

1. Ἄξιον πρῶτον ἐπιζητῆσαι πότε οὗτος ὁ ἀνὴρ γέγονεν. Τινὲς μὲν οὖν αὐτόν φασι πρὸ τοῦ Μωσέως εἶναι, καὶ πέμπτον ἀπὸ Ἀβραάμ· τινὲς δὲ ἐν τῷ Νόμῳ· ἀλλὰ μηδέπω ἀποφαινώμεθα, ἕως ἂν ἀπ' αὐτῆς τῆς ἱστορίας
5 μαθῶμεν, εἴτε ἐν τούτῳ, εἴτε ἐν ἐκείνῳ τῷ χρόνῳ ἦν. Οὐδὲ γὰρ οὐδὲ τοῦτο μικρὸν ἡμῖν συντελεῖ πρὸς τὸ γνῶναι τοῦ ἀνδρὸς τὴν ἀρετήν. Οὐ γάρ ἐστιν ἴσον ἀπολαύσαντα τῶν μωσαϊκῶν τοιοῦτον εἶναι, οὕτως ἐνάρετον καὶ θαυμαστόν, καὶ πρὸ ταύτης τῆς παραινέσεως, τοσαύτην ἐπιδείκνυσθαι
10 τὴν ἰσχύν. Ὅτι μὲν γὰρ μέγας ἦν ὁ ἀνήρ, καὶ αὐτὰ τὰ πράγματα δηλοῖ, δηλοῖ δὲ καὶ ὁ Θεὸς λέγων· «Ἐὰν στῇ Νῶε καὶ Ἰὼβ καὶ Δανήλ, υἱοὺς αὐτῶν καὶ θυγατέρας αὐτῶν οὐ μὴ ἐξέλωνται[a].»

Titre ἀρχιεπισκόπου κονσταντινουπόλεως > p ‖ εἰς τὸν + μακάριον L
Prologue 1,2 οὖν > p ‖ 4 ἀπ' αὐτῆς : ἀπ' αὐτοῦ p ‖ 10-11 δηλοῖ τὰ πράγματα ~ p

a. Cf. Éz. 14, 14-20

1. Au ch. 42, § 9, s'appuyant sur la finale du *livre de Job* dans la LXX, ch. 42, 17, Chrysostome identifie Job avec le roi d'Édom du nom de Yôbab que nous trouvons mentionné en *Genèse* 36, 33. La Bible nous en donne la généalogie suivante : Abraham - Isaac - Ésaü - Réuel (36, 10) - Zérah (36, 13) - Yôbab. Comme le signalera Chrysostome (§ 2, 4 s.), il n'appartient donc pas à la lignée d'Abraham qui porte la promesse, celle qui passe par Jacob (cf. *Matth.* 1, 2).

2. Pour Chrysostome, il ne fait aucun doute que Job est antérieur à Moïse, et que sa sainteté ne dépend point de la Loi, mais des seules lumières de la raison et de la révélation primitive; cf. Prol., **2**, 9; **4**, 6-19; I, **7**, 42-43 etc.

De notre Père, qui est parmi les saints, Jean Chrysostome, archevêque de Constantinople, commentaire sur Job

PROLOGUE

A quelle époque vivait Job? **1.** Il convient de se demander, tout d'abord, quand ce personnage est né. Certains, en effet, prétendent qu'il est antérieur à Moïse et qu'il descend d'Abraham à la cinquième génération[1]; d'autres, qu'il vivait sous la Loi; mais, attendons, pour nous prononcer, que son histoire elle-même nous ait appris s'il vivait à l'une ou l'autre de ces deux époques[2]. Ce point, en effet, n'est pas pour nous de mince importance, pour juger de la vertu du personnage; car, ce n'est pas pareil qu'il soit un tel homme, d'une vertu si admirable, pour avoir mis à profit les préceptes mosaïques, ou qu'il fasse preuve d'une telle fermeté avant l'existence de cet enseignement moral. La grandeur du personnage est attestée, en effet, aussi bien par ses actes mêmes qu'elle l'est par Dieu, lorsqu'il dit : «Même l'intervention d'un Noé, d'un Job ou d'un Danel[3] ne sauverait pas les fils et les filles de ces gens-là[a].»

---

3. Sur Danel, et les saints de l'A.T., au nombre desquels figure Job, on pourra consulter : J. DANIÉLOU : *Les Saints païens de l'A.T.,* Paris (éd. du Seuil), 1955.

2. Τίνος δὲ ἕνεκεν αὐτοῦ Μωσῆς οὐχὶ μέμνηται; Ποία
γὰρ ἦν ἀνάγκη μνησθῆναι; Ἢ τίνος ἕνεκεν; Σὺ δέ μοι θέα
πῶς οὐδὲν αὐτὸν ὁ πρόγονος παρέβλαψεν ὁ Ἡσαῦ. Οὐκ ἦν
ἀπὸ τοῦ Ἀβραάμ, μᾶλλον δέ, οὐκ ἦν ἀπὸ τοῦ Ἰακώβ,
5 ἀλλὰ καὶ χώραν ξένην εἶχεν. Ὁρᾷς ὅτι πᾶσι διδασκάλους
ἔπεμψεν ὁ Θεός. Σὺ δέ μοι βλέπε πῶς ἄνωθεν ἡ γνῶσις
τοῦ Θεοῦ πανταχοῦ δήλη ἦν. Ὁρᾷς γὰρ καὶ τοὺς φίλους
αὐτοῦ ἔννοιαν ἔχοντας περὶ Θεοῦ. Τίς αὐτοὺς ἐδίδαξεν, τίς
κατήγγειλε; Καὶ γὰρ ἐμοὶ δοκεῖ πρὸ τοῦ Νόμου εἶναι —
10 καὶ δῆλον αὐτόθεν — ὥστε εἰκότως ἄν τις εἴποι ὅτι πρῶτον
τοῦτο τὸ βιβλίον διδάσκαλός τις καὶ κῆρυξ ἦν τῆς τοῦ
Θεοῦ γνώσεως, ἀλλὰ διὰ βίου μὲν καὶ ὑπομονῆς δῆλον.

3. Ἔδει δὲ καὶ σημεῖα γενέσθαι ἐπ᾽ αὐτοῦ, ὥστε καὶ
ταύτῃ ἀπηρτισμένον εἶναι τὸν διδάσκαλον. Καθάπερ γὰρ
ἐπὶ τοῦ Ἀβραὰμ πολλὰ γέγονε σημεῖα, οὕτω καὶ ἐνταῦθα.
Καὶ ὅρα πῶς ἔρχονται βασιλεῖς αὐτοὶ μάρτυρες τῶν
5 δεινῶν ἐσόμενοι. Ἐπειδὴ   γὰρ μετὰ τὴν τῶν δεινῶν
ἐπαγωγήν, ἤμελλεν ἄπιστος εἶναι ἡ πρὸς τὸ βέλτιον αὐτοῦ
μεταβολή, διὰ τοῦτο πολὺν χρόνον ποιεῖ καὶ πολλοὺς
γενέσθαι θεατὰς καὶ ἔξω αὐτὸν καθίζει, πᾶσιν ἐσόμενον
«θέατρον[b]» τοῖς βουλομένοις ὁρᾶν, ἵνα, ὅταν αὐτὸν μέλλῃ
10 πρὸς τὸ βέλτιον μετατιθέναι, μηδεὶς ἀπιστῇ ὅτι οὗτος
ἐκεῖνος ἦν. Καθάπερ γὰρ τὸν Λάζαρον τεσσάρων ἡμερῶν

2, 5 διδασκάλους : διδασκαλίαν p ‖ 10 εἴποι > p ‖ ὅτι εἴποι ∼ M ‖
πρῶτον > p ‖ 11 τις ἦν καὶ κῆρυξ ∼ p ‖ 12 γνώσεως + πρῶτον εἴποι p

b. Cf. I Cor. 4, 9

Dès les origines Dieu se fait connaître à tous les hommes

2. Pourquoi Moïse n'en fait-il pas mention? Quelle nécessité y avait-il donc de le faire ou quelle raison? Toi, admire plutôt comme son ancêtre Ésaü ne lui a causé aucun préjudice. Il n'était pas de la lignée d'Abraham, ou, plus précisément, il n'était pas de celle de Jacob, et il habitait même dans un pays étranger. Tu le vois : Dieu a envoyé des maîtres à tous les hommes. Toi, remarque comment, dès le départ, la connaissance de Dieu était partout manifeste. Tu peux voir, en effet, que même les amis de Job avaient aussi une notion de Dieu. Qui les en avait instruits? Qui la leur avait annoncée? Car, à mon avis, Job est antérieur à la Loi; c'est l'évidence même. Aussi, pourrait-on dire, à juste titre, que c'est ce livre-là qui, le premier, a comme enseigné et proclamé la connaissance de Dieu, mais à travers une vie de patience, c'est évident.

L'histoire de Job est un signe évident de la puissance de Dieu

3. Il fallait, en outre, qu'il y eût des signes à son sujet, pour que, sous ce rapport aussi, le maître fût parfait. De même que, en effet, dans le cas d'Abraham, il y a eu beaucoup de signes, il y en a eu aussi dans le sien. Note encore comment des rois viennent pour être personnellement témoins de ses malheurs. C'est que, après l'avalanche de maux qu'il a essuyés, la transformation et l'amélioration de sa situation allaient paraître incroyables. C'est pour cela que Dieu multiplie le nombre des spectateurs, prolonge la durée de leur présence, et le fait asseoir dehors pour qu'il soit offert «en spectacle[b]» à tous ceux qui veulent le voir : ainsi, lorsque Dieu va transformer et améliorer sa situation, personne ne pourra douter qu'il s'agit bien du même homme. De même, en effet, que Dieu a laissé Lazare mort durant quatre jours, pour qu'on ne pût

ἀφῆκε γενέσθαι νεκρόν, ἵνα μὴ ἀπιστηθῇ ἡ ἀνάστασις[c],
οὕτω καὶ τοῦτον πολὺν χρόνον εἴασεν, ἅμα μὲν τὴν
ὑπομονὴν αὐτοῦ δεικνύς, ἅμα δὲ καὶ τὸ θαῦμα πιστούμενος
15 τῆς μεταβολῆς. Οἱ γὰρ οὕτως αὐτὸν ἑωρακότες, οἱ δια-
κωμῳδοῦντες, οὗτοι μετὰ ταῦτα μεταβληθέντα ἰδόντες,
οὐκέτι ἔμελλον ἀπιστεῖν ὅτι οὗτος ἐκεῖνος ἦν. Καὶ καθάπερ
τότε ἐκεῖνοι οἱ εἰπόντες ἐπὶ τοῦ Λαζάρου, ὅτι «ἤδη ὄζει[c]»,
διὰ τῶν πραγμάτων ἐδιδάσκοντο τὴν ἀλήθειαν, οὕτω δὴ
20 καὶ νῦν ἐγένετο.

4. Ὁρᾷς πῶς πανταχοῦ προνοεῖ τῶν ἀνθρώπων ὁ Θεός;
Ὅτε ἦσαν ἐν Αἰγύπτῳ Ἰουδαῖοι καὶ ἔρημος ἦν αὕτη ἡ
χώρα τῶν διορθούντων, εἶχον τὰ κατὰ τὸν Ἰώβ. Ὅρα γὰρ
αὐτὸν ἐν πλούτῳ καὶ ἐν πενίᾳ, ἀμφοτέρων παράδειγμα
5 ὄντα, οὔτε ἐκεῖθεν φυσηθέντα, οὔτε ἐντεῦθεν ταπεινωθέντα,
καὶ πρὸ Νόμου ὡς μετὰ Νόμον τὴν ἀρετὴν μεταδιώξαντα ·
«Δικαίῳ γάρ, φησίν, Νόμος οὐ κεῖται[d].»

Ὅρα τῆς φύσεως τοὺς λογισμοὺς λάμποντας. Πόθεν
οὗτος ἐπέγνω τὸν θεόν; Πόθεν οὕτως ἐθεράπευσε; Πόθεν
10 ἔφυγε πλάνην; Πόθεν τὴν πολιτείαν τὴν εὐαγγελικὴν ἐπεδείξατο; Πόθεν τὴν ὑπομονὴν τὴν τοσαύτην; Οὐδὲν ἔμαθε
παρ᾽ οὐδενός. Πόθεν ἐγένετο τοιοῦτος; Τίς ἐδίδαξεν; Τίς
ἐπαίδευσεν; Ὁρᾷς ὅτι οὐδενὸς καινοῦ καὶ ξένου διδάσκαλος
ἦλθεν ὁ Χριστός.

3, 12 νεκρὸν γενέσθαι ∼ p
4, 4 ἐν² > p ‖ 5 ταπεινωθέντα + ἀλλὰ p ‖ 8 πόθεν + οὖν p ‖ 11 ἔμαθε :
γὰρ ἔμαθεν p ‖ 12 πόθεν + οὖν p

c. Cf. Jn 11, 39 ‖ d. I Tim. 1, 9

1. Chrysostome nous invite souvent à contempler Job tour à tour
dans la richesse et dans la pauvreté, pour souligner que sa vertu n'est
tributaire d'aucun de ces deux états; cf. I, 1, 55-60; 4, 12-14; 8, 10-11;
voir aussi *infra*, p. 88, n° 2. L'essentiel est d'être détaché intérieurement,
comme Job le répète sans cesse : «Dieu a donné, Dieu a ôté : Que son
nom soit béni.»
2. Il semble que Chrysostome veuille dire que notre réflexion
naturelle suffit à prouver Dieu.

douter de sa résurrection[c], de même il a laissé l'épreuve de
Job se prolonger, à la fois pour montrer sa patience et pour
accréditer le prodige de sa transformation. Car ceux qui
l'avaient vu dans un tel état et qui le bafouaient, le voyant
ensuite transformé, ne contesteraient plus qu'il s'agissait
bien du même homme. Ceux qui, jadis, avaient dit, à
propos de Lazare : «il sent déjà mauvais[c]», reçurent des
faits l'enseignement de la vérité : il en est allé de même
dans le cas présent.

Le livre de Job annonce déjà l'Évangile   **4.** Vois-tu comment Dieu veille partout sur les hommes? Quand les Juifs étaient en Égypte, et que, dans ce pays, ils étaient privés de leurs guides, ils avaient l'exemple de Job. Regarde-le, en effet :
dans la richesse et dans la pauvreté[1], il est le modèle des
deux situations; ni la première ne l'a gonflé d'orgueil, ni la
seconde ne l'a abattu; et, avant la Loi, il a poursuivi la
vertu, comme (s'il avait vécu) après la Loi; car, «pour le
juste», dit l'Écriture, «il n'y a pas de loi[d]».

Regarde les raisonnements naturels, comme ils sont
lumineux[2]! D'où vient que Job a découvert Dieu? D'où
vient qu'il l'a si bien servi? D'où vient qu'il a évité
l'erreur? D'où vient qu'il a donné l'exemple d'une
conduite évangélique[3]? D'où vient qu'il a fait preuve
d'une si grande patience? Il n'a, en effet, rien appris de
personne. D'où vient donc qu'il est devenu un tel homme?
Qui l'a instruit? Qui l'a formé? Tu le vois : le Christ n'est
venu enseigner rien de nouveau ni rien d'insolite.

3. L'idée que Job a pratiqué la morale des béatitudes avant le Christ,
est familière à notre commentaire; cf. Prologue 4, 13-14 et se retrouve
ailleurs dans l'œuvre de Chrysostome; cf. : *Ad eos qui scandalizati sunt,*
PG 52, 512, l. 14 *a.i.* Même idée dans l'*homélie VII sur la pénitence,* en
PG 49, 324, l. 23 s.

Ι

1. **Ἄνθρωπός τις ἦν ἐν χώρᾳ τῇ Αὐσίτιδι, ᾧ ὄνομα Ἰώβ**[a]. Ὅρα πρῶτον ἐγκώμιον τοῦτο, τὸ «ἄνθρωπον» εἶναι· «ἐν χώρᾳ, φησί, τῇ Αὐσίτιδι»· ὧν καὶ τοῦτο ἐγκώμιον μέγα· τὸ γὰρ ἐν Ἀραβίᾳ εἶναι, ἔνθα πάντες ἦσαν 5 διεφθαρμένοι, ἔνθα οὐδὲν ὑπόδειγμα ἦν εὐνομίας, τοῦτο ἦν θαυμαστόν. **Καὶ ἦν ὁ ἄνθρωπος ἐκεῖνος** – πάλιν «ἄνθρωπος» – **ἄμεμπτος, δίκαιος, ἀληθινός, θεοσεβής, ἀπεχόμενος ἀπὸ παντὸς πονηροῦ πράγματος**[b]. Ἓν ἕκαστον τούτων ἱκανὸν παραστῆσαι τὴν ὥραν αὐτοῦ τῆς 10 ψυχῆς. Ἀλλ᾽ ὥσπερ τις ἐραστὴς μετὰ πολλῆς τῆς ἀκριβείας τὸ κάλλος διηγεῖται τοῦ ἐρωμένου, οὕτω καὶ ἐνταῦθα. «Ἄμεμπτος», φησί· τοῦτο ὁλόκληρος ἀρετή. «Δίκαιος», καὶ τοῦτο· «ἀληθινός», καὶ τοῦτο· «θεοσεβής», καὶ τοῦτο· «ἀπεχόμενος ἀπὸ παντὸς πονηροῦ πράγματος», καὶ 15 τοῦτο· «ἀπὸ παντός», φησί, καὶ οὐχ ἁπλῶς τοῦ μέν, τοῦ δὲ οὔ.

Ποῦ εἰσιν οἱ λέγοντες ὅτι πρὸς τὸ κακὸν ἡ φύσις ῥέπει μᾶλλον; Ποῖος φόβος, ποῖα δικαστήρια, ποῖοι νόμοι τοῦτον τοιοῦτον ἐποίησαν; Ἐπειδὴ γὰρ ἔλεγεν· «Οὐκ 20 ἔστιν δίκαιος, ὃς ποιήσει ἀγαθόν, καὶ οὐχ ἁμαρτήσεται[c]», διὰ τοῦτό φησι· «ἄμεμπτος». Οὐκ εἶπεν· ἀναμάρτητος, ἀλλ᾽ «ἄμεμπτος». Οὐ μόνον ἐκεῖνα οὐκ ἔπραττε τὰ ἁμαρτίαν ἔχοντα, ἀλλ᾽ οὐδὲ τὰ μέμψιν καὶ κατάγνωσιν· καὶ ἀκούσῃ αὐτοῦ ὕστερον λέγοντος. Ὅταν γὰρ τὴν ἀρετὴν 25 αὐτοῦ διηγῆται, τούτων ἀναμιμνήσκου τῶν ῥημάτων· καὶ γὰρ καὶ τοῦτο τῆς συνέσεως αὐτοῦ· οὐ γὰρ διηγεῖται τὴν

1, 3-4 ὧν — μέγα > p ‖ 4 μέγα ἐγκώμιον ∼ L ‖ 6 ἦν[1] + τὸ p ac ‖ 6-7 πάλιν ἄνθρωπος > p ‖ 7 ἀληθινός, ἄμεμπτος, δίκαιος ∼ p ‖ 8 πράγματος + πάλιν ἄνθρωπος εἶτα p ‖ 9 τούτων : τῶν ἑξῆς p ‖ 10 τῆς > p

1, 2-6 : ὅρα — θαυμαστόν ac (z)

CHAPITRE I

Histoire de Job et ses premières épreuves

La vertu de Job

Un homme irréprochable 1. *Il y avait au pays d'Ausitis un homme qui s'appelait Job*[a]. Considère que c'est là un premier éloge d'être «un homme». «Dans le pays d'Ausitis», dit-il. Il y a dans ces mots encore un grand éloge. C'est que, vivre en Arabie, où tout le monde était corrompu, où il n'y avait aucun exemple de justice, c'était admirable. *Et cet homme était un homme* – un «homme», encore une fois – *irréprochable, juste, vrai, religieux, se tenant éloigné de toute action mauvaise*[b]. Chacune de ces épithètes suffirait à montrer la beauté de son âme. Mais, comme un amant multiplie les précisions pour décrire la beauté de celui qu'il aime; de même ici. «Irréprochable», dit le texte, c'est-à-dire, parfaitement vertueux. «Juste», et aussi «vrai», et aussi «religieux» et encore : «se tenant éloigné de toute action mauvaise»; note bien : «de toute», et non pas simplement de l'une et pas de l'autre.

Où sont ceux qui disent que la nature humaine incline plutôt vers le mal? Quelle crainte, quels tribunaux, quelles lois ont fait de Job ce qu'il est? C'est, en effet, parce que l'Écriture disait : «Il n'y a pas de juste qui fasse le bien et qui ne pèche pas[c]», que le texte qualifie Job d'«irréprochable». Il n'a pas dit : sans péché, mais «irréprochable». Non seulement il ne commettait pas d'actes entachés de péché, mais il n'en commettait même pas de blâmables et de répréhensibles; et tu entendras le texte lui-même le dire plus tard. Chaque fois, en effet, qu'il parle de sa vertu, souviens-toi de ces paroles; car, c'est là encore un trait de

---

a. Job 1, 1 ‖ b. Job 1, 1 ‖ c. Eccl. 7, 20; cf. III Rois 8, 46

ἀρετήν, ἀλλ' ἢ ὅτε εἰς ἀνάγκην καταστῇ. Καθάπερ Παῦλος
ἔλεγεν · «Γέγονα ἄφρων καυχώμενος · ὑμεῖς με ἠναγκά-
σατε[d].» Διὰ τί «ἄμεμπτος»; Ἐπειδὴ «δίκαιος».
30 «Ἀληθινός». «Εἰσὶ γὰρ ἄνθρωποι ψευδεῖς[c]». «Ἀληθινός», οὐκ ἐν ῥήμασι μόνον, ἀλλὰ καὶ ἐν πράγμασι. Τοῦτ'
ἔστιν · «ἄνθρωπος ἀληθινός», «ὅτι τοῦτο πᾶς ἄνθρωπος ·
τὸν Θεὸν φοβοῦ καὶ τὰς ἐντολὰς αὐτοῦ φύλασσε[f]». Ὥσπερ
γὰρ οἱ ἀνδριάντες ψευδεῖς ἄνθρωποί εἰσιν · οὕτω καὶ οὗτοι
35 ψευδεῖς ἄνθρωποί εἰσιν · εἰ γὰρ «τοῦτο πᾶς ἄνθρωπος τὸ
φοβεῖσθαι τὸν Θεόν», ὁ μὴ φοβούμενος τὸν Θεόν, οὐκ
ἄνθρωπος, ἀλλὰ «ψευδὴς ἄνθρωπος.» Πρὸς τὰ ἀληθινὰ
πράγματα τὴν ἐπιθυμίαν εἶχεν · διὰ τοῦτο «θεοσεβής»,
«ἀληθινός» φησιν. Εἶτα τὴν αἰτίαν λέγει πάντων τῶν
40 ἀγαθῶν, ὅτι τὸν Θεὸν ἔσεβεν · ἀπὸ γὰρ ἐκείνων ἐπέγνω τὸν
Θεόν. Βίος γὰρ καλὸς τὸν Θεὸν ἐπιγνῶναι ποιεῖ, ὥσπερ
οὖν καὶ φαῦλος τοὐναντίον. Ἡ γὰρ τοῦ Θεοῦ γνῶσις διὰ
βίου εὑρίσκεται, καὶ γίνεται βίου φυλακή.

Ὥστε οὐδαμόθεν ἑτέρωθεν ἑλληνισμός, ἀλλ' ἢ ἀπὸ βίου
45 ἀκαθάρτου. «Πᾶς γάρ, φησίν, ὁ φαῦλα πράσσων μισεῖ τὸ
φῶς, καὶ οὐκ ἔρχεται πρὸς τὸ φῶς[g].»

«Ἀπεχόμενος, φησίν, ἀπὸ παντὸς πονηροῦ πράγματος.»
Οὐκ εἶπεν · οὐ ποιῶν, ἀλλὰ καί · μακρὰν ὢν «παντὸς
πράγματος πονηροῦ.» [...] Ἵνα γὰρ μή τις λέγη · δίκαιος
50 ἦν, εἰ δὲ μή τι, φησί, καὶ ἀληθινὸς ἦν, εἰ δὲ μή τι. <Καὶ

29 τί : τοῦτο p ‖ 30-31 ἀληθινοί p ‖ 38 εἶχεν + οὗτος p ‖ 48 καὶ > p ‖ ὢν
+ ἀπὸ p ‖ 49 λέγη + ὅτι p ‖ 50 δὲ[1] > p

31-33 : τοῦτ' ἔστιν — φύλασσε *ac, yχ* ‖ 41-43 : βίος — φυλακή *ac, yχ*

d. II Cor. 12, 11 ‖ e. Cf. Ps. 61, 10 ‖ f. Eccl. 12, 13 ‖ g. Jn 3, 20

1. L'emploi du mot Ἑλληνισμός, au sens de : paganisme et de
Ἕλληνες au sens de : païens, est bien attesté dans le grec patristique.

la sagesse de Job : il ne parle pas de sa vertu, sauf quand il
y est obligé. C'est ainsi que Paul disait : « Je suis insensé de
me vanter, mais c'est vous qui m'y avez contraint[d].»
Pourquoi : «irréprochable»? C'est parce qu'il est «juste».

Un homme
véritable

«Vrai». Car, «les hommes sont
menteurs[e]». (Être) «vrai», non seulement en paroles, mais aussi en
actes, c'est cela : être «un homme vrai», «car, voilà
l'essentiel pour tout homme : crains Dieu et observe ses
commandements[f]». De même, en effet, que les statues
humaines sont de faux hommes, de même aussi ces
hommes-là sont des hommes faux; si, en effet, «l'essentiel
pour tout homme, c'est de craindre Dieu», celui qui ne
craint pas Dieu n'est pas un homme, mais un homme faux.
Job avait la passion des actions vraies; c'est pourquoi, dit
le texte, il était «religieux (et) vrai». C'est ensuite qu'il
indique la cause de toutes ses vertus : il révérait Dieu. Ce
sont ces vertus, qui, en effet, lui ont fait connaître Dieu; car
une vie belle fait connaître Dieu, comme une vie mauvaise
produit aussi le contraire; la connaissance de Dieu se
découvre à travers la vie, et devient gardienne de vie.

Ainsi, il ne faut pas chercher d'autre origine au paganisme qu'une vie impure[1]. «Tout homme qui fait le mal,
hait la lumière, et ne vient pas à la lumière[g].»

Malgré
des richesses

«Se tenant éloigné», dit le texte,
«de toute action mauvaise». Il n'a pas
dit : il ne commettait pas, mais : il se
tenait loin «de toute action mauvaise», [...] pour qu'on ne
dise pas : il était juste, sauf sur un point, il était sincère, sauf
sur un point. < On ne peut dire que c'était par impuis-

Voir P. CANIVET : *Histoire d'une entreprise apologétique au Ve siècle,* Paris,
Bloud et Gay, 1956, chap. III, et Index au mot «Hellénisme».

οὐκ ἔχεις εἰπεῖν ὅτι δι' ἀσθένειαν >. Ἄκουε ἑτέρωθι
λέγοντός τινος · «Ἵνα μή, πλησθείς, ψευδὴς γένωμαι, καὶ
ὀμόσω τὸ ὄνομα Κυρίου[h]...» Ὁρᾷς ὅτι, τοῖς μὴ νήφουσιν, ὁ
πλοῦτος ψεύδους ὑπόθεσίς ἐστιν; Ἀλλ' οὗτος οὐ τοιοῦτος.
55 Πλούσιος μὲν γὰρ ἦν, ἵνα μαθῇς ὅτι καὶ ῥοπὴν πρὸς
κακίαν εἶχεν τὸν πλοῦτον, καὶ ὅτι οὐχ ὁ πλοῦτος αἴτιος,
ἀλλ' ἡ γνώμη. Ὅρα αὐτὸν καὶ ἐν πενίᾳ, ἵνα μὴ νομίσῃ
πάλιν, ὅτι ἡ πενία αἰτία ἀγνωμοσύνης. Ὅρα αὐτὸν καὶ ἐν
πλούτῳ καὶ ἐν πενίᾳ, καὶ ἐν ἑκατέροις τὸν ἀθλητὴν
60 μέγαν · «θεοσεβὴς» γὰρ ἦν. < Πόθεν δὲ τοιοῦτος ἦν;
οὐ λέγει · ἀλλ' ὕστερον ἀκούσῃ αὐτοῦ λέγοντος. Δῆλον
δὲ ὅτι οἴκοθεν >.

**2. Ἐγένοντο δὲ αὐτῷ υἱοὶ ἑπτὰ καὶ θυγατέρες
τρεῖς[i].** Ὅρα πῶς πρῶτον λέγει τὴν ἀρετήν, καὶ τότε
λέγει τὰ παρὰ τοῦ Θεοῦ. [...] Ὅρα τὴν εὐπαιδίαν ἐξ
ἑκατέρας τῆς φύσεως, καὶ μεμετρημένην ἀπὸ τοῦ ποθει-
5 νοτέρου γένους · πλείων ὁ καρπός. Λέγει πρῶτον δι' ἃ χρὴ
μακαρίσαι τὸν ἄνθρωπον, τὴν ἀρετὴν αὐτοῦ τὴν πολλήν,
καὶ τὴν φορὰν τὴν τῆς ψυχῆς. Καὶ γάρ, ἀπὸ ἀρετῆς τὸ

51 ἑτέρωθεν p
2, 3 θεοῦ + δεδομένα a c y z ‖ 4 ἀπὸ + γὰρ p ‖ 5 λέγει + δὲ p ‖ 6
ἄνθρωπον + οἷον p

2, 2-3 : πρῶτον — θέου ac, yχ ‖ 7-12 : ἀπὸ (ἐξ)ἀρετῆς — συγκαταβαίνων
ac, yχ

h. Prov. 30, 9 ‖ i. Job 1, 2

1. Nous avons dû transférer en l. 50-51 la phrase : Καὶ... ἀσθένειαν,
qui se trouvait primitivement à la ligne 49, après πονηροῦ, où elle n'avait
aucun sens.
2. C'est la volonté et non la situation (ici, la richesse) qui crée le
péché; cf. 4, 12-14. Tout repose, en définitive, sur le libre choix de la
volonté, cette προαίρεσις, qui fait partie du vocabulaire familier à notre
auteur. Voir dans la collection de *Théologie Historique*, n° 19, Paris,
Beauchesne, 1972 : *Le Chrétien devant la souffrance. Étude sur la pensée de
Jean Chrysostome*, par Edward NOWAK, p. 61-63. Voir aussi L. MEYER :
Jean Chrysostome, maître de perfection chrétienne, 2ᵉ édition, Paris, Beau-

sance[1]. > Écoute un autre passage de l'Écriture : «De peur
que, rassasié, je ne devienne menteur et ne jure par le nom
du Seigneur[h]...» Tu le vois, si l'on n'y prend garde, la
richesse est un principe de mensonge. Mais, tel n'était pas
son cas. Il était riche, en effet, pour que tu apprennes, d'une
part, qu'il avait la richesse pour l'incliner au mal, et de
l'autre, que ce n'est pas la richesse qui pousse au mal, mais le
jugement (qu'on porte sur elle)[2]. Considère-le aussi dans la
pauvreté, afin que tu ne croies pas, non plus, que la
pauvreté fausse le jugement. Considère-le, tour à tour, dans
la richesse et dans la pauvreté, et vois la grandeur de
l'athlète dans chacun de ces deux états[3], car, «il était
religieux». < D'où tenait-il ces qualités? Le texte ne le dit
pas; mais tu le lui entendras dire plus tard. Il est clair que
cela venait de son propre fonds[4]. >

Les dons qu'il a reçus de Dieu

Ses enfants   **2.** *Sept fils et trois filles lui naqui-*
rent[i]. Remarque comment l'auteur
parle d'abord de sa vertu, et ensuite des biens qu'il a reçus
de Dieu. [...] Note sa chance d'avoir des enfants des deux
sexes, et la proportion des enfants du sexe qu'on désire le
plus : source plus grande de profit. L'Écriture dit d'abord
pourquoi il faut féliciter l'homme : pour la grandeur de sa
vertu et la fécondité de son âme. Et de fait, c'est la vertu

chesne, 1933, p. 108 s.; à la page 115, n. 1, l'auteur rappelle un texte
décisif de Chrysostome, *PG* 63, 509, l. 10 : Ἐλεύθεροι καὶ προαιρέσεώς
ἐσμεν κύριοι.

3. Cette comparaison du héros avec l'athlète, ainsi que les expressions
relevant du vocabulaire du stade, reviennent souvent dans notre
commentaire; cf. *Introd.* p. 63 s.; voir J.A. SAWHILL, *The use of athletic
Metaphors in Biblical Homilies of St. John Chrysostom,* Diss. Princeton,
1928.

4. Nous avons dû, pour la suite des idées, déplacer le texte de
1, 60-62 : Πόθεν, δὲ... ὅτι οἴκοθεν, qui se trouvait primitivement en **2,** 3
après : παρὰ τοῦ θεοῦ, où il n'avait aucun sens.

παλαιὸν ταῦτα ἐγίνετο, ἡ εὐπαιδία λέγω, καὶ ἡ πολυπαιδία.
«Οὐκ ἔσται, φησίν, ἐν σοὶ ἄγονος οὐδὲ στεῖρα ᴶ.» Ὁ δὲ
10 Ἀβραὰμ ἄγονος ἦν διὰ τοῦτο, ἵνα μαθῇς ὅτι οὐ ταῦτα
ὄντως τῆς ἀρετῆς τὰ ἔπαθλα, ἀλλ' ἕτερα. Διά γε τοῦτο
ταῦτα ὑπέσχετό σοι συγκαταβαίνων.

**3. Καὶ ἦν τὰ κτήνη αὐτοῦ, πρόβατα ἑπτακισχίλια,
κάμηλοι τρισχίλιαι, ζεύγη βοῶν πεντακόσια, ὄνοι
θήλειαι νομάδες πεντακόσιαι, καὶ ὑπηρεσία πολλὴ
σφόδρα, καὶ ἔργα μεγάλα ἦν αὐτῷ ἐπὶ τῆς γῆς ᵏ.** Ὅρα
5 αὐτὸν πλοῦτον ἔχοντα τὸν ἀγροικικώτερον. Οὐ δανείσματα
καὶ τόκους εἶπεν, οὐ χρυσίον κατορωρυγμένον. Οὐδὲν
περιττόν, ἀλλὰ πάντα ἀναγκαῖα. Τοιοῦτος ἦν τῶν παλαιῶν
ὁ πλοῦτος · εἰ δέ που καὶ χρυσίον εἶχον, ὀλίγον σφόδρα καὶ
εὐτελές. Οὐκ εἶπεν ὅτι οἰκίας χρυσορόφους εἶχεν · οὐκ ἦν ὁ
10 πλοῦτος ἄκαρπος. Ἀπὸ μὲν γὰρ προβάτων καὶ βοῶν
δυνατὸν ἦν εὐποιεῖν τοῖς δεομένοις, ἀπὸ δὲ χρυσοῦ ὀρόφου
οὐκέτι. Μέγας οὗτος ὁ πλοῦτος · οὐδεὶς κωλύεται τοῦτον
ἔχειν.

«Καὶ ἔργα, φησί, μεγάλα ἦν αὐτῷ ἐπὶ τῆς γῆς.» Οἳ μὲν
15 τὰ πνευματικὰ φασιν · ὄντως γὰρ μεγάλα ἔργα ταῦτα · οἳ
δέ, τὰς ἀμπέλους, τὰς ἐλαίας καὶ ἄλλα τοιαῦτα. Πλὴν,
ἐκεῖνο ἔργον μέγα ἐστὶ τὸ μένον, τὸ μὴ διαλυόμενον καὶ
παυόμενον, τὸ μὴ καταπίπτον. Ὁρᾷς ἐν ὅσῳ πλούτῳ

9 ἔσται + γὰρ p ‖ 11 ὄντως (ac, yz) > LMp
3, 3 πολλὴ : πολὺ p ‖ 6 οὐδὲν : οὐδὲ p ‖ 8 που : πω p ‖ 9 οὐκ ἦν : οὐκ εἶπεν
p ‖ 11 τοὺς δεομένους p ‖ 14 φησί > p ‖ 16 ἀμπέλους + καὶ p ‖ ἄλλα
τοιαῦτα : τὰ ἄλλα τὰ τοιαῦτα p ‖ 18 παυόμενον + καὶ p

3, 4-9 : ὅρα αὐτόν — εἶχεν (abcyz)

j. Ex. 23, 26; Deut. 7, 14 ‖ k. Job 1, 3

1. Sur cette notion de συγκατάβασις «qui constitue la clef de voûte du
système exégétique de Chrysostome», selon le mot de J.M. LEROUX, on
pourra consulter, de ce dernier, l'article : «Relativité et transcendance
du texte biblique d'après Jean Chrysostome», p. 77-78, dans : La
Bible et les Pères, aux Presses Universitaires de France, dans «La

qui, jadis, était la source de ces biens, je veux parler d'une belle et nombreuse descendance. «Il n'y aura pas chez toi», dit l'Écriture, «de femme sans postérité ni de femme stérile[j].» Mais Abraham n'avait pas de postérité? C'est pour que tu saches que ce ne sont pas ces biens-là en réalité qui sont la récompense de la vertu, mais d'autres. Aussi, est-ce par condescendance[1] à ton égard qu'il a promis ces biens-là.

Ses troupeaux   **3.** *Ses troupeaux comprenaient sept mille brebis, trois mille chamelles, cinq cents paires de bœufs, cinq cents ânesses en liberté, une domesticité considérable, et il possédait de grands biens sur la terre[k].* Remarque que sa richesse est, avant tout, agricole. Le texte ne parle pas de prêts et d'intérêts, ni d'or enfoui dans la terre. Rien d'inutile, mais tout des biens nécessaires. Telle était la richesse des anciens; et, s'il leur arrivait aussi d'avoir de l'or, c'était en très petite quantité et de l'or commun. Il ne dit pas qu'il possédait des maisons aux toits d'or, sa richesse n'était pas stérile. Ses brebis et ses bœufs, en effet, lui permettaient de faire du bien aux nécessiteux; un toit d'or ne l'eût pas permis. Immense était cette richesse; il n'est interdit à personne de la posséder.

«Et il avait de grands biens sur la terre.» Les uns soutiennent qu'il s'agit des biens spirituels; ces biens sont, en effet, réellement, de grands biens; les autres, qu'il s'agit de ses vignes, de ses oliviers, et d'autres biens semblables. De toute façon, ce grand bien, c'est ce qui dure, ce qui ne se dissout pas, ce qui ne cesse pas, ce qui ne s'écroule pas. Vois-tu la grandeur des richesses au milieu desquelles il

Bibliothèque des centres d'études supérieures spécialisées (Travaux du Centre d'Études Supérieures Spécialisées d'Histoire des Religions de Strasbourg). Voir aussi : P. MORO : «La Condiscendenza divina in San Giovanni Crisostomo», dans *«Euntes docete»* II (1958), p. 109-123.

« δίκαιος καὶ ἀπεχόμενος ἀπὸ παντὸς πονηροῦ πράγματος »;

4. **Καὶ ἦν**, φησίν, **ὁ ἄνθρωπος ἐκεῖνος εὐγενὴς τῶν ἀφ' ἡλίου ἀνατολῶν**[1]. Ἀνατολικὸν αὐτὸν καλεῖ · πάντων, φησίν, λαμπρότερος ἦν καὶ περιφανέστερος, καὶ προγόνους εἶχεν ἀριθμεῖν ἐπισήμους καὶ λαμπρούς. Τί αὐτὸν οὐκ ἂν
5 ἐπῆρεν εἰς ὑπερηφανίαν ἡ κατὰ ψυχὴν ἀρετή, ἡ ἐν παισὶν εὐπραγία, τὸ μόνον εἶναι τοιοῦτον καὶ πλούσιον καὶ ἐνάρετον, τὸ προγόνων εἶναι θαυμαστῶν; Ἀλλὰ ταῦτα ἐπὶ μὲν τῶν ἀσεβῶν ὅταν ἐκβαίνῃ, ἄκουσον τί φησιν ὁ Προφήτης ·
« Διὰ τοῦτο ἐκράτησεν αὐτοὺς ἡ ὑπερηφανία εἰς τέλος ·
10 περιεβάλοντο ἀδικίαν καὶ ἀσέβειαν ἑαυτῶν[m]. » Καὶ πάλιν αὐτὸς οὗτός φησιν · « Διὰ τί ἀσεβεῖς ζῶσι, πεπαλαίωνται δὲ ἐν πλούτῳ[n]; » Αὐτὸς δὲ οὐχ οὕτως ἦν. Οὐκ ἄρα ἡ τοῦ πλούτου φύσις τούτων αἰτία, ἀλλ' ἡ γνώμη τῶν οὐ δεόντως αὐτῷ χρωμένων. Ὁρᾷς ἐνταῦθα οὐ καπηλείαν, οὐκ ἐμπο-
15 ρίαν ἄδικον, οὐ πραγματείαν, οὐκ ἄλλο τοιοῦτον οὐδέν, ἀλλὰ τὸν ἔννομον πλοῦτον, τὴν φυσικὴν εὐπορίαν, ἣν αὐτὸς ὁ Θεὸς εἰργάζετο. Οὐχ ὁρᾷς ἐνταῦθα ἵππους, οὐδὲν ἀλαζονικόν, οὐδὲν φιλότιμον, οὐδὲν μειρακιῶδες, ἀλλὰ πάντα χρήσιμα. Ταῦτα καὶ ἐπὶ τοῦ Ἀβραὰμ ἔστιν εἰπεῖν καὶ γὰρ
20 καὶ ἐκείνῳ ὁ πλοῦτος ἐν τούτοις ἦν πρὸς ἐργασίαν γῆς. Ὁ πλοῦτος ὁ θαυμαστὸς οὗτός ἐστι ποθεινότερος καὶ ἡδίων, καὶ χρησιμώτερος, καὶ ἀσφαλέστερος, καὶ δικαιότερος, καὶ εὐσεβέστερος, καὶ μᾶλλον ἀνθρώπῳ πρέπων, καὶ ἀπονώ-

19 δίκαιος + ἦν p
4, 4 οὐκ ἂν αὐτὸν ~ L ‖ 9 αὐτοὺς : αὐτῶν p ‖ 13 τούτων > p ‖ 15 οὐ πραγματείαν > p ‖ 20 καὶ > p ‖ γῆς + πρὸς ἐπιμέλειαν τῶν ἀναγκαίων p ‖ 21 πλοῦτος + γὰρ p

4, 2-5 : πάντων — ὑπερηφανίαν γχ

l. Job 1, 3 ‖ m. Ps. 72, 6 ‖ n. Job 21, 7

1. Sur le pays de Job, voir J.M. LAGRANGE, *Le Livre de Job,* dans la collection des *Études bibliques,* Paris, Gabalda, 2ᵉ édition, 1926, p. XIX-XXII.

était «juste, et s'abstenant de toute action mauvaise»?

Son prestige   4. *Et cet homme,* dit le texte, *était noble parmi les habitants de l'Orient*[1].
L'auteur l'appelle un oriental[1]; il l'emportait sur tous, dit-il, en éclat et en célébrité, et il pouvait énumérer des ancêtres distingués et illustres. Comment n'aurait-il pas été incité à l'orgueil par la vertu qui régnait dans son âme, par le bonheur que lui procuraient ses enfants, le fait d'être le seul dans son cas à posséder à la fois richesse et vertu, et celui de descendre d'illustres aïeux? Mais, lorsque ces biens échoient aux impies, écoute ce que dit le Prophète : «C'est pourquoi l'orgueil s'est emparé d'eux jusqu'au bout; ils se sont drapés dans leur injustice et leur impiété[m].» Et Job, de son côté, déclare : «Pourquoi les impies vivent-ils et vieillissent-ils dans leur richesse[n]?» Or, pour lui, il n'en était pas ainsi. Ce n'est donc pas la nature de la richesse qui détermine cette conduite, mais le jugement de ceux qui ne s'en servent pas comme il faut. Dans le cas de Job, tu ne vois ni trafic, ni commerce frauduleux, ni affaires, ni aucune autre opération analogue, mais tu vois une richesse légitime, une opulence naturelle, dont Dieu lui-même était l'artisan. Tu ne vois pas là de chevaux[2] : rien pour la vanité, rien pour l'ostentation, rien pour la futilité, mais tout pour l'utilité. On peut en dire autant d'Abraham; et, en effet, sa richesse, à lui aussi, reposait sur ces biens qui sont liés au travail de la terre. Cette admirable richesse est plus désirable, plus douce, plus utile, plus sûre, plus juste, plus conforme à la piété, plus convenable pour l'homme,

---

2. Chrysostome s'est élevé ailleurs contre la somptuosité du harnachement des chevaux. Cf. *Quod nemo laeditur,* PG 52, 462, (= *Lettre d'exil,* SC 103, p. 68, § 3, et n. 3). On pourra rapprocher ces textes d'ÉPICTÈTE, *Diss. III* : περὶ καλλωπισμοῦ, éd. Schenke, Leipzig 1894, p. 210.

τερος, καὶ ζημίαν οὐ τοσαύτην ἔχων, οὐδὲ μεταβολὰς
25 δεχόμενος, οὐδὲ τρεπόμενος. Τινὲς τὸ «τῶν ἀφ᾽ ἡλίου
ἀνατολῶν» τοῦ Ἀβραάμ φασιν, ἐπειδὴ ἐκεῖθεν ἦν ὁ
Ἀβραάμ.

5. **Συμπορευόμενοι δὲ οἱ υἱοὶ αὐτοῦ πρὸς ἀλλήλους, ἐποίουν πότον καθ᾽ ἑκάστην ἡμέραν · συμπαρα-
λαμβάνοντες ἅμα καὶ τὰς τρεῖς ἀδελφὰς αὐτῶν ἐσθίειν
καὶ πίνειν μετ᾽ αὐτῶν**°. Πολλὴ ἡ ὁμόνοια, τὸ μέγιστον
5 τῶν ἀγαθῶν · ἦσαν πεπαιδευμένοι κοινῇ σιτεῖσθαι, κοινὴν
τράπεζαν ἔχειν · Οὐ μικρὸν γὰρ τοῦτο εἰς συμφωνίαν
συντελεῖ. Ὁρᾷς, ἀγαπητέ, εὐφροσύνην μετὰ ἀσφαλείας;
Ὁρᾷς τράπεζαν ἀδελφικήν; Ὁρᾷς χορὸν συνδεδεμένον;
Τοῦτο γὰρ ἀπὸ πολλῆς φιλίας ἐγίνετο.

6. **Καὶ ὡς ἂν συνετελέσθησαν, φησίν, αἱ ἡμέραι τοῦ
πότου**ᴾ. Μεγίστης γὰρ τοῦτο φιλίας τεκμήριον. Διὰ τοῦτο
καὶ Παῦλος ἐπέτεττε λέγων · «Συνερχόμενοι εἰς τὸ φαγεῖν,
ἀλλήλους ἐκδέχεσθεᵠ.» Οὕτω σύνδεσμός ἐστι κοινωνία
5 τραπέζης, ὡς καὶ λῃστῶν περιγενέσθαι κακίας · λέγονται
γὰρ ἁλῶν καὶ τραπέζης κοινωνήσαντες, μεταβάλλεσθαι τὸν
τρόπον πρὸς τοὺς κεκοινωνηκότας καὶ μὴ κεχρῆσθαι τῇ

5, 4 τὸ + γὰρ p ‖ 9 πολλῆς φιλίας : πολλῶν φίλων p
6, 4 ἐνδέχεσθαι p ‖ οὕτω : οὕτως γὰρ p

o. Job 1, 4 ‖ p. Job 1, 5 ‖ q. I Cor. 11, 33

1. L'emploi d'ἀγαπητὲ au singulier pourrait laisser croire que notre
commentaire s'adresse à un disciple unique, comme le traité à Stagire,
par exemple. Nous pensons plutôt qu'il a été écrit, comme en témoigne
la fréquence du pluriel ἀγαπητοί, en vue d'un auditoire, réel ou éventuel,
sans qu'il soit possible d'ailleurs, de préciser l'auditoire dont il s'agit.
Quant au vocatif singulier : ἄνθρωπε (cf. I, **8**, 13; **23**, 31; **26**, 54), on
ne saurait en tirer argument. Cette apostrophe, en effet, semble
correspondre à un procédé de la diatribe pour introduire la prise à partie
d'un interlocuteur. Voir : A.-M. MALINGREY, *Sur la vaine gloire et
l'éducation des enfants, SC* 188, p. 84, n. 1.

plus exempte de peine, moins exposée aux dommages, moins sujette aux vicissitudes et aux revers. Certains appliquent l'expression «parmi les habitants de l'Orient» aux descendants d'Abraham, puisque Abraham était de cette région-là.

Une famille exemplaire   **5.** *Ses fils se réunissaient les uns chez les autres, et faisaient un banquet chaque jour; ils invitaient aussi leurs trois sœurs à manger et à boire avec eux*[o]. Profonde était leur bonne entente, ce qui est vraiment le plus grand des biens. Ils avaient été formés à prendre leurs repas en commun, à faire table commune – habitude, à vrai dire, qui contribue grandement à établir la bonne entente. Vois-tu, mon cher[1], la joie du festin, mêlée à la sécurité? Vois-tu cette table fraternelle? Vois-tu ce groupe harmonieusement uni? Cela venait, en effet, d'une profonde affection.

Le modèle des pères

Il forme ses enfants à l'union   **6.** *Et lorsque,* dit le texte, *ils avaient mis fin en commun aux jours du festin*[p]. Voilà bien la preuve d'une profonde affection; c'est pourquoi saint Paul, lui aussi, prescrivait: «Lorsque vous vous réunissez pour le repas, attendez-vous les uns les autres[q].» La communauté de la table crée une telle communauté de liens, qu'elle l'emporte même sur la méchanceté des brigands; on dit, en effet, que, lorsqu'ils ont partagé «le sel et la table[2]» avec des convives, ils changent d'attitude envers eux, et qu'ils ne font pas preuve de leur méchanceté à l'égard

---

2. L'auteur fait ici allusion au proverbe bien connu: ἁλῶν μέδιμνον ἀποφαγών (ἐπὶ τῶν ἀχαρίστων). Cf. CICÉRON, *Pro Laelio*, 19, 67, et *Corpus paroemiographorum graecorum* II, ed. E.L.A. LEUTSCH, 1958 (Georg Olms Verlagsbuchhandlung Hildesheim), p. 57, l. 14.

πονηρία κατὰ τῶν ὁμοτραπέζων · ὥστε ηὗρέ τινα μέθοδον
Ἰὼβ καὶ τὸ ἡδὺ καὶ τὸ ἀναγκαῖον ἔχουσαν, ἐθίσας αὐτοὺς
10 κοινῇ σιτεῖσθαι καθ᾽ ἑκάστην ἡμέραν. Ὅρα καὶ τοῦτο τὸ
σεμνόν · τῶν υἱῶν τοῦτο ἔργον ἦν, οὐ τῶν θυγατέρων.
Ἐκεῖνοι γάρ, φησί, τοῦτο παρεσκεύαζον, καὶ τοῦτο οὐχ
ἅπαξ, οὐ δίς, ἀλλὰ διὰ παντὸς ἐγίνετο.

Καί, «ὡς ἂν συνετελέσθησαν αἱ ἡμέραι τοῦ πότου»
15 ἀπέστελλεν Ἰὼβ καὶ ἐκαθάριζεν αὐτούς[r]. Ποῦ
ἀπέστελλεν; Πῶς δὲ ἐκαθάριζεν; Τίς δὲ τῆς καθάρσεως ὁ
τρόπος; Τίνος δὲ ἕνεκεν ἐκαθάριζεν; Ἀκάθαρτον δὲ ἐν τῷ
συμποσίῳ ἦν; Τί ἐστι τὸ λεγόμενον; Ἄκουε τῶν ἑξῆς, καὶ
μάνθανε τί ἐστιν τὸ «ἐκαθάριζεν». Οὐκ ἀπὸ σωματικοῦ
20 τινος ῥύπου (οὔπω γὰρ οὗτος ἦν ὁ νόμος), ἀλλ᾽ ἀπὸ
διανοίας.

7 Ἵνα γὰρ μηδὲν ὑποπτεύσῃς πονηρόν, ἄκουσον τί
φησιν · Καὶ ἀνιστάμενος τὸ πρωΐ, προσέφερε θυσίας
περὶ αὐτῶν κατὰ τὸν ἀριθμὸν αὐτῶν, καὶ μόσχον ἕνα
περὶ ἁμαρτίας ὑπὲρ τῶν ψυχῶν αὐτῶν. Ἔλεγε γὰρ
5 Ἰώβ · μήποτε οἱ υἱοί μου ἐν τῇ διανοίᾳ αὐτῶν κακὰ
ἐνενόησαν πρὸς τὸν Θεόν[s]. Τοῦτ᾽ ἔστιν «ἐκαθάριζεν» ·
ὑπὲρ τῶν ἀδήλων καὶ οὐχ ὡμολογημένων «τὰς θυσίας
προσέφερεν». Ὁ δὲ τῶν ἀδήλων καὶ τῶν κατὰ διάνοιαν
τοσαύτην πρόνοιαν ποιούμενος, οἷος ἦν ἐν τοῖς φανεροῖς
10 ἐννόησον. Ὅρα δέ μοι τὸ ἀποστολικόν, πῶς ἐπλήρου
εὐθέως τὸ λέγον · «Οἱ πατέρες ἐκτρέφετε ὑμῶν τὰ τέκνα
ἐν παιδείᾳ καὶ νουθεσίᾳ Κυρίου[t].» Τοῦτο ἐπιμέλεια
παίδων · τοῦτο προστασία γεγεννηκότων. Ἐννόησον οἵους

---

8 εὗρε p ‖ 13 οὐ δίς : οὐδὲ p ‖ 15-16 ποῦ ἀπέστελλεν : ἀπέστελλεν δὲ
ποῦ p ‖ 17 δὲ ἐν : γάρ τι p ‖ 18 συμπόσιον p ‖ τί + οὖν p ‖ ἄκουσον p
7, 6 τοῦτ᾽ ἔστιν ἐκαθάριζεν : ἐκαθάριζεν · τί τοῦτ᾽ ἔστιν; p ‖ 8 τῶν[1] : ὑπὲρ
τῶν p

r. Job 1, 5 ‖ s. Job 1, 5 ‖ t. Éphés. 6, 4

de leurs commensaux : ainsi, Job avait découvert une méthode qui associait l'agréable et le nécessaire, en les habituant à prendre chaque jour leur repas en commun. Note aussi cette vénérable coutume : c'était ses fils qui s'en occupaient, et non ses filles. C'était eux, en effet, dit-il, qui préparaient le festin, et cela, non pas une fois, ni deux, mais tout le temps.

«Et lorsqu'ils avaient mis fin en commun aux jours du festin», *Job les envoyait chercher et les purifiait*[r]. Où les envoyait-il chercher ? Et comment les purifiait-il ? Quel était le mode de la purification ? Et pourquoi les purifiait-il ? Y avait-il quelque aliment impur dans le banquet ? Que signifie donc l'expression en question ? Écoute la suite et apprends ce que signifient les mots : «il les purifiait». Il ne les purifiait pas d'une souillure corporelle – cette loi, en effet, n'existait pas encore –, mais d'une souillure intérieure.

Le souci de leurs fautes cachées

7. Pour t'éviter, en effet, de soupçonner aucun mal, écoute ce que dit le texte : *Se levant de bonne heure, il offrait pour eux des sacrifices selon leur nombre, et un veau pour les péchés de leurs âmes. Job disait, en effet : Peut-être mes fils ont-ils conçu dans leur cœur de mauvaises pensées contre Dieu*[s]. Voilà ce que signifie : «il les purifiait». C'est pour leurs fautes cachées et pour leurs fautes inavouées qu'il offrait des sacrifices. Si Job prenait tant de précautions pour les fautes cachées et intérieures, imagine celles qu'il prenait pour les fautes visibles. Regarde comment il mettait en pratique avec empressement le mot de l'Apôtre : «Vous, pères, élevez vos enfants en leur donnant une formation et des réprimandes qui s'inspirent du Seigneur[t].» C'est là avoir soin de ses enfants ; c'est là exercer sa protection paternelle. Songe à quel point de

αὐτοὺς ἀπειργάζετο. Μάλιστα μὲν οὖν αὐτῶν τὴν ἀρετὴν
15 ἐνέφηνεν εἰπὼν τὴν πολλὴν ὁμόνοιαν, ἔπειτα δὲ καὶ ἀπὸ
τῆς προστασίας τοῦ πατρός. «Μήποτε, φησίν, ἐν τῇ
διανοίᾳ αὐτῶν κακὰ ἐνενόησαν πρὸς Θεόν.» Οὐχ ὅτι τοιοῦτοί
εἰσιν, ἀλλ' ὅτι ἄνθρωποί εἰσιν. Ἆρα αὐτὸς οὐδέποτε
τοιοῦτον οὐδὲν ἐνενόησεν; Μέγα ἄρα πρᾶγμα καὶ τὰ ἄδηλα
20 δεδοικέναι. «Μήποτε, φησίν, οἱ υἱοί μου ἐν τῇ διανοίᾳ
αὐτῶν κακὰ ἐνενόησαν πρὸς Θεόν.» Λόγῳ γὰρ οὐκ ἂν
ἐτόλμησαν εἰπεῖν, τοιοῦτον ἔχοντες τὸν παιδευτὴν καὶ τὸν
διδάσκαλον · ἀλλ' ἐπειδὴ τῶν ἀδήλων οὐκ ἦν ἐξεταστής,
ἐπενόησεν καὶ ἐλογίσατο ὡς μηδ' ἐκεῖνα αὐτὸν διαφυγεῖν.
25 Τὰ φανερὰ δυνήσονται, φησί, διορθοῦν. Τί δὴ ποιήσαιεν
περὶ τῶν ἀδήλων; Καὶ μὴν τῷ Μωσῇ φησιν ὁ Θεός · «τὰ
φανερὰ ὑμῖν καὶ τοῖς υἱοῖς ὑμῶν, τὰ δὲ ἄδηλα Κυρίῳ τῷ
Θεῷ ᵘ.» Ἀλλ' οὐδὲ τὰ ἄδηλα ἀφῆκεν τῷ Θεῷ, ἀλλὰ καὶ
ταῦτα αὐτὸς ἐβιάζετο διορθοῦν θεραπευτικῇ τινι μεθόδῳ ·
30 ὁμοῦ γὰρ τὸ αὐτὸ καὶ διδασκαλία τοῖς παισὶν ἐγίνετο, οὐχὶ
μόνον ἁμαρτημάτων ἀναίρεσις. Οἱ γὰρ εἰδότες ὅτι καὶ τῶν
κατὰ λογισμὸν διανοιῶν καὶ ἁμαρτημάτων τιμωρία κεῖται
παρὰ τῷ Θεῷ (οὐ γὰρ ἂν ὁ πατὴρ θυσίαν προσήνεγκεν, εἰ
μὴ ἁμαρτίαν ἀναλῦσαι ἔσπευδεν) καὶ συνεχῶς ταῦτα παι-
35 δευόμενοι διὰ τῶν θυσιῶν, ὀκνηρότεροι, εἰ καί τι τοιοῦτον
συνέβαινεν, ἐγένοντο ἄν.

14 αὐτῶν > p ‖ 15 εἰπὼν + αὐτῶν p ‖ καὶ > p ‖ 17 πρὸς + τὸν L ‖ 21
πρὸς + τὸν L ‖ 22 τὸν > p ‖ 25 δὴ ποιήσαιεν : δεῖ ποιῆσαί με p ‖ 28 ἀλλ'
+ οὗτος p ‖ 31 μόνον (p) > LM ‖ 32 λογισμὸν διανοιῶν : διάνοιαν
λογισμῶν p ‖ 33 προσῆγεν p

7, 17-18 : οὐχ ὅτι — εἰσιν abc yz

u. Deut. 29, 28

1. L'insistance sur les préoccupations éducatives de Job à l'égard de
ses enfants ne saurait surprendre de la part d'un auteur qui a écrit tout
un traité sur l'éducation des enfants. Cf. SC 188. Ces préoccupations
apparaissent encore en I, 5, 5-6; 7, 6-8, 67-69, 72-75 etc.

perfection il voulait les amener. Il a donc mis en évidence leur vertu, en parlant de leur parfaite entente, mais en faisant ensuite sentir que c'était la protection paternelle qui en était la cause[1]. «Peut-être, disait-il, mes fils ont-ils conçu dans leur cœur de mauvaises pensées contre Dieu.» Ce n'est pas dans leur nature, mais ce sont des hommes. Lui-même n'avait-il jamais eu de telles pensées? Il est donc très important de redouter même les fautes cachées. «Peut-être mes fils ont-ils conçu dans leurs cœurs de mauvaises pensées contre Dieu.» Ils n'auraient pas osé, en effet, exprimer ces pensées avec un tel éducateur et un tel maître; mais, comme les fautes cachées ne pouvaient pas être l'objet d'une enquête, il pensa et il estima que, de cette façon, même ces fautes-là ne pouvaient lui échapper. Pour les fautes visibles, ils pourront les corriger. Mais que pourraient-ils donc faire[2] en ce qui concerne les fautes cachées? Et pourtant Dieu dit à Moïse : «A vous et à vos enfants ce qui est visible, au Seigneur Dieu ce qui est caché[u].» Cependant, Job n'a même pas laissé à Dieu les fautes cachées, mais il s'obligeait à corriger personnellement même ces fautes-là, en usant d'une méthode pédagogique; du même coup, en effet, cette méthode lui permettait, non seulement de supprimer leurs fautes, mais encore de les instruire. Car ceux-ci sachant qu'il appartient au Seigneur de châtier aussi bien les pensées intérieures que les actes coupables – leur père, en effet, n'aurait pas offert un sacrifice, s'il ne s'était pas préoccupé d'effacer une faute –, et recevant continuellement cet enseignement par ses sacrifices, auraient davantage hésité, si quelque pensée de ce genre s'était présentée à eux.

2. L'absence de ἄν pour marquer le potentiel est un fait courant dans le grec de l'époque romaine. Voir : *Grammar of New Greek,* par J.H. MOULTON, 3ᵉ éd., Edimbourg 1908, vol. I, Prolegomena, p. 197; ou : *A greek Grammar of the New Testament and the early Christian Literature,* par F. BLASS et A. DEBRUNNER, Chicago 1961, § 385, p. 194.

Ὁρᾷς οὐχὶ τὰς ἐν τοῖς πράγμασιν, ἀλλὰ καὶ τὰς ἐν τοῖς
λογισμοῖς ἁμαρτίας αὐτὸν διορθοῦντα, καὶ τὸ παρὰ τοῦ
Χριστοῦ εἰρημένον διὰ τῶν ἔργων πληροῦντα · « Ἐκ γὰρ
40 τῆς καρδίας, φησίν, ἐξέρχονται διαλογισμοὶ πονηροί, καὶ
ταῦτά ἐστι τὰ κοινοῦντα τὸν ἄνθρωπον ᵛ. » Ἐπεὶ οὖν ταῦτα
κοινοῖ τὸν ἄνθρωπον, ἐκαθάριζεν αὐτούς. Ὁρᾷς καθαρμὸν
οὐχὶ μωσαϊκόν, οὐδὲ νομικόν, ἀλλὰ ἀποστολικόν, τὴν διάνοιαν αὐτῶν ἀποσμήχοντα καθ᾽ ἑκάστην ἡμέραν, οὐχὶ
45 παραινέσει καὶ συμβουλῇ μόνον, ἀλλὰ καὶ προστασίᾳ καὶ
εὐχαῖς ταῖς πρὸς τὸν Θεόν. Οὐχ ὡς πατὴρ μόνον, ἀλλὰ καὶ
ὡς ἱερεὺς αὐτῶν ἐκήδετο. Καίτοι οὐδένα ἴσμεν ἱερέα τότε.

Ἀκουέτωσαν οἱ πατέρες ὅσοι παῖδας ἔχουσιν, ὅσην ὑπὲρ
αὐτῶν ποιεῖσθαι πρόνοιαν ὀφείλουσιν. Ἐπειδὴ γὰρ πότος
50 ἦν, ἐπειδὴ συμπόσιον ἦν, εἴωθεν δὲ πολλάκις ἡ διάνοια
παρατρέπεσθαι παρὰ τοὺς τοιούτους καιρούς. Διὰ τοῦτο καὶ
Μωσῆς ἔλεγεν · «Φαγὼν καὶ πιών, μνήσθητι Κυρίου τοῦ
Θεοῦ σου ᵂ». Τοῦτ᾽ ἔστιν · ἀπόκρημνος ὁ τόπος ἐστὶν
ἐκεῖνος, ταχέως εἰς λήθην ἄγει. Τότε οὖν μάλιστα μέμνησο,
55 ὅτε μάλιστα ἐκβαλεῖν σου τῆς διανοίας ἐπείγεται τὸν
θησαυρὸν ὁ διάβολος. Οὕτως οὖν, καὶ οὗτος ᾔδει τὴν
τρυφὴν καὶ τὴν διάχυσιν ἐργαζομένην τι τοιοῦτον · οὕτω
«καὶ οἱ Ἰσραὴλ παῖδες ἔφαγον καὶ ἀνέστησαν παίζειν ˣ».
Διὰ τοῦτο πληρουμένου τοῦ πότου «τὰς θυσίας προσέ-
60 φερεν».

Τινές φασιν ὅτι καὶ ἱερεῖς τὸ παλαιὸν ἦσαν,
ὥσπερ ὁ Μελχισεδέκ, ἀχειροτόνητοι. Τοῦτο οὖν ἐστι
τὸ «ἀπέστελλεν». Εἰ δὲ προσφέρει θυσίας, οὐχὶ κατὰ
Νόμον, ἐπεὶ καὶ Ἀβραὰμ προσήνεγκεν, καὶ Νωέ, καὶ
65 Ἄβελ. Ἀλλὰ τί · ἔδει ἐπιτιμῆσαι αὐτοῖς. Ἀλλ᾽ οὐκ ᾔδει τὸ

37 πράγμασιν + μόνον p ‖ 38 αὐτὸν : αὐτῶν p ‖ 46 οὐχ : οὐ γὰρ p ‖ 48
ὅσην + πρόνοιαν p ‖ 49 πρόνοιαν > p ‖ 53 ἐστιν ὁ τόπος ∼ p ‖ 61 τινές +
δὲ p ‖ 63 θυσίας + αλλὰ p

42-44 : ὁρᾷς — ἀποσμήχοντα abc, yχ ‖ 61-63 : τινές — ἀπέστελλεν abc,
yχ

Tu vois qu'il corrigeait non seulement les fautes concernant les actions, mais aussi celles qui concernent les pensées, réalisant ainsi par les actes la parole du Christ : «C'est du cœur que sortent les mauvaises pensées, et c'est là ce qui souille l'homme[v].» C'est donc parce que c'est cela qui souille l'homme qu'il les purifiait. Tu vois là une purification qui n'est ni mosaïque, ni inspirée par la Loi, mais apostolique, puisqu'il cherchait à purifier chaque jour leur pensée, non seulement en les exhortant et en les conseillant, mais encore en les protégeant et en adressant des prières à Dieu. Ce n'est pas simplement en père, mais en prêtre qu'il se souciait d'eux. Et pourtant, nous savons qu'il n'existait alors aucun prêtre.

Qu'ils apprennent, tous les pères qui ont des enfants, de quelle prévoyance ils doivent faire preuve à leur sujet. En effet, à l'occasion d'un festin, à l'occasion d'un banquet, il arrive souvent qu'on ait de mauvaises pensées dans ces cas-là. C'est pourquoi Moïse disait, lui aussi : «Après avoir mangé et bu, souviens-toi du Seigneur ton Dieu[w]», c'est-à-dire : cette situation est périlleuse, elle conduit rapidement à l'oubli (de Dieu). Souviens-t'en donc, surtout quand le diable s'efforce de chasser de ta pensée son trésor. Ainsi donc, Job aussi savait que la mollesse et le relâchement produisent un tel effet; c'est ainsi également que «les enfants d'Israël mangèrent et se levèrent pour jouer[x]». C'est pourquoi, une fois le festin terminé, «Job offrait des sacrifices».

Certains prétendent que, jadis, il y avait aussi des prêtres, Melchisédec, par exemple, non élus par le peuple. Voilà donc ce que signifie l'expression «il les envoyait chercher». Et, s'il offre des sacrifices, ce n'est pas pour se conformer à la Loi, puisque Abraham, Noé et Abel en ont offert. Mais quoi! Il fallait les blâmer! Mais il ne connaissait

v. Matth. 15, 19-20 ‖ w. Cf. Deut. 6, 11-12; 8, 12-16 ‖ x. Cf. Ex. 32, 6

ἁμάρτημα. Ἀλλά, παραδραμεῖν.Ἀλλά πολλάκις συνέβαινεν ἡμαρτηκέναι. Ὅρα πῶς καὶ ἐν τῇ θυσίᾳ ὁμόνοιαν αὐτοὺς ἐδίδασκεν, ἕνα ὑπὲρ πάντων μόσχον προσφέρων, ὡς ὑπὲρ μιᾶς ψυχῆς.

70 Ὅρα πῶς φιλόστοργος, πῶς εὐσεβής, πῶς «θεοσεβής», πῶς «δίκαιος», πῶς «ἀληθινός», πῶς «ἀπεχόμενος ἀπὸ παντὸς πονηροῦ πράγματος». «Ἄμεμπτος» · οὐ γὰρ ἔχεις ἐγκαλέσαι ὅτι ἠμέλει τῶν παίδων. «Δίκαιος», ὅτι παρεῖχεν ὅσην ἔδει πρόνοιαν αὐτοῖς. «Θεοσεβής», ὅτι διὰ τὸν Θεὸν
75 τοῦτο ἐποίει. Ἄρα τί ἂν εἴποιμεν; Ὅτι τοὺς παῖδας ἐφίλει; Ὅτι τὸν Θεὸν ἐφίλει; Ἀπὸ ποίου φίλτρου τοῦτο μᾶλλον ἔπραττεν; Ἐμοὶ δοκεῖ, τοῦ περὶ τὸν Θεὸν καὶ τότε τοῦ περὶ τοὺς παῖδας.

Οὕτως ἐποίει, φησί, **πάσας τὰς ἡμέρας Ἰώβ**[y]. Ὁρᾶς
80 τὴν εὐσέβειαν, οὐχὶ πρὸς εἰρημένον ἡμερῶν ἀριθμόν, ἀλλὰ πάντα τὸν χρόνον. Ἡμεῖς δέ, ἂν ἅπαξ ἢ δεύτερον ποιήσωμέν τι ἀγαθόν, ἢ εὐξώμεθα, ἀναπίπτομεν, νομίζοντες τὸ πᾶν τετελεκέναι.

8. Καὶ ἐγένετο, φησίν, **ὡς ἡ ἡμέρα αὕτη καὶ ἦλθον οἱ ἄγγελοι τοῦ Θεοῦ παραστῆναι ἐνώπιον αὐτοῦ, καὶ ὁ διάβολος ἦλθεν μετ' αὐτῶν, περιελθὼν τὴν γῆν καὶ ἐμπεριπατήσας τὴν ὑπ' οὐρανόν**[z]. Ἀνοίγεται λοιπὸν τὸ
5 θέατρον · ἐπὶ τὸ στάδιον ὁ ἀθλητὴς ἕλκεται. Ἵνα γὰρ μηδείς, ἅπερ ὁ διάβολος εἶπεν, ταῦτα λέγῃ : «Μὴ δωρεὰν σέβεταί σε Ἰώβ[a]», οὐχὶ τὸν διάβολον μόνον, ἀλλὰ καὶ ἐκείνους τοὺς ἐκείνου ζηλωτὰς ἐπιστομίζει. Ναί, «δίκαιος ἦν, ἀληθινός, θεοσεβής», ἀλλ' οὐδὲν μέγα, φησίν, οὐδένα

68 ὑπὲρ : ὑπὸ p ‖ 76 ὅτι — ἐφίλει > p ‖ 79 φησί > p ‖ 80 εἰρημένον : ὁρισμὸν p ‖ ἀριθμὸν ἡμερῶν ∼ p
8, 1 καὶ² + ἰδοὺ p ‖ 4 τὴν ὑπ' οὐρανόν : ἐν αὐτῇ. εἶτα p ‖ 7 σε > p ‖ ἰώβ + τὸν θεόν p ‖ 8 ἐκείνους τοὺς ἐκείνου (p) : δι' ἐκείνου LM ‖ ἐπιστομίζει : ἐπιστομίζειν ἔδει p ‖ 9 οὐδένα + γὰρ p

7, 67-69 : ὅρα — ψυχῆς abc, yz

pas leur faute. Eh bien alors, il fallait fermer les yeux! Mais il leur arrivait souvent de commettre des fautes. Remarque aussi comment, à l'occasion de son sacrifice, il leur enseignait la concorde, en n'offrant qu'un seul veau pour tous, comme s'il s'agissait d'une seule personne.

Vois comme il était affectueux, et pieux, et «religieux», et «juste», et «vrai», et «s'abstenant de toute action mauvaise». «Irréprochable»; tu ne peux, en effet, l'accuser de négliger ses enfants. «Juste», car il leur accordait toute l'attention qu'il fallait. «Religieux», car c'est pour Dieu qu'il le faisait. Alors, que pourrions-nous dire? qu'il aimait ses enfants? qu'il aimait Dieu? Quel amour pouvait davantage le faire agir ainsi? A mon avis, c'est son amour pour Dieu et alors son amour pour ses enfants.

C'est ainsi, dit le texte, *que Job agissait tous les jours*[y]. Tu vois sa piété, qui ne se limitait pas à un nombre de jours déterminé d'avance, mais était continuelle. Nous, au contraire, s'il nous arrive, une fois ou deux, de faire une bonne action ou de prier, nous arrêtons, estimant que nous avons fait tout notre devoir.

L'intervention du diable

8. *Et voici que, ce jour-là,* dit le texte, *les anges de Dieu vinrent se présenter devant lui, et le diable vint avec eux, après avoir parcouru la terre et circulé dans les étendues subcélestes*[z]. Désormais, le spectacle s'ouvre : l'athlète est traîné sur le stade. Pour que personne justement ne dise ce que le diable avait dit : «Est-ce que Job t'honore gratuitement[a]?», c'est non seulement au diable, mais, à travers lui, à tous ses partisans que Dieu ferme la bouche. Oui, vraiment, il était «juste, vrai, religieux»; mais, il n'y a rien d'étonnant,

y. Job 1, 5 ‖ z. Job 1, 6 ‖ a. Cf. Job 1, 9

10 πειρασμὸν ὑπέστη, οὐδὲ χειμῶνα, οὐδὲ ναυάγιον. Τοῦτόν
μοι δεῖξον ἐν πενίᾳ, τοῦτόν μοι δεῖξον ἐν συμφοραῖς. Εἰ δὲ
εὐθηνούμενος καὶ πλουτῶν εὐσεβὴς ἦν, τί μέγα; καὶ μὴν
τοῦτο μέγα, ἄνθρωπε, καὶ οὐχ ἧττον δόκιμος ὁ μετὰ
πλούτου εὐσεβῶν τοῦ μετὰ πενίας τοῦτο ποιοῦντος. Ἄκουε
15 τοῦ Προφήτου λέγοντος «ὅτι ἐζήλωσα ἐπὶ τοῖς ἀνόμοις,
εἰρήνην ἁμαρτωλῶν θεωρῶν[b].» Καὶ πάλιν · «Ἐν κόπῳ
ἀνθρώπων οὐκ εἰσὶν καὶ μετὰ ἀνθρώπων οὐ μαστιγωθή-
σονται · διὰ τοῦτο ἐκράτησε αὐτοὺς ἡ ὑπερηφανία εἰς
τέλος[c].» Ὁρᾷς ὅτι καὶ τοῦτο πειρασμὸς οὐ μικρὸς ἦν τὸ
20 πλουτεῖν, καὶ ἐν εὐθυμίᾳ, καὶ μὴ μαστίζεσθαι.

Ὥστε, εἰ εὐγνωμονεῖς, ἤδη ἐν σταδίῳ ἐστίν ὁ δίκαιος,
καὶ διὰ παντὸς ἐν ἀγῶνι, οὐχὶ πενόμενος μόνον, ἀλλὰ καὶ
πλουτῶν · τὸ γὰρ πλουτεῖν οὐχὶ πρὸς εὐσέβειαν, ἀλλὰ πρὸς
τοὐναντίον ἐπαίρει.

25 Πλὴν ἀλλά, καὶ ἐξ ἑτέρου μέρους μάθε αὐτὸν ὅστις
ἐστίν. «Καὶ ὁ διάβολος, φησίν, ἦλθε μετ᾽ αὐτῶν.» Τί
λέγεις · «Μετὰ τῶν ἀγγέλων»; Ὁ προσκεκρουκώς, ὁ
ἠτιμωμένος; Μὴ θορυβήθῃς, ἀγαπητέ · τοῦτο διατύπωσις
καὶ διαγραφή · ὥσπερ γὰρ ἀλλαχοῦ φησιν ἐν τῇ τρίτῃ τῶν
30 βασιλειῶν ὅτι «ἐξῆλθεν πνεῦμα πονηρόν, καὶ ἔλεγεν · τίς
ἀπατήσει μοι τὸν Ἀχαάβ, καὶ λέγει · ἐγώ»[d], καὶ λέγει
πῶς. Καὶ πολὺ τὸ ἀνθρώπινόν ἐστιν · ὥστε πρόσωπον
δοῦναι τῷ λόγῳ καὶ τὸν ἀφελέστερον προσαγάγεσθαι τῷ
διηγήματι μᾶλλον · οὐ γάρ ἐστιν ἴσον εἰς τὸ πεῖσαι, τὸ
35 ἁπλῶς ἀποφαίνεσθαι, καὶ τὸ τυπῶσαι λόγον καὶ διαγράψασθαι · οὕτω καὶ ἐνταῦθα, εἰ εἶπεν ὅτι ἐπεβούλευσεν ὁ
διάβολος τῷ Ἰώβ, τοῦ Θεοῦ συγχωροῦντος, ἆρα τοσαύτην

10 ναυάγιον + ἄλλα p ‖ 16 κόποις p ‖ 22 μόνον (p) > LM ‖ 24 ἐπαίρει :
ἐπαίρειν εἴωθε p ‖ 31 μοι > p

8, 32-36 : ὥστε — διαγράψασθαι abc (sed, 34-36 : οὐ γὰρ — διαγράψασθαι ponitur ante 32-34 : ὥστε — διηγήματι abc)

b. Ps. 72, 3 ‖ c. Ps. 72, 5-6 ‖ d. III Reg. 22, 20-21; cf. II Chr. 18, 19-20

réplique le diable : il n'a subi aucune épreuve, il n'a essuyé aucune tempête, aucun naufrage. Montre-le moi dans la pauvreté; montre-le moi dans les revers. Si c'est dans la prospérité et la richesse qu'il était pieux, quoi d'étonnant? Et pourtant, c'était étonnant, homme, car il n'est pas moins glorieux d'être pieux dans la richesse que de l'être dans la pauvreté. Écoute la parole du Prophète : «J'ai envié les impies, en considérant la paix dont jouissent les pécheurs[b].» Ou encore : «Ils ne partagent pas les souffrances des hommes, et ils ne seront pas châtiés avec les hommes; c'est pourquoi l'orgueil s'est emparé d'eux jusqu'au bout[c].» Tu vois que ce n'était pas, non plus, une mince épreuve d'être riche et d'être dans l'opulence, sans être châtié.

Ainsi donc, si tu es d'accord, le juste est déjà dans le stade, et continuellement en lutte, non seulement s'il est dans le dénuement, mais aussi s'il est dans la richesse; car la richesse ne pousse pas habituellement à la piété, mais à son contraire.

Toutefois, apprends à le connaître encore à un autre point de vue. «Et le diable, dit le texte, vint avec eux.» Que dis-tu? «Avec les anges»? lui qui s'est rebellé, qui s'est déshonoré? Ne te trouble pas, mon cher; ceci est une image et une figure; c'est ainsi que, dans un autre passage, au troisième livre des Rois, on dit qu'«un esprit mauvais sortit et que le Seigneur dit : Qui me séduira Achab? Et l'esprit de répondre : Moi[d]», et il indique de quelle façon. Le caractère anthropomorphique de l'Écriture est fréquent : l'auteur donne un visage à sa parole et séduit davantage les simples par son récit; car il n'est pas indifférent à l'art de persuader, de s'exprimer sans artifices, ou d'orner son discours d'images et de figures : ici, par exemple, s'il avait dit que le diable avait comploté contre Job, avec la permission de Dieu, son récit aurait-il eu

εἶχεν ἡδονὴν τὸ διήγημα; Οὐδαμῶς, ἀλλ' ἡ βραχυλογία
ἐνέκοψεν ἄν · νῦν δέ, τῷ τῷ ῥήματι προσθεῖναι καὶ
40 διάλεξιν, καὶ ταῦτα εἰπεῖν, ἅπερ εἶπεν ἂν ὁ διάβολος, εἰ
συνεχωρήθη, πᾶσαν ἐκκόπτει τῶν ἀναισχυντούντων τὴν
πρόφασιν · ἃ γὰρ λέγει τὸν διάβολον εἰρηκέναι, πρὸς τὸν
Θεὸν μὲν οὐκ εἶπεν, ἐνεθυμήθη δέ · οὐ γὰρ αὐτῷ μέτεστι
λόγου καὶ παρρησίας τοσαύτης εἰ γὰρ οἱ δαίμονες, τὸν υἱὸν
45 τοῦ Θεοῦ ἰδόντες, ἐβόων λέγοντες · «Τί ἡμῖν καὶ σοί ᵉ; »
οὐδὲ γὰρ τῆς στάσεως μέτεστιν αὐτῷ τῆς μετὰ τῶν
ἀγγέλων.

«Ἦλθον, φησίν, οἱ ἄγγελοι καὶ ὁ διάβολος ἦλθεν μετ'
αὐτῶν, περιελθὼν τὴν γῆν καὶ ἐμπεριπατήσας τὴν ὑπ'
50 οὐρανόν.» Τί μανθάνομεν ἀπὸ τούτου; Ὅτι καὶ δαιμόνων
καὶ ἀγγέλων ἡ οἰκουμένη πεπλήρωται, καὶ ὅτι ἑκάτεροι
ὑπὸ τὴν ἐξουσίαν εἰσὶ τοῦ Θεοῦ, καὶ ὅτι ἄγγελοι μὲν
παραγίνονται πρὸς τὸν Θεόν, ἐπιτάγματα δεχόμενοι, ὁ
διάβολος δὲ οὐδὲν δύναται ποιῆσαι τῶν καθ' ἡδονὴν αὐτῷ,
55 μὴ τὴν συγχώρησιν ἄνωθεν λαβών · εἰ γὰρ καὶ ἀφηνίασε
καὶ ἔξω τοῦ θεραπεύειν ἐστὶ τὸν Θεόν, ἀλλ' ὅμως ὁ φόβος
ἔγκειται καθάπερ χαλινός, καί οὐ συγχωρεῖ τῇ ἐξουσίᾳ
χρήσασθαι τῇ ἑαυτοῦ. Ἀλλ' ὅρα · ἐκεῖνοι μὲν παραγίνονται
καθάπερ οἰκέται, ἀναφέροντες τὰ πραττόμενα, καθάπερ καὶ

39 τῷ¹ > p ‖ 40 εἶπεν > p ‖ 50 τί + οὖν p ‖ ἀπὸ τούτου : ἀπὸ τούτων p
περὶ τούτου L ‖ 50-51 καὶ αγγέλων καὶ δαιμόνων ~ p ‖ 52 καὶ > p ‖ 57
ἔγκειται + αὐτῷ p

42-44 : ἃ γὰρ — τοσαύτης γχ ‖ 50-58 : μανθάνομεν — τῇ ἑαυτοῦ γχ

e. Matth. 8, 29; Mc 1, 24

1. Plusieurs indications de notre commentaire concernant les anges
se retrouvent dans l'œuvre de Chrysostome : 1°) La terre et les airs sont
pleins d'anges : I, 8, 50-51; cf. *Serm. in Asc.*, PG 50, 443C; *Serm. in
Resur.*, PG 50, 436. − 2°) Des anges sont préposés à la garde des
nations : I, 9, 20; cf. PG 50, 481; *Hom. in Eph. I*, PG 62, 16B. − 3°) Les
anges se tiennent devant Dieu, reçoivent de lui la mission de s'occuper
de nos affaires, et plus particulièrement de notre salut : I, 8, 52-53;

autant de charme ? Pas du tout, et la concision eût été
nuisible. Mais, en réalité, en ajoutant un dialogue à son
discours, et en disant ce que justement le diable aurait dit,
s'il avait eu la permission, l'auteur coupe court aux
prétextes des impudents : car les paroles qu'il prête au
diable n'ont pas été prononcées devant Dieu, mais seulement pensées par lui intérieurement ; car le diable n'a pas
droit à la parole et à une telle liberté de langage ; s'il est vrai
que les démons, à la vue du Fils de Dieu, s'écriaient :
« Qu'y a-t-il de commun entre toi et nous[c] ? » de même, le
diable n'a pas non plus le droit de se tenir parmi les anges.

« Les anges[1] vinrent, dit le texte, et le diable vint avec
eux, après avoir parcouru la terre et circulé dans les
étendues subcélestes. » Qu'apprenons-nous par là ? Que la
terre est remplie de démons et d'anges, et que les uns et les
autres sont sous le pouvoir de Dieu, et que les anges se
présentent devant Dieu, dont ils reçoivent des ordres et
que le diable ne peut rien faire de ce qui lui plaît[2], s'il n'en a
pas reçu la permission d'en haut ; car s'il a rejeté toute bride
et n'est plus au service de Dieu, il n'en est pas moins retenu
par la crainte comme par un mors qui ne lui permet pas
d'user de son propre pouvoir ; mais, remarque-le : tandis
que les anges se présentent comme des serviteurs, qui lui
rendent compte de ce qu'ils font, comme on peut le voir

9, 23-27 ; cf. *Hom. VII in Paul.*, PG 50, 509 ; *Hom. III in Hebr.*,
PG 63, 30. – 4°) Il existe, parmi les anges gardiens, un ange de
la paix : I, 9, 28-29 ; cf. *Serm. in Asc.*, PG 50, 444 A ; *Hom. III ad
Col.*, PG 62, 322, l.15-16. Voir : F. VAN DE PAVERD, *Mess-Liturgie in
Antiochia und Konstantinopel gegen Ende des vierten Jahrunderts. Analyse der
Quellen des Johannes Chrysostomus* (Orientalia Christiana Analecta 187),
Roma 1970, p. 148 et surtout p. 209-212.

2. **L, M** et **p** donnent αὐτῷ là où l'on attendrait αὐτῷ, mais à l'époque
du grec tardif, il y avait confusion constante entre les formes réfléchies
et non réfléchies. Voir J.H. MOULTON, *Grammar of New Greek*, p. 87.

60 ἐν τῷ Ζαχαρίᾳ ἔστιν ἰδεῖν[f]· οὗτος οὐδὲν ἔχει εἰπεῖν. Τὸ
οὖν «μετ' αὐτῶν ἦλθεν» οὐδὲν ἄλλο ἐμφαίνει ἀλλ' ἢ ὅτι
καὶ αὐτὸς ὑπόκειται τῷ Θεῷ, ἵνα τοῖς ὕλην εἰσάγουσι μὴ
δῷ ἀφορμὴν ὁ λόγος.

9. «Καὶ ὁ διάβολος...» φησίν. Ἐκεῖνοι μὲν γὰρ τοῦ
Θεοῦ, οὗτος δέ, οὐκέτι τοῦ Θεοῦ. «Καὶ ὁ διάβολος ἦλθε
μετ' αὐτῶν», οὐχὶ παρεστάναι ἐνώπιον Κυρίου, καθάπερ
ἐκεῖνοι, ἀλλ' ἁπλῶς «ἦλθεν». Ἐκεῖνοι μὲν γὰρ παρρησίαν
5 εἶχον εἰκότως, καὶ «παρεστάναι ἦλθον ἐνώπιον τοῦ Θεοῦ»·
οὗτος δὲ οὐχὶ παρεστάναι ἐνώπιον τοῦ Θεοῦ. Εἰ γὰρ «Κάϊν
ἐξεβλήθη ἀπὸ προσώπου τοῦ Θεοῦ[g]», πολλῷ μᾶλλον οὗτος.
Τί οὖν ἐστιν τὸ «ἦλθεν μετ' αὐτῶν»; Ὅτι μετ' αὐτῶν
ἐστιν ἐν τῷ κόσμῳ τούτῳ. Καθάπερ πονηροὶ καὶ ἀγαθοί
10 εἰσιν ἄνδρες ἀναμεμιγμένοι, οὕτω καὶ ἄγγελοι καὶ δαί-
μονες· καί, εἰ βούλει, πιστώσομαί σε ἀπὸ τῶν Γραφῶν.
Ἄκουε Παύλου λέγοντος· «Ὀφείλουσιν αἱ γυναῖκες ἐξουσίαν ἔχειν ἐπὶ τῆς κεφαλῆς διὰ τοὺς ἀγγέλους[h].» Καὶ πάλιν
ὁ Χριστός: «Μὴ καταφρονήσητε ἑνὸς τῶν μικρῶν τούτων,
15 ὅτι οἱ ἄγγελοι αὐτῶν διὰ παντὸς βλέπουσι τὸ πρόσωπον
τοῦ πατρός μου τοῦ ἐν οὐρανοῖς[i].» Καὶ πάλιν ἀλλαχοῦ,
περὶ τοῦ Πέτρου ἔλεγον οἱ ἀπόστολοι· «Ὁ ἄγγελος
αὐτοῦ ἐστιν[j].» Καὶ ἐν τῇ παλαιᾷ, ὁ Ἰακὼβ ἔλεγεν
«Ὁ ἄγγελος ὁ ῥυσάμενός με ἐκ νεότητός μου[k].» Καὶ τοῖς
20 ἔθνεσιν ἄγγελοι ἐφεστήκασιν· «Ἔστησε γάρ, φησίν, ὅρια
ἐθνῶν κατὰ ἀριθμὸν ἀγγέλων αὐτοῦ[l].» Καὶ ἐν

9, 1-2 ἐκεῖνοι — τοῦ θεοῦ[1] > p ‖ 5 παρεστάναι + καὶ p ‖ 12 ἄκουε : καὶ
ἄκουσον p ‖ 14 ὁ χριστός > L ‖ 18 τῇ > p

f. Cf. Zach. 1, 10-11 ‖ g. Gen. 4, 16 ‖ h. I Cor. 11, 10 ‖ i. Matth. 18, 10
‖ j. Act. 12, 15 ‖ k. Gen. 48, 16 ‖ l. Deut. 32, 8

1. Ce texte, peu clair, fait sans doute allusion à la doctrine gnostique
selon laquelle le diable serait l'auteur de la matière; cf. F.M. SAGNARD :
La gnose valentinienne et le témoignage de saint Irénée, 'Études de philosophie
médiévale', XXXVI, Paris 1947; voir Index s.v. : ὕλη. *D.T.C.,* art.
«Gnosticisme», t. 6, 2ᵉ partie, c. 1459. – Le récit de Job offrait aux

dans Zacharie[f], le diable, lui, n'a rien à dire. Par conséquent, l'expression «il vint avec eux» ne signifie rien d'autre, sinon qu'il est, lui aussi, sous la dépendance de Dieu. Ainsi, ce récit ne pourra fournir un prétexte à ceux qui veulent faire entrer en jeu la matière[1].

Le rôle des anges et celui du diable

9. «Le diable aussi», dit le texte. Car les anges sont (les serviteurs) de Dieu, tandis que lui ne l'est plus. «Le diable aussi vint avec eux», non pour «se tenir en présence du Seigneur», comme eux, mais «il vint», tout simplement. C'est qu'eux, en effet, pouvaient parler librement, c'est normal, «et ils vinrent pour se tenir en présence de Dieu»; mais lui ne vint pas pour se tenir en sa présence, car si «Caïn fut chassé loin de la face de Dieu[g]», à plus forte raison ce misérable. Que signifie donc l'expression : «Il vint avec eux»? Elle signifie qu'il est avec eux en ce monde. De même que les hommes méchants et les hommes bons sont mélangés, de même les anges et les démons. Si tu permets, je m'en vais t'en donner la confirmation par les Écritures; écoute les paroles de Paul : «Les femmes doivent porter sur la tête un signe de soumission, à cause des anges[h].» Et le Christ, de son côté : «Ne méprisez pas l'un de ces petits, car leurs anges ne cessent de contempler la face de mon Père qui est dans le ciel[i].» Et, dans un autre passage encore, les apôtres disaient à propos de Pierre : «C'est son ange[j].» Dans l'Ancien Testament également, Jacob disait : «L'ange qui m'a protégé depuis mon enfance[k].» Des anges aussi sont préposés à la garde des nations, car, dit l'Écriture : «Il a fixé les frontières des nations d'après le nombre de ses anges[l].» Dans Daniel

gnostiques l'occasion de poser le problème du mal. Dieu transcendant et bon ne pouvant être l'auteur du mal, il était nécessaire d'admettre un second créateur, soit le démiurge, soit, plus simplement, le diable.

τῷ Δανιὴλ εὑρίσκομεν οὕτως εἰρημένον ὅτι «Μιχαὴλ ὁ
ἄρχων ὑμῶν[m]». Καὶ ἐν τῇ παλαιᾷ πολλαχοῦ τοὺς ἀγγέλους,
οὐχὶ πρὸς οἰκονομίαν ἀφικνουμένους μόνον παρὰ τοῦ Θεοῦ,
25 ἀλλά τι καὶ ἐμπεπιστευμένους, οἷον καθώς φησιν ὁ
Παῦλος. «Ἀποστελλόμενοι διὰ τοὺς μέλλοντας κληρονομεῖν
σωτηρίαν[n].» Καὶ πάλιν ὁ Προφήτης · «Ἀποστολὴν δι'
ἀγγέλων πονηρῶν[o].» Διὰ τοῦτο καὶ εὐχόμενοι λέγομεν ·
«Τὸν ἄγγελον τῆς εἰρήνης αἰτήσατε», ὡς ὄντος ἀγγέλου
30 μάχης καὶ πολέμου, τοῦ διαβόλου λέγω · καὶ γὰρ
καὶ ἐκεῖνοι ἄγγελοι λέγονται, καθώς φησιν ὁ Σωτήρ ·
«Ἀπέλθετε, οἱ κατηραμένοι, εἰς τὸ πῦρ τὸ ἡτοιμασμένον
τῷ διαβόλῳ καὶ τοῖς ἀγγέλοις αὐτοῦ[p].» Τὸ γὰρ «ἄγγελος»
ὄνομα μέσον ἐστίν · ἐὰν δὲ μὴ προσθῇς τὸ «τοῦ
35 Θεοῦ», ἢ τὸ «τοῦ διαβόλου», οὐδὲν οὐδέπω ἐσήμηνας.
Διὰ τοῦτο, οὐδαμοῦ ἁπλῶς εἴρηται «ἄγγελος», ἀλλ'
«ἄγγελος Κυρίου» ἐστίν · καὶ τοῦτο σημαίνει ὅτι τὴν
οἰκονομίαν εἰσὶν ἐγκεχειρισμένοι τῆς οἰκουμένης · τοῦτο
γάρ ἐστι «παρεστάναι ἐνώπιον τοῦ Κυρίου», ὥσπερ ὁ
40 Ζαχαρίας «τοὺς ἵππους φησὶν ἑωρακέναι[q]», τὸ ὀξὺ καὶ
ταχὺ τῶν δυνάμεων αἰνιττόμενος.

«Περιελθών, φησί, τὴν γῆν καὶ ἐμπεριπατήσας αὐτήν.»
Ὁρᾷς ὅτι ὁ οὐρανὸς οὐ βατὸς τῷ δαίμονι, τούτῳ τῷ
πονηρῷ. Εἰ δὲ λέγοι τις · εἶτα, ὁ οὐρανὸς ἄβατος, ἡ δὲ γῆ
45 αὐτὸν ἐδέξατο. Ναί, πρὸς τό σοι συμφέρον · εἰ γὰρ ἐχθρὸν
οὕτως ἔχων νήφοντα, οὐδὲ οὕτω διανιστάσαι, εἰ καὶ ταύτης
ἀπηλλάγης τῆς φροντίδος καὶ τῆς μερίμνης, τίνος οὐκ ἂν
ἦς ὑπνωδέστερος; Μορμολύκιόν σοι τοιοῦτον ἔθηκεν καὶ οὐ

25 καί τι ∼ p ‖ τι + ἕτερά τινα ἀπόρρητα p ‖ καθώς : καθά p ‖ 26
ἀποστελλόμενοι : οὐχὶ πάντες εἰσὶν λειτουργικὰ πνεύματα εἰς διακονίαν
ἀπεστελλόμενα p (Hebr. 1, 14) ‖ 27 ὁ προφήτης ἀποστολὴν : ὁ πέτρος
ἀποστολὴ p ‖ 28 καὶ > p ‖ 29 ὄντος + καὶ p ‖ 30 μάχης + καὶ ἔχθρας p ‖
32 ἀπέλθατε p ‖ τὸ > p ‖ 35 τὸ > p ‖ 43 οὐ βατὸς : ἄβατός ἐστι p ‖ 45
ἐδέξατο : ὑπεδέξατο p

m. Dan. (Th.) 10, 21 ‖ n. Hébr. 1, 14 ‖ o. Ps. 77, 49 ‖ p. Matth. 25, 41
‖ q. Zach. 1, 7

aussi, nous trouvons ces mots : «Michel est votre chef[m]».
Et dans maint passage de l'Ancien Testament, on voit que
les anges ne viennent pas simplement de la part de Dieu
pour mettre des affaires en ordre, mais qu'ils sont chargés
par lui, en quelque sorte, d'une mission de confiance,
comme il ressort, par exemple, de ce passage de Paul : «Ils
sont envoyés en mission pour le bien de ceux qui doivent
hériter du salut[n].» Et de son côté, le Prophète parle d'un
«message porté par de mauvais anges[o]». C'est pourquoi
nous disons dans nos prières : «Invoquez l'ange de la
paix[1]», car il existe aussi un ange de la bataille et des
combats, je veux parler du diable; et, de fait, ces esprits-là
sont aussi appelés des anges, selon la parole du Sauveur :
«Éloignez-vous, maudits, allez au feu préparé pour le
diable et pour ses anges[p].» Le terme d'«ange», en effet, est
ambigu. Et, si l'on n'ajoute pas : de Dieu ou du diable, le
sens n'est pas encore clair du tout. C'est pourquoi, nulle
part l'Écriture ne se contente de dire : un ange, mais elle
précise toujours qu'il s'agit d'un ange du Seigneur, ce qui
signifie que le gouvernement de la terre repose entre leurs
mains. C'est là, en effet, le sens de l'expression «se tenir en
présence du Seigneur», c'est aussi le sens du passage de
Zacharie, où il dit qu'il «a vu les chevaux[q]», voulant
suggérer ainsi la promptitude et la rapidité des puissances
célestes.

«Après avoir, dit le texte, parcouru la terre et circulé sur
elle.» Tu le vois le ciel est inaccessible au démon, cet être
pervers. Mais, si l'on disait : eh quoi! le ciel lui est
inaccessible, mais la terre l'a accueilli! Oui, pour ton bien;
car si, même avec un ennemi aussi vigilant, tu n'arrives
même pas à te relever, si tu avais été délivré de ce souci et
de cette préoccupation, quelle ne serait pas ta somnolence?
Dieu a placé devant tes yeux un tel épouvantail, et

1. Cf. p. 106-107, la note 1, 4°.

διανίστασαι. Οὐχ ὁρᾷς πῶς καὶ Παῦλος δείκνυσι τὸ κέρδος
50 τὸ ἀπὸ τούτου λέγων · «οὐ γάρ ἐστιν ἡμῖν ἡ πάλη πρὸς
αἷμα καὶ σάρκα, ἀλλὰ πρὸς τὰς ἀρχάς, πρὸς τὰς ἐξουσίας,
πρὸς τοὺς κοσμοκράτορας τοῦ σκότους τοῦ αἰῶνος τού-
του^r»; Τί ποιεῖς, Παῦλε, τὴν δύναμιν τῶν ἐναντίων διη-
γούμενος; Καταβάλλεις τὰ φρονήματα τῶν οἰκείων. Οὐχί,
55 φησίν, ἀλλὰ διεγείρω μᾶλλον. Εἰ μὲν γὰρ μὴ εἶχον
τοσαύτην ἰσχὺν ὥστε αὐτὸν καταβαλεῖν, καλῶς ἔλεγες · εἰ
δὲ ἔχουσι δύναμιν μείζονα, παρὰ τὴν ῥαθυμίαν ἡ ἧττα
γίνεται. Ταύτην οὖν διεγείρω. Μὴ τοίνυν ἀλγήσῃς ὅτι ἀπὸ
τοῦ οὐρανοῦ πρὸς τὴν γῆν ἐρρίφη, ἀλλὰ εὐχαρίστησον τῷ
60 Θεῷ ὅτι σοι ἀνάγκην ἔδωκεν τοῦ νήφειν, ὅτι σοι παιδα-
γωγὸν ἐπέστησε φρικτὸν καὶ χαλεπόν. Βούλει σοὶ δείξω τὸ
κέρδος τὸ ἀπὸ τοῦ διαβόλου; Ἄκουε Παύλου λέγοντος ·
«Παρέδωκα τοὺς τοιούτους τῷ Σατανᾷ, ἵνα παιδευθῶσι μὴ
βλασφημεῖν^s.» Βούλει πάλιν καὶ ἕτερον ἀκοῦσαι; «Παρά-
65 δοτε, φησίν, τὸν τοιοῦτον τῷ Σατανᾷ εἰς ὄλεθρον τῆς
σαρκός^t.» Οὐκ ὁρᾷς τοὺς δημίους τοὺς τοῖς ἄρχουσιν
ἑπομένους; Οὕτω καὶ τούτοις ὁ Παῦλος ἐκέχρητο. Τούτων
δὲ οὐχ ὁ διάβολος αἴτιος τῶν ἀγαθῶν, ἀλλ' ἡ τοῦ Θεοῦ
φιλανθρωπία τῷ πονηρῷ πρὸς τὸ δέον χρωμένη. Ὁρᾷς ὅτι
70 οὐχὶ κατ' αὐτὸν πανταχοῦ πάρεστιν ὁ διάβολος, ἀλλὰ ἐκ
περιόδου.

**10 Καὶ εἶπεν ὁ Κύριος πρὸς τὸν διάβολον · Πόθεν
παραγέγονας; Περιελθὼν γάρ**, φησί, **τὴν γῆν καὶ
ἐμπεριπατήσας τὴν ὑπ' οὐρανὸν πάρειμι**^u. Ὁρᾷς ὅτι
πλάσις ἐστὶ τὸ πρᾶγμα. Ἐρωτᾷ αὐτὸν ὁ Θεός · ἀπὸ τούτου
5 μανθάνομεν ὅτι ἐβούλετο αὐτὸν πειρασθῆναι. Καὶ τίνος

63 παρέδωκεν LM ‖ 70 κατ' αὐτόν : κατὰ ταυτόν p ‖ πανταχοῦ > p ‖
διάβολος + πανταχοῦ p
10, 2 παραγέγονας + καὶ ἀποκριθεὶς ὁ διάβολος τῷ κυρίῳ εἶπεν p

9, 69-71 : ὁρᾷς — περιόδου *yχ*
10, 4-5 : ἀπὸ (ἐκ) τούτου — πειρασθῆναι *yχ*

r. Éphés. 6, 12 ‖ s. I Tim. 1, 20 ‖ t. I Cor. 5, 5 ‖ u. Job 1, 7

pourtant, tu ne te relèves pas! Ne vois-tu pas comment
Paul, lui aussi, montre l'avantage qui en résulte quand il
dit : «Nous n'avons pas à lutter contre la chair et le sang,
mais contre les Principautés, contre les Puissances et contre
les maîtres de ce monde de ténèbres[r]»? Que fais-tu, Paul,
en exposant la puissance de nos adversaires? Tu abats le
courage de tes amis. Non, dit-il, mais, bien plutôt, je le
réveille. Car, s'ils n'avaient pas une force suffisante pour
abattre leur adversaire, tu aurais raison; mais, s'ils possèdent une puissance plus grande, c'est à leur lâcheté qu'est
due la défaite. C'est donc cette puissance que je cherche à
réveiller. Ne te chagrine donc pas de voir que le diable a
été précipité du ciel sur la terre, mais rends grâce à Dieu de
t'avoir contraint à la vigilance, de t'avoir imposé un
pédagogue terrible et dur. Veux-tu que je te montre le
profit qu'on peut tirer du diable? Écoute parler Paul : « J'ai
livré ces gens-là à Satan, pour leur apprendre à ne pas
blasphémer[s]. » Veux-tu encore écouter un autre texte?
«Livrez, dit-il, cet individu à Satan, pour que son corps
soit détruit[t]. » Ne vois-tu pas les bourreaux qui accompagnent les chefs? C'est ainsi que Paul utilisait les démons. Et
ces bons résultats, ce n'est pas le diable qui en est cause,
mais l'amour de Dieu pour les hommes qui utilise le Malin
à propos. Tu vas voir que le diable n'est pas présent
partout par lui-même, mais qu'il l'est seulement en passant.

Le dialogue entre Dieu et le diable

10. *Et le Seigneur dit au diable : D'où viens-tu*[1]? - *J'ai
parcouru la terre,* répond-il, *j'ai circulé dans les étendues
subcélestes, et me voici*[u]. Tu vois qu'il s'agit là d'une fiction.
Dieu l'interroge : nous apprenons par là qu'il voulait le

---

1. **LM** ne citent pas *Job* 1, 7b, et inversent *Job* 1, 7c avec *Job* 1, 7a.
Nous avons rétabli l'ordre du texte commun : 1, 7a, 1, 7c.

ἕνεκεν ἐρωτᾷ ὁ Θεός; Ἵνα αὐτῷ δῷ ἀφορμὴν πάλης καὶ
μάχης · καὶ ὅρα πῶς αὐτὸν πρῶτον ὑπεύθυνον ποιεῖ ταῖς
οἰκείαις ἀποκρίσεσιν. Ἵνα μὴ λέγῃ, εἰπόντος τοῦ Θεοῦ ·
«Μή τινα εἶδες κατὰ τὸν θεράποντά μου ᵛ», ὅτι οὐκ οἶδα,
10 οὔπω περιῆλθον τὴν γῆν πᾶσαν, πρότερον αὐτὸν ποιεῖ
ὁμολογῆσαι ὅτι πᾶσαν ἐπεσκέψατο τὴν ἀνθρωπίνην φύσιν,
καὶ τότε τὴν πεῦσιν ἐπάγει · «Πόθεν παραγέγονας;» Καὶ
οὐκ εἶπεν αὐτῷ ἁπλῶς · «Περιελθὼν τὴν γῆν», ἀλλὰ καί ·
«Ἐμπεριπατήσας τὴν ὑπ' οὐρανόν», ἵνα καὶ τὴν ἔρημον
15 αἰνίξηται καὶ τὴν οἰκουμένην πᾶσαν, καὶ εἴ τι ὑπόκειται τῷ
οὐρανῷ · καὶ γάρ, μάλιστα ταῖς ἐρήμοις ἐμφιλοχωρεῖ,
καθάπερ καὶ ὁ Χριστὸς εἶπεν · «Ἐξέρχεται δι' ἀνύδρων
τόπων, ζητῶν ἀνάπαυσιν ᵂ.» Καὶ τοῦτο τῆς τοῦ Θεοῦ
προνοίας ἔργον, τὸ τὸ πλέον ἐκεῖ τῶν δαιμόνων ἀποικίζειν.

11. **Καὶ εἶπεν αὐτῷ ὁ Κύριος · Προσέσχες τῇ
διανοίᾳ σου κατὰ τοῦ θεράποντός μου Ἰώβ, ὅτι
οὐκ ἔστιν ὅμοιος αὐτῷ ἄνθρωπος τῶν ἐπὶ τῆς γῆς;
Ἄνθρωπος ἄμεμπτος, δίκαιος, ἀληθινός, θεοσεβής,**
5 **ἀπεχόμενος ἀπὸ παντὸς πονηροῦ πράγματος ˣ.** Ὅρα
πῶς ὁ ἀθλητὴς ἀνακηρύττεται, τοῦτο δεύτερον, παρὰ τῆς
ἀδεκάστου ψήφου. Σὺ δέ μοι κατανόει τοῦ διαβόλου τὴν
ἄνοιαν καὶ τὴν κακίαν. Θεὸς μαρτυρεῖ ὅτι ἄμεμπτος, καὶ
σὺ προσδοκᾷς περιέσεσθαι τῆς μαρτυρίας; Οὐκ ἂν εἶπεν
10 «ἄμεμπτος, δίκαιος, ἀληθινός, θεοσεβής», εἰ μὴ προήδει
ὅτι καὶ τῶν πειρασμῶν συμπεσουμένων, ἀχείρωτος ἔμελλεν
ἔσεσθαι. Ὅρα πῶς ποιεῖ τῶν παλαισμάτων τὴν ἀρχὴν
καὶ τὴν ὑπόθεσιν παρὰ τοῦ ἀντιδίκου λαβεῖν τὴν αἰτίαν.
Καθάπερ τις «ἀθλητὴν» ἔχων «γενναῖον ᵞ», βούλεται μὲν

6 δῷ αὐτῷ ∼ p ‖ 9 μὴ > p ‖ εἶδές τινα ∼ p ‖ 10 ποιεῖ αὐτὸν ∼ p ‖ 13
αὐτῷ > p ‖ 18 τοῦτο + δὲ p ‖ 19 τὸ² > p
11, 1 αὐτῷ ὁ κύριος : ὁ κύριος αὐτῷ τῷ διαβόλῳ p ‖ 11 καὶ > p ‖ 13
αἰτίαν + καὶ L p

v. Cf. Job 1, 8 ‖ w. Matth. 12, 43; Lc 11, 24 ‖ x. Job 1, 8 ‖ y. Cf. IV
Macc. 6, 10

mettre à l'épreuve. Pourquoi Dieu l'interroge-t-il? C'est pour lui fournir un prétexte pour lutter et pour combattre. Et remarque comment, tout d'abord, il le prend au piège de ses propres réponses. Pour qu'il ne dise pas, quand Dieu lui aura demandé «s'il a vu quelqu'un de comparable à son serviteur[v]» : Je ne sais pas, je n'ai pas encore parcouru la terre, il lui fait d'abord avouer qu'il a passé en revue tout le genre humain, et c'est alors qu'il introduit sa question. «D'où viens-tu?» Et le diable ne s'est pas contenté de lui répondre qu'il avait «parcouru la terre», mais il a ajouté «qu'il avait circulé dans les étendues subcélestes», pour laisser entendre qu'il veut parler non seulement du désert, mais de toute la terre habitée et de tout lieu qui peut se trouver sous le ciel; et, de fait, c'est surtout les lieux désertiques qu'il affectionne, comme le Christ, d'ailleurs, le dit : «Il sort à travers les lieux arides à la recherche du repos[w].» Et c'est là encore l'œuvre de la Providence divine de chasser dans ces endroits la majorité des démons.

Dieu fait l'éloge de Job

11. *Et le Seigneur lui dit : As-tu porté ton attention sur mon serviteur Job, et remarqué qu'il n'a pas son pareil parmi les habitants de la terre? C'est un homme irréprochable, juste, vrai, religieux, se tenant éloigné de toute action mauvaise[x].* Remarque comment l'athlète est annoncé en public, et ceci pour la deuxième fois, par celui dont la sentence est incorruptible. Quant à toi, remarque-moi la sottise et la méchanceté du diable. Dieu atteste que Job est irréprochable, et toi, (diable), tu espères l'emporter sur le témoignage de Dieu? Dieu n'aurait pas dit : «Irréprochable, juste, vrai, religieux», s'il ne savait pas d'avance que, même sous l'avalanche des épreuves imminentes, Job allait rester indomptable. Vois comme il s'arrange pour que l'initiative et la responsabilité des premières escarmouches incombent à l'adversaire. Quand un entraîneur possède un athlète de

15 συμπλακῆναι αὐτὸν τοῖς ἐναντίοις, οὐ βούλεται δὲ αὐτὸς
παρασχεῖν τὴν ἀφορμήν, ἵνα μὴ δόξῃ φιλότιμός τις εἶναι,
ἀλλ᾽ αὐτοὺς ἐκείνους ἐπὶ τοῦτο ἐλθεῖν καὶ προσκαλέσασθαι,
ἵνα καὶ τὰ τῆς νίκης λαμπρὰ γένηται καὶ τὰ τῆς ἥττης
ἐκείνοις αἰσχίω, οὕτω καὶ ὁ Θεὸς ποιεῖ.

20 «Προσέσχες, φησίν, τῇ διανοίᾳ σου κατὰ τοῦ θεράποντός
μου Ἰώβ;» Τίνι γὰρ ἄλλῳ μάλιστα προσέχει ὁ διάβολος;
Πρὸς τίνα ἔχει τὴν βασκανίαν; «Κατὰ τοῦ θεράποντός
μου, φησίν, Ἰώβ.» Ἀρκεῖ τοῦτο εἰς ἀρετῆς λόγον. Ἄκουε
αὐτοῦ καὶ ἀλλαχοῦ λέγοντος «Μωσῆς, ὁ θεράπων μου,
25 τετελεύτηκενᶻ», καὶ πάλιν ἀλλαχοῦ «Τοῦ δούλου σου
Ἰσαὰκ μνήσθητιᵃ.» Τοῦτο γὰρ αὐτὸν παρέκνισεν εὐθέως
ὅτι θεράπων αὐτοῦ καλεῖται· μόνον οὐχὶ ὀνειδίζοντός ἐστι
καὶ βουλομένου πρὸς τὸ ἐναντίον αὐτὸν μετάγειν. Καὶ σύ,
θεράπων ἦς πρὸ τούτου, καὶ σὺ ἀσώματος, ἀλλ᾽ οὗτος
30 σῶμα ἔχει· οὗτος ἐπὶ τῆς γῆς, σὺ δέ, ἐν οὐρανῷ. Τοῦτό
ἐστιν ὃ λέγει ὁ Παῦλος· «Ἀγγέλους κρινοῦμεν, μή τί γε
βιωτικάᵇ.»

Τί «προσέσχες ὡς οὐκ ἔστιν ὅμοιος αὐτῷ ἐπὶ τῆς γῆς»;
Ἐντεῦθεν μανθάνομεν ὅτι τοῦτο μάλιστα εἰς βασκανίαν
35 αὐτὸν ἤγαγεν, τὸ μηδένα εὑρεῖν ὅμοιον αὐτῷ. Τί δάκνῃ;
Τί παροξύνῃ; Πρὸς ἄνθρωπον ἡ σύγκρισις αὐτῷ; Οὐδὲν
οὐδέπω περὶ τούτου εἶπεν, «ὡς οὐκ ἔστιν ὅμοιος αὐτῷ,
φησίν, ἐπὶ τῆς γῆς». Τί «ὅμοιος»; Κατὰ τί λέγεις; Κατὰ
τὸν πλοῦτον; Κατὰ τὴν εὐγένειαν; Κατὰ τι τῶν σωματικῶν
40 πλεονεκτημάτων; Οὐδαμῶς, ἀλλὰ κατὰ τὴν ἀρετὴν τῆς
ψυχῆς. Ἐπειδὴ γὰρ πολλάκις τὸ ὅμοιον ἐδήλου κατά τι,

15 αὐτὸν συμπλακῆναι ∼ p ‖ 19 ἐκείνων p ‖ 22 τίνα + δὲ p ‖ 23 τοῦτο
+ μόνον p ‖ ἄκουε + δὲ p ‖ 25 σου + φησίν p ‖ 27 οὐχὶ + γὰρ p ‖ 28 σὺ
+ φησίν p ‖ 31 ὁ παῦλος : παῦλος ὁ ἀπόστολος p ‖ τί > p ‖ 35 αὐτὸν :
τοῦτον p ‖ 38 τί¹ > p ‖ 41 τὸ ὅμοιον πολλάκις ∼ p ‖ τι + τοιοῦτον p

11, 14-16 : καθάπερ — εἶναι (yz)

z. Jos. 1, 2 ‖ a. Ex. 32, 13 ; Cf. Lév. 26, 42 ; Deut. 9, 27 ‖ b. I Cor. 6, 3

classe[y], il veut bien que celui-ci en vienne aux prises avec
ses adversaires, mais sans vouloir pour autant donner
lui-même le coup d'envoi, pour ne pas avoir l'air d'être un
ambitieux, mais il les laisse prendre d'eux-mêmes l'initiative et lancer le défi, pour que sa victoire soit éclatante et la
défaite plus infamante pour les adversaires. Ainsi fait Dieu.

«As-tu porté ton attention, dit le texte, sur mon
serviteur Job?» Sur quel autre personnage le diable
porte-t-il donc surtout son attention? Sur qui exerce-t-il sa
méchanceté? «Sur mon serviteur Job», dit Dieu. Voilà
qui, de soi seul, suffit pour apprécier sa vertu. Écoute
encore l'Écriture dire dans un autre passage : «Moïse,
mon serviteur, est mort[z]», et, ailleurs encore : «Souviens-
toi d'Isaac, ton serviteur[a].» Il a été, en effet, irrité aussitôt
d'entendre Dieu appeler Job son serviteur : c'est presque
lui faire des reproches et le pousser à l'attaque. Toi aussi,
tu étais jadis un serviteur : et tu n'as pas de corps, tandis
que Job, lui, en a un; lui vit sur la terre; toi, au contraire,
tu vivais dans le ciel. C'est ce que veut dire Paul : «Nous
jugerons les anges, à plus forte raison, les affaires de cette
vie[b].»

Pourquoi (dit-il) : «As-tu remarqué qu'il n'y a personne
de semblable à lui sur la terre?» Nous apprenons par là
que, ce qui a surtout poussé le diable à la méchanceté, c'est
qu'il n'a trouvé personne de semblable à Job. Qu'est-ce
qui le ronge? Qu'est-ce qui le pique au vif? La comparaison entre lui et un homme? Dieu n'a encore rien dit de
positif à son sujet, sinon qu'«il n'a pas son semblable sur
la terre». Qu'est-ce à dire : «semblable»? En quel sens
dis-tu ce mot? S'agit-il de la richesse? de la noblesse de sa
naissance? de quelque supériorité physique? Pas du tout,
mais de la vertu de son âme. Puisque c'était souvent, en
effet, que la ressemblance de Job se manifestait à tel ou tel
point de vue, Dieu ajoute : «C'est un homme juste, vrai,

ἐπάγει · «Ἄνθρωπος, φησίν, δίκαιος, ἀληθινός, θεοσεβής».
«Ἄνθρωπος δίκαιος» · σύ δέ, οὐκ ἄνθρωπος ὤν, οὐκ
ἔμεινας ἐπὶ τῆς ἀρετῆς. Μηδεὶς λεγέτω · ἄνθρωπος ἦν ὁ
45 δεῖνα · ἰδοὺ καὶ οὗτος ἄνθρωπος ἦν. Ὁρᾷς τῆς φύσεως τὴν
εὐτέλειαν; Ἄνθρωπος ἦν, καὶ ἠδυνήθη διατηρῆσαι τὴν
ἀρετὴν · ἐν πηλίνῳ σκηνώματι τοσαύτην εὐσέβειαν ἐπεδείξατο. Ἀδέκαστος ἡ κρίσις, μάλιστα μὲν οὖν καὶ προηγου-
μένως ἐπειδὴ παρὰ τοῦ Θεοῦ λέγεται, ἔπειτα δὲ ὅτι καὶ
50 τοῦ ἐχθροῦ παρόντος καὶ τοῦ Μώμου ἀκούοντος.

12. **Μὴ δωρεὰν σέβεται**, φησίν, **Ἰὼβ τὸν Θεόν**[c];
Τοῦτο πονηρῶν ἀνθρώπων ἐστίν, ἐγκωμίων λεγομένων, μὴ
ζηλοῦν τὰ λεγόμενα, ἀλλ' ἐπιχειρεῖν καὶ σπουδάζειν αὐτὰ
καθαιρεῖν. Εἴ τινες ταῖς ἑτέρων εὐδοκιμήσεσι τήκονται,
5 ἀκουέτωσαν τίνος εἰσὶ μαθηταί.

Ἀπεκρίθη δέ, φησίν, **ὁ διάβολος καὶ εἶπεν ἐναντίον
τοῦ Κυρίου**[d]. Ὦ τῆς ἀναισχυντίας. Ἐτόλμησεν ἀντιψηφί-
σασθαι τῷ Θεῷ · τοῦτο δέ, οὐχὶ ὁ δαίμων ἐκεῖνος ποιεῖ
μόνος, ἀλλὰ καὶ ἄνθρωποι πονηροί · ἢ οὐχὶ τοιοῦτος ἐκεῖνος
10 ἦν ἐν τῷ Εὐαγγελίῳ ὁ λέγων · «Ἤδειν ὅτι σκληρὸς εἶ
ἄνθρωπος, θερίζων ὅπου οὐκ ἔσπειρας, καὶ συνάγων ὅθεν
οὐ διεκόρπισας[e]» · καὶ πάλιν ἕτεροι ἔλεγον · «Πᾶς ποιῶν
πονηρόν, καλὸν ἐνώπιον Κυρίου[f].»

«Μὴ δωρεὰν σέβεται, φησίν, Ἰὼβ τὸν Κύριον;» Ἐπειδὴ
15 τῶν εἰρημένων ἐπιλαβέσθαι οὐκ ἔσχεν, τὴν γνώμην δια-

---

42 φησίν > p ‖ 44 ἔμεινας (L p) : ἔμεινες M ‖ 48 οὖν > p
12, 4 εἴ τινες : οἵτινες p ‖ 13 πονηρόν + καὶ L p ‖ 14 φησίν, σέβεται ~ p

12, 14-17 : ἐπειδὴ — ἀφανῶν abc (yz)

c. Job 1, 9 ‖ d. Job 1, 9 ‖ e. Matth. 25, 24 ‖ f. Mal. 2, 17

1. L'esprit du mal (ὁ πονηρός) est habituellement désigné dans notre
commentaire par ὁ διάβολος, «le calomniateur», qui est le terme de la
Septante (très rarement : ὁ Σατανᾶς, «l'adversaire», qui est le terme
hébraïque). Ce passage est le seul où il soit appelé : Μῶμος, «le
Reproche». Sur Μῶμος, voir : Theologisches Wörterbuch zúm Neuen

religieux.» «Un homme juste.» Toi au contraire, qui pourtant n'es pas un homme, tu n'as pas persisté dans la vertu. Qu'on ne dise pas d'un tel (pour l'excuser) : c'était un homme. Regarde : lui aussi était un homme. Vois-tu la bassesse de sa nature? C'était un homme, et pourtant il a pu conserver jusqu'au bout sa vertu; dans un corps de boue, il a fait preuve d'une si grande piété! Le jugement est impartial, surtout et avant tout parce que c'est Dieu qui le prononce, et ensuite parce que l'Ennemi est présent et que le Reproche[1] écoute.

La réponse du diable : la vertu de Job est intéressée

12. *Est-ce gratuitement,* dit-il, *que Job honore Dieu*[c]? C'est le propre des méchantes gens, quand on prononce des éloges devant eux, de ne pas les approuver, mais de chercher avec empressement à les déprécier. Que tous ceux qui se sentent consumés de jalousie par les louanges qu'on adresse à d'autres, apprennent de qui ils sont les disciples.

Le diable, dit le texte, *répondit et parla en face du Seigneur*[d]. Quelle impudence! Il a eu le front d'entrer en contestation avec Dieu; or, cette attitude, ce n'est pas seulement celle du démon, mais celle des méchants; n'était-ce pas également celle de celui qui disait dans l'Évangile : «Je savais que tu es un homme exigeant, qui moissonnes là où tu n'as pas semé, et qui engranges là où tu n'as pas vanné[e]»; et d'autres disaient de leur côté : «Quiconque fait le mal est bien vu du Seigneur[f].»

«Est-ce gratuitement, dit-il, que Job honore le Seigneur?» Comme il n'a pas pu s'en prendre à ce qu'a dit Dieu, il cherche à dénigrer l'intention de Job. Il ne s'en

Testament, Band IV, p. 835, note 1. Voir aussi Liddell-Scott, s.v. : Μῶμος, et PAULY-WISSOVA, *Real-Encyclopädie,* XVI, 1, col. 42.

βάλλει. Τῶν φανερῶν οὐκ ἐπιλαμβάνεται, ἀλλὰ τῶν
ἀφανῶν. Καὶ μὴν ἐξῆν εἰπεῖν · πόθεν τοῦτο, ὦ μιαρέ, ὅτι
διὰ τοῦτο σέβεται τὸν Θεόν, διὰ τὸν πλοῦτον καὶ τὰ
χρήματα; Ἀλλὰ ἐκ περιουσίας αὐτῷ βούλεται γενέσθαι τὴν
20 νίκην καὶ οὐκ ἀμφισβητήσιμον, καὶ τοῖς ὅροις ἐμμένει τοῖς
τοῦ Θεοῦ. Εἶπες γάρ · «οὐ δωρεὰν σέβεται τὸν θεόν», καὶ
τὴν αἰτίαν τέθεικας καὶ τοὺς λογισμοὺς τὰ χρήματα.
Οὐκοῦν, ὅταν ἀναιρεθῇ τὰ χρήματα καὶ μείνῃ θεοσεβῶν,
αὐτὸς σὺ ὁμολογήσεις ὅτι «δωρεὰν αὐτὸν σέβεται».
25 Πανταχοῦ γὰρ τὰς κρίσεις παρὰ τῶν ἐχθρῶν βούλεται
φέρεσθαι ὁ Θεός, ὥστε μηδένα αὐτοῖς καταλιπεῖν λόγον,
καθάπερ ἐκεῖ ἔλεγεν · «Πονηρὲ δοῦλε, ἀπὸ τοῦ στόματός
σου κρινῶ σε[g]», καὶ πάλιν, ἐπὶ τῶν Ἰουδαίων · «Δὸς ἡμῖν,
φησίν, κουστωδίαν, μήποτε ἔλθωσιν οἱ μαθηταὶ αὐτοῦ καὶ
30 κλέψωσιν αὐτόν[h].» Οὐκοῦν, ἐὰν λάβητε κουστωδίαν, οὐκ
ἔξεστι λέγειν ὑμῖν ὅτι ἔκλεψαν αὐτόν. Οὕτως ἑαυτὴν ἡ
πλάνη πανταχοῦ περιπείρει. Οὕτω καὶ ἐνταῦθα, ἐὰν λάβῃς
τὰ χρήματα, οὐκ ἔξεστί σοι λέγειν ὅτι οὐ δωρεὰν αὐτὸν
σέβεται. Τί πρὸς τοὺς παρόντας νῦν, οὐδὲ μετὰ μισθοῦ
35 σεβομένους τὸν θεόν; Εἰ τὸ διὰ χρήματα αὐτὸν σέβειν οὐκ
ἐπαινετόν, τὸ δὲ καὶ μετὰ χρημάτων αὐτοῦ καταφρονεῖν,
ποῦ κείσεται; Αἰσχυνέσθωσαν Ἰουδαῖοι οὐδὲ μετὰ χρημάτων τοῦτο ποιοῦντες. Οὐχὶ μισθωτὸς ὁ ἄνθρωπος ἦν ·
τὸν Θεὸν σέβει, ἐπειδὴ αὐτὸ τοῦτο καλὸν ᾔδει ὄν · νῦν δέ,
40 οἱ πολλοὶ οὐδὲ μετὰ χρημάτων · σὺ δέ, ὦ μιαρὲ καὶ
παμπόνηρε, τίνος ἕνεκεν οὐ σέβεις τὸν Θεὸν;

13. **Οὐ σὺ περιέφραξας**, φησίν, **αὐτοῦ τὰ ἔξω καὶ τὰ
ἔσωθεν τῆς οἰκίας αὐτοῦ**[i], τειχίσας αὐτόν; Εἶδες καὶ τοῦ

---

21 γάρ + φησίν p ‖ σέβεται + ἰὼϐ p ‖ 22 λογισμοὺς + καὶ p ‖ 24 ὅτι +
οὐ M[pc] ‖ 29 φησίν > p ‖ 31-32 οὕτως — περιπείρει > p ‖ 33 ὅτι > p ‖
οὐ : μὴ p > L ‖ 34 τί : ὅτι L ‖ 35 σέβειν : σέβεσθαι p ‖ 36 δὲ καὶ > p ‖ 39
σέβει : σέϐη LM ‖ νῦν : νυνὶ p ‖ 41 παμπόνηρε : παμμίαρε p
13, 1 οὐ > p ‖ φησίν αὐτοῦ > p

g. Lc 19, 22 ‖ h. Matth. 27, 64 ‖ i. Job 1, 10

prend pas à ce qui se voit, mais à ce qui ne se voit pas. Et pourtant, il était possible de dire : Pourquoi, misérable, (affirmes-tu) qu'il honore Dieu à cause de sa richesse et de ses biens? Mais Dieu veut que sa victoire soit éclatante et incontestable. Et le diable demeure dans les limites que Dieu lui a fixées. Tu as dit, en effet : «Ce n'est pas gratuitement que Job honore Dieu», et tu as établi ton accusation et tes arguments sur ses richesses. Donc si ses richesses viennent à lui être enlevées et qu'il persiste dans sa piété, tu avoueras toi-même, qu'il «honore Dieu gratuitement». Toujours, en effet, Dieu veut tirer ses jugements des paroles de ses ennemis, pour ne leur laisser ensuite aucun argument, comme il le disait dans ce passage : «Mauvais serviteur, je te jugerai selon tes propres paroles[g]», et ailleurs à propos des Juifs : «Donne-nous une garde, dit le texte, de peur que ses disciples ne viennent l'enlever[h].» Donc, si vous recevez une garde, il ne vous est plus possible de dire qu'ils l'ont enlevé. Ainsi, l'imposture se prend toujours à son propre piège. De même ici : si tu supprimes les richesses, tu ne peux plus dire qu'il n'honore pas Dieu gratuitement. Quelle leçon pour les gens d'aujourd'hui, qui, même avec un salaire, n'honorent pas Dieu! Si l'on ne peut louer la piété envers Dieu motivée par les richesses, que faudra-t-il dire du mépris à son égard même au milieu des richesses? Que les Juifs rougissent, eux qui ne le font pas, même au milieu des richesses. Non! l'homme n'était pas un mercenaire! Il honore Dieu parce qu'il savait que cela était beau en soi, tandis qu'aujourd'hui la plupart des gens ne l'honorent même plus au milieu des richesses; mais toi, (diable) misérable et plein de méchanceté, pourquoi n'honores-tu pas Dieu?

13. N'as-tu pas élevé une clôture, dit le diable, autour de lui et de ses biens, des biens intérieurs et extérieurs de sa maison[i]? Tu

διαβόλου τὴν γνῶσιν ἠκριβωμένην ὅτι παρὰ θεοῦ ἦν αὐτῷ
πᾶσα ἡ ἀσφάλεια;

14. **Τὰ δὲ ἔργα τῶν χειρῶν αὐτοῦ**, φησίν, **εὐλόγησας καὶ τὰ κτήνη αὐτοῦ πολλὰ ἐποίησας ἐπὶ τῆς
γῆς**[j]. Ὁρᾷς τὸν πλοῦτον παρὰ τοῦ Θεοῦ δεδομένον· Ὁρᾷς
ὅτι οὐκ ἐξ ἀδικίας; Πόσα ἔδει καμεῖν τὸν Ἰώβ, ὥστε
5 πεῖσαι τοὺς ἀνθρώπους ὅτι οὐκ ἐξ ἀδικίας ἦν ὁ πλοῦτος.
Ἰδοὺ ὁ διάβολος αὐτῷ τοῦτο ἐμαρτύρησε, καὶ οὐκ οἶδε καὶ
ἐν τούτῳ αὐτὸν ἐπαινῶν, ὅτι οὐκ ἀπὸ καπηλείας, οὐδὲ
καταδυναστεύων ἑτέρους τοῦτον ἔσχεν, ἀλλ᾽ ἀπὸ τῆς
εὐλογίας τοῦ Θεοῦ τοῦτον εἶχεν, καὶ τῆς ἀσφαλείας ἀπή-
10 λαυεν τῆς ἄνωθεν· οὐκ ἂν δὲ ἀπήλαυσεν, εἰ μὴ ἐνάρετος
ἦν, ὥστε καὶ ἐν τούτῳ, λανθανόντως αὐτὸν ἐπήνεσεν καὶ
ἐστεφάνωσεν.

Καλῶς εἶπεν · «Τὰ ἔσωθεν τῆς οἰκίας αὐτοῦ καὶ τὰ
ἔξωθεν, πάντων τῶν ὄντων αὐτῷ κύκλωθεν[k].» Οὐκ ἔξωθεν
15 πειρασμός, οὐκ ἔνδοθεν ταραχὴ ἦν, εἰρήνης ἀπήλαυεν
βαθείας · τὰ τέκνα ἐν ὁμονοίᾳ, ἐν εὐτοκίᾳ τὰ θρέμματα, οὐ
πόλεμός τις ἐπῄει · οὐχ ἡ οἰκία μάχην εἶχεν, οὐκ ἐμφύλιος,
οὐκ ἐξωτικὸς αὐτὸν ἐλυμήνατο πόλεμος · καὶ καλῶς εἶπεν
πρῶτον · «Τὰ ἔσωθεν τῆς οἰκίας αὐτοῦ». Οὗτος γὰρ
20 χαλεπώτερος ὁ ἔνδον πόλεμος · ἡ οἰκία αὐτῷ εἰρηνεύετο
πᾶσα καὶ ἔσωθεν καὶ ἔξωθεν. Ἄρα τοῦ Θεοῦ χρεία
πανταχοῦ, ὥστε καὶ ἔνδοθεν καὶ ἔξωθεν εἶναι ἐν εἰρήνῃ · οὐ
παραιτεῖται οὐδὲ ἐπαισχύνεται ὁ Θεὸς καὶ ταύτην τὴν
φυλακὴν καὶ τοῖς ποιμνίοις ἐφεστάναι τοῖς σοῖς καὶ βου-
25 κόλια διασῴζειν, μόνον αὐτὸν ἂν φυλάξῃς σύ. Καὶ ὅρα
τὸ ἀσφαλὲς τῆς φυλακῆς «Περιέφραξας κύκλῳ πάντοθεν,

3 ἦν αὐτῷ > LM

14, 1 δὲ > p ‖ φησίν > p ‖ 3 ὁρᾷς[1] (Lp abcyz) : καὶ ὁρᾷς M ‖ 6 καί[1] :
κἀν abc, yz ‖ 9-10 ἀπήλαυσε p ‖ 13 καλῶς + δὲ p ‖ ἔσωθεν : ἔνδοθεν p ‖ 15
ἀπέλαυεν p ‖ 20 αὐτῷ : αὐτοῦ p ‖ 21 καὶ ἔξωθεν καὶ ἔσωθεν ~ p ‖ 22 οὐ +
γὰρ p ‖ 25 φυλάξῃς : φιλῇς p

l'as mis à l'abri d'un rempart. As-tu remarqué que même le diable sait parfaitement que toute la sécurité de Job venait de Dieu?

14. *Tu as béni les œuvres de ses mains,* dit-il, *et tu as multiplié ses troupeaux sur la terre*[j]. Vois-tu que sa richesse est un don de Dieu? Vois-tu qu'elle n'est pas le fruit de l'injustice? Comme Job a dû peiner pour prouver aux hommes que sa richesse n'était pas le fruit de l'injustice! Voici que le diable lui a rendu témoignage là-dessus, et il ne s'aperçoit pas qu'il fait son éloge aussi par là: que cette richesse, il ne l'avait acquise ni en trafiquant, ni en opprimant les autres, mais qu'il la devait à la bénédiction de Dieu, et que la sécurité dont il jouissait venait d'en haut; or, il n'en aurait pas joui, s'il n'avait pas été vertueux, si bien que, même sur ce point, c'est sans en avoir conscience qu'il l'a loué et couvert de lauriers. Il a eu raison de parler «des biens intérieurs et extérieurs de sa maison, et de tous les biens extérieurs qu'il possédait à la ronde[k]». Aucune épreuve ne venait de l'extérieur, aucun trouble de l'intérieur, il jouissait d'une paix profonde; ses enfants s'entendaient bien, son cheptel prospérait, pas de guerre en perspective; pas de querelle parmi ses gens, ni guerre intestine ni guerre extérieure pour le ruiner; il a eu raison de parler d'abord «des biens intérieurs de sa maison». Car, c'est la guerre intestine qui est la pire; toute sa maison était en paix aussi bien au-dedans qu'au-dehors. Ainsi, Dieu est nécessaire, toujours, pour que la paix règne aussi bien à l'intérieur qu'à l'extérieur; car Dieu ne refuse pas et n'a pas honte de monter aussi cette garde pour veiller sur tes brebis et préserver tes troupeaux, à la seule condition que toi, tu prennes garde à lui. Et vois la sécurité qu'offre sa garde:

14, 3-6 : ὁρᾷς — οἶδε abcyz

j. Job 1, 10 ‖ k. Job 1, 10 ‖ l. Job 1, 10

φησί, καὶ τὰ ἔργα τῶν χειρῶν αὐτοῦ εὐλόγησας[1].» Ὁρᾷς ὅτι οὐ κατὰ φύσιν ἦν τὰ βουκόλια πολλὰ καὶ τὰ θρέμματα.

15. Ἀλλ' ἀπόστειλον, φησίν, τὴν χεῖρά σου, καὶ ἅψαι πάντων ὧν ἔχει[m]. Οὐκ εἶπεν· δός μοι ἐξουσίαν, ἀλλ'· «ἀπόστειλον τὴν χεῖρά σου καὶ ἅψαι πάντων ὧν ἔχει»· ἦ μὴν εἰς πρόσωπόν σε εὐλογήσει[n]. Ἐβούλετο
5 μὲν καὶ ἐπεθύμει αὐτὸς λαβεῖν τὴν ἐξουσίαν, οὐκ ἐτόλμησεν δ' εἰπεῖν. «Ἀλλὰ σύ, φησίν, ἀπόστειλον τὴν χεῖρά σου.» Εἶτα, ἵνα μὴ λέγῃ ὅτι σὺ πεφεισμένως αὐτὸν ἐνέπληξας, ὡς οἰκεῖον θεράποντα, οὐκ ἐποίησεν ὅπερ ἤτησεν ὁ διάβολος· καίτοι ἐνῆν, καὶ τοῦτο ποιήσαντα, δικαιολογή-
10 σασθαι· ὅτι, ὅπερ ἠθέλησας, ἐποίησα· σὺ εἶπας ἵνα ἐγὼ ἅψωμαι, ἀλλ' ὅμως πλέον τι ποιεῖ.

16. Καὶ εἶπεν ὁ Κύριος τῷ διαβόλῳ· ἰδοὺ πάντα ὅσα ἔστιν αὐτῷ, ἐν τῇ χειρί σου δέδωκα, ἀλλ' αὐτοῦ μὴ ἅψῃ[o]. Οὕτω θαρρῶ τῷ ἀθλητῇ τῷ ἐμῷ. Σὺ εἶπες·
5 «Ἀπόστειλον τὴν χεῖρά σου.» Ἐγὼ δὲ λέγω ὅτι «ἐν τῇ χειρί σου δέδωκα πάντα ὅσα ἔστιν αὐτῷ». «Ἦ μὴν εἰς πρόσωπόν σε εὐλογήσει», τοῦτ' ἔστι· καταράσεται, βλασφημήσει φανερῶς, οὐχ ἀποστελλόμενος — τοῦτο γάρ ἐστιν· «εἰς πρόσωπον» —, οὐδὲ λάθρα, ἀλλ' ἀναισχύντως.
Πόθεν οἶδας, ὦ μιαρέ, τοῦτο; Ἀπὸ τῶν σεαυτοῦ καὶ τὰ
10 τῶν ἄλλων στοχάζει· ἐπειδὴ σύ, μηδὲν παθὼν δεινόν, ἐπήρθης κατὰ τοῦ δεσπότου, ἐνόμισας τοῦτο ὅτι, εἰ ἐγὼ ἀσώματος ὤν, φησίν, ἐτράπην, πολλῷ μᾶλλον οὗτος ἐν σώματι ὤν.

27 καὶ > p ‖ 28 πολλὰ τὰ βουκόλια ~ p
15, 1 φησίν > p ‖ 2-4 οὐκ εἶπεν — ὧν ἔχει > p ‖ 6 δὲ + τοῦτο p ‖ 7 ὅτι > p ‖ 8 ἐποίησεν + ὁ θεός p ‖ 9-10 δικαιολογήσασθαι + τὸν θεὸν καὶ εἰπεῖν p ‖ 10 ἠθέλησας + τοῦτο p
16, 3 εἶπας p ‖ 11 τοῦτο + καὶ τὸν ἐμὸν ἀθλητὴν ὑπομένειν ἐννοῶν p ‖ 12 φησίν > p

15, 7-9 : εἶτα — ὁ διάβολος abc (abc : ἔκπληξας)
16, 3-5 : οὕτω — αὐτῷ abcyz ‖ 5-8 : ἦ μὴν — πρόσωπον (abc, yz)

«Tu l'as entouré d'une clôture de tout côté, tu as béni les
œuvres de ses mains[1].» Tu le vois : ce n'était pas la nature
qui expliquait l'abondance du gros et du petit bétail.

15. *Mais, étends ta main, et touche tout ce qu'il possède*[m].» Il
n'a pas dit : donne-moi le pouvoir, mais : «Étends ta main,
et touche tout ce qu'il possède»; *à coup sûr, il te bénira en
face*[n]. Il voulait et désirait recevoir lui-même ce pouvoir,
mais il n'a pas osé le dire. «Mais toi, dit-il, étends ta main.»
Puis, pour qu'il ne dise pas : tu lui as ménagé les coups,
sous prétexte que c'était ton propre serviteur, Dieu n'a pas
fait ce qu'avait réclamé le diable. Certes, Dieu pouvait,
même en le faisant, plaider sa cause et dire : «j'ai fait ce que
tu as voulu; c'est toi qui m'as dit de le toucher»,
cependant, il fait plus encore.

Dieu lui abandonne son champion

16. *Et le Seigneur dit au diable : voici que, tout ce qu'il
possède, je le remets en ta main, mais ne touche pas à sa personne*[o].
Si grande est la confiance que j'ai en mon champion! Toi,
tu as dit : «Étends ta main.» Mais moi, je dis que c'est en ta
main que je remets tout ce qui lui appartient. «A coup sûr,
il te bénira en face», c'est-à-dire, il va lancer des impréca-
tions, des injures, ouvertement, sans se gêner. C'est là, en
effet, le sens des mots «en face» — sans se cacher et sans
vergogne. Comment sais-tu cela, misérable? C'est d'après
tes propres sentiments que tu conjectures ceux d'autrui :
comme toi, tu t'es dressé contre ton maître, sans avoir subi
aucune épreuve, tu t'es dit : si moi, qui n'ai pas de corps, je
me suis révolté, à plus forte raison Job, qui est doté d'un
corps.

m. Job 1, 11 ‖ n. Job 1, 11 ‖ o. Job 1, 12

«Καὶ εἶπεν ὁ Κύριος τῷ διαβόλῳ · ἰδοὺ πάντα ὅσα ἔστιν
15 αὐτῷ, ἐν τῇ χειρί σου δέδωκα, ἀλλ' αὐτοῦ μὴ ἅψῃ.» Τοῦτ'
ἔστι · τοῦ σώματος αὐτοῦ, τοῦτ' ἔστι · τῆς ψυχῆς αὐτοῦ.
Ὁρᾷς ὅτι καὶ μέτρον δέδοται πειρασμῶν; Ὁρᾷς ὅτι τῶν
βοσκημάτων οὐχ ἅπτεται, ἐὰν μὴ λάβῃ ἐξουσίαν; «Ἰδού,
φησί, πάντα δέδωκα ἐν τῇ χειρί σου», τῇ μιαρᾷ, τῇ
20 ἀκορέστῳ. Ταῦτα ἀναγιγνώσκομεν, καὶ οὐ θορυβούμεθα;
Ὅταν ἴδῃς ὅτι ἐκδίδωσιν ἄνθρωπον δίκαιον ὁ Θεὸς τῷ
διαβόλῳ, μὴ καταπέσῃς. «Οὐδείς ἐστι κατὰ τὸν Ἰώβ[P].» Τί
λέγεις; Σὺ ἐμαρτύρησας αὐτῷ ὅτι «δίκαιος, ἀληθινός,
θεοσεβής[q]». Τίς χρεία μετὰ τὴν σὴν μαρτυρίαν, ἑτέρας
25 βασάνου; Ἵνα ἐπιστομισθῇ, φησίν, ὁ διάβολος, ἵνα λαμπρότερος φανῇ ὁ δίκαιος, ἵνα τοῖς μετὰ ταῦτα γενομένοις
καὶ ὑπομονῆς καὶ θλίψεως φάρμακα καταλείπωμεν · ὥστε
ἀπὸ τῆς αὐτῆς ἀγάπης καὶ ἐκεῖνα ἐφθέγγετο τὰ ῥήματα
«ἄμεμπτος, δίκαιος, ἀληθινὸς[r]» καὶ «Ἰδού, φησί, πάντα
30 ὅσα ἔστιν αὐτῷ ἐν τῇ χειρί σου δέδωκα.»
Ἵνα μάθῃς ὅτι οὐ κατὰ χάριν μαρτυρῶ, ἐπιτρέπω τῇ
πείρᾳ τῶν πραγμάτων τὴν ἐξέτασιν, οὐδὲ ἰσοστάσιον ποιῶ
τὴν πάλην, ἀλλ' αὐτὸν ἐκδίδωμί σοι τὸν μαρτυρηθέντα.
Καθάπερ γὰρ ἡμεῖς, φιλούμενοι παρά τινος, βουλόμεθα
35 πᾶσι κατάδηλον τοῦτο γενέσθαι, οὕτω καὶ ὁ Θεὸς τὸν
ἐρώμενον τὸν ἑαυτοῦ οὐκ ἀπὸ τῆς αὐτοῦ μαρτυρίας μόνον
ἠθέλησεν εἶναι θαυμαστόν, ἀλλὰ καὶ ἀπὸ τῆς τῶν
πραγμάτων πείρας · τῇ γὰρ πείρᾳ τῶν πραγμάτων οὐδεὶς
ἀντιλέγει, τῷ δὲ Θεῷ πολλοί. Ὁρᾷς καὶ χαλινούμενον τὸν
40 διάβολον; Ὁρᾷς τηροῦντα τοὺς ὅρους τοῦ Θεοῦ; Ὁρᾷς οὐχ
ὑπερβαίνοντα τὰ προστάγματα; Ἀλλ' οὐχ ὑπερβαίνει τὰ

15 δέδωκα : δίδωμι p ‖ 15-16 τοῦτ' ἔστι — ψυχῆς αὐτοῦ > p ‖ 17 ὅτι[2]
+ οὐδὲ p ‖ 18 οὐχ > p ‖ 22 οὐδεὶς + γὰρ p ‖ 24 θεοσεβής + καὶ p ‖ 27
καταλείπωμεν (LM abcyz) : καταλίπῃ p ‖ 31 μαρτυρῶ + ἀλλὰ p ‖ 35
κατάδηλον πᾶσι ~ p ‖ 40 ὁρᾷς[1] + αὐτὸν p

18-20 : ἰδού — ἀκορέστῳ abc, yz ‖ 22-27 : τί λέγεις — καταλείπωμεν
(> 23-24 : σὺ — θεοσεβής) abc yz

«Et le Seigneur dit au diable : voici que tout ce qui lui appartient, c'est en ta main que je le remets, mais ne touche pas à sa personne», c'est-à-dire à son corps, c'est-à-dire à sa vie. Vois-tu qu'une mesure est imposée aux épreuves? Vois-tu qu'il ne touche même pas aux troupeaux, s'il n'en reçoit pas l'autorisation? «Voici que j'ai tout remis en ta main», dit-il, cette main hideuse, insatiable. Nous lisons cela, et nous n'en sommes pas bouleversés! Quand tu vois que Dieu livre un juste au diable, ne te laisse pas abattre. «Personne n'est comparable à Job[p].» Que dis-tu? C'est toi qui lui as rendu témoignage, en disant qu'il est «juste, vrai, religieux[q]». Quel besoin, après ton témoignage, d'une autre épreuve? C'est pour fermer la bouche au diable, dit-il, pour faire apparaître le juste avec plus d'éclat, pour que nous laissions à ceux qui viendront par la suite, des remèdes pour les aider tout ensemble à se résigner et à supporter leur affliction. Ainsi donc, c'est le même amour qui prononçait ces mots de «irréprochable, juste, sincère[r]» et qui ajoute aussi : «Voici que tout ce qui lui appartient, c'est en ta main que je le remets.»

Pour que tu comprennes que mon témoignage n'est pas partial, je confie l'enquête à l'épreuve des faits, je ne maintiens même pas l'égalité dans la lutte, et je te livre celui auquel j'ai rendu témoignage. Tout comme nous, en effet, nous voulons, lorsque quelqu'un nous aime, que tout le monde le sache clairement, ainsi Dieu à l'égard de celui qu'il aime : il n'a pas voulu que ce soit simplement son témoignage qui le montre admirable, mais encore l'épreuve des faits; car, l'épreuve des faits n'est contestée par personne, tandis que Dieu l'est par une foule de gens. Vois-tu aussi qu'un frein retient le diable? Vois-tu qu'il respecte les limites imposées par Dieu? Vois-tu qu'il n'outrepasse pas ses ordres? Et il n'outrepasse pas ses

p. Job 1, 8 ‖ q. Job 1, 1 ‖ r. Job 1, 1

προστάγματα, ὅταν ἀνάγκη αὐτὸν κατέχῃ, καὶ φόβος βιάζεται · ἵνα εἰδῇς ὅτι, εἰ ἠδύνατο, κολάσαι ἐξ ἀρχῆς ἤθελεν,
ἵνα εἰδῇς ὅτι οὐχ ἁπλῶς οὕτω τοὺς ὅρους τίθησιν.

45 **Καὶ ἐξῆλθεν,** φησίν, **ὁ διάβολος ἀπὸ προσώπου
Κυρίου**[s].» Ἔξω γάρ ἐστι τοῦ Θεοῦ, τοὺς δὲ δικαίους
ὑποσκελίσαι βουλόμενος.

17. **Καὶ ἐγένετο ὡς ἡ ἡμέρα αὕτη καὶ οἱ υἱοὶ τοῦ
Ἰὼβ καὶ αἱ θυγατέρες αὐτοῦ ἤσθιον καὶ ἔπινον ἐν τῇ
οἰκίᾳ τοῦ ἀδελφοῦ αὐτῶν τοῦ πρεσβυτέρου, καὶ ἰδοὺ
ἄγγελος ἦλθεν πρὸς Ἰὼβ καὶ εἶπεν αὐτῷ · Τὰ ζεύγη**
5 **τῶν βοῶν ἠροτρία καὶ αἱ θήλειαι ὄνοι ἐβόσκοντο
ἐχόμεναι αὐτῶν, καὶ ἐλθόντες οἱ αἰχμαλωτεύοντες
ἠχμαλώτευσαν αὐτάς, καὶ τοὺς παῖδας ἐπάταξαν ἐν
στόματι μαχαίρας, καὶ ἐσώθην ἐγὼ μόνος, καὶ ἦλθον
τοῦ ἀναγγεῖλαί σοι**[t]. «Καὶ ἰδού, φησίν, ἄγγελος ἦλθεν.»
10 Εἶδες πόση ταχυτὴς τῆς πληγῆς; Καὶ ὅρα πῶς ἐλεεινὸν
γίνεται τὸ πτῶμα, καὶ καινὴ καὶ ξένη ἡ συμφορά. Καὶ ὁ
ἀεὶ ἐν ἀσφαλείᾳ, καὶ ἐν ἀσφαλείᾳ τοσαύτῃ ὅσην εἰκὸς ἦν
τὸν τῆς Θεοῦ προνοίας ἀπολαύοντα, ὅρα πῶς ἤκουσεν
τοῦτο, ὁ μηδέποτε πεῖραν λαβὼν τοιούτου τινός, ἀλλ' ἐκ
15 πρώτης ἡλικίας γαληνοῦ τοῦ βίου πειραθείς · καὶ οὐκ
ἔστιν εἰπεῖν ὅτι τὰ μὲν ἀφῃρέθη, τὰ δὲ ὑπελείφθη, ὥστε
τῶν ληφθέντων παραμυθήσασθαι τὴν ἀπώλειαν, ἀλλ' οὗτος
καταλιμπάνεται μόνος ὁ τὴν τραγῳδίαν ἀπαγγέλλων. Καὶ
χαλεπώτερον τὸ πάθος γίνεται τῷ μηδὲ παρεῖναι τὸν
20 ἄνθρωπον καὶ ὁρᾶν ἐνεργούσας ταύτας τὰς συμφοράς ·
πολὺς ὁ φόβος, οὐχ ὁ περὶ τῶν βοῶν μόνον, ἀλλὰ καὶ ὁ
περὶ τῆς οἰκίας. Εἴ γε πόλεμος γέγονεν, πόθεν εἰπέ, καὶ

43 ἐξ ἀρχῆς ἤθελεν : πάλαι ἄν αὐτὸν ἐκόλασεν p ‖ 44 οὕτω : αὐτῷ p
17, 7 αὐτούς p ‖ 9 ἀπαγγεῖλαι p ‖ 10 καὶ > p ‖ 11 γίνετο p ‖ τὸ > p ‖ 12
ἀσφαλείᾳ[1] + ὤν p ‖ εἰκὸς + ἔχειν p ‖ 14 τινος τοιούτου πεῖραν λαβών ~ p
‖ 17 ληφθέντων (p) : λειφθέντων LM ‖ ἀπώλειαν + τὰ ὑπολειφθέντα p ‖ 19
μηδὲ > p ‖ 20 ἐνεργούσας ταύτας τὰς συμφοράς : ἐνεργοῦς οὔσας αὐτάς
LM ‖ 21 φόβος + ἀγαπητέ p

ordres, lorsqu'une contrainte l'en empêche et la crainte l'y force. Afin que tu saches qu'il désirait lui faire du tort dès le début, s'il l'avait pu. Afin que tu saches que ce n'est pas sans motif qu'il lui impose ainsi ces limites. *Et le diable,* dit le texte, *s'éloigna de la face du Seigneur*[s]. Il est, en effet, loin de Dieu, lui qui veut faire trébucher les justes.

Les épreuves de Job

17. *Or, il arriva que ce jour-là les fils de Job et ses filles mangeaient et buvaient dans la maison de leur frère aîné, et voici qu'un messager vint trouver Job et lui dit : Tes attelages de bœufs étaient en train de labourer et tes ânesses de paître tout à côté, quand sont survenus les pillards; ils s'en sont emparé, ont frappé tes serviteurs avec le tranchant de l'épée, je suis le seul rescapé et je suis venu te prévenir*[t]. «Et voici, dit-il qu'un messager se présenta.» As-tu vu la rapidité du coup? Remarque aussi comme ce malheur mérite la pitié, comme ce revers est étrange et insolite. Et lui qui était toujours en sécurité, et dans une sécurité aussi profonde qu'on pouvait l'attendre chez un homme qui jouissait de la bienveillance de Dieu, vois comme il a appris cette nouvelle, lui qui n'avait jamais connu une pareille épreuve, mais qui, dès son enfance, avait mené une vie calme; on ne peut dire que certains biens lui ont été enlevés et que d'autres lui ont été laissés pour adoucir par leur présence la perte de ceux qu'on lui a pris, mais seul est épargné celui qui revient annoncer la tragédie. Et, ce qui aggrave encore sa souffrance, c'est que Job n'était même pas présent et ne voyait pas ces malheurs se produire; profonde est sa crainte, non seulement au sujet de ses bœufs, mais aussi au sujet de sa maison : si c'est la guerre qui a éclaté, dis-moi d'où elle vient et quel est

17, 10-18 : εἶδες — ἀπαγγέλλων (yz)

s. Job 1, 12 ‖ t. Job 1, 13-15

παρὰ τίνος; Ποίας μάχης γενομένης; Πῶς οὐκ ἐξεπλάγη,
πρᾶγμα καινὸν ἀκούσας, ὁ διὰ παντὸς ἐν τροφῇ ζῶν; Πῶς;
25 Οὐδέποτε τοῦτο γέγονεν, οὐδὲ ἠκούσθη ποτέ. Εἶτα ἀνή-
ροτος ἡ γῆ λοιπόν, καὶ ἐν τῷ καιρῷ τῷ προσήκοντι
τῶν παρόντων ἀφήρητο πάντων· καὶ τὸ εἶδος δὲ τῆς
ἀπωλείας χαλεπώτερον, μάλιστα δὲ καὶ ὅταν παρὰ καιρὸν
τὸν καλοῦντα τὴν χρείαν τοῦτο γένηται· μεταξὺ τὸ ἔργον
30 διεκόπη, ὥστε διπλῆν εἶναι τὴν ζημίαν, τό τε ἀτέλεστον
τοῦ ἔργου καὶ τὴν ἀναίρεσιν αὐτῶν· εἶτα καὶ φόνος τῇ
ἀπωλείᾳ ἀναμέμικται, ὅπερ φορτικοὺς ποιεῖ τοὺς πολέμους
φαίνεσθαι· πολλὴ ἡ ὠμότης καὶ ἡ ἀπανθρωπία· διπλῆ ἡ
συμφορά· φόνος καὶ αἰχμαλωσία· καὶ ἡ σωτηρία τοῦ
35 περιλειφθέντος προσθήκη τῶν κακῶν, τὸ μηδὲ ἀγνοῆσαι τὰ
δεινά.

18. Ἔτι τούτου λαλοῦντος, ἦλθεν ἕτερος ἄγγελος
πρὸς Ἰὼβ καὶ εἶπεν αὐτῷ· Πῦρ ἔπεσεν ἐκ τοῦ
οὐρανοῦ ἐπὶ τὴν γῆν, καὶ κατέφαγεν τὰ πρόβατα καὶ
τοὺς ποιμένας κατέφαγεν ὁμοίως· καὶ ἐσώθην ἐγὼ
5 μόνος καὶ ἦλθον ἀναγγεῖλαί σοι[u]. Ὁρᾷς συνεχεῖς τὰς
πληγὰς καὶ οὐ συγχωρούμενον αὐτὸν οὐδὲ ἀναπνεῦσαι
μικρόν. Ἐπειδὴ γὰρ τὸ κτῆμα εὐτελέστερον ἦν, τῷ τρόπῳ
τῆς τιμωρίας ἐποίησεν αὐτὸ χαλεπώτερον. Μὴ νόμιζε,
φησίν, ἀθρώπινας εἶναι τὰς πληγάς, ἀκούσας αἰχμαλω-
10 τεύοντας. Ἄνωθεν ἐκ τοῦ οὐρανοῦ πολεμεῖ σοι ὁ Θεός.
« Πῦρ ἔπεσεν ἐκ τοῦ οὐρανοῦ.» Πόθεν δῆλον ὅτι ἐκ τοῦ
οὐρανοῦ; Πόθεν δὲ σὺ διεσώθης μόνος; Τί γέγονεν; Μέχρι

32 φορτικὸν p ‖ 35 τὸ (LMyz) : τῷ p
18, 2 πῦρ + θεοῦ p ‖ 3 γῆν : πηγὴν M ‖ 4 ἐσώθην : σωθείς ἐκτός p ‖ 5
καὶ > p ‖ ἀπαγγεῖλε (ε = αι) p ‖ 8 αὐτῷ M ‖ 9 πληγάς : τιμωρίας p

31-36 : φόνος — δεινά yz
18, 8-10 : μὴ νόμιζε — ὁ θεός abc, yχ

u. Job 1, 16

l'adversaire? Quelle bataille a eu lieu? Comment n'a-t-il
pas été atterré en apprenant un événement étrange, lui qui
vivait continuellement dans le bien-être? Comment? Cela
ne s'est jamais produit et on n'en a jamais entendu parler.
De plus, désormais la terre ne pouvait plus être labourée, et
au moment voulu, il était privé de tous ses biens; le
spectacle de la·destruction du bétail est toujours fort
pénible, mais surtout quand cela arrive à l'époque qui exige
que l'on s'en serve; c'est au beau milieu que le travail a été
interrompu, si bien que le dommage est double : inachève-
ment du travail et aussi razzia des bêtes; ajoutons encore
que le meurtre se mêle à la destruction, ce qui fait
précisément paraître les guerres insupportables; il règne là
une sauvagerie et une dureté inhumaines; c'est un double
malheur, avec meurtre et razzia, et le salut du survivant
ajoute encore à ses épreuves, puisqu'il ne lui en laisse
même pas ignorer le caractère horrible.

18. *Comme il parlait encore, un autre messager vint trouver Job
et lui dit : le feu est tombé du ciel sur la terre*[1], *et a dévoré tes
brebis ainsi que tes bergers ; je suis le seul rescapé et je suis venu te
prévenir*[u]. Tu vois que les coups sont ininterrompus et
qu'on ne consent même pas à lui laisser reprendre haleine
un instant. Comme ce bien, en effet, était plus ordinaire,
c'est par le caractère du châtiment que le diable l'a rendu
pénible. Ne crois pas, dit-il, que ce sont là des coups
humains, sous prétexte que tu as entendu parler de pillards.
C'est Dieu qui lutte contre toi du haut du ciel.

«Le feu est tombé du ciel.» Qu'est-ce qui prouve qu'il
vient du ciel? Et comment se fait-il que tu sois seul à être
indemne? Que s'est-il passé? Jusqu'à ce jour il a persisté

---

1. Nous avons choisi ici la leçon de **L** : ἐπὶ τὴν γῆν (qui est d'ailleurs
aussi celle de **A**, dont Chrysostome suit généralement les leçons) contre
M : ἐπὶ τὴν πηγγῆν *(sic)*, leçon qui n'est pas attestée ailleurs. L'erreur
d'accentuation montre bien qu'il s'agit d'une faute de copiste.

τῆς ἡμέρας ἐκείνης ἔμεινεν ἐπὶ τῆς ἀρετῆς. Πῶς, οὐ
μεταβαλλόμενος, μεταβολὴν εἶδεν ἐπὶ πραγμάτων γενομέ-
15 νην; Εἰ μὲν γὰρ ἦν τι μέγα ἡμαρτηκὼς ἁμάρτημα, ἢ καὶ
ῥάθυμος γεγενημένος, εἶχεν λογίσασθαι τὴν αἰτίαν τῶν
γεγενημένων τῷ πλημμελήματι, μένων δὲ ἐπὶ τῆς αὐτῆς
ἀρετῆς, εἰς ἀφασίαν τινὰ καὶ ἐκπληξίαν ἦλθεν. Καὶ ὅρα τί
γίνεται · ὁ μὲν διάβολος ἀπὸ τῶν μικροτέρων ἄρχεται
20 πληγῶν, τὰς μείζους ὑστέρας τηρῶν, ταύτῃ νομίζων αὐτὸν
καταγωνίσασθαι, ἂν ταῖς ἐλάττοσι προδιαλύσας, τὴν ἀφό-
ρητον ὕστερον ἐπαγάγῃ. Γίνεται δὲ τοὐναντίον. Ἐν γὰρ
ταύταις καλῶς γυμνασάμενος, μετὰ φιλοσοφίας τὰς λοιπὰς
ἔφερεν. Ὅρα πανταχοῦ τοὺς ἐφεστῶτας μετ᾽ αὐτῶν ἀπολ-
25 λυμένους, ὡς μηδὲ κτήσεως εἶναί τινα λοιπὸν ἐλπίδα.
Ὄντων μὲν γὰρ τῶν ἐπιστησομένων, ἦν προσδοκία πάλιν
αὐτὰ κτήσασθαι · καὶ τούτων δὲ ἀπολομένων, εἰς μείζονα
ἀνελπιστίαν τὰ πράγματα ἦλθεν ἄν.

**19. Ἔτι τούτου λαλοῦντος, ἕτερος ἄγγελος ἔρχεται
πρὸς Ἰὼβ καὶ λέγει αὐτῷ · Οἱ ἱππεῖς ἐποίησαν ἡμῖν
ἀρχὰς τρεῖς, καὶ ἐκύκλωσαν τὰς καμήλους καὶ ᾐχμα-
λώτευσαν αὐτάς, καὶ τοὺς παῖδας ἀπέκτειναν ἐν**
5 **μαχαίραις καὶ ἐσώθην ἐγὼ μόνος καὶ ἦλθον τοῦ
ἀπαγγεῖλαί σοι**[v]. Ὥστε μὴ νομισθῆναι καὶ ταῦτα ἀπὸ
Θεοῦ, καὶ τῇ ποικιλίᾳ τῆς ἐπαγγελίας ἐξαίρει πρὸς μέγεθος
τὴν τραγῳδίαν · οἷον ἴσως εὐλαβὴς εἶπεν ὅτι ὁ Θεὸς
πλήττει, οὐκοῦν ἀνάγκη φέρειν. Ἀλλ᾽ ἰδού · καὶ ἄνθρωποι,
10 φησί, πλήττουσιν, οὐχὶ Θεὸς σοὶ πολεμεῖ μόνον. Ἀλλ᾽ ὅρα

---

13 ἔμενεν L ‖ 14 ἐπὶ + τῶν p ‖ 16 γενόμενος p ‖ 18 ἔκπληξιν L ‖ 21 ἄν :
ἵνα p ‖ 25 κτήσεως + αὐτῷ p
19, 3 ἀρχὰς : κεφαλὰς p ‖ 7 ἀπαγγελίας p ‖ 8 οἷον ἴσως : οἷον εἰ, ὡς p ‖
εὐλαβὴς : εὐλάβηθι L ‖ εἶπεν + ἂν p ‖ 9 οὐκοῦν ἀνάγκη : καὶ ἀναγκὴ οὖν p ‖
10 μόνος p

19, 10-14 : ὅρα — ἅπαντα abc, yχ

v. Job 1, 17

dans sa vertu. Comment, n'ayant pas changé lui-même,
a-t-il vu un changement intervenir dans ses affaires? S'il
avait, en effet, commis une grande faute ou encore s'il était
devenu insouciant, il pourrait imputer la cause de ce qui
s'est passé à sa mauvaise conduite, mais, étant donné qu'il
persiste toujours dans sa vertu, il en est réduit à une espèce
de stupeur muette. Et remarque ce qui se passe : le diable
commence par les coups les plus faibles, réservant les plus
durs pour plus tard, persuadé ainsi de l'abattre, si, ayant
commencé à l'ébranler par des coups plus faibles, il retarde
le moment de lui porter le coup de grâce. Or, c'est le
contraire qui se produit. Car, les premiers coups l'ayant
bien entraîné, c'est avec philosophie[1] qu'il supportait les
autres. Remarque que les préposés à la garde des troupeaux
périssent toujours avec eux, en sorte qu'il ne lui reste
aucun espoir d'en acquérir à l'avenir. En effet, s'il subsistait
des gens capables de garder les troupeaux, on pourrait
espérer en acquérir à nouveau; mais, quand ces gens-là
aussi sont morts, la situation devient plus désespérée.

19. *Ce messager parlait encore quand un autre vient trouver Job
et lui dit : les cavaliers ont lancé trois bandes contre nous, ont
encerclé les chamelles et les ont capturées, puis ils ont tué les
serviteurs à coups d'épée; je suis le seul rescapé et je suis
venu te prévenir*[v]. Ainsi donc, on ne peut considérer ces
coups encore comme venant de Dieu, et, par la variété
des calamités annoncées, (le diable) amplifie la tragédie;
attendu que peut-être, comme il était pieux, Job dit :
«C'est Dieu qui frappe; il est donc nécessaire de le
supporter.» – Eh bien! regarde, des hommes aussi, dit (le
diable), te frappent; ce n'est pas seulement Dieu qui lutte

---

1. Chrysostome ne tarit pas d'éloges sur la sagesse (φιλοσοφία) de son
héros; cf. *introd.* p. 62 s. et dans notre texte I, **21**, 5,21-23; II, **9**, 24-
25 etc.

πόση τοῦ διαβόλου ἡ δύναμις, πῶς ἔθνη τοσαῦτα ἐκίνησεν.
Εἴτε δαίμονας σχηματίσας, σύ μοι τὴν εὐκολίαν νόησον,
μὴ νομίζων πῦρ εἶναι κατ' ἀλήθειαν (οὐ γὰρ δύναται
δημιουργεῖν) ἀλλ' οὕτως ἔδοξεν καὶ κατέφλεξεν ἅπαντα.

20. Ἔτι τούτου λαλοῦντος, ἄλλος ἄγγελος ἔρχεται
πρὸς Ἰώβ, λέγων · Τῶν υἱῶν σου καὶ τῶν θυγατέρων
σου ἐσθιόντων καὶ πινόντων παρὰ τῷ ἀδελφῷ αὐτῶν
τῷ πρεσβυτέρῳ, ἐξαίφνης, πνεῦμα μέγα ἦλθεν ἐκ τῆς
5 ἐρήμου, καὶ ἥψατο τῶν τεσσάρων γονιῶν τῆς οἰκίας,
καὶ ἔπεσεν ἡ οἰκία ἐπὶ τὰ παιδία σου, καὶ ἐτελεύτησαν · καὶ ἐσώθην ἐγὼ μόνος καὶ ἦλθον τοῦ ἀπαγγεῖλαί σοι[w]. Ὅρα μοι καὶ ἐνταῦθα τὸν τρόπον τοῦ
θανάτου πῶς ἐλεεινός · καὶ μὴ ἀπὸ τούτου μόνον, ἀλλ' ὅτι
10 καὶ θαυμαστοὶ οἱ παῖδες ἦσαν, καὶ αὐτὸ τῆς ἡλικίας τὸ
ἄνθος. Καθάπερ ἐπὶ τῶν θρεμμάτων, καὶ τὸ πλῆθος ἦν καὶ
ἡ ποιότης τῶν ἀπολομένων · καὶ γὰρ ἦν εὔτοκα καὶ
πολλά · οὕτω καὶ ἐπὶ τούτων, καὶ τὸ πλῆθος καὶ ἡ ποιότης
τῆς προαιρέσεως τῆς ἡλικίας, καὶ ὁ καιρός · ἀριστούντων
15 γὰρ αὐτῶν, καὶ ἦν ἐπὶ τραπέζας ἐγκέφαλος καὶ οἶνος.

« Πνεῦμα, φησί, μέγα ἦλθεν ἐκ τῆς ἐρήμου.» Ὅρα καὶ
ἐνταῦθα, ὥσπερ ἐπὶ τῶν προβάτων, οὐ κοινὸς ὁ θάνατος ·
οὐ φυσικὴ ἡ τελευτή, οὐ κατὰ μικρόν · οὐχ οἱ λειπόμενοι
τῶν παρελθόντων παρεμυθοῦντο τὴν ἀπώλειαν · πᾶσιν ἐγέ-
20 νετο τάφος ἡ οἰκία · ἐπικατέσεισεν αὐτοῖς τὸν ὄροφον,
ὥστε μηδὲ πρὸς ταφὴν εὐδιάκριτον εἶναι λοιπὸν ἑκάστου τὸ
σῶμα. Τί ταύτης τῆς θέας ἐλεεινότερον; Τί ταύτης τῆς

---

11 δύναμις : ἐπιβουλή p ‖ 12 σχηματίσας + εἰς πολεμίους yz ‖ 13 κατ'
ἀλήθειαν (abc, yz) > LMp ‖ δύναται (pabc, yz) : δυνατόν LM
20, 7-8 ἀπαγγεῖλε (ε = αι)p ‖ 14 ἡλικίας + τὸ ἄνθος p ‖ 17 ὁ > LM ‖
18 οὐ² : οὐδὲ p ‖ 19 ἀπώλειαν + ἀλλὰ p ‖ 20 ἐπικατέσεισεν : ἐπεκατέσεισεν
M ‖ ἐπικατέσεισεν + γὰρ p

20, 20-24 : ἐπικατέσεισεν — καιρῷ (> 22-23 : τί ταύτης — βαρύτερον)
yz

contre toi». Et remarque la grande puissance du diable, la
façon dont il a mis en branle des hordes si considérables. Et
s'il a prêté à des démons une forme visible, réfléchis-moi à
son habileté, même si tu ne crois pas à la réalité du feu – (il
lui est, en effet, impossible de créer) –; cependant, il a
revêtu cette apparence et a tout consumé.

20. *Ce messager parlait encore quand un autre vient trouver Job
en disant : Tes fils et tes filles étaient en train de manger et de boire
chez leur frère aîné quand, soudain, un grand vent est arrivé du
désert et s'est attaqué aux quatre coins de ta maison; la maison
s'est écroulée sur tes enfants, et ils sont morts; je suis le seul rescapé
et suis venu te prévenir*[w]. Réfléchis-moi, là encore, au caractère profondément pitoyable de cette mort; non seulement
en elle-même, mais parce que ses enfants étaient exception-
nels, et justement dans la fleur de l'âge. Si, dans le cas des
bêtes, il fallait tenir compte non seulement de la quantité,
mais de la qualité des victimes, qui, de fait, étaient fécondes
et nombreuses, dans le cas des enfants aussi, il faut
considérer non seulement le nombre, mais la qualité de ces
victimes choisies dans la fleur de l'âge, sans parler des
circonstances : ils étaient en effet, en train de déjeuner et la
table était encore chargée de vin et de mets exquis.

«Un grand vent, dit le texte, est arrivé du désert.»
Remarque, là encore, comme dans le cas des brebis, qu'il
ne s'agit pas d'une mort ordinaire; ce n'est pas une fin
naturelle ni progressive : il n'y avait pas de survivants pour
adoucir la perte de ceux qui avaient disparu; pour tous, en
effet, la maison a été un tombeau; car le diable a fait
s'effondrer le toit sur eux, de sorte qu'il n'était même plus
possible désormais d'identifier chaque cadavre pour lui
donner une sépulture. Quoi de plus pitoyable que ce
spectacle? Quoi de plus accablant que ce malheur? Au

w. Job 1, 18-19

συμφορᾶς βαρύτερον; Ἐσθιόντων καὶ πινόντων, ἐν αὐτῷ
τῆς συμφωνίας τῷ καιρῷ, ἐν αὐτῷ τῆς εὐφροσύνης τῷ
25 χρόνῳ. «Καὶ ἐσώθην, φησίν, ἐγὼ μόνος.» Ἐπὶ μὲν τῶν
ἄλλων, τὸ «ἐσώθην ἐγὼ μόνος» ὁπωσδήποτε λόγον εἶχεν·
ἐνταῦθα δέ, πλέον ποιεῖ τὸ πάθος, εἴ γε, τῶν παίδων
ἀπελθόντων, αὐτὸς ἐσώθη μόνος· ὅθεν μοι δοκεῖ αὐτὸς ὁ
διάβολος εἶναι ὁ ταῦτα ἀπαγγέλλων. Πάλιν οὗτος ὁ τρόπος
30 οὐ κατὰ τὸν πρότερον· δύο ἄγγελοι ἄνωθεν εἶναι λέγοντες
τὸν θάνατον, οὐ κατὰ τὸν νόμον τὸν κοινόν. Ἐκεῖ, φησίν,
οἱ αἰχμαλωτεύσαντες καὶ οἱ ἱππεῖς, ἐνταῦθα, τὸ πῦρ ἐκ τοῦ
οὐρανοῦ, καὶ πνεῦμα ἐκ τῆς ἐρήμου.

**21. Οὕτως ἀκούσας ὁ Ἰὼβ ἀναστὰς διέρρηξεν τὰ
ἱμάτια αὐτοῦ**ˣ. Μὴ νομίσῃς ἧτταν εἶναι τὸ πρᾶγμα,
ἀγαπητέ. Τοῦτο μάλιστα δείκνυσι τὴν νίκην. Εἰ μὲν γὰρ
μηδὲν ἐποίησεν, ἔδοξεν ἂν ἀσυμπαθὴς εἶναι· νῦν δέ, ὁμοῦ
5 καὶ φιλόσοφος καὶ πατὴρ καὶ θεοσεβής. Τί γὰρ ἐβλάβη;
Οὐχὶ τὰ παιδία πενθεῖ οὐδὲ τὴν ἀπώλειαν τῶν θρεμμάτων,
ἀλλὰ τὸν τρόπον τῆς τελευτῆς. Τίνα οὐκ ἂν ἐκίνησεν
ταῦτα; Ποῖον ἀδάμαντα; Ἐπεὶ καὶ ὁ Παῦλος ὑπὸ τῶν
δακρύων τοῦτο ἔπαθεν· «Τί ποιεῖτε, λέγων, κλαίοντες καὶ
10 συνθρύπτοντές μου τὴν καρδίαν ʸ;» Ἀλλὰ διὰ τοῦτο θαυμαστὸς ἦν· ὥσπερ οὖν καὶ οὗτος διὰ τοῦτο θαυμαστὸς ὅτι,
τοῦ πάθους ταῦτα ἀναγκάζοντος ποιεῖν καὶ πάσχειν, οὐδὲν
ἐπαχθὲς ἐφθέγξατο.

23 ἐσθιόντων + γὰρ αὐτῶν p ‖ 30 ἀγγέλους p
21, 1 ὁ > p ‖ 3 μέν (p) : μή LM ‖ 4 ἀσυμπαθὴς : συμπαθής τις p ‖ 5
θεοσεβὴς + δείκνυται p ‖ 13 ἐφθέγξατο + ἀλλὰ p

25-29 : ἐπὶ — ἀπαγγέλλων abc yz
21, 2-3 : μὴ — νίκην yz

x. Job 1, 20 ‖ y. Act. 21, 13

1. Ce geste de déchirer ses vêtements qui, dans la Bible, est
l'expression classique du deuil et de l'horreur (cf. DB, II, 2ᵉ Partie,
col. 1336-1337) ne marque l'abattement de Job qu'en apparence. Il est

moment où ils étaient en train de manger et de boire, juste
à l'instant où régnait l'harmonie, juste à l'heure où régnait
la liesse. «Et je suis le seul rescapé», dit-il. Dans les cas
précédents, l'expression «Je suis le seul rescapé» se
justifiait d'une certaine façon; mais, dans le cas présent,
elle accroît sa souffrance, puisque, alors que ses enfants
sont morts, c'est lui qui est le seul rescapé; c'est pourquoi,
à mon avis, c'est le diable en personne qui vient annoncer
cette nouvelle. De nouveau, cette façon de s'exprimer
n'est pas conforme à la précédente. On trouve deux
messagers pour dire que la mort vient d'en haut et n'est
pas conforme à la loi commune. Plus haut, il s'agissait de
pillards et de cavaliers, ici, du feu venu du ciel et du vent
venu du désert.

La victoire de Job

21. *A ces mots, Job se leva et déchira ses vêtements*[x]. Ne crois
pas que ce geste marque une défaite, bien-aimé. C'est
surtout un signe de victoire. Car s'il n'avait rien fait, il
aurait eu l'air d'être insensible; mais, en fait, il se montre à
la fois sage, paternel et religieux[1]. Quel dommage, en effet,
a-t-il donc subi? Ce n'est pas seulement la perte de ses
enfants qu'il déplore, ni celle de ses bêtes, mais la façon
dont ils sont morts. Qui n'aurait pas été bouleversé par ces
événements? Quel homme d'acier n'en aurait pas été
affecté? Paul, en effet, lui aussi, a éprouvé cette impression
devant les larmes. «Que faites-vous, dit-il, vous me brisez
le cœur par vos larmes[y].» Mais, c'est pour cela qu'il était
digne d'admiration; donc, Job mérite aussi d'être admiré,
parce que, malgré l'émotion qui le poussait à faire ce geste
pathétique, il ne prononça aucune parole déplacée.

destiné surtout à ne pas exposer Job au reproche d'insensibilité. Mais
l'émotion qui le poussait à ce geste pathétique ne doit pas faire présumer
de ses sentiments intérieurs. Job reste un sage, même dans la douleur.

« Ἀναστάς, φησί, διέρρηξεν τὰ ἱμάτια αὐτοῦ.» Ἐπεὶ
15 καὶ Μωυσῆς διέρρηξεν, καὶ Ἰησοῦς διέρρηξεν τὰ ἱμάτια
αὐτοῦ², εἰ μὴ τοῦτο ἐποίησεν, εἶπεν ἄν τις ὅτι ἀναίσθητον
αὐτὸν κατεσκεύασεν ὁ Θεός· ἀλλὰ συγχωρεῖ τὰ πάθη
κρατῆσαι τοῦ δικαίου, ἵνα εἰδῇς ὅτι καὶ ἀλγῶν φιλοσοφεῖ.
Ὁρᾷς πῶς κακούργως ὁ διάβολος ὑστέραν ταύτην ἔδωκεν
20 τὴν πληγὴν τὴν χαλεπωτέραν· ὑπερεώρα τῶν προτέρων,
οὐκ ἐκινήθη πρὸς τὴν ἀπώλειαν. Ἐπειδὴ ταῦτα ἤκουσεν,
ἠλέγχθη τῆς φύσεως τὸ ἀσθενές, μᾶλλον δέ, τοῦ δικαίου τὸ
φιλόσοφον. Καθάπερ τις ἀθλητής, ἐτίμησεν τὰ παιδία·
τούτοις τιμᾷ καὶ τὸν Θεόν.

22. Καὶ πεσὼν ἐπὶ τὴν γῆν, προσεκύνησενᵃ. Ἵνα
γὰρ μὴ νομίσῃς τὸ διαρρῆξαι τὰ ἱμάτια βλασφημοῦντος
εἶναι καὶ δυσχεραίνοντος τοῖς γενομένοις, ἄκουσον τί
φησιν· καὶ αὐτοῦ τοῦ ἱματίου παραχωρεῖ τῷ διαβόλῳ
5 λοιπόν.

**23. Καὶ ἐκείρατο, φησίν, τὴν κόμην τῆς κεφαλῆς
αὐτοῦ, καὶ πεσὼν χαμαὶ προσεκύνησεν τῷ Κυρίῳ, καὶ
εἶπεν· Αὐτὸς γυμνὸς ἐξῆλθον ἐκ κοιλίας μητρός μου,
γυμνὸς καὶ ἀπελεύσομαι**ᵇ. Καὶ καλῶς εἶπεν· γυμνὸς γὰρ
5 εἰς τὸν ἀγῶνα καθίησι λοιπόν. «Καὶ πεσὼν χαμαί, προσεκύνησεν καὶ εἶπεν· αὐτὸς γυμνὸς ἐξῆλθον...» Ὁρᾷς πῶς οὐ
περιτρέπει τῆς συμφορᾶς τὸ μέγεθος τὸν θεοσεβῆ. «Καὶ
εἶπεν, φησίν· Αὐτὸς γυμνὸς ἐξῆλθον.» Εἶδες τῷ διαβόλῳ
πληγὰς οἵας δίδωσι, καὶ πῶς αὐτὸν ἐξέτεινεν χαμαί;
10 Ἔπεσεν ἐπὶ τὴν γῆν, κἀκεῖνον κατέβαλεν· ἔδειξεν τὸ

18 φιλοσοφεῖ + καὶ p ‖ 19 ὁρᾷ p ‖ 20 προτέρων + ἀπάντων ὁ δίκαιος p ‖
21 οὐκ : οὐ γάρ p ‖ τὴν + τῶν ἄλλων p ‖ ἀπώλειαν + ἀλλά p
23, 4 ἀπελεύσομαι + ἐκεῖ p ‖ 10 ἔπεσεν + γάρ p ‖ 10-11 τὸ πάθος : τὴν
φύσιν abc, yz

16-18 : εἰ μὴ — φιλοσοφεῖ *abcyz*
23, 10-11 : ἔπεσεν — εὐλάβειαν (τὸ παθός LMp : τὴν φύσιν abcyz) *abcyz*

z. Cf. Ex. 32, 15-20; Jos. 7, 6 ‖ a. Job 1, 20 ‖ b. Job 1, 20-21

«Il se leva et déchira ses vêtements.» Puisque Moïse a brisé (les tables de la Loi)[1] que Josué a déchiré ses vêtements[z], si Job n'avait pas déchiré les siens, on aurait dit que Dieu avait fait de lui un être insensible; mais, il convient que les souffrances s'emparent du juste, pour que tu saches qu'il reste un sage, même dans la douleur. Tu vois avec quelle perversité le diable a réservé pour le dernier le coup le plus dur; Job dédaignait les coups précédents, il n'a pas été ébranlé devant la ruine. Mais, en apprenant ces derniers coups, c'est la faiblesse de la nature qui s'est manifestée, ou plutôt la philosophie du juste. Il a honoré ses enfants comme un athlète; par ce qui suit, il honore aussi Dieu.

22. *Et, étant tombé à terre, il se prosterna*[a]. Pour que tu ne croies pas, en effet, que le fait de déchirer ses vêtements signifiait qu'il blasphémait et qu'il était fâché de ce qui s'était passé, écoute ce qu'il dit. Son vêtement aussi, il l'abandonne au diable désormais.

23. *Il rasa la chevelure de sa tête,* dit le texte, *et, étant tombé à terre, il se prosterna devant le Seigneur et dit : Nu je suis sorti du sein de ma mère, et nu j'y retournerai*[b]. Là encore, il a bien parlé : c'est nu, en effet, qu'il se lance désormais dans la lutte. «Et, étant tombé à terre, il se prosterna et déclara : Nu je suis sorti...» Vois-tu comment la grandeur du malheur ne fait pas chavirer celui qui est religieux : «Job déclara, dit le texte : Nu je suis sorti...» As-tu vu quels coups il porte au diable, et comment il l'a étendu à terre? Il est tombé sur le sol, en effet, et il y a précipité le diable; il a

---

1. Moïse a-t-il déchiré ses vêtements? C'est ce que semble insinuer Chrysostome. Nous n'avons trouvé aucun texte pour étayer cette affirmation. C'est pourquoi nous avons traduit par : «a brisé (les tables de la Loi)», épisode bien connu d'*Exode* 32, 19-20, où le verbe employé n'est d'ailleurs pas διέρρηξεν, mais συνέτριψεν.

πάθος, ἔδειξεν τὴν εὐλάβειαν. Οὐκ ἐνῆν, ἄνθρωπον ὄντα, μὴ
ἀλγῆσαι τοῖς γενομένοις, ὥσπερ οὐδὲ ἐνῆν, Ἰὼβ ὄντα,
δυσχεραίνειν κἀκεῖ μὲν τὴν φύσιν ἐπεδείξατο, ἐνταῦθα δὲ
τὴν προθυμίαν· οὕτω που καὶ οἱ ἀθληταὶ ποιοῦσι, πρὶν ἢ
15 εἰς παλαίσματα καὶ τοὺς ἀγῶνας καθεῖναι· προσκυνοῦσι
τοὺς ἀγωνοθετοῦντας, καὶ μετὰ τὸ νικῆσαι πάλιν, ὥσπερ
οὖν καὶ οὗτος «πεσὼν προσεκύνησεν». Καὶ ὅρα τί ἴσχυσεν
ὁ διάβολος ὥστε διαρρῆξαι αὐτοῦ τὸ ἱμάτιον μόνον.

Εἰ δέ τις τῶν φιλοσόφων καὶ πέρα τοῦ μέτρου ἀπαι-
20 τούντων λέγοι ὅτι οὐδὲ ταῦτα ποιῆσαι αὐτὸν ἐχρῆν, μανθα-
νέτω ὅτι καὶ Παῦλος ἔκλαυσεν, ὅτι καὶ αὐτὸς ὁ Ἰησοῦς
ἐδάκρυσεν· εἰδέτω τί ποτ' ἐστὶ παίδων συμπάθεια· ἀλλ'
ἀκούσωμεν οἷα φιλοσοφεῖ παρ' αὐτὸν τῆς συμφορᾶς τὸν
καιρόν· καὶ ἅπερ ἄν τις αὐτῷ παρήνεσεν, ταῦτα αὐτὸς
25 κατεπάδων ὁ παθὼν καὶ λογισμοὺς κινῶν θεοσεβεῖς. Εἰ μὴ
ταῦτα ἐποίησεν, τίς οὐκ ἂν αὐτὸν ὡς ὠμὸν καὶ ἀσυμπαθῆ
καὶ ἄγριον εἶπεν; Εἶτα, οὐκ ἂν ἤλγησεν, φησί, περὶ
οὓς τοσαῦτα ἐπονεῖτο; Μὴ γὰρ παῖδας ἀπώλεσεν ἁπλῶς;
Μαθητὰς θεοσεβείας· ὁ θάνατος ἄωρος ἦν καὶ παράδοξος.
30 Ταῦτα οὐκ ἐξετάζεις, ἄνθρωπε; Τότε πρῶτον αὐτῷ ταῦτα
συμβέβηκει· ὁμοῦ πάντα ἐπῆλθεν, οὐδὲ ἀναπνεῦσαι αὐτῷ
συνεχώρησεν· ἐδήλωσεν ὅτι Θεὸς ὁ πολεμῶν ἦν. Ἀλλὰ
ἴδωμεν τοῦ ἀθλητοῦ τὰ ῥήματα· ἐνταῦθα μάλιστά ἐστι τὰ
παλαίσματα, ἐνταῦθα τὰ ἀλείμματα. Ἴδωμεν πῶς κατέρ-
35 ρηξεν τὸν ἐχθρόν, πρώτῃ μὲν τῇ προσκυνήσει· προσκυ-
νήσας γάρ, λοιπὸν ἐπέτρεψεν τῇ ψυχῇ μηδὲν ἀπηχὲς εἰπεῖν.

13 δυσχερᾶναι p ‖ 16 ἀγωνοθέτας p ‖ πάλιν + ὁμοίως p ‖ 20 ἐχρῆν αὐτὸν
~ p ‖ 21 ἔκλαυσεν ὅτι > p ‖ ἰησοῦς : κύριος p ‖ 23 ἀκούσωμεν + φησίν
LM ‖ παρ' αὐτὸν : περὶ αὐτῆς p ‖ 25 εἰ + δὲ p ‖ 27 φησί > p ‖ 29 θεοσεβεῖς
p ‖ 31 ὁμοῦ + γὰρ p ‖ 32 ἐδήλωσεν + γὰρ διὰ τούτων p ‖ ὅτι + ὁ p ‖ 33
ἐνταῦθα + γὰρ p ‖ 34 ἀλείμματα : ἐγκλήματα L

1. Avant de participer aux épreuves et après leur victoire, les athlètes
grecs venaient s'incliner dans le stade, devant les agonothètes, organisa-
teurs et présidents des Jeux. Cf. PAULY-WISSOWA I, 1, col. 870-877.

montré son émotion, il a montré sa piété. Il ne pouvait pas, étant homme, ne pas souffrir des événements, pas plus qu'il ne pouvait, étant Job, s'en irriter; dans un cas il a révélé sa nature, dans l'autre, son courage; c'est ainsi, n'est-ce pas, que font les athlètes, avant de se lancer dans les luttes et les combats : ils se prosternent devant les agonothètes et en font autant après la victoire[1]. C'est donc ainsi que Job, lui aussi, «étant tombé, se prosterna». Et note quelle est la puissance du diable pour n'avoir déchiré que son vêtement !

Mais, si quelque sage aux prétentions excessives disait qu'il n'aurait même pas dû faire cela, qu'il sache que Paul, lui aussi, a pleuré, que Jésus, lui aussi, a versé des larmes; qu'il sache donc ce qu'est l'affection à l'égard des enfants. Eh bien ! écoutons quelles sages réflexions il fait à l'occasion, précisément, de son malheur; et c'est justement ce qu'on lui aurait conseillé que, lui, l'intéressé, ne cesse de répéter, en remuant de pieux arguments. S'il n'avait pas agi ainsi, qui ne l'aurait traité de cruel, d'insensible, de barbare? Eh quoi! Il n'aurait pas souffert, selon lui, à propos de ceux pour qui il se donnait tant de peine? A-t-il, en effet, perdu simplement des enfants? Il a perdu aussi de pieux disciples, dont la mort était prématurée et inopinée. Ne remarques-tu pas, ô homme, les faits suivants? C'est que ces malheurs lui étaient arrivés[2] alors pour la première fois, qu'ils ont fondu sur lui tous à la fois, et qu'il ne lui a même pas été possible de reprendre haleine. Le diable a montré que c'était Dieu qui le combattait. Eh bien! regardons les paroles de l'athlète : c'est là surtout, en effet, qu'on le voit s'exercer, là qu'on le voit se frotter d'huile. Regardons comment il a brisé son adversaire, dès qu'il s'est prosterné, car, en se prosternant, il a incliné son âme à ne

---

2. La forme συμβεβήκει, sans augment, est donnée par **L, M, p.** Nous l'avons conservée.

Ἀνεπήδησεν εὐθέως πρὸς τὸν Θεὸν ὁ λογισμός, καὶ οὐκέτι πρὸς τὰ παρόντα ἑώρα.

«Αὐτός, φησίν, γυμνὸς ἐξῆλθον ἐκ κοιλίας μητρός μου, 40 γυμνὸς καὶ ἀπελεύσομαι.» Ὅρα πῶς ἑαυτὸν ἀπεχώρισεν. Ὅρα πῶς ἑαυτὸν ἀπέστησεν τῆς συμπαθείας · Μὴ γὰρ ἔχω τι, φησίν; Ὅρα τὰ ἀποστολικὰ ῥήματα διὰ τῶν ἔργων πάλιν · «Οὐδὲν γὰρ εἰσηνέγκαμεν εἰς τὸν κόσμον τοῦτον, ἀλλ' οὐδὲ ἐξενεγκεῖν τι δυνάμεθα^c.» Ὅρα οἷα φθέγγεται 45 ῥήματα οὐχ ἑαυτῷ μόνῳ, ἀλλὰ καὶ ἡμῖν χρήσιμα.

«Αὐτὸς γυμνὸς ἐξῆλθον ἐκ κοιλίας μητρός μου», τοῦτ' ἔστιν · μικρὸν ὕστερον, ἀποστήσεσθαι τούτων ἔμελλον. Μὴ γὰρ ἐμὰ ταῦτα ἦν; Μὴ γὰρ ἐκτησάμην ἐγώ; Οὐχὶ παρὰ καταθήκῃ τὸ πρᾶγμα ἦν; [...] Ἀλλότρια ταῦτα ἦν, καὶ τῷ 50 μὴ συνεισελθεῖν μοι, καὶ τῷ μὴ συναπελθεῖν. Οὕτω διακεώμεθα καὶ ἡμεῖς, ἀγαπητοί · πρὸς τὰ χρήματα ἀσυμπαθεῖς ὦμεν. Διὰ τοῦτο γυμνοὺς ἡμᾶς καὶ παρὰ τὴν ἀρχὴν ἔπλασεν ὁ Θεός, καὶ θνητοὺς ἐποίησεν, ἵνα καὶ οὕτως μάθωμεν ὅτι τῶν ἐκτός ἐστι τὰ περὶ ἡμᾶς · διὰ τοῦτο καὶ 55 ἐκεῖ οὕτως ἀπίεμεν · διὰ τοῦτο καὶ χρήματα καλεῖται τὰ χρήματα, ὅτι πρὸς χρῆσιν ἡμῖν τὴν ἐνταῦθα δίδοται.

24. Ὁ Κύριος ἔδωκεν, ὁ Κύριος ἀφείλατο · ὡς τῷ Κυρίῳ ἔδοξεν, οὕτως καὶ ἐγένετο^d. Ὁρᾷς ὅτι τοῦτο

---

40 ὅρα > p ‖ 41 ὅρα > p ‖ 42 φησίν + ἴδιον p ‖ 43 πάλιν + πληρούμενα p ‖ 43-44 οὐδὲν — δυνάμεθα > p ‖ 46 μου + γυμνὸς καὶ ἀπελεύσομαι p ‖ 49 Post ἦν¹, iterum scribunt LM lineas 47-48 : μικρὸν - ἐκτησάμην ἐγώ; ab autem ab μικρὸν — ταῦτα ἦν (47-48). ‖ 51 ἀγαπητοί : ἀδελφοί p ‖ ἀγαπητοί + καὶ L ‖ 53 καὶ² : κἂν p ‖ οὕτως (p) : οὗτος LM ‖ 55 ἀπίεμεν p : τοῦτο : τὸ p ‖ 56 δέδοται p

46-49 : τοῦτ' ἔστιν — ἦν abcγχ

c. I Tim. 6, 7 ‖ d. Job 1, 21

1. L et M contiennent un doublet : μικρὸν ὕστερον — ἐκτησάμην ἐγώ est repris entre τὸ πρᾶγμα ἦν et Ἀλλότρια. Nous l'avons supprimé; voir Introd., p. 17.

rien dire, désormais, de déplacé. Sa pensée a bondi aussitôt
vers Dieu, sans plus considérer les circonstances actuelles.

«Nu, dit-il, je suis sorti du sein de ma mère, et nu j'y
retournerai.» Vois comment il s'est dépouillé. Vois comment il s'est détaché de toute affection. Est-ce que, en effet,
dit-il, je possède quelque chose? Remarque que, par ses
actes, il a réalisé les paroles de l'Apôtre : «Nous n'avons,
en effet, rien apporté en ce monde, et nous ne pouvons rien
en emporter[c].» Considère comme les paroles qu'il prononce sont utiles, non seulement à lui-même, mais à nous
aussi :

«Nu je suis sorti du sein de ma mère...», c'est-à-dire,ne
devais-je pas, un peu plus tard, me séparer de ces biens?
Ces biens, en effet, étaient-ils à moi? Est-ce moi, en effet,
qui les avais acquis? Cette richesse n'était-elle pas en
dépôt[1]? [...] Ces biens m'étaient étrangers, puisqu'ils ne
m'avaient pas accompagné à mon entrée en ce monde, pas
plus qu'ils ne m'escorteraient à ma sortie. Telles doivent
être aussi nos dispositions, à nous aussi, mes bien-aimés :
soyons insensibles vis-à-vis des richesses. C'est pour cela
que Dieu nous a créés nus dès l'origine[2], et qu'il nous a
faits mortels, pour nous apprendre ainsi que les biens qui
nous entourent nous sont extérieurs; c'est pour cela aussi
que nous partirons dans cet état pour l'autre monde; pour
cela encore qu'on appelle les richesses des biens d'usage[3],
car elles nous sont données ici-bas pour qu'on en use.

24. *Le Seigneur a donné, le Seigneur a ôté; il en a été comme le
Seigneur l'a décidé*[d]. Tu vois : il a cru que c'était Dieu qui

2. Παρὰ τὴν ἀρχήν. Chrysostome pense-t-il à notre naissance (dès
notre origine) ou à notre création par Dieu dans la *Genèse*? Nous
préférons traduire par : dès l'origine.

3 Chrysostome joue ici sur l'étymologie du mot χρήματα, richesses,
qui vient du verbe χρῆσθαι : se servir de, et qu'il rapproche de χρῆσις :
usage, utilité (cf. P. CHANTRAINE, *Dictionnaire étymologique de la langue
grecque,* p. 1274).

ἐνόμισεν ὅτι ὁ Θεὸς ἀφείλατο. Ἀλλ᾽ ἡμεῖς, οὐ δυνάμεθα
τοῦτο λέγειν; Δευτέρα αὕτη παραμυθία · ἀπὸ τοῦ μήτε
5 ἡμέτερα εἶναι τὰ ληφθέντα, ἀπό τε τοῦ τὸν Θεὸν λαβεῖν, εἰ
καὶ ἡμέτερα ἦν, μεγίστη παραμυθία · μάλιστα γὰρ περὶ
ἐκεῖνα ἀλγοῦμεν τὰ ἀφαιρεθέντα, ὅταν ἡμέτερα ᾖ.

« Ὡς τῷ Κυρίῳ ἔδοξεν, οὕτω καὶ ἐγένετο.» Τί τούτῳ
ἴσον; Οὐκέτι περιεργάζεται, οὐδὲ λέγει · τίνος ἕνεκεν
10 δέδωκεν, τίνος ἕνεκεν πάλιν ἔλαβεν; Καὶ μὴν τοῦτο ἐπὶ
πάντων γίνεται. Ὃ μικρὸν ὕστερον συμβῆναι εἶχεν, τοῦτο
συνέβη. Οὐχ ὡς ἐπὶ ξένῳ, ἀλλ᾽ ὡς ἐπὶ εἰωθότι, οὕτω
διάκειται · οὐδὲν ἡμῖν συνέβη, φησίν, τῆς συνηθείας ἐκτός ·
οὐδὲν παρὰ τὴν φύσιν · τοῦτο φυσικὸν ἦν.

25 **Εἴη τὸ ὄνομα Κυρίου εὐλογημένον εἰς τοὺς**
αἰῶνας[e]. Ὅρα δι᾽ ὅσων ἑαυτῷ κατασκευάζει τὴν παραμυθίαν. Πρῶτον μὲν ὅτι οὐκ ἔστιν ἐμά, ἔπειτα ὅτι οὐδὲ
ἔμελλεν ἔσεσθαι ἐμά · οὕτω γὰρ καὶ ἀπέρχομαι. Πρὸς
5 τούτοις, εἰ καὶ ἐμὰ ἦν, ὁ λαβὼν ἱκανὸς παραμυθήσασθαι ·
ὅταν δὲ μηδὲ ἐμὰ ᾖ, καὶ ὁ λαβὼν μέγας ᾖ, καὶ τὰ αὐτοῦ
εἰληφώς, πῶς ἄξιον ἀλγεῖν;

« Ὡς τῷ Κυρίῳ ἔδοξεν, οὕτω καὶ ἐγένετο.» Εἰπὲ διὰ τί
οὕτως αὐτῷ ἔδοξεν; Οὐδὲν λέγω. Διὰ τί γὰρ μὴ ἐξετάζες ·
10 ὅτε ἐλάμβανες, διὰ τί οὕτως ἔδοξεν; Ὅτε με πλούσιον
ἐποίησεν, οὐκ ἐξήτασα διὰ τί ἔδωκεν, οὐδὲ νῦν ἐξετάζω διὰ
τί ἔλαβεν. Μὴ γὰρ ὡς ἀξίῳ δέδωκεν; Μὴ γὰρ κατορθωμάτων ἀμοιβὴν ἔλαβον; Ἔδοξεν αὐτῷ, καὶ ἔδωκεν, καὶ

24, 3 θεὸς + αὐτὸν p ‖ ἀφείλετο p ‖ 4 ἀπὸ + τε p ‖ μήτε : μὴ p ‖ 11 δ +
γὰρ p
25, 4 οὕτως p ‖ 6 ᾖ[1] (p) : ἦν LM ‖ 8 οὕτως p ‖ 9 ἐξετάζεις M ‖ 11
ἐποίησεν + φησίν p

e. Job 1, 21

avait ôté. Mais nous, ne pouvons-nous pas dire cela? Voilà la seconde consolation : et que ce qui nous a été pris ne nous appartenait pas, et que c'est Dieu qui l'a pris, même si cela nous appartenait. C'est une très grande consolation, car c'est surtout lorsqu'ils nous appartiennent que nous nous affligeons sur les biens qui nous ont été enlevés.

«Il en a été comme le Seigneur l'a décidé.» Qu'y a-t-il de comparable à cette attitude? Il ne cherche plus curieusement à savoir, ni ne dit : pourquoi Dieu a-t-il donné, pourquoi a-t-il repris? Et vraiment, ceci arrive à propos de tout. Ce qui, en effet, devait arriver un peu plus tard, voilà ce qui est arrivé, comme s'il s'agissait, non d'un fait étrange, mais d'un fait habituel. Telles sont, en effet, ses dispositions; rien ne nous est arrivé, dit-il, qui sorte de l'ordinaire, rien qui soit contraire à la nature; c'était naturel.

25. *Que le nom du Seigneur soit béni pour les siècles*[e]. Remarque par quels moyens il se ménage une consolation. Tout d'abord, se dit-il, ces biens ne sont pas à moi, ensuite, ils n'allaient même plus être à moi : c'est, en effet, sans eux que je quitte ce monde. De plus, même s'ils étaient à moi, celui qui les a pris est capable de me consoler; mais puisqu'ils ne sont même pas à moi, que celui qui les a pris est grand, et qu'il a pris ses propres biens, comment serait-il convenable de s'affliger?

«Il en a été comme le Seigneur l'a décidé.» Dis : pourquoi en a-t-il décidé ainsi? Je ne veux rien dire. Pourquoi donc ne me demandes-tu pas : pourquoi, lorsque tu recevais des richesses, en a-t-il décidé ainsi? Quand il m'a fait riche, je n'ai pas cherché à savoir pourquoi il m'avait donné des richesses, et je ne cherche pas non plus à savoir maintenant pourquoi il me les a enlevées. Me les a-t-il données, en effet, parce que je les méritais? Les ai-je donc reçues en échange

πάλιν ἔδοξεν αὐτῷ, καὶ ἔλαβεν. Τοῦτο εὐλαβοῦς διανοίας τῇ
15 βουλήσει τοῦ Θεοῦ τὸ πᾶν ἐπιτρέπειν, λογισμοὺς δὲ μὴ
ἀπαιτεῖν μηδὲ εὐθύνας.

Πόθεν οἶδας ὅτι τῷ Κυρίῳ ἔδοξεν; Ἤκουσα, φησίν, ὅτι
«Πῦρ ἐκ τοῦ οὐρανοῦ ἔπεσεν[f]»· οὐκ ἦν κατὰ νόμον
φύσεως τὸ πρᾶγμα. Εἰ «Αὐτός με ἐφύλαττεν[g]», οὐκ ἂν
20 ταῦτα ἔπαθον, εἰ μὴ κατέλιπεν τὴν φυλακήν. Ὁ μὲν οὖν
διάβολος ἐσπούδασεν αὐτὸν ποιῆσαι ὑπὲρ τῆς ἀφαιρέσεως
βλασφημῆσαι, ὁ δὲ καὶ ὑπὲρ τῆς κτήσεως ηὐχαρίστει.

Μηδὲν νομίζωμεν, ἀγαπητοί, ἴδιον ἔχειν, καὶ οὐκ ἀλγή-
σομεν. Τοῦτο καὶ περὶ τῶν παίδων ἐλογίζετο· οὐ γὰρ τῇ
25 φύσει τῶν πραγμάτων, ἀλλὰ τῷ Θεῷ τὸ πᾶν ἀνετίθει. Καὶ
ὅρα· ἐν πενίᾳ ἦν, οὐκ ἐξ ἀρχῆς ἀνατραφεὶς ἐν ταύτῃ,
ὥστε ῥάδιον αὐτὴν ἐνεγκεῖν, ἀλλὰ παρὰ προσδοκίαν ὁρῶν
προσπεσοῦσαν, ὅπερ ἐστὶ χαλεπώτερον· ἐξαίφνης, ἄπαις ὁ
πολύπαις γέγονεν. Βέλτιον μὴ λαβεῖν ἢ οὕτω λαβεῖν, ἵνα
30 μάθῃ τίνος ἀπεστερήθη· ὥστε ἡ παρελθοῦσα εἰρήνη καὶ
γαλήνη καὶ εὐημερία τὴν συμφορὰν χαλεπωτέραν εἰργά-
σατο· ἀλλ' ἆρα μὴ δυσχεραίνων ταῦτα ἔλεγεν; Οὐδαμῶς.

«Εἴη τὸ ὄνομα Κυρίου εὐλογημένον εἰς τοὺς αἰῶνας»
Οὐχὶ νῦν ὅτε ἔλαβεν μόνον, οὐδὲ ὅτε ἔδωκεν μόνον, ἀλλ'
35 ἀεὶ καὶ διὰ παντός. Οὐ μόνον οὐκ ἐβλασφήμησεν, ἀλλὰ καὶ
ηὐλόγησεν· οὐ μόνον οὐχὶ σιγῇ τὴν συμφορὰν ἤνεγκεν,
ἀλλὰ καὶ ἐδόξασεν, οὐκ εἰς τὸν παρόντα καιρόν, ἀλλὰ καὶ
εἰς τὸν μέλλοντα. Καίτοι τὸ μέλλον ἄδηλον, ἀλλ' ὅμως
δεῖ εὐχαριστεῖν, ὅπερ ἂν γένηται· καὶ τοῖς βουλομένοις
40 βλασφημεῖν ἐμφράττει τὰ στόματα, χαλινοῖ τὴν γλῶτταν.
Διὰ τί μὴ ἐξ ἀρχῆς εἶπεν τοῦτο καὶ ηὐλόγησεν, ἀλλὰ καὶ

14 διανοίας : διάνοια p ‖ 20 φυλακήν + οὐκ ἂν ἐπεβουλεύθη p ‖ 22
κτήσεως : ἀποκτήσεως p ‖ 23 ἀγαπητοί + τι p ‖ 24 διελογίζετο p ‖ 27 ὁρῶν
+ αὐτὴν p ‖ 28 ἐξαίφνης + γάρ p ‖ 34 οὐδὲ : ἤ p ‖ 35 οὐ + γάρ p ‖ 36 οὐ :
οὐδὲ p ‖ 38 καίτοι : εἰ γὰρ p ‖ 40 γλῶτταν + καὶ p

25, 28-32 : ἐξαίφνης — εἰργάσατο abc, yχ ‖

f. Job 1, 16 ‖ g. Job 29, 2

de mes bonnes actions ? Il a décidé de donner, et il l'a fait, il a décidé de reprendre, et il l'a fait. C'est le signe d'un esprit pieux de s'en remettre entièrement à la volonté de Dieu et de ne réclamer ni comptes ni explications.

Comment sais-tu que le Seigneur l'a décidé ? J'ai entendu dire, répond-il, « que le feu est tombé du ciel[f] » ; la chose n'était pas conforme à la loi naturelle. Puisque « c'est lui qui me gardait[g] », je n'aurais pas éprouvé ces maux, s'il n'avait pas abandonné sa garde. Ainsi, le diable a-t-il fait tous ses efforts pour le faire blasphémer à propos de la perte de ses biens, tandis que Job, lui, rendait grâces même de les avoir possédés.

Croyons, bien-aimés, ne rien posséder en propre, et nous ne souffrirons pas. Il faisait le même raisonnement à propos de ses enfants ; car il rapportait toutes choses non à la nature, mais à Dieu. Note-le encore : il était dans la pauvreté sans y avoir été élevé dès le départ pour pouvoir la supporter facilement, mais il la voyait s'abattre sur lui à l'improviste, ce qui est plus pénible ; brusquement, lui qui avait beaucoup d'enfants, se trouve sans enfants ; mieux vaut ne rien recevoir, que de recevoir seulement pour apprendre de quoi on a été privé ; ainsi, la paix, le calme, la sérénité d'autrefois ont rendu son malheur plus pénible ; mais était-il fâché quand il parlait ainsi ? Nullement.

« Que le nom du Seigneur soit béni pour les siècles. » Non seulement maintenant, où le Seigneur a pris, ni seulement au moment où il a donné, mais toujours et sans cesse. Non seulement Job n'a pas blasphémé, mais il a béni. Il ne s'est pas contenté de supporter son malheur en silence, mais il a glorifié Dieu non seulement pour le présent, mais encore pour l'avenir. Car si l'avenir est inconnu, il n'en faut cependant pas moins rendre grâces quoi qu'il arrive. Et il ferme la bouche même à ceux qui voulaient blasphémer, il met un frein à leur langue. Pourquoi n'a-t-il pas dit cela dès le début, et béni Dieu au lieu d'y joindre des raisonnements pleins de justice ? C'était

λογισμοὺς τέθεικε δικαίους; Ἵνα καὶ τοὺς βουλομένους
βλασφημεῖν ἐπιστομίσῃ. Εἰ προεῖπεν· «Εἴη τὸ ὄνομα
Κυρίου εὐλογημένον», ἔδοξεν ἂν ἁπλῶς φιλοσοφεῖν· νῦν δέ,
45 καὶ λογισμοὺς δικαίους κινεῖ, καὶ τοῖς βουλομένοις αὐτοῦ
κατηγορεῖν πᾶσαν πρόφασιν ἀνεῖλεν. Μὴ γὰρ ἔστω Ἰὼβ ὁ
ταῦτα παθών, ἀλλά τις τῶν τυχόντων· τίνος ἕνεκεν δυσχεραίνεις; Οὐχὶ τὰ τοῦ Θεοῦ εἶχες; Ναί, φησί. Τίνος ἕνεκεν
ἔδωκεν, εἰ λαμβάνειν ἔμελλεν; Δέον τε χάριν εἰδέναι ὑπὲρ
50 τοῦ χρόνου οὗ ἐχρήσω. Σοὶ δέ, εἰ καί τις ἔχρησεν
ἀργύριον, καὶ παρεκατέθετο. Ταῦτα λεγέτωσαν οἱ πλου-
τοῦντες, κἂν μὴ ὦσιν ἀφῃρημένοι αὐτά, κἂν ἐπιρρέῃ ὁ
πλοῦτος. «Γυμνὸς ἐξῆλθον, γυμνός καὶ ἀπελεύσομαι[h].» Τί
συλλέγω χρήματα; Τί μοι κέρδος ἀπὸ πλούτου, φησίν;
55 «Γυμνὸς ἀπέρχομαι.» «Οὐδὲν εἰσηνέγκαμεν, φησίν, εἰς
τὸν κόσμον, οὐδὲ ἐξενεγκεῖν τι δυνάμεθα[i].» Ὁρᾷς ὅσον
ἐκαρπώσατο κέρδος; Ὁρᾷς ζημίαν πλούτου γενομένην ὑπόθεσιν; Ἀπώλεσεν χρήματα, καὶ ηὗρεν ἀρετήν· ἐγένετο
πένης, καὶ μᾶλλον ἐπλούτησεν· ἀπέθετο τὸ χρυσίον, καὶ
60 μᾶλλον ἔπληξεν τὸν διάβολον.

26. **Ἐν τούτοις πᾶσι τοῖς συμβεβηκόσιν αὐτῷ, οὐχ
ἥμαρτεν,** φησίν, **Ἰὼβ ἔναντι Κυρίου, οὐδὲ ἐν τοῖς
χείλεσιν αὐτοῦ, καὶ οὐκ ἔδωκεν ἀφροσύνην τῷ θεῷ[j].**
Καθάπερ ἐπὶ τῶν εἰκόνων, ἐπειδάν τινα γράψωμεν,
5 κάτωθεν ἐν ταῖς χοινικίσιν ὑπογράφομεν· ὁ δεῖνα ἀνατέ-
θεικεν· οὕτω καὶ ἐνταῦθα τὴν εἰκόνα τῆς ψυχῆς αὐτοῦ διὰ
ῥημάτων γράψας, ὁ γράψας τὸ βιβλίον, ὥσπερ ἐν χοινικίδι

43 εἰ + γὰρ p ‖ 44 εὐλογημένον + εἰς τοὺς αἰῶνας p ‖ 45 τοὺς
βουλομένους p ‖ 46 πᾶσιν p ‖ 49 δέδωκεν p ‖ 50 σοί : σύ p ‖ 54 μοι + τὸ p ‖
φησίν > p ‖ 55 ἀπέρχομαι + φησίν p ‖ φησίν + ὁ παῦλος p ‖ 60 διάβολον
+ ὅρα τὴν φιλοσοφίαν πῶς ἐν ταῖς τοσαύταις συμφόραις οὐκ ἀφίσταται τοῦ
εὐλογεῖν p
26, 1 πᾶσι τούτοις ~ p ‖ οὐχ : οὐδὲν p ‖ 2 φησίν > p ‖ ἔναντι + τοῦ p ‖
5 χοινικίσιν : φοινικήσιν M (L def.) ‖ δεῖνα + ταύτην p ‖ 5-6 ἀνατέθηκεν p

pour que, même à ceux qui voulaient blasphémer, il ferme
la bouche. S'il avait commencé par dire : «Béni soit le nom
du Seigneur», il aurait simplement paru philosophe; mais
en fait, du même coup, il fait jouer des raisonnements
pleins de justice, et par là, il a ôté tout prétexte à ceux qui
voulaient accuser Dieu. Supposons, en effet, que ce ne soit
pas Job la victime, mais le premier venu : de quoi te
plains-tu? Tes biens n'appartenaient-ils pas à Dieu? Oui,
dirait-il, mais pourquoi les a-t-il donnés, s'il devait les
reprendre? Il faut que tu saches gré du temps où tu les as
utilisés. De même, si quelqu'un t'avait prêté de l'argent, ce
n'était qu'en dépôt. Voilà ce que doivent dire ceux qui sont
riches, soit qu'ils ne subissent pas la privation de leurs
biens, soit qu'ils voient leur richesse s'écouler : «Nu je suis
sorti, et nu je m'en irai[h].» Pourquoi entasser de l'argent?
Quel profit me procure la richesse? dit-il. «Je m'en vais
nu.» «Nous n'avons rien apporté en ce monde, dit-il, et
nous ne pouvons rien en emporter[i].» Vois-tu quel profit il
a recueilli? Vois-tu que le châtiment est devenu une source
de richesse? Il a perdu de l'argent et il a trouvé la vertu; il
est devenu pauvre, et il s'est enrichi. Il a renoncé à son or
et il a mieux frappé le diable.

Conclusion : Job demeure irréprochable

26. *Dans tout ce qui lui arriva,* dit le texte, *Job ne pécha pas
devant le Seigneur, même des lèvres, et il ne taxa pas Dieu de folie*[j].
De même qu'on inscrit sur le cartouche, au bas des
tableaux qu'on a dessinés : «offrande d'un tel», de même
ici, quand l'auteur du livre a dessiné avec des mots l'image
de son héros, il ajoute au bas, en souscription, comme sur

58-59 : ἐγένετο — ἐπλούτησεν abc
26, 4-18 : καθάπερ — ῥημάτων yx

h. Job 1, 21 ǁ i. I Tim. 6, 7 ǁ j. Job 1, 22

κάτωθεν ὑπογράφων λέγει « Ἐν τούτοις πᾶσι τοῖς συμβεβηκόσιν αὐτῷ οὐχ ἡμάρτηκεν Ἰὼβ ἔναντι Κυρίου, οὐδὲ ἐν
10 τοῖς χείλεσιν αὐτοῦ.» Μηδὲ νομίσῃς ὅτι ἐπὶ μὲν τῶν
ἀνθρώπων ἐσίγησεν, ἐπὶ δὲ τοῦ Θεοῦ, οὐχί · ἀλλ' οὐδὲ
κατὰ διάνοιαν ἥμαρτεν.

Τί ἐστιν · «οὐδὲ ἐν τοῖς χείλεσιν αὐτοῦ»; Πολλάκις, ὑπὸ
τοῦ πάθους συναρπαζόμενοι, ῥῆμα ἐκφέρομεν ἄτοπον, τῆς
15 διανοίας μὴ συγκατατιθεμένης, ἀλλὰ τὴν γλῶτταν τῆς
ἀθυμίας συναρπαζούσης. Ἐκεῖνος δὲ οὐδὲ τοῦτο πέπονθεν,
ἀλλὰ καθαρὰ μὲν ἡ διάνοια βλασφημίας ἦν, καθαρὰ δὲ ἡ
γλῶττα πονηρῶν ῥημάτων.

«Ἐν τούτοις, φησίν, πᾶσι...» Καλῶς εἶπεν «πᾶσιν». Μὴ
20 γάρ, ἐπειδὴ ἐν βραχεῖ χρόνῳ ταῦτα διηγήσατο, μικρὰ
ταῦτα εἶναι νομίσῃς · μακροῦ χρόνου συμφορὰς συνελὼν
εἶπεν · εἰ δὲ βούλει, ἐπεξέλθωμεν τῷ λόγῳ καὶ ὄψει τί
ἐστιν τὸ «ἐν τούτοις πᾶσι». Σκόπει δέ · ἀγροὶ μὲν ἔρημοι,
θρεμμάτων ἀνῃρημένων, ἄκαρπος δὲ ἡ γῆ, θρήνων ἅπαντα
25 μεστά, κωκυτοὶ κατὰ τὴν οἰκίαν, πάντα λοιπὸν εἰκῇ,
πάντων ἀνηρπασμένων. Ποῖος πόλεμος, ποία μάχη, ποία
τις αἰχμαλωσία οὕτως εἰς τὴν οἰκίαν εἰσεκώμασεν τοῦ
δικαίου; Τί δεῖ εἰπεῖν; Ὅτι πολλὰ κατ' αὐτὸν συνέβη; Ὅτι
πάντα ἀθρόον, ὅτι τρόπῳ χαλεπῷ τιμωρίας; Ὅτι παρὰ
30 προσδοκίαν, ὅτι μηδὲν αὐτῷ συνειδὸς πονηρόν; Τί πρῶτον;
Τί δεύτερον; Τὴν ἡλικίαν ἐννοῆσαι χρὴ τῶν παίδων; Τὴν
ἀρετὴν τῆς ψυχῆς; Τὸ τῆς τιμωρίας ὠμόν; Νέοι καὶ
ἡβῶντες, ἐν οἰκίᾳ μιᾷ ἐσθιόντων αὐτῶν καὶ πινόντων,
κατασεισθέντος τοῦ ὀρόφου κατεχώσθησαν. Καλῶς εἶπεν

10 μηδὲ : μὴ p ‖ νομίσῃς + φησίν p ‖ 16 συναρπαζούσιν p ‖ πέπονθεν :
ἔπαθεν p ‖ 20 ταῦτα > p ‖ 21 νόμιζε p ‖ 22 ἐπεξέλθωμεν + μιχρὸν p ‖ 24
θρεμμάτων + ἦσαν p ‖ 26 πάντων : πάντα p ‖ ἡρπασμένων p ‖ 28 ὅτι[2] :
ὅταν p ‖ 30 αὐτῷ συνειδὸς πονηρόν : ἑαυτῷ πονηρὸν συνειδότι p ‖ 34
κατεχώσ[θησαν. Hic deficit L usque ad II, 4, 33

un cartouche : «Dans tout ce qui lui arriva, Job ne pécha pas devant le Seigneur, même des lèvres.» Ne crois pas qu'il s'est tu devant les hommes et pas devant Dieu. Mais il n'a même pas péché en pensée.

Que signifie l'expression «pas même des lèvres»? Souvent, quand la douleur nous saisit, nous laissons échapper une parole déplacée; ce n'est pas que la pensée y donne son assentiment, mais la langue est entraînée par le découragement. Notre héros, lui, n'a même pas connu cela, et sa pensée était exempte de blasphème, sa langue exempte de paroles mauvaises.

«En tout cela...», dit-il. Il a bien fait de dire : «En tout». Ne crois pas, en effet, que ces événements étaient sans importance, sous prétexte qu'il en a condensé le récit; il a résumé des malheurs qui portent sur une longue période; mais, si tu veux bien, scrutons un peu l'expression, et tu comprendras ce que signifient ces mots : «En tout cela.» Regarde : les champs sont déserts, car les bêtes ont été enlevées; la terre est stérile, tout est plein de chants de deuil; des lamentations remplissent la maison; tout désormais est livré au hasard, car, tout a été pillé de fond en comble. Quelle guerre, quelle bataille, quelle razzia s'est abattue ainsi sur la maison du juste? Que dire? Qu'une foule de malheurs lui sont arrivés? Qu'ils se sont produits tous en bloc, à la façon d'un terrible châtiment? Qu'ils sont survenus à l'improviste, sans qu'il ait conscience d'avoir rien commis de mal? Par où commencer? Par où poursuivre? Faut-il songer à l'âge des enfants? à la vertu de leur âme? à la cruauté du châtiment? Or ce sont des jeunes dans la fleur de l'âge, appartenant à une même famille; ils étaient en train de manger et de boire quand le toit, ébranlé, s'écroula et les ensevelit[1]. Il a eu raison de dire : «En tout

1. C'est sur ce mot κατεχώσθησαν que se situe le début de la première rupture de **L**. Cf. *Introd.*, p. 13.

35 « Ἐν τούτοις πᾶσι... ». «Θησαυρὸς τῶν κακῶν, πλοῦτος τραγῳδίας» · ἐπάλληλοι ἀεὶ πληγαί · πολλοὶ ἐπὶ μὲν τῶν ἀνθρώπων οὐδὲν φθέγγονται, κατὰ δὲ διάνοιαν κατα- γιγνώσκουσι τοῦ Θεοῦ. Οὐχ οὗτος, ἀλλ' ἔμενεν ἀπε- ρίτρεπτος.

40 «Καὶ οὐκ ἔδωκεν, φησίν, ἀφροσύνην τῷ Θεῷ.» Τί ἐστι τοῦτο; Ἀσαφές ἐστι τὸ εἰρημένον · ὅπερ λέγει καὶ ὁ Δάυιδ · «Καὶ νυκτός, φησί, καὶ οὐκ εἰς ἄνοιαν ἐμοί[k].» Τοῦτο δὲ καὶ ἐνταῦθα γέγονεν, τοῦτ' ἔστιν, οὐ κατέγνω τῶν γεγενημένων ἀδικίαν · οὐκ εἶπεν ἁπλῶς καὶ ὡς ἔτυχεν 45 τὰ πράγματα φέρεσθαι · οὐκ εἶπεν · δίκαιος ἐγώ, καὶ μηδὲν ἐμαυτῷ συνειδώς · ἐκεῖνοι μὲν εὐθηνοῦντες, ἐγὼ δὲ ἐν τοσούτοις κακοῖς · διὰ τί; Τί ἠδίκησα; Τί ἥμαρτον; Ἆρα μέλει τῷ Θεῷ τῶν πραγμάτων τῶν ἡμετέρων; Ἀλλ' οὐδὲν τοιοῦτον οὐδὲ εἶπεν οὐδὲ ἐνενόησεν, οἷον πάσχουσι πολλοί, 50 ἑτέρους μὲν ὁρῶντες εὐημεροῦντας, ἑαυτοὺς δὲ ἐν τοῖς ἐσχάτοις δεινοῖς. Οὐκ ἄρα ἀπὸ τῶν πραγμάτων, ἀλλὰ ἀπὸ διανοίας πονηρᾶς γίνεται τὸ πονηρόν τι ὑποπτεύειν περὶ Θεοῦ, ἐπεὶ καὶ οὗτος ὑπώπτευσεν ἄν.

«Τί γὰρ ἔχεις, ἄνθρωπε, ὃ οὐκ ἔλαβες[l];» Ἀπέθανέν σοι 55 παῖς · λέγε · «Ὁ Κύριος ἔδωκεν, ὁ Κύριος ἀφείλατο[m]». Ἐπὶ πάντων τοῦτο λέγε. Ἀσφαλείας ἀπήλαυες, εἶτα κινδύ- νοις περιέπεσες · ἱκανὸν τοῦτο τὸ ῥῆμα ἀντὶ φαρμάκου γενέσθαι πανταχοῦ, παραστῆναι πάσῃ συμφορᾷ, πάσῃ δυσπραγίᾳ, πᾶσαν ἀφελεῖν ἀθυμίαν δύναται. «Ὡς τῷ 60 Κυρίῳ ἔδοξεν, οὕτω καὶ ἐγένετο[n].» Οὕτω καὶ ἄλλος

---

36 ἀεὶ : αἴ p ‖ 38 θεοῦ + ἀλλὰ p ‖ 40 φησίν > p ‖ 41 εἰρημένον + ἀλλὰ p ‖ 42 φησί > p ‖ 43 δὲ : δὴ p ‖ 49 πάσχουσι + νῦν p ‖ 54 ἄνθρωπε > p ‖ 58 παραστῆναι + ἐν p ‖ συμφορᾷ + ἐν p ‖ 59 δυσπραγίᾳ + καὶ p

43-45 : τοῦτ' ἔστιν — φέρεσθαι γχ

k. Ps. 21, 3 ‖ l. I. Cor 4, 7 ‖ m. Job 1, 21 ‖ n. Job 1, 21

cela…». «Trésor de maux, richesse pour la tragédie[1]»; les coups se succèdent; bien des gens ne disent rien devant les hommes, mais ils accusent Dieu en pensée. Il n'en allait pas ainsi pour Job, qui demeurait inébranlable.

«Et, dit le texte, il ne taxa pas Dieu de folie.» Qu'est-ce que cela signifie? L'expression est obscure; mais c'est justement ce que dit aussi David : «(Je crie) la nuit, et on ne me taxe pas de folie[k].» C'est précisément ce qui s'est passé ici aussi, c'est-à-dire, il n'a pas accusé les événements d'injustice; il n'a pas dit : les événements arrivent sans motif, au hasard; il n'a pas dit : je suis juste, et n'ai conscience d'aucune faute; ces gens-là sont florissants, tandis que moi je suis plongé dans des maux sans nombre; pourquoi? Quelle injustice, quelle faute ai-je commise? Est-ce que Dieu se soucie de nos affaires? Mais il n'a rien dit ni rien pensé de semblable à ce que font maintenant bien des gens, quand ils en voient d'autres couler des jours heureux, tandis qu'eux-mêmes sont plongés dans les pires épreuves. Ce ne sont donc pas les événements, mais la perversité de la pensée qui nous fait soupçonner Dieu de méchanceté, car, alors, Job l'aurait soupçonné, lui aussi.

«Que possèdes-tu, ô homme, que tu n'aies reçu[l]?» Tu as perdu un enfant : dis : «Le Seigneur a donné, le Seigneur a repris[m].» Dis cela à propos de tout. Tu jouissais de la sécurité, ensuite tu es tombé dans les périls : cette parole peut servir de remède en toute circonstance, venir en aide à toute sorte de malheurs, à toute sorte d'infortunes, elle peut supprimer toute espèce de découragement. «Il en a été comme le Seigneur l'a décidé[n].» C'est dans le même sens

---

1. Θησαυρὸς τῶν κακῶν, πλοῦτος τραγῳδίας. Il s'agit d'un proverbe. Cf. *l.c. supra,* p. 95, n. 2. Tome II du *Corpus,* p. 3, l. 1, *annotatio* col. gauche, l. 11; voir aussi Index tome II, p. 809, col. gauche, *s.v.* : Θησαυρὸς κακῶν ann. D, V, l. 8.

τίς φησι « Ἰδοὺ ἐγώ, ποιείτω ἐμοὶ τὸ ἀρεστὸν ἐνώπιον
αὐτοῦ[o]. » Καὶ πάλιν ἕτερος « Κύριος αὐτὸς τὸ ἀρεστὸν
ἐνώπιον αὐτοῦ ποιήσει[p]. » Καὶ ἐν τῷ Εὐαγγελίῳ, παρήγ-
γειλεν ἡμῖν ὁ Χριστὸς λέγειν « Γενηθήτω τὸ θέλημά σου[q]. »

63 εὐαγγελίῳ + δὲ p

o. Cf. II Sam. 15, 26-27; II Esd. 10, 11 ‖ p. I Sam. 3, 18 ‖ q. Matth.
6, 10

que parle un autre passage de l'Écriture : «Me voici, que
Dieu me traite selon son bon plaisir[o].» Et un autre encore :
«Le Seigneur lui-même me traitera selon son bon plaisir[p].»
Et dans l'Évangile, le Christ nous a appris à dire : «Que ta
volonté soit faite[q].»

II

1. Ἐγένετο δέ, φησίν, ὡς ἡ ἡμέρα αὕτη καὶ ἦλθον
οἱ ἄγγελοι τοῦ Θεοῦ παραστῆναι ἐνώπιον Κυρίου, καὶ
ὁ διάβολος ἐν μέσῳ αὐτῶν ἦλθεν παραστῆναι ἔναντι
Κυρίου[a]. Τί καθ᾽ ἑκάστην ἡμέραν παρισταμένους αὐτοὺς
5 εἰσάγει; Ἵνα μάθωμεν ὅτι οὐκ ἀπρονόητα τὰ παρόντα,
ἀλλὰ λόγον διδόασι τῶν καθ᾽ ἑκάστην ἡμέραν γινομένων.
Καὶ καθ᾽ ἑκάστην ἀποστέλλονταί τι οἰκονομοῦντες οἱ
ἄγγελοι, εἰ καὶ ἡμεῖς οὐκ ἴσμεν. Εἰς τοῦτο γὰρ γεγέ-
νηνται · τοῦτο ἔργον αὐτῶν, ὡς ὁ μακάριος Παῦλός φησιν ·
10 « Ἀποστελλόμενοι διὰ τοὺς μέλλοντας κληρονομεῖν σωτηρίαν[b]. »

« Καὶ ὁ διάβολος, φησίν, ἐν μέσῳ αὐτῶν. » Ὁρᾷς ἐπὶ
τίνι μὲν ἐκεῖνοι παρίστανται, ἐπὶ τίνι δὲ οὗτος · ὥστε
πειράζειν, ἐκεῖνοι ὥστε οἰκονομεῖν τὰ ἡμέτερα. Τίνος
15 δ᾽ ἕνεκεν πάλιν ἐρωτᾶται ἐπὶ τῶν ἀγγέλων αὐτῶν;
Ἀναγκαίως · ἐφ᾽ ὧν καὶ πρότερον εἶπεν · « Ἦ μὴν εἰς
πρόσωπόν σε εὐλογήσει[c]. » Ὢ τῆς ἀναισχύντου φύσεως ·
πάλιν ἐτόλμησεν ἐλθεῖν.

2. Καὶ εἶπεν ὁ Κύριος τῷ διαβόλῳ · πόθεν σὺ ἔρχῃ;
Τότε εἶπεν ὁ διάβολος ἔναντι Κυρίου · Διαπορευθεὶς

1, 1 φησίν > p ‖ 2 ἐνώπιον : ἐναντίον τοῦ p ‖ 4 τί : διὰ τί p ‖ 7 τι > p ‖ 9
ὡς + καὶ p ‖ φησιν + εἰς διακονίαν p ‖ 12 φησίν : ἦλθεν p ‖ 13 τίνι[1] : τίσι p
‖ τίνι[2] : τίσι p ‖ 14 ἐκεῖνοι p : ἐκεῖνον M ‖ ἐκεῖνοι + μέν p ‖ τὰ ἡμέτερα +
οὗτος δὲ ὥστε διαστρέφειν τὰ ἡμέτερα p ‖ 17 φύσεως : πονηρίας p

1, 4-8 : τί — ἴσμεν abc, yz

a. Job 2, 1 ‖ b. Hébr. 1, 14 ‖ c. Job 1, 11

1. Le thème de la Providence court en filigrane dans tout notre
commentaire. Cf. I, 10, 19-20; 14, 21-29; II, 1, 5-6; IV, 11, 4-14;
VIII, 1, 35-41; IX, 3, 17-23; XXXIII, 4, 25-31; XXXVII, 1, 9-10;
XXXVIII, 4, 10-11; 31, 2-4; 33, 9-10,17-19. L'importance donnée à ce
thème dans notre texte correspond bien à celle qu'il a dans l'œuvre de

CHAPITRE II

NOUVELLES ÉPREUVES

Nouvelle intervention du diable

1. *Or, il arriva,* dit le texte, *ce jour-là aussi, les anges de Dieu vinrent se présenter devant le Seigneur, et le diable vint au milieu d'eux se présenter devant le Seigneur*[a]. Pourquoi l'auteur les montre-t-il se présentant ainsi chaque jour? C'est pour que nous sachions que les événements actuels n'échappent pas à la Providence[1], et que les anges rendent compte de ce qui se passe chaque jour, et que, chaque jour, il sont envoyés pour régler quelque question, bien que nous, nous l'ignorions. C'est pour cela, en effet, qu'ils ont été créés; c'est là leur tâche, comme dit le bienheureux Paul: «Ils sont envoyés à cause de ceux qui doivent hériter du salut[b]».

«Et le diable, dit le texte, vint au milieu d'eux»: Tu vois dans quel but les anges sont présents; mais lui, dans quel but[2]? (Celui-ci) pour tenter Job, ceux-là pour administrer nos affaires. Pourquoi est-il interrogé à nouveau, précisément devant les anges? Forcément, puisque c'est aussi devant eux qu'il avait dit: «A coup sûr, il te bénira en face[c].» Quelle nature sans pudeur[3]! Il a osé revenir!

2. *Et le Seigneur dit au diable: D'où viens-tu? Alors, le diable répondit en face au Seigneur: J'ai parcouru les étendues*

Chrysostome; voir les Index aux mots: προνοέω et πρόνοια dans: *Les Lettres à Olympias, SC* 13 bis; *Sur l'Incompréhensibilité de Dieu, SC* 28 bis; *Sur la Providence de Dieu, SC* 79; *Sur la vaine gloire et l'éducation des enfants, SC* 188.

2. Nous gardons la leçon de **LM.** Cf. *Introd.,* p. 22.

3. Cette idée de la sottise, de la méchanceté et de l'impudence du diable, qui ne fait pas confiance à la parole de Dieu, est déjà apparue en I, **11,** 7-8; **12,** 7. Chrysostome la développe aussi dans l'*Homélie sur Lazare, PG* 48, 967-968.

158   COMMENTAIRE SUR JOB

τὴν ὑπ᾽ οὐρανόν, καὶ ἐμπεριπατήσας τὴν γῆν
πάρειμι^d. Ὅρα καὶ τοῦτον καθ᾽ ἑκάστην ὥραν περιο-
5 δεύοντα τὴν οἰκουμένην. Ὅτι γὰρ καὶ οἱ ἄγγελοι περιο-
δεύουσιν, ἀπὸ τοῦ Ζαχαρίου μεμαθήκαμεν^c. Οὐχ ἁπλῶς δὲ
καὶ οὗτος περιοδεύει · καὶ γὰρ καὶ τοῦτο τῆς τοῦ Θεοῦ
προνοίας ἔργον ἐστὶ τὸ καθ᾽ ἑκάστην ἡμέραν αὐτὸν περιο-
δεύειν, ὥστε καὶ τὸ κρίμα αὐτῷ μεῖζον γενέσθαι, καὶ ἡμᾶς
10 μᾶλλον νήφειν. «Κοσμοκράτωρ» διὰ τοῦτο καλεῖται «τοῦ
Σκότους τοῦ αἰῶνος^f», τῆς πονηρίας. Εἰπέ, διάβολε, τί
ἐποίησας; «Περιελθών, φησί, τὴν γῆν, καὶ ἐμπεριπατήσας,
πάρειμι.» Τί εἰργάσω; Οὐδὲν χρηστὸν οὐδὲ ἀγαθόν · οὐ
τολμᾷ λέγειν οὐδέν, ἀλλ᾽ ὅτι περιῆλθεν.

3. Εἶπεν δὲ ὁ Κύριος πρὸς τὸν Σατανᾶν · προσέσχες τῷ θεράποντί μου Ἰώβ, ὅτι οὐκ ἔστιν κατ᾽
αὐτὸν τῶν ἐπὶ τῆς γῆς ἀνθρώπων ὅμοιος αὐτῷ ·
ἄμεμπτος, δίκαιος, ἀληθινός, θεοσεβής, ἀπεχόμενος
5 ἀπὸ παντὸς κακοῦ^g. Πάλιν καὶ εἰς δευτέραν προκαλεῖται
πάλην αὐτόν. Ἔτι δέ, φησίν, ἔχεται ἀκακίας · σὺ δὲ
εἶπας ἀπολέσαι τὰ ὑπάρχοντα αὐτοῦ διὰ κενῆς^h. Οὐκ
ἠθέλησας, ὦ ἀναίσχυντε, ὡς Θεῷ πιστεῦσαι; Ἀπὸ τῆς
πείρας, οὐκ ἔδει πιστωθῆναι λοιπόν; Οὐκ εἶπέν σοι ὅτι
10 ἄμεμπτος; Οὐκ εἶδες διὰ τῆς πείρας; Πῶς πάλιν προσ-
έρχει; Τί μανθάνομεν ἐκ τούτων; Ὅτι κἂν μυριάκις πέσῃ,
οὐδέποτε ἀπαγορεύει ὁ διάβολος, ἀλλ᾽ ἵσταται ἀναισχύντως.
«Σὺ δὲ εἶπας, φησίν, τὰ ὑπάρχοντα αὐτοῦ ἀπολέσαι διὰ
κενῆς.» Εἰκῆ καὶ μάτην αὐτῷ ἅπαντα γεγένηται; Καὶ μὴν
15 οὐ διὰ κενῆς, ἀλλ᾽ ἐπὶ χρησίμῳ. «Ἀλλὰ σὺ εἶπας ἀπολέσαι

2, 4 ὅρα + οὖν p ‖ 10 κοσμοκράτωρ + γὰρ p ‖ 11 αἰῶνος + τοῦτ᾽
ἔστιν p
3, 3 αὐτῷ + ἄκακος p ‖ 5-6 πάλιν — αὐτόν > p ‖ 6 φησίν > p ‖ 6-7 σὺ
δὲ — κενῆς > p ‖ 11 τί + οὖν p ‖ 14 κενῆς + ὅρα πῶς p

3, 7-9 : οὐκ ἠθέλησας — λοιπόν abc yz

subcélestes, j'ai circulé sur la terre; et me voici[d]. Note que lui aussi circule, à chaque instant, dans l'univers. Que les anges, en effet, y circulent aussi, Zacharie nous l'a appris[e]. Mais ce misérable ne se contente pas simplement de circuler; et, en effet, qu'il circule chaque jour est aussi l'œuvre de la providence divine, pour qu'en même temps il soit, lui, plus sévèrement jugé, et que nous soyons, nous, plus vigilants. C'est pour cela qu'on l'appelle le «maître des ténèbres éternelles[f]», c'est-à-dire du mal. Parle, diable, qu'as-tu fait? «J'ai fait, dit-il, le tour de la terre, j'y ai circulé, et me voici.» Quelle besogne as-tu faite? Rien d'utile ni de bon; il n'ose rien dire, sinon qu'il en a fait le tour.

Nouvel éloge de Job   **3.** *Le Seigneur dit à Satan : As-tu remarqué mon serviteur Job? Il n'a pas son pareil parmi les hommes qui sont sur la terre : irréprochable, juste, vrai, religieux, se tenant éloigné de toute action mauvaise*[g]. A nouveau il le provoque à un second combat. *Or, il continue*, dit Dieu, *de s'attacher à son intégrité; et c'est en vain que toi, tu m'as dit de détruire ses biens*[h]. Tu n'as pas consenti, impudent, à faire confiance à Dieu? Après cette tentative, n'aurait-il pas fallu faire confiance désormais? Ne t'avait-il pas dit qu'il était irréprochable? Cette tentative ne te l'a-t-elle pas prouvé? Comment reviens-tu à l'attaque? Qu'apprenons-nous donc par là? C'est que, même s'il échoue mille fois, le diable ne renonce jamais, mais il se cramponne sans vergogne.

«C'est en vain que toi, dit Dieu, tu m'as dit de détruire ses biens.» Est-ce au hasard et sans raison que tout lui est arrivé? Vraiment, non pas «en vain», mais pour son profit. «Mais toi, c'est en vain que tu m'as dit de les détruire.»

---

d. Job 2, 2 ‖ e. Zach. 1, 10-11 ‖ f. Éphés. 6, 12 ‖ g. Job 2, 3 ‖ h. Job 2, 3

διὰ κενῆς.» Οὐκ εἶπεν ὅτι διὰ κενῆς ἀπώλετο, ἀλλά · «σὺ
εἶπας ἀπολέσαι διὰ κενῆς...», ἐπεὶ αὐτὸς μισθὸν οὐ τὸν
τυχόντα ἔλαβεν τῆς ἀπωλείας. (Μὴ γὰρ τοῦτο ζητεῖ ὅτι
ἐγὼ πάλιν αὐτῷ ἀποδίδωμι;) Ἀλλ' ὅτι σὺ μάτην καὶ εἰκῇ
20 τὸν ἄνθρωπον ἐσυκοφάντησας · καὶ οὐδὲ οὕτως ἠδέσθη οὐδὲ
ἐνετράπη ὁ μιαρός, ἀλλὰ δευτέραν ζητεῖ πεῖραν, ἵνα κατὰ
τοὺς ὀλυμπιακοὺς ἀγῶνας δεύτερον βληθῇ. «Ἐπὶ στόματος
γάρ, φησί, δυὸ καὶ τριῶν σταθήσεται πᾶν ῥῆμα[i].»
Ἀλλ' ὅρα τὴν πολλὴν ἄνοιαν. Εἶπεν ὅτι «ἔτι ἔχεται
25 ἀκακίας». Τί προσεδόκησας τὸ σῶμα πλήττων, φησί; Ὁ
λαβὼν ἀγύμναστον καὶ τοσαύτην ἐπιθεὶς κακῶν ἐπιθήκην,
καὶ μηδὲν ἰσχύσας, ἀλλὰ ἰσχυρότερον πειραθείς, οὐδὲ οὕτως
ἀπέστη. Ὅρα μεθ' ὅσης ἐπιεικείας ἀποκρίνεται τῷ διαβόλῳ
ὁ Θεός, παιδεύων ἡμᾶς μὴ ἐπεμβαίνειν ἐν ταῖς εὐημερίαις ·
30 μέγα γὰρ ἐπιείκεια καὶ ὅταν κρατῶμεν. Τί οὖν ὁ διάβολος
ὁ ἀκόρεστος καὶ μηδέποτε λαμβάνων τέλος τῶν καθ'
ἡμέραν κακῶν;

4. Ὑπολαβὼν δὲ ὁ διάβολος εἶπεν τῷ Κυρίῳ ·
δέρμα ὑπὲρ δέρματος, καὶ πάντα ὅσα ὑπάρχει τῷ
ἀνθρώπῳ δώσει, ὑπὲρ τῆς ψυχῆς αὐτοῦ ἐκτίσει[j]. Κἂν
σῶμα δέῃ δοῦναι ἕτερον, οὐ παραιτήσεται. Τοῦτ' ἔστιν ·
5 εἰ καὶ τὰ παιδία ἔδωκεν (τοῦτο ἔθος τοῖς ἀνθρώποις ·
οὐδὲν τιμιώτερον ἀνθρώπῳ ἑαυτοῦ), οὔπω τῶν ἀναγκαίων
ἅπτεται. Καὶ μὴν σὺ ἔλεγες ὅτι, ἐὰν ταῦτα ἀφέλωμαι,
βλασφημήσει σε.

16 οὐκ — ἀπώλετο > p ‖ 21 δευτέρα p ‖ 23 φησί > p ‖ 24 πολλὴν +
αὐτοῦ p ‖ 25 πλήττω p ‖ ὁ + γὰρ p ‖ 27 ἰσχυροτέρας p ‖ 28 ἀπέστη + καὶ
p ‖ 31 τέλος : κόρον p
4, 1 τῷ κυρίῳ εἶπεν ~ p ‖ 3 ἐκτίσει > p ‖ κἂν : ἂν p ‖ 4 δοῦναι ἕτερον :
ἕτερόν φησι δοῦναι p

16-18 : οὐκ εἶπεν — ἀπωλείας abc yχ (16 : ἀπώλετο + τὰ ὑπάρχοντα yz)

i. Matth. 18, 16 ‖ j. Job 2, 4

Dieu n'a pas dit que ces biens ont «péri en vain», mais, «toi, c'est en vain que tu m'as dit de les détruire», puisque Job a reçu un salaire qui sort de l'ordinaire pour la perte de ses biens. Cherche-t-il, en effet, à ce que je les lui restitue? Mais il a dit : c'est toi qui sans raison et au hasard a calomnié cet homme; et même ainsi, l'infâme n'a eu ni honte ni repentir, mais il recherche une seconde[1] épreuve pour le jeter une seconde fois dans les luttes olympiques. «C'est, en effet sur le témoignage de deux ou trois témoins que sera établie toute affirmation[i].»

Mais, remarque sa profonde stupidité. Dieu a dit que Job «s'attachait à son intégrité». Qu'as-tu espéré, en frappant son corps, dit-il? Lui qui avait trouvé Job non aguerri et lui avait imposé un tel fardeau de malheurs, sans avoir rien pu sur lui, et qui avait trouvé plus fort que lui, même dans ces conditions, il n'a pas battu en retraite. Remarque avec quelle modération Dieu répond au diable, nous enseignant à ne pas nous pavaner dans nos succès : car il est important d'être modéré, même dans la victoire. Que va donc faire le diable, cet être insatiable, qui n'arrête jamais de nous faire du mal chaque jour?

Nouvelle requête du diable : Frappe-le dans sa chair

4. *Le diable prit la parole et dit au Seigneur : Peau pour peau, et tout ce qui appartient à l'homme, il le donnera, il le versera en rançon pour sauver sa vie[j].* Même s'il doit donner une autre vie, il ne refusera pas. C'est-à-dire : même s'il a déjà sacrifié ses enfants – c'est là chose habituelle chez les hommes; rien n'est plus cher à l'homme que lui-même –, il ne touche pas encore à ses biens essentiels; et pourtant toi, tu disais : «Si je lui enlève ses biens, il te blasphémera.»

---

1. C'est ici que commence, sur le mot δευτέραν, le désordre de **p**; cf. *Introd.*, p. 15.

Διὰ τί δὲ μὴ ἐξ ἀρχῆς τοῦτο ἤτησεν; Ἐλογίσατο ὅτι, εἰ
10 μὲν συμβαίη αὐτὸν ἡττηθῆναι, βέλτιον, φησίν, ἀπὸ τῶν
ἐλαττόνων τὴν νίκην ἐνεγκεῖν· εἰ δὲ μὴ περιγενοίμην ἀπὸ
τῶν χρημάτων, ἀπὸ τοῦ σώματος περιέσομαι, καί αἰσχρὰ
ἔσται αὐτῷ ἡ ἧττα, ἐὰν διὰ χρήματα βλασφημήσῃ· ἐὰν δὲ
μὴ βλασφημήσῃ, λείπεται καὶ ἐφ' ἕτερα ἐλθεῖν· διὰ τοῦτο
15 ἐτήρησεν αὐτόν.

«Καὶ πάντα, φησίν, ὅσα ὑπάρχει τῷ ἀνθρώπῳ, δώσει
ὑπὲρ τῆς ψυχῆς αὐτοῦ.» Μὴ γὰρ αὐτὸς ἔδωκεν; Αὐτὸς
αὐτὸν ἀφείλω. Μὴ γὰρ προέκειτο αὐτὸν ἀπολέσθαι ἢ
χρήματα καὶ τοῦτο εἵλετο; Πῶς οὐκ ἐβλασφήμησεν, ὦ
20 μιαρέ; Ὃ λέγει τοῦτό ἐστιν ὅτι πάντων ἀναγκαιότερον,
αὐτὸς ἑαυτῷ ἄνθρωπος, τὰ δὲ ἄλλα πάντα δεύτερα.

Ὅρα πάλιν πῶς ταῖς οἰκείαις ἀποκρίσεσιν ἁλίσκεται.
Ἵνα γὰρ μηκέτι αὐτῷ καταλείπῃ πρόφασιν μηδὲ λόγον, ὡς
οὐχὶ τῶν ἀναγκαίων αὐτῶν ἀψάμενος, ὡς οὐδὲ λαβὼν
25 λαβὴν τὴν πασῶν μείζονα, αὐτὸς προλαβὼν ἀποφαίνεται ὅτι
πάντα δεύτερα ἀνθρώπῳ ἑαυτοῦ, καὶ πάντα προήσεται
εὐκόλως, ὥστε ἑαυτὸν διατηρῆσαι καὶ διαφυλάξαι· τὸ δὲ
πάντων ἀναγκαιότερον αὐτὸς ἑαυτοῦ. Ἐνταῦθα τοίνυν βούλομαι λαβεῖν τὴν λαβήν· οὐ πολλοῦ λόγου, φησί, τὰ
30 χρήματα τοῖς ἀνθρώποις. Ἀκούσωμεν, ἀγαπητοί, κἂν τοῦ
διαβόλου καὶ αἰσχυνθῶμεν, ὅτι πάντα δεῖ προίεσθαι ὑπὲρ
τῆς ψυχῆς, καὶ τοῦτο κατὰ φύσιν τοῖς ἀνθρώποις ἐστίν,
ὥστε πάσης ἀποστερούμεθα συγγνώμης, ὅταν διὰ χρήματα

---

10 μὲν *conjeci* : μὴ M > pyz ‖ 12 αἰσχρὰ + μὲν p ‖ 13 αὐτῷ ἔσται ∼ p ‖
15 αὐτὸν : αὐτό p ‖ 16 καὶ > p ‖ φησίν > p ‖ 18 αὐτὸν (p) : ἑαυτὸν M ‖ 19
πῶς + οὖν p ‖ 21 δεύτερα + ἡγήσεται p ‖ 23 αὐτῷ : ἑαυτῷ p ‖ καταλίπῃ p
‖ 27 δὲ : γὰρ p ‖ 33 διὰ + τὰ p

4, 9-12 : διὰ τί — περιέσομαι *γχ*

1. Ces calculs du diable dans sa lutte contre Job se retrouvent dans
notre commentaire : cf. I, **18**, 19-22 : «Le diable commence par les
coups les plus faibles, réservant les plus durs pour la fin», et I, **21**, 19-

Mais pourquoi n'a-t-il pas réclamé cela dès le début ? C'est qu'il a calculé : s'il arrivait que Job soit vaincu, mieux vaut, dit-il, remporter la victoire sur un terrain plus modeste, mais si, au contraire, je ne l'emportais pas à propos de ses biens, du moins je l'emporterai à propos de son corps ; et sa défaite sera honteuse, si c'est pour ses biens qu'il blasphème, mais s'il ne blasphème pas, il reste à l'attaquer sur le second terrain[1]. C'est pour cela que le diable l'avait préservé lui-même.

« Et tout ce qui appartient à l'homme, dit-il, il le donnera pour sauver sa vie. » Est-ce donc lui qui a donné ses biens ? C'est toi qui les lui as enlevés. Lui proposait-on, en effet, sa perte ou celle de ses biens ? Et a-t-il choisi le second parti ? Comment donc se fait-il qu'il n'a pas blasphémé, infâme ? Ce qu'il veut dire, c'est que le plus nécessaire de tout pour l'homme, c'est lui-même. Tout le reste est secondaire.

Vois de nouveau comment il est pris au piège de ses propres réponses. En effet, afin de ne plus se laisser de prétexte ni de motif pour dire qu'il n'a pas porté atteinte à ses biens essentiels, qu'il n'a même pas eu prise sur le principal d'entre eux, il prend lui-même les devants pour déclarer que tout, pour l'homme, passe après sa propre personne, et qu'il renoncera aisément à tout pour se garder et se conserver lui-même, et que rien ne lui est plus nécessaire à lui-même que lui-même. C'est donc sur ce point que je veux avoir prise ; les richesses n'ont pas grande valeur aux yeux des hommes. Apprenons, bien-aimés, même si nous rougissons de l'apprendre du diable, qu'il faut tout quitter pour sauver sa vie, et que cela est naturel pour les hommes, si bien qu'on ne nous accorde aucune indulgence quand des richesses nous font blasphémer ; les

20 : « Tu vois avec quelle perversité le diable a réservé pour le dernier le coup le plus dur. » Cette même idée se retrouve notamment dans la *1re homélie sur Lazare, PG* 48, 967 s.

βλασφημῶμεν · οὐδὲν μέγα τὰ χρήματα, φησίν, ἐστιν · ὑπὲρ
35 γὰρ σωτηρίας τῆς οἰκείας ψυχῆς ἅπαντα διδόαμεν.

5. Πάλιν αὐτὸν ἀξιοῖ · **Οὐ μὴν δέ**, φησίν, **ἀλλὰ
ἀπόστειλον τὴν χεῖρά σου; ἅψαι τῶν ὀστῶν αὐτοῦ καὶ
τῶν σαρκῶν αὐτοῦ · ἢ μὴν εἰς πρόσωπόν σε εὐλογήσει**[k]. Μετὰ πονηρίας φθέγγεται. Οὐχὶ ἁπλῶς τῶν σαρκῶν
5 εἶπεν, ἀλλὰ καὶ τῶν ὀστῶν, ὥστε ἔνδον τεχθῆναι τὸ κακόν.
Τί οὖν πάλιν ὁ Θεός; **Εἶπεν δὲ ὁ Κύριος τῷ διαβόλῳ ·
Ἰδοὺ παραδίδωμί σοι αὐτόν · μόνον τὴν ψυχὴν αὐτοῦ
διατήρησον**[l]. Τοῦτ' ἔστιν · μὴ αὐτὸν ἀνέλῃς · ὥστε
ἔξεστιν αὐτῷ, εἰ λάβοι συγχώρησιν · ἐὰν ἀνέλῃς, οὐκέτι
10 ἡμῖν τὸ θέατρον συγκεκρότηται · ὥστε ἀνελεῖν μὲν δύναται
ἄνθρωπον, κακὸν δὲ ποιῆσαι οὐ δύναται. Ὁρᾷς · ἐντεῦθεν
μανθάνομεν ὅτι τοῖς ἀγαθοῖς ὁ διάβολος βασκαίνει, ὅτι, καὶ
βασκαίνων, οὐ πρότερον αὐτὸς ἐπιτίθεται, ἕως ἂν ὁ Θεὸς
συγχωρήσῃ · συγχωρεῖ δὲ ὁ Θεὸς πολλάκις, οὐ πάντα,
15 ἀλλὰ ἐνίοτε ἐπὶ χρημάτων, ἐνίοτε ἐπὶ σωμάτων. Τὸ γὰρ
ἐκ δευτέρου λαβεῖν τὴν ἐξουσίαν τοῦτο αἰνίττεται. Ἀπὸ
τούτου μανθάνομεν ὅτι, ὅσα δύναται, κατὰ συγχώρησιν
δύναται, ὅτι, κἂν ἡττηθῇ, οὐκ ἀφίσταται, ἀλλ' ἀεὶ ἐπιχειρεῖ
τοῖς μείζοσι · τοῦ δὲ Θεοῦ ἐστι τὸ ἐνδοῦναι ἢ μὴ ἐνδοῦναι.
20 Διὰ τί γὰρ μὴ εἶπεν · Μόνον τῆς ψυχῆς αὐτοῦ μὴ ἅψῃ,
ἀλλά · «Μόνον τὴν ψυχὴν αὐτοῦ διατήρησον»; Εἰς μέγαν
αὐτὸν φόβον περιέστησεν. Μή μοι εἴπῃς ὅτι οὐχ ἡψάμην ·
ἀλλ' ἑτέρως ἀνεῖλες. Τὴν σωτηρίαν τῆς ψυχῆς αὐτοῦ παρὰ

---

34 χρή]-ματα. *Iterum* L ‖ 35 διδόασι p

5, 1 πάλιν + δὲ p ‖ φησίν > p ‖ 2 ἀποστείλας p ‖ 4 οὐχὶ : οὐδὲ γὰρ p ‖ 5
ἔνδον : ἔνδοθεν p ‖ 6 τί — θεός > p ‖ 9 αὐτῷ > p ‖ ἀνέλῃς + φησίν αὐτὸν
p ‖ 12 ὅτι[2] : εἰ p ‖ 13 αὐτὸς : αὐτοῖς p ‖ 16-17 ἀπὸ τούτου : ἐκ τούτου p ‖ 19
δὲ > p ‖ τὸ > p ‖ 22 μὴ + γὰρ p ‖ 23 ἀνεῖλον p

5, 4-5 : οὐχὶ — τὸ κακόν (> 4 : καὶ τῶν ὀστῶν) abc yχ ‖ 10-11 : ὥστε —
δύναται (11 : ἄνθρωπον + εἰ λάβοι συγχώρησιν) abcyχ ‖ 16-18 : ἀπὸ (ἐκ)
τούτου — δύναται abc yχ ‖ 20-22 : μὴ (οὐκ yz) εἶπεν — περιέστησεν yχ ‖
23-24 : τὴν σωτηρίαν — ζητῶ yz

richesses[1], dit-il, ne représentent rien d'important, puisque nous donnons tout pour sauver notre propre vie.

Nouvel accord de Dieu   5. A nouveau, il lui demande : *Mais étends donc ta main, touche ses os et ses chairs; à coup sûr, il va te bénir en face*[k]. Il s'exprime avec méchanceté. Il n'a pas simplement parlé des chairs, mais des os pour que le mal soit engendré à l'intérieur. Que dit donc Dieu, de son côté? *Le Seigneur dit au diable : Voici que je te le livre, à la seule condition que tu préserves sa vie*[l]. C'est-à-dire, ne le fais pas mourir; donc, il n'a de pouvoir que s'il en obtient la permission. Si tu le fais mourir, nous ne pouvons plus applaudir le spectacle. Ainsi, il peut faire mourir l'homme, mais il ne peut le rendre mauvais. Tu le vois : nous apprenons par là que le diable est jaloux des gens vertueux, mais que, en dépit de sa jalousie, il ne peut, de son propre chef, s'en prendre à eux, avant d'en avoir reçu de Dieu l'autorisation; autorisation que Dieu accorde souvent, mais, au lieu de l'étendre à tout, il la limite, tantôt aux richesses, tantôt aux personnes. C'est, en effet, ce que laisse entendre le fait qu'il reçoit la permission une deuxième fois. Apprenons par là que tout son pouvoir est conditionné par une permission, que, même s'il est vaincu, il ne capitule pas, et qu'il va toujours plus loin dans ses entreprises; mais c'est à Dieu qu'il appartient d'accorder la permission ou de la refuser. Pourquoi donc n'a-t-il pas dit : Seulement, ne touche pas à sa vie, mais : «Seulement, préserve sa vie»? Il l'a plongé dans une profonde crainte. Ne me dis pas : je ne l'ai pas touché, alors que, de quelque autre manière, tu l'as fait

k. Job 2, 5 ‖ l. Job 2, 6

1. C'est ici que se termine sur le mot χρήματα, la première rupture de **L**. Cf. *Introd.*, p. 13.

σοῦ ζητῶ. Μεῖζόν ἐστι τὸ «διατήρησον» τοῦ · μὴ ἅψῃ.
25 Ἐνταῦθα φοβεῖ τὸν ἐχθρόν, ὥστε ἐκ πολλῆς τῆς περιουσίας
μὴ ἅψασθαι τῆς ψυχῆς αὐτοῦ · ἐπειδὴ γὰρ εἰκὸς ἦν
τοιαύτην νόσον αὐτῷ ἐπιβαλεῖν, ὥστε ἀποκτεῖναι τὸ σῶμα,
καὶ εἶχεν εἰπεῖν ὅτι τῆς ψυχῆς αὐτοῦ οὐχ ἡψάμην. Διὰ
τοῦτό φησι · «διατήρησον». Οὐ τοῦτο λέγω μόνον ὅπως μὴ
30 ἅψῃ, ἀλλὰ καὶ «διατήρησον» μή τι πάθῃ, κατὰ τὸν τῆς
ζωῆς λέγω λόγον.

**6. Ἐξῆλθεν δὲ ὁ διάβολος παρὰ Κυρίου, καὶ
ἔπαισεν τὸν Ἰὼβ ἕλκει πονηρῷ, ἀπὸ ποδῶν ἕως
κεφαλῆς[m].** Πάλιν ἐξέρχεται ἀπὸ τοῦ Θεοῦ, ὅταν πράττῃ
τὰ ἑαυτοῦ, λαβὼν ἐξουσίαν. Καὶ ὅρα · οὐκ ἀναβάλλεται,
5 ἀλλ' εὐθέως ἐπιτίθεται. Ἐντεῦθεν μανθάνομεν ὅτι κατὰ
συγχώρησιν γίνεται, ἅπερ ὁ Θεὸς ἐπιτρέπει τῷ διαβόλῳ,
ὅτι ἐκεῖνος αἰτεῖ καὶ ἐπιτρέχει τοῖς πειρασμοῖς, οὐ κελευό-
μενος, ἀλλ' ἐπιθυμῶν καὶ αἰτῶν τὸν Θεόν. Ὁρᾷς ὅτι ὁ
Θεὸς «οὐ πειράζει οὐδένα[n]» ἀλλ' ὅταν ἐκεῖνος ἐπιπηδήσῃ,
10 συγχωρεῖ τὰ μέν, τὰ δὲ οὔ. Εἰ δὲ λέγοι τις ἐπὶ τῶν
καταπιπτόντων · Τίνος ἕνεκεν συγχωρεῖ; Ἵνα ἐλεγχθῶσι
πολλάκις σχηματιζόμενοι καὶ ὑποκρινόμενοι · οἷον ἐπὶ τοῦ
Ἰούδα, συνεχώρησεν αὐτῷ ἐπιπηδῆσαι, ἵνα ἐλέγξῃ αὐτοῦ
τὴν κακίαν, ἐπὶ δὲ τοῦ Σίμωνος οὐκέτι, ἀλλ' ἐβοήθησεν ·
15 ὥστε καὶ συγχωρεῖ καὶ οὐ συγχωρεῖ ἐπὶ τῷ πεσεῖν καὶ
ἐλεγχθῆναι, καὶ συγχωρεῖ πάλιν ἐπὶ τῷ δοκιμασθῆναι, καὶ
οὐ συγχωρεῖ ἐπὶ τῷ μὴ καταπεσεῖν · διὸ καὶ κελευόμεθα

24 ζητῶ + ὥστε p
6, 1 παρὰ : ἀπὸ προσώπου p ‖ 10 οὔ + ἑκάστῳ πρὸς τὸ συμφέρον p ‖
10-11 εἰ δὲ — καταπιπτόντων > p ‖ 11 ἐλεγχθῶσι + οἱ p ‖ 12
ὑποκρινόμενοι καὶ σχηματιζόμενοι ~ p ‖ 15 οὐ συγχωρεῖ + συγχωρεῖ μὲν
p ‖ 17 συγχωρεῖ + πάλιν p

26-31 : ἐπειδὴ — λόγον (> 29-30 : οὐ — διατήρησον) yz

m. Job 2, 7 ‖ n. Jac. 1, 13

mourir. Je te demande de sauver sa vie; l'expression
«préserve» est plus forte que l'expression «ne touche pas».
Dans le cas présent, il effraye son adversaire, pour que, vu
sa grande puissance, il ne touche pas à la vie de Job. C'est
qu'en effet il était vraisemblable que le diable lui enverrait
une maladie telle qu'elle ferait périr son corps, et il aurait
pu dire : je n'ai pas touché à sa vie. C'est pourquoi il dit :
«Préserve-le». Je ne dis pas cela seulement : veille à ne pas
le toucher, mais aussi : «préserve-le» pour qu'il ne subisse
aucun dommage, je veux dire, en ce qui concerne sa vie.

Nouvelles épreuves de Job

6. *Le diable s'éloigna du Seigneur, et il frappa Job d'un ulcère
malin, des pieds jusqu'à la tête*[m]. A nouveau, il s'éloigne de
Dieu, chaque fois qu'il vaque à ses affaires, après en avoir
reçu l'autorisation. Note-le bien : il ne tergiverse pas, mais
il s'empresse de passer à l'action. Nous apprenons par là
qu'une autorisation règle ce que Dieu permet au diable,
que ce dernier réclame des tentations et se précipite dessus,
non pas sur l'ordre de Dieu, mais parce qu'il en est friand
et les lui réclame. Tu vois que «Dieu ne tente personne[n]»,
mais, chaque fois que le diable part à l'assaut, il lui permet
certaines choses et les autres, non. Et si l'on disait, à
propos de ceux qui tombent : Pourquoi le permet-il? C'est
pour qu'ils soient convaincus, en bien des cas, de feinte et
d'hypocrisie : par exemple, dans le cas de Judas, il lui a
permis de l'assaillir, pour le convaincre de perversité,
tandis qu'il ne l'y a pas autorisé dans le cas de Simon,
auquel, au contraire, il est venu en aide; ainsi, tantôt il
accorde, tantôt il refuse l'autorisation pour que l'homme
tombe et soit confondu; il l'accorde encore pour que
l'homme soit mis à l'épreuve; et, par contre, il la refuse
pour qu'il ne tombe pas; c'est pourquoi aussi nous sommes

εὔχεσθαι «μὴ εἰσενέγκῃς ἡμᾶς εἰς πειρασμόν, ὃν οὐ δυνάμεθα φέρειν°».

20 Ὅρα · πότε τὰ τῆς νόσου καὶ τῆς ἀρρωστίας αὐτῷ
συνέβη; Ὅτε τῶν θεραπευόντων ἐγένετο γυμνός · ἡ γὰρ
πενία χαλεπὸν μέν, καὶ ἐν ὑγιείᾳ · ὅταν δὲ καὶ ἀρρωστία
προσῇ πολλῶν δεομένη τῶν θεραπευόντων, ἀφορητότερον
γίνεται τὸ δεινόν. Ὅρα θυμὸν διαβολικόν · οὐδενὸς ἐφείσατο
25 μέρους · διέφθειρεν αὐτῷ τὴν σάρκα. Ὡς ἀθλητοῦ γενναίου
καὶ ἥρωος ἐν τῷ σώματι πυκτεύοντος τῷ δαίμονι τῷ
πονηρῷ, ὥσπερ ἂν εἴ τις τὰ ὅπλα ἅπαντα ἀφαιρεθείς,
γυμνῇ τῇ χειρὶ ἀναγκάζοιτο τύπτειν τοῦ ἀνταγωνιστοῦ τὴν
κεφαλήν, ἢ πληττόμενος μόνον νικᾶν, δεσμεῖ δὲ αὐτῷ τὰς
30 χεῖρας, ἐκλύειν τὸν ἀντίπαλον μέλλων. «Ἰδού, φησί, παραδίδωμί σοι αὐτὸν ἐν τῇ χειρί σου.» Οὐκ εἶπεν τὸ ἐξ
ἐναντίας μάχεσθαι, ἀλλὰ δεσμεύσας αὐτὸν «παραδίδωμι» ·
καὶ οὐδὲ οὕτω περιέση. Ὅρα πόση τῶν τοῦ Θεοῦ δούλων ἡ
δύναμις, ὁπόση τοῦ διαβόλου ἡ ἀσθένεια · οὐδὲ κατεχο-
35 μένων περιγίνεται τῶν δικαίων.

7. Ἴσως οὐ δοκεῖ σοι πονηρὸν εἶναι τὸ πάθος, ἐπειδὴ
ἕλκος ἤκουσας · ἀλλ᾽ ἄκουε τὴν ἐπαγωγήν. **Καὶ ἔλαβεν
Ἰὼβ ὄστρακον, ἵνα ἀποξέσῃ τὸν ἰχῶρα αὐτοῦ**ᴾ. Πῶς
ἄν τις ἐφίκοιτο τῷ λόγῳ τῆς συμφορᾶς ἐκείνης; Τί λέγω;
5 Οὐδὲ ὄψις αὐτὴν παραστῆσαι δυνήσεται · διὰ μόνης δὲ
πείρας ἔστιν αὐτὴν εἰδέναι καλῶς. Τίνος ἕνεκεν αὐτὸς
ἔξεεν; Ἔρημος ἦν, γυμνὸς τῶν θεραπευσόντων · ἦν γὰρ

20 ὅρα : καὶ ὅρα p ‖ 23 προσῇ + καὶ ἀρρωστία (bis) p ‖ 28-29 τὴν
κεφαλὴν τοῦ ἀνταγωνιστοῦ ~ p ‖ 29 πληττόμενος μόνον : πληττόμενον p ‖
30 φησί > p ‖ 32 μαχήσεσθαι p ‖ 33 οὕτω : οὕτως p ‖ περιέση + αὐτοῦ
φησίν p ‖ 34 δύναμις + καὶ p ‖ ὁπόση : πόση p
7, 5 δὲ + τῆς p ‖ 7 θεραπευσάντων p

6, 29-30 : δεσμεῖ — μέλλων ab(c legi difficile potest)

o. Matth. 6, 13 ‖ p. Job 2, 8

invités à prier : «Ne nous laisse pas succomber à la tentation que nous ne pouvons pas supporter[01].»

Remarque-le : quand est-il tombé malade et devenu infirme? Au moment où il fut privé de ses serviteurs : car la pauvreté est chose pénible, même quand on se porte bien; mais, lorsque, en plus, s'y ajoute une infirmité qui nécessite un grand nombre de serviteurs, le mal devient encore plus intolérable. Regarde la fureur du diable : il n'a épargné aucune partie du corps, il a détruit complètement sa chair. Comme s'il s'agissait d'un athlète de valeur[2] et d'un héros qui lutte dans son corps contre le démon pervers, comme quelqu'un qui, privé de toutes ses armes, en serait réduit à frapper à mains nues la tête de son antagoniste, ou à ne vaincre qu'en recevant des coups, Dieu lui lie les mains, au moment où il s'apprête à lâcher son adversaire. «Voici, dit Dieu, que je le livre en ton pouvoir.» Il n'a pas parlé d'un combat face à face, mais après l'avoir lié, (il a dit) : « Je te le livre», et pourtant, même ainsi, tu n'en viendras pas à bout. Vois quelle est la puissance des serviteurs de Dieu, quelle est la faiblesse du diable; il ne vient pas à bout des justes, même quand ils sont immobilisés.

7. Peut-être crois-tu que son affection est bénigne, puisque tu as entendu parler d'un ulcère; mais écoute la suite : *Et Job prit un tesson pour en râcler le pus*[p]. Comment pourrait-on, par la parole, exprimer ce malheur? Que dire? Même sa vue ne pourrait le faire saisir : seule, l'expérience permet de le bien connaître. Pourquoi se grattait-il lui-même? Il était seul, sans personne pour le servir; car cela

---

1. Sur l'appartenance au texte de *Matth.* 6, 13, des mots ὃν οὐ δυνάμεθα φέρειν, voir : SABATIER : *Bibliorum S.S. Latinae Versiones Antiquae,* T. III, p. 34, note au verset 13.

2. Il est possible que l'expression ἀθλητοῦ γενναίου soit empruntée à *IV Maccabées* 6, 10, livre que Chrysostome semble avoir particulièrement goûté. Cf. déjà I, **11**, 14. Voir M.-L. GUILLAUMIN, «Problèmes...», p. 69-76.

καὶ τοῦτο διαβολικῆς ἐνεργείας, βδελυκτὸν αὐτὸν πᾶσι
καταστῆσαι καὶ μισητόν. Τοὺς γὰρ μάλιστα ἀντέχεσθαι
10 μέλλοντας τῆς συμφορᾶς προανήρπασεν, τὴν δὲ παραμυθίαν
τὴν ὑπολειπομένην, τὴν γυναῖκα λέγω, οὐ μόνον οὐκ εἴασεν
ἀλλὰ καὶ ὥπλισεν κατ' αὐτοῦ. Τίνος δὲ ἕνεκεν οὐχὶ χερσὶν
οὐδὲ δακτύλοις ἀπέξεεν; Ὥστε μὴ τὴν θεραπείαν μείζονα
γενέσθαι ἀηδίας ὑπόθεσιν · ὁ δὲ αὐτὸς ἑαυτὸν θεραπεῦσαι
15 οὐκ ἀνεχόμενος, πῶς ἂν ἑτέρων ἔτυχεν; Αὐτὸς ἑαυτοῦ
δήμιος ἦν, οὐ διορύττων τὰς πλευράς, ἀλλὰ τὴν πηγά-
ζουσαν σηπεδόνα περικόπτων. Εἰ γὰρ καὶ τοὺς θερα-
πεύοντας εἶχεν, οὐκ ἐλεεινὸν τοῦτο · νῦν δέ, αὐτὸς ἑαυτὸν
ἐθεράπευεν. Κοινὸν προὔκειτο «θέατρονᵠ» πᾶσι τοῖς
20 ὁρῶσιν. Ἀπεδύσατο ὁ ἀθλητὴς καὶ ἐπάλαιεν. Τίνος ἂν
εἴημεν ἡμεῖς ἄξιοι, μηδὲ ἀκοῦσαι ταῦτα ἀνεχόμενοι; Πόσης
ταῦτα τιμωρίας οὐ χαλεπώτερα; Ἕκαστος ἀναλαβέτω τῇ
πείρᾳ τὸ πρᾶγμα, μὴ τῇ τῶν λόγων διηγήσει προσεχέτω
μόνον. Κατὰ μικρὸν ἑαυτὸν ἑώρα ἀναλούμενον αἰσχρῶς καὶ
25 βδελυκτῶς · ᾔδει γὰρ αὐτὸς ἑαυτόν, πῶς ἔφερεν. Ἀπελή-
λατο τῆς πόλεως · πόσον τὸ ὄνειδος · «Καὶ ἐπὶ τῆς
κοπρίας ἐκάθητο.»

8. Καὶ γὰρ καὶ αὐτός, φησίν, **ἐκάθητο ἐπὶ τῆς
κοπρίας ἔξω τῆς πόλεως**ʳ. Τίνος ἕνεκεν; Οὐκ ἂν
ἠνέσχοντο οἱ πολῖται θέαμα δεινὸν καὶ ἐλεεινόν, τέρας τι
παράδοξον ἰδεῖν. Εἶδες συμφορὰν ἐσχάτην; Εἶδες τὸν ἀδά-

8 ἐνεργείας + τὸ p ‖ 9-10 μέλλοντας ἀντέχεσθαι ~ p ‖ 10 τὴν
παραμυθίαν δὲ ~ p ‖ 11 εἴασεν : ἐκόλασεν p ‖ 13 μείζονος p ‖ 15 ἔτυχεν +
τῶν θεραπευόντων p ‖ αὐτὸς + γὰρ p ‖ 18 οὐκ > p ‖ ἐλεεινὸν : ἐλεεῖν p ‖ 19
ἐθεράπευεν + καὶ p ‖ 19-20 κοινὸν — ὁρῶσιν : καὶ κοινὸν προυκεῖτο πᾶσι
τοῖς ὁρῶσι τὸ θέατρον p ‖ 20 ἀπεδύσατο : ἀπεδήσατο p ‖ ἂν : οὖν p ‖ 23
πρᾶγμα + καὶ p ‖ 24 ἑώρα ἑαυτὸν ~ p ‖ ἀνηλούμενον LM ‖ 25 ᾔδει : ἰδεῖν
p

8, 1 καὶ γὰρ > p ‖ φησίν > p ‖ 3 ἐλεεινὸν + καὶ p

7, 12-17 : τίνος — περικόπτων abc, yχ

aussi était le résultat de l'activité du diable, de le rendre répugnant et odieux à tout le monde. Ceux qui, en effet, devaient s'opposer le plus à son malheur, ont été supprimés d'avance par le diable, et la seule consolation qui lui restait, je veux parler de sa femme, non seulement il ne l'a pas laissé (consoler son mari), mais encore il l'a armée contre lui. Pourquoi, d'autre part, ne se servait-il pas de ses mains et de ses doigts pour se râcler ? Pour éviter que ses soins ne deviennent l'occasion d'un plus grand dégoût ; quand il ne pouvait supporter de se soigner lui-même, comment aurait-il pu trouver d'autres personnes pour le faire ? Il était à lui-même son propre bourreau, non pas en se perçant les flancs, mais en grattant son abcès purulent. Car s'il avait eu encore ses serviteurs, cette scène ne provoquerait pas la pitié ; mais, en fait, c'est lui-même qui se soignait. Il était exposé «comme un spectacle[q]» public, à tous les regards. L'athlète s'est dévêtu et il s'est mis à lutter. Que mériterions-nous donc, nous qui ne supportons même pas d'écouter ce récit ? Quel châtiment y a-t-il de plus pénible que celui-là ? Que chacun fasse un retour sur son expérience pour comprendre la chose, sans se contenter de s'attacher aux paroles du récit. A petit feu, il se voyait périr de façon honteuse et répugnante : car il savait comment il se supportait lui-même. Il avait été chassé hors de sa cité. Quel opprobre ! «Et il était assis sur du fumier !»

8. Et, en effet, *lui-même,* dit le texte, *était assis sur du fumier, en dehors de la ville[r].* Pourquoi ? C'est que ses concitoyens n'auraient pas supporté de voir ce spectacle terrible et pitoyable, une espèce de monstre à l'aspect étrange. As-tu vu que le malheur est à son comble ? As-tu

q. Cf. I Cor. 4, 9 ‖ r. Job 2, 8

5 μαντα; Εἶδες τὸν σιδηροῦν ἄνθρωπον; Τίνος ἕνεκεν οὐκ ἐν
οἰκίσκῳ καθεῖρξεν ἑαυτόν, ἀλλ᾽ αἴθριος ἦν, τοῖς ἁπάντων
προκείμενος ὀφθαλμοῖς; Ἐμοὶ δοκεῖ, ὥστε ἐλεεινότερος
γενέσθαι.

Ἐπὶ τούτῳ εἰπεῖν ἦν · «Ὅσῳ ὁ ἔξω ἄνθρωπος διαφθεί-
10 ρεται, τοσούτῳ ὁ ἔσω ἀνακαινοῦται[s].» Ὅσοι μέγα φρο-
νοῦσιν ἐπὶ σώματος ὥρᾳ ἀναλογιζέσθωσαν αὐτοῦ τὴν
φύσιν. Ἰχὼρ ἦν καὶ σκωλήκων τροφὴ καὶ τράπεζα. Εἴ
τινες ἐπὶ δυσωδίᾳ καὶ κολοβώσει καταδύονται, τὸν ἥρωα
τοῦτον λογιζέσθωσαν. Τί τούτου δυσωδέστερον; Τί δὲ
15 εἰδεχθέστερον; Τί δὲ μᾶλλον βδελυκτόν; Ἀλλ᾽ οὐδὲν ἦν
τῆς ψυχῆς αὐτοῦ εὐωδέστερον. Ἐσήπετο τοῦ σώματος ἡ
φύσις, ἡ δὲ ψυχὴ διέμεινεν ἄφθορος. Τίνος δὲ ἕνεκεν ἐπὶ
κοπρίας ἐκάθητο; Ὥστε τὰ καταπίπτοντα συγκαλύψαι τῇ
θημωνίᾳ. Τίνος δὲ ἕνεκεν αἴθριος; Ὥστε εἶναί τινα παρα-
20 μυθίαν αὐτῷ. Εἰ γὰρ ἐν οἰκίσκῳ κατέκλεισεν ἑαυτόν, καὶ
αὐτὸν τὸν ἀέρα τοῦ οἴκου βραχὺν ὄντα διέφθειρεν, καὶ
ἀπέπνιξεν ἂν ἑαυτὸν τῇ δυσωδίᾳ. Βέλτιον οὖν ἐνόμισεν
εἶναι τὴν ἀπὸ τῆς αἰθρίας ταλαιπωρίαν φέρειν ἢ στέγῃ
καλυπτόμενον τὰς ταλαιπωρίας ὑπομένειν τὰς ἀπὸ τοῦ
25 διαφθειρομένου ἀέρος · ἄλλως δέ, ἐμοὶ δοκεῖ ὅτι οὐδὲν
ἔπασχεν ἀνθρωπίνων. Οἷον ἂν εἴ τις ἔγνω Θεοῦ παιδείαν τὸ
πρᾶγμα οὖσαν, οὐκ ἐπῃσχύνετο οὐδὲ ἠρυθρία, ἀλλὰ πᾶσιν
ἑαυτὸν ἐξεπόμπευεν.

9 εἰπεῖν + ἄξιον p ‖ 12 ἦν + αὐτοῦ τὸ σῶμα p ‖ 12-13 εἴ τινες : οἵτινες p
‖ 15 βδελυκτόν : βδελυκτότερον p ‖ 17 τίνος δὲ ἕνεκεν : καὶ ἄλλως δὲ p ‖
18-19 ὥστε — θημωνίᾳ > p ‖ 24 καλυπτόμενος p ‖ 25 ὅτι > p ‖ 26 θεοῦ
ἔγνω ~ p ‖ 27 ἐρυθρίᾳ p

8, 17-22 : τίνος — τῇ δυσωδίᾳ (> 19-21 : ὥστε — διέφθειρεν) abc yχ

s. II Cor. 4, 16

1. L'épithète ἀδάμας, déjà en I, 21, 8, revient ailleurs dans l'œuvre de
Chrysostome; cf. Lettres à Olympias, s.v. ἀδάμας SC 13 bis; homélie : Cum

vu cet homme d'acier[1], cet homme de fer? Pourquoi ne s'est-il pas enfermé dans sa chambre, mais se tenait-il à l'air libre, exposé à tous les yeux? A mon avis, c'était pour exciter davantage la pitié.

C'est à son propos qu'on pourrait dire : «Plus l'homme extérieur est anéanti, plus l'homme intérieur se renouvelle[s].» Que tous ceux qui s'enorgueillissent de la beauté de leur corps, réfléchissent à sa nature[2]. Son corps était du pus servant de nourriture et d'aliment aux vers. Si une odeur fétide et une mutilation poussent certaines personnes à se cacher, qu'elles songent à ce héros. Quoi de plus nauséabond que lui? Quoi de plus hideux? Quoi de plus repoussant? Mais rien n'embaumait plus que son âme. Sa nature corporelle se dissolvait, mais son âme demeurait incorruptible. Pourquoi était-il assis sur du fumier? Pour dissimuler dans le tas d'immondices ce qui tombait. Pourquoi se tenait-il en plein air? Pour avoir quelque soulagement. En effet, s'il s'était enfermé dans une chambre, l'air même de la pièce, qui était rare, en aurait été vicié, et il aurait été lui-même suffoqué par sa mauvaise odeur. Il a donc pensé qu'il valait mieux supporter la gêne causée par l'exposition en plein air que d'endurer, en se mettant à l'abri d'un toit, les désagréments provoqués par un air vicié. D'ailleurs, je crois que sa souffrance n'avait rien d'humain : comme quelqu'un qui comprenait que c'était Dieu qui enseignait dans cette affaire, il n'éprouvait pas de honte et ne rougissait pas, mais il s'exposait à la risée de tous.

Saturninus et Aurelianus, PG 52, 418, l. 5; *Homélie 15, in Matth.*, PG 57, 230, l. 22, etc.

2. La beauté périssable du corps humain est un lieu commun sur lequel Chrysostome revient volontiers. Voir *PG* 51, 42, l. 4 *a.i.*; *PG* 57, 403, l. 4; *PG* 47, 297, l. 14; etc.

9. Χρόνου δὲ πολλοῦ προσβεβηκότος εἶπεν τῷ Ἰὼβ
ἡ γυνὴ αὐτοῦ · Μέχρι τίνος καρτερήσεις, λέγων ·
Ἰδοὺ ἀναμένω χρόνον ἔτι μικρόν, προσδεχόμενος τὴν
ἐλπίδα τῆς σωτηρίας μου[t]; Τὸ πάντων μηχανημάτων
5 προλαβόντων ἰσχυρότερον ὕστερον ὁ διάβολος προσάγει.
Εἴθε καὶ ταύτην ἔλαβες, εἴθε μετὰ τῶν παίδων κατέχωσας.
Τινὲς δέ φασιν οὐδὲ τῆς γυναικὸς εἶναι τὰ ῥήματα, ἀλλ᾽
αὐτόν, εἰς αὐτὴν τυπωθέντα, ταυτὶ φθέγγεσθαι · οὐδὲ γὰρ
ἦν τὴν γυναῖκα τοῦ Ἰὼβ τοιαύτην εἶναι, πλὴν εἴ τις λέγοι
10 τῇ συμφορᾷ περιτραπεῖσαν τοιαύτην γεγενῆσθαι.

«Χρόνου δέ, φησί, πολλοῦ προβεβηκότος...» Ὅρα πῶς
καταρρητορεύει, πολλὰ ἔχουσα πιθανὰ πρὸς τὸ πεῖσαι, τὸν
χρόνον μετὰ τῶν ἄλλων ἁπάντων · οὐ γὰρ μία καὶ δύο καὶ
τρεῖς ἡμέραι, ἀλλὰ πολλοὶ διῆλθον μῆνες. «Μέχρι τίνος,
15 φησί, καρτερήσεις, λέγων...» Ἃ παρὰ τῶν ἄλλων αὐτὸν
ἀκούειν ἐχρῆν, ταῦτα αὐτὴ αὐτῷ παραινοῦσα οὐκ ἐπαύετο ·
ἀπὸ γὰρ τούτων τῶν ῥημάτων, εἰκὸς οὐ ταύτην πρώτην
γεγενῆσθαι τὴν συμβουλήν, ἀλλὰ πολλάκις πολλὰ τούτων
ἀκοῦσαι χαλεπώτερα παρὰ τῆς γυναικός.

20 Ὅρα διαβολικὴν ἀπάτην · ἐνενόησεν τὴν Εὔαν. Τοῦτο,
φησί, τὸν πρῶτον κατήνεγκεν ἄνθρωπον, τοῦτο τούτου
περιγενέσθαι δυνήσεται · ἀλλ᾽, ὦ ἄθλιε καὶ ἀνόητε, ἐκεῖνον
ἥττονα γαστρὸς εὑροῦσα, τὸν ἰὸν ἐνέσπειρε τὸν ἑαυτῆς.

9, 4 τὸ > p ‖ πάντων + τῶν p ‖ 4-5 προλαβόντων μηχανημάτων ~ p ‖
6 κατέχωσας (Mᵖᶜ pabc) : κατέχωσα L ‖ 8 ταυτὶ : ταύτη p ταῦτα abc ‖ 11
φησί > p ‖ 12 πολλὰ : πολλὴν (sic) p ‖ 16 ἀκοῦσαι p ‖ 21 τοῦτο + καὶ p

9, 4-10 : τὸ πάντων — γεγενῆσθαι abc, yχ ‖ 17-29 : εἰκὸς — χειρώσασθαι abc yχ

t. Job 2, 9

1. On sait que Gallandi a retiré des chaînes sur le *Livre de Job* toute
une série de petits extraits attribués à Origène. On les trouve réunis dans
Migne, *PG* 17, 58-106. On comprendra la prudence avec laquelle on
doit accepter ces attributions, en remarquant que les extraits que l'on
trouve sous *Job* 2, 9 (*PG* 17, 60-61, nᵒˢ 14-17) sont des passages tirés de
notre Commentaire II, **9,** 37-55; 1-29; 56-58; **12,** 8-30. Ils doivent donc

La perversité de la femme de Job

9. *Quand bien du temps se fut écoulé, la femme de Job lui dit : Jusques à quand résisteras-tu en disant : voici que je tiens encore un peu, en attendant l'espoir de ma délivrance*[t]*?* De toutes les ruses qui ont précédé, c'est la plus forte que le diable introduit en dernier lieu. Ah! Si seulement tu lui avais pris cette femme, si seulement tu l'avais ensevelie avec ses enfants! Certains prétendent, là encore, que ce n'est pas la femme qui prononce ces paroles, mais le diable qui le fait sous son déguisement; il n'était pas possible, en effet, que la femme de Job fût ainsi, à moins de dire que c'est le malheur qui l'a retournée et rendue telle[1].

«Quand bien du temps se fut écoulé...», dit le texte. Vois comment elle essaye d'en venir à bout par son éloquence. Elle possède, en effet, bien des arguments pour le convaincre : la durée en plus de tout le reste, car il ne s'est pas écoulé un, deux, ou trois jours, mais un grand nombre de mois. «Jusques à quand, dit-elle, résisteras-tu, en disant...» Les paroles qu'il lui fallait entendre des autres, elle ne cessait de les lui adresser; car, à en juger par ce qu'elle vient de dire, il est probable que ce conseil n'était pas le premier, mais qu'il avait dû en entendre souvent, de la bouche de sa femme, de plus pénibles que celui-là.

L'Ève tentatrice   Note une ruse diabolique : il a songé à Ève[2]. Voilà, dit-il, ce qui a fait tomber le premier homme, voilà ce qui pourra venir à bout de Job. Mais, pauvre sot, c'est parce qu'elle a trouvé Adam incapable de dominer sa gourmandise qu'elle a pu

être restitués à Chrysostome. Il en est de même de l'extrait n° 94 (*Job* 23, 2), *PG* 17, 87, que l'on retrouve en XXIII, **1,** 6-13 de notre texte grec.

2. Chrysostome reviendra encore en II, **12,** 34-35 sur ce rapprochement fait par le diable entre Ève et la femme de Job.

Τοῦτον δὲ ὁρᾷς φιλοσοφοῦντα καὶ αὐτῆς περιγενόμενον
25 τῆς φύσεως. Οὐκ ἐπέκαμψεν αὐτὸν χρημάτων ἀπώλεια,
οὐδὲ παίδων θάνατος ἄωρος, οὐδὲ βάσανος σώματος ἀπαραμύθητος, οὐδὲ χρόνου μῆκος τοσοῦτον · καὶ τὸν ὑπὸ
πραγμάτων οὐκ ἁλόντα, τοῦτον ὑπὸ λόγων προσδοκᾷς
χειρώσασθαι; Ναί, φησί, πολλοὶ γὰρ πολλάκις πρὸς μὲν
30 πραγμάτων ἔστησαν πεῖραν, ὑπὸ δὲ τῶν λόγων ἡττήθησαν,
καὶ μάλιστα ὅταν παρὰ γυναικὸς ᾖ τὰ λεγόμενα. Οὐκ ἔστιν
εἰπεῖν ὅτι φθονοῦσα καὶ βασκαίνουσα ταῦτα λέγει, γυνὴ
γάρ ἐστιν. Ἀπ᾽ αὐτῶν σοι διαλέγεται τῶν πραγμάτων.
Ἀνύποπτος ἡ συμβουλή · βοηθός ἐστιν · εἰς τοῦτο ἐδόθη
35 τῷ ἀνδρί. Ναί, ἀλλὰ καὶ ἡ προτέρα τοιαύτη ἦν. « Γυναικὶ
δὲ διδάσκειν, φησίν, οὐκ ἐπιτρέπω οὐδὲ αὐθεντεῖν τοῦ
ἀνδρός[u].» Τοῦτο οὐκ εἴασεν γενέσθαι ὁ Ἰώβ. Καὶ ὅρα τὸ
κακοῦργον · ὅτε πολὺς διῆλθεν ὁ χρόνος, τότε ἐπιτίθεται ·
τότε γὰρ μάλιστα τὰ τῆς ἐλπίδος ἐλέγχεται, τότε γὰρ
40 μάλιστα τὰ τῆς δυνάμεως ἐξασθενεῖ. Διπλᾶ τὰ τῆς ἀσθενείας ἦν, τῷ τε τὸν φέροντα ἀσθενέστερον γενέσθαι τῷ
μήκει τοῦ χρόνου, καὶ τῷ τὴν ἐλπίδα ἀπογνωσθῆναι
μᾶλλον. Ὁρᾷς ὅτι πρὸ τούτου οὐδὲ παρρησίαν εἶχε
τοσαύτην; Οὕτως αὐτὴν ἐπαίδευσεν ὁ Ἰώβ. Τὸ πρόσωπον
45 συμπαθούσης ἦν, τὰ ῥήματα ὠμὰ καὶ ἀπάνθρωπα · ἡ
προαίρεσις καὶ ἡ διάθεσις συναλγούσης, ἀλλ᾽ ἡ συμβουλὴ

27 τὸν : τῶν L ‖ 28 ὑπὸ λόγων : διὰ ῥημάτων p ‖ 31 οὐκ : οὐ γὰρ p ‖ 36
φησίν + ὁ παῦλος p ‖ 38 κακοῦργον + τοῦ διαβόλου p ‖ ὁ > p ‖ 39 τότε[1]
— ἐλέγχεται (abcyz) > LMp ‖ 40 ἐξασθενεῖ + καὶ p ‖ 44 ὁ > p ‖ ἰὼβ +
καὶ p ‖ τὸ + μὲν p ‖ 45-46 τὰ ῥήματα — προαίρεσις > p

37-43 : καὶ ὅρα — μᾶλλον abc yz

u. I Tim. 2, 12

1. Sur la femme, aide de l'homme, voir *hom. 15 sur la Genèse*,
PG 53, 119-121.
2. Cette attaque de la femme de Job, au moment le plus inopportun,
est à rapprocher de *In Epist. I ad. Cor. hom. 28*, PG 61, 237-238.
3. Le terme παρρησία a ici une nuance péjorative. Ce sens, assez rare,
est cependant bien attesté. Voir LAMPE, p. 1044, s.v. Παρρησία.

répandre en lui son propre venin. Tu vois que Job, au contraire, est un sage et triomphe même de sa nature. Il n'a fléchi ni devant la perte de ses biens, ni devant la mort prématurée de ses enfants, ni devant la souffrance physique inexorable, ni devant la durée si longue de l'épreuve. Et celui que les événements n'ont pas réussi à dompter, c'est lui que tu penses réduire par des paroles ? Oui, réplique-t-il, car souvent, bien des gens ont résisté à l'épreuve des événements, alors que des paroles en sont venues à bout, surtout quand ces paroles venaient d'une femme. On ne saurait dire : c'est l'envie et la jalousie qui lui dictent ces propos, car c'est une femme. Ce sont les événements eux-mêmes qui inspirent son entretien avec toi. Son conseil n'est pas suspect : il apporte une aide : c'est pour cela que la femme a été donnée à l'homme[1]. Oui, mais il en était aussi de même de la première femme. « Je ne permets pas à la femme », dit Paul, « d'enseigner ni de faire la loi à l'homme[u]. » Cela, Job ne l'a pas accepté. Et regarde la perversité de cette femme. Elle laisse s'écouler beaucoup de temps avant de passer à l'attaque[2] ; car c'est alors surtout qu'on rejette les raisons d'espérer, c'est alors surtout que les forces de résistance sont complètement épuisées. Et sa faiblesse était deux fois plus grande, car non seulement le patient s'était affaibli en raison de la longueur de l'épreuve, mais aussi parce qu'il avait renoncé davantage à l'espoir. Remarques-tu qu'auparavant elle n'avait pas du tout une telle liberté de langage[3] ? Tellement Job l'avait bien formée[4] ! Et si son visage exprimait la sympathie, ses paroles étaient dures et inhumaines ; et si ses sentiments et ses dispositions étaient ceux d'une femme compatissante, ses conseils, eux, étaient ceux d'une femme

4. « Tellement Job avait bien formé sa femme » serait à rapprocher de : In Epist. I ad Cor. hom. 28, PG 61, 238, l. 4 a.i.

κατὰ κρημνῶν ἐνεγκεῖν βουλομένης. Μὴ τοῦτο ἴδωμεν,
ποίῳ ταῦτα λέγει σκοπῷ, ἀλλὰ τί κατασκευάσαι βούλεται.
Οὐδὲ γάρ, εἴ τις ξίφος μοι καὶ δηλητήριον ἐπεδίδου
50 φάρμακον, τὴν προαίρεσιν ἂν ἐξήτασα, φανερᾶς οὔσης τῆς
βλάβης. Μὴ τοῦτο τοίνυν ἴδωμεν ὅτι γυνή, ἀλλὰ τί
συμβουλεύει. Τοῦτο καὶ τοῖς νῦν ἀνθρώποις παραινῶ, μὴ
πρὸς τὸ τῶν ἀνθρώπων ἀξίωμα βλέπειν, ἀλλὰ πρὸς τὸν
τρόπον τῆς συμβουλῆς. Γυνή ἐστιν, ἵνα βοηθῇ, οὐχ ἵνα
55 ὑποσκελίζῃ.

«Μέχρι τίνος καρτερήσεις, φησίν, λέγων...» Τί τὸν
ἀθλητὴν ἐκλύεις; Τί καταστέλλεις τὰς χεῖρας; Δέον εἰπεῖν
κατὰ τὸν Ἀπόστολον · «Ἔτι μικρόν[v]...» Ταῦτα ἔλεγεν ὁ
Ἰὼβ ἴσως πρὸς ἐγκαλοῦντας, ἀπολογούμενος ὑπὲρ τοῦ
60 Θεοῦ καὶ εἰδὼς τὰς βασάνους τέλος ἐχούσας, καὶ προσεδόκα μεταβολήν, ὃ πολλῆς πίστεως ἦν καὶ γενναίας
ἐλπίδος · ἤδει τοῦ Θεοῦ τὸ φιλάνθρωπον. < Ἐπειδὴ γὰρ
ἑώρα μᾶλλον ἑτέρους ἀλγοῦντας, ἢ τὸν παθόντα αὐτόν,
παρεμυθεῖτο τὴν ἐκείνων ἀσθένειαν · > ἀλλὰ ταύτην αὐτὸν
65 ἀφαιρεῖται τὴν παραμυθίαν, καὶ εἴ τις ταῦτα ἔλεγεν τὰ
ῥήματα, ἀποτειχίζων αὐτῷ τὴν συμβουλήν. [...]

10. Καὶ φησίν · **Ἰδοὺ γὰρ ἠφάνισται τὸ μνημόσυνόν
σου ἀπὸ τῆς γῆς, οἱ υἱοί σου καὶ αἱ θυγατέρες, τῆς
ἐμῆς κοιλίας ὠδῖνες καὶ πόνοι, οὓς εἰς τὸ κενὸν
ἐκοπίασα μετὰ μόχθων[w].** Ὅρα κακοῦργον καὶ πολυμή-
5 χανον γύναιον · οὐ μέμνηται τῶν χρημάτων · οὐκ ἄγει εἰς
μέσον τῶν θρεμμάτων τὴν ἀπώλειαν, ἀλλ' ὃ μάλιστα αὐτοῦ
καθάψασθαι δυνατὸν ἦν τοῦτο πρῶτον · ἤδει μεγαλόψυχον

47 μὴ + γὰρ p ‖ 49 οὐδὲ : οὐ p ‖ 54 γυνή + γὰρ p ‖ 56 λέγων
(Mpabcyz) (cf. l. 14-15) : λέγουσα L ‖ 58 ταῦτα + γὰρ p ‖ 59 πρὸς + τούς .
p

10, 1 καὶ φησίν > p

51-55 : μὴ τοῦτο — ὑποσκελίζῃ abc, yz ‖ 56-58 : τί τὸν ἀθλητὴν —
μικρόν (κατὰ τὸν ἀπόστολον > yz) abc, yz

10, 5-8 : οὐ μέμνηται — ὄντα abc, yz

v. Jn 16, 16; Hébr. 11, 37 ‖ w. Job 2, 9

qui voulait le pousser dans l'abîme. Donc, ne regardons pas dans quel but elle dit cela, mais ce qu'elle veut machiner. En effet, si l'on me menaçait d'un poignard et d'un poison violent, je ne chercherais pas quelle est l'intention, car le désir de nuire est évident. Ne considérons donc pas qu'il s'agit d'une femme, mais ce qu'elle conseille. J'engage aussi nos gens d'aujourd'hui à ne pas considérer la dignité des personnes, mais le caractère du conseil. Elle est femme, pour venir en aide et non pour faire trébucher.

« Jusques à quand, dit-elle, résisteras-tu, en disant...» Pourquoi affaiblis-tu l'athlète? Pourquoi lui fais-tu mettre bas les mains? Alors qu'il faudrait dire comme l'Apôtre : «Encore un peu de temps^v...» Voilà ce que disait peut-être Job à des gens qui accusaient (Dieu), en prenant sa défense, et sachant que les épreuves ont une fin. Il s'attendait à un changement, ce qui était le signe d'une foi profonde et d'une noble espérance; il connaissait la bonté de Dieu. < Comme Job, en effet, considérait plus la douleur des autres que sa propre souffrance, il consolait leur faiblesse[1]. > Mais elle cherche à lui enlever cette consolation, même si quelqu'un d'autre lui disait ces paroles pour le fortifier de son conseil [...].

10. Et elle ajoute : *Voici donc que ton souvenir est rayé de la terre, tes fils et tes filles, souffrances et douleurs de mes entrailles, eux que j'ai engendrés en vain dans la fatigue et les peines*^w. Regarde la mégère perverse et rusée : elle n'évoque pas le souvenir des richesses; elle ne fait pas intervenir la perte des bestiaux, mais en premier lieu ce qui pouvait le plus le toucher; elle savait que Job était généreux, et qu'il

---

1. Ici encore nous avons dû déplacer la phrase Ἐπειδή... ἀσθένειαν pour redonner sa cohérence au commentaire. On retrouvera la même idée dans *In Matth. hom. 38, PG* 57, 396, l. 6.

ὄντα, καὶ οὐδὲν ἡγούμενον τὴν ἐκείνων ἀπώλειαν. Ἵνα οὖν
μὴ τὸ πάθος ἀσθενέστερον ποιήσῃ, ἀλλὰ διεγείρῃ τὴν
10 τραγῳδίαν, τὸ πάντων ἀφορητότερον καὶ ὑπὲρ οὗ μάλιστα
ἤλγησεν, καὶ ὃ μάλιστα αὐτὸν ἔδακνεν, τοῦτο τίθησι· καὶ
ὅρα πῶς περιπαθῶς, πῶς ἐλεεινῶς. «Ἰδοὺ γάρ, φησίν,
ἠφάνισταί σου τὸ μνημόσυνον.» Μόνον οὐχὶ δεικνύουσα
πάλιν τὴν συμφοράν, καὶ τὰ λήθῃ παραδοθέντα ἀνανεοῦσα
15 τῇ μνήμῃ, οὐ λέγει τὰ παρόντα, ἀλλὰ καὶ τὰ παρελθόντα,
ὥστε πολλὴν ἐργάσασθαι σύγχυσιν ἐν τῷ λογισμῷ· μετὰ
τῆς αὐτῆς ἐπιβουλῆς ἧς αὐτῷ προσῆλθεν ὁ διάβολος, μετὰ
τῆς αὐτῆς καὶ αὐτὴ τὴν συμβουλὴν ἐπάγει, τῇ μνήμῃ τῶν
παίδων αὐτὸν θορυβήσασα καὶ προσδοκήσασα ταύτῃ τρέ-
20 ψειν τὸν λογισμόν.

Εἶτα οὕτω τὸ κεφάλαιον αἴρει τῶν κακῶν. Οὐκ εἶπεν
ἐτελεύτησαν, ὃ κοινὸν τῆς ἁπάντων ἀνθρώπων συμφορᾶς
ἐστιν ὄνομα, οὐκ εἶπεν τὴν συνήθη προσηγορίαν, ἀλλὰ τί;
«Ἠφάνισταί σου τὸ μνημόσυνον.» Ἐμοὶ δοκεῖ, καὶ τὸ τῆς
25 συμφορᾶς ὠμὸν παραστῆσαι βουλομένη ταῦτα εἶπεν. Ὁ δὲ
λέγει τοιοῦτόν ἐστιν· Ποίαν προσδοκᾷς ἔσεσθαι μεταβολήν;
Μὴ τοὺς ἀπελθόντας ἐπανελθεῖν ἔνι λοιπόν, μὴ τοὺς ἀφα-
νισθέντας ζωοποιηθῆναι; Τὰ γὰρ παιδία καὶ διὰ τοῦτο
μάλιστα ποθεινά, ἐπειδὴ τὴν μνήμην ἡμῖν ἀθάνατον
30 καταλιμπάνει· καὶ τούτου μάλιστα ἄνθρωποι πάντες
ἐφίενται, ὥστε μνημόσυνον καταλείπειν. Προσαπόλωλας,
φησί, καὶ αὐτὸς διὰ τῶν ἐκγόνων· ἄγονος, ἄπαις,
πρόρριζος ἀνεσπάσθης. Καὶ ὅρα πῶς μεμετρημένως
ποιεῖται τὴν ὀλεθρίαν συμβουλήν, ὥστε μὴ εἰς ὀργὴν
35 κινῆσαι, ἀλλ᾽ εἰς ἔλεον κατακλάσαι. Οὐκ εἶπεν· Ὁ Θεὸς

---

8 ὄντα + τὸν δικαιὸν p ‖ 15 οὐ : καὶ οὐδὲ p ‖ 16 λογισμῷ + ἀλλὰ p ‖ 21
εἶτα οὕτως ἐπὶ τὸ κεφάλαιον ἔρχεται πάντων τῶν κακῶν p ‖ οὐκ : οὐ γὰρ p ‖
22 ὃ : ὅπερ p ‖ 23-25 ἔστιν — συμφορᾶς > p ‖ 26 ἔσεσθαι : ἔπεσθαί σοι p ‖
29 ποθεινά + ἡμῖν ἐστιν p ‖ 31 καταλιπεῖν L ‖ 32 καὶ αὐτός, φησί ~ p ‖
ἄγονος (pabcyz) : ἀπόγονος LM ‖ 34 ὀλεθρίαν + ταύτην p

26-27 : ποίαν — λοιπόν abc yz ‖ 32-33 : ἄγονος — ἀνεσπάσθης abc yz

comptait leur perte pour rien. Donc, pour ne pas atténuer
la souffrance, et pour réveiller le drame, elle met en avant
ce qui lui est le plus insupportable de tout, ce qui l'a fait le
plus souffrir, et ce qui le rongeait le plus profondément. Et
remarque sur quel ton bouleversé et apitoyé elle le fait :
« Voici donc, dit-elle, que ton souvenir est rayé. » Peu s'en
faut qu'elle ne montre à nouveau le malheur, et ne
renouvelle le souvenir des événements qu'il avait confiés à
l'oubli ; elle ne parle pas du présent, mais encore du passé,
au point de créer une grande confusion dans son raisonnement ; et c'est avec la même ruse, dont le diable avait fait
preuve en l'abordant, qu'elle aussi introduit son conseil, en
le troublant par le souvenir de ses enfants, et en espérant
ainsi modifier ses pensées.

Puis voici comment elle souligne le principal de ses
malheurs. Elle n'a pas dit : « ils sont morts », ce qui est
l'expression courante pour désigner un malheur commun à
tous les hommes, elle ne s'est pas servie de l'expression
habituelle ; mais qu'a-t-elle dit ? « Ton souvenir est rayé. » A
mon avis, elle veut faire encore saisir la cruauté du malheur
en s'exprimant ainsi. Voici ce qu'elle veut dire : quel
changement espères-tu voir se produire ? Est-il possible
que les morts reviennent désormais, que les disparus soient
rendus à la vie ? Si nous désirons des enfants, en effet, c'est
surtout parce qu'ils prolongent notre souvenir de façon
impérissable[1]. Et c'est bien là surtout ce que les hommes
recherchent : laisser après eux un souvenir. C'est toi-même
qui es mort, dit-elle, en perdant tes enfants : sans progéni-
ture, sans enfants, tu as été déraciné. Et remarque avec
quelle mesure elle donne ce funeste conseil, pour ne pas le
pousser à la colère, mais l'incliner à la pitié. Elle n'a pas

---

[1]. Même idée, et dans les mêmes termes, dans *In Epist. I ad Cor.
hom.* 28, *PG* 61, 237, l. 3 *a.i.*

αὐτοὺς ἔλαβεν καὶ ἀπώλεσεν, ἀλλὰ μέσῳ κέχρηται ὀνόματι.
«Οἱ υἱοί σου καὶ αἱ θυγατέρες», φησί· τῆς φύσεως
ἑκατέρας ἐμνήσθη. Εἶτα τὸ περιπαθές· «Τῆς ἐμῆς κοιλίας
φησίν, ὠδῖνες καὶ πόνοι.» Ἑκατέρα ἡ φύσις εὐθηνουμένης
40 μητρὸς ῥήματα, φιλοστόργου· τὰ σαυτοῦ μεγαλοψύχως
φέρεις, φησίν· ἐλέησον τὴν ἐμὴν ζημίαν. Ἐπειδὴ ἐκ
τῶν εἰς αὐτὸν συμβάντων οὐ προσεδόκησεν αὐτὸν ἐπι-
κάμψειν, τὸ ἑαυτῆς περιπαθέστερον διηγεῖται· «Τῆς ἐμῆς
κοιλίας ὠδῖνες καὶ πόνοι...»· ὠδῖνες τοῦ τόκου, πόνοι
45 τῆς ἀνατροφῆς. Ἐγώ εἰμι ἡ πάντων ἐλεεινότερα παθοῦσα.
«Οὓς εἰς τὸ κενὸν ἐκοπίασα μετὰ μόχθων.»
Ὅρα πῶς ἄκαιρον τὸ ἐπιτάφιον τῶν παίδων. Ταῦτα δὲ
λέγει, ἵνα δείξῃ καὶ αὐτὴν κοινωνοῦσαν τῆς συμφορᾶς· τὸν
γὰρ μέλλοντα συμβουλεύειν καὶ παραινεῖν τῷ πάσχοντι
50 κακῶς, οὐκ ἀναγκαῖον ἔξω τῶν δεινῶν ἑστάναι, ἐπεὶ
ἀπίθανος ἔσται σύμβουλος, ἐν ἀλλοτρίοις κακοῖς φιλοσοφῶν,
ἐπεὶ ὕποπτος ἔσται παραινῶν. Ἐπειδὴ γὰρ ἔμελλεν αὐτῷ
συμβουλεύειν ἀποθνήσκειν, ἵνα μὴ δόξῃ ἀπὸ ἔχθρας ταῦτα
λέγειν, δείκνυσιν ἑαυτὴν δεινότερα πεπονθυῖαν, καὶ ἐπαίρει
55 τῷ λόγῳ τὴν συμφοράν.

11. **Σὺ δὲ αὐτός**, φησίν, **ἐν σαπρίᾳ σκωλήκων
κάθησαι, διανυκτερεύων αἴθριος, κἀγὼ πλανῆτις καὶ
λάτρις**[x]. Ὅρα πῶς πλέκει τὰ ἑαυτῆς τοῖς ἐκείνου, «Ἰδοὺ
γὰρ ἠφάνισταί σου τὸ μνημόσυνον.» Τοῦτο γὰρ τοῦ ἀνδρός.
5 «Τῆς ἐμῆς κοιλίας ὠδῖνες καὶ πόνοι.» Τοῦτο τῆς γυναικός.

38-39 τὸ περιπαθές φησι· τῆς ἐμῆς κοιλίας ∼ p ‖ 41 ἐπειδὴ + γὰρ p ‖
43 διηγεῖται + λέγουσα p ‖ 43 ἐμεῖς (ει = η) p ‖ 45 ἀνατροφῆς + φησί p ‖
ἡ + τὰ p ‖ 46 τὸ > p ‖ 51 ἔσται : δοκεῖ abcyz ‖ φιλοσοφῶν + καὶ p
11, 4 σου > p

44-45 : ὠδῖνες[1] — ἀνατροφῆς abc yz ‖ 47 : ὅρα — τῶν παίδων abc, yz ‖
48 : ἵνα δείξῃ — συμφορᾶς abc yz ‖ 50-51 : ἐπεὶ — φιλοσοφῶν abc yz
11, 3 : ὅρα — ἐκείνου abc yz

x. Job 2, 9

dit : C'est Dieu qui les a pris et les a fait périr, mais elle se
sert d'un terme neutre.

«Tes fils et tes filles», dit-elle. Elle a fait mention
des deux sexes. Puis c'est l'expression passionnée :
«Souffrances et douleurs de mes entrailles.» La mention
des deux sexes est le signe d'une mère féconde, d'une mère
aimante. Tu supportes tes propres malheurs avec grandeur
d'âme, dit-elle; prends pitié de ma peine, à moi. Ne
pouvant mettre son espoir dans les malheurs de Job pour
le faire fléchir, elle détaille sa propre misère avec beaucoup
d'émotion : «souffrances et douleurs de mes entrailles» :
douleurs de l'enfantement, souffrances de l'éducation. C'est
moi qui suis la victime la plus à plaindre de toutes [1]. «Eux
que j'ai engendrés en vain dans la fatigue et les peines.»

Note comme l'éloge funèbre de ses enfants est déplacé.
Si elle parle ainsi, c'est pour montrer qu'elle aussi partage
son malheur : quand on s'apprête, en effet, à conseiller et à
exhorter un malheureux, on ne doit pas rester étranger à
ses maux, car peu persuasif sera un conseiller qui pose au
sage à propos des maux d'autrui; ses exhortations, en effet,
seront suspectes. Puisqu'elle allait, en effet, lui conseiller de
mourir, pour que la haine n'ait pas l'air de lui dicter ce
conseil, elle montre qu'elle supporte des malheurs plus
terribles encore, et elle exalte son malheur dans ses paroles.

Elle invoque sa propre misère . **11.** *Toi-même,* dit-elle, *tu es assis dans la pourriture et la vermine, passant toutes tes nuits à la belle étoile; moi, de mon côté, je suis une vagabonde et une servante à gages*[x].
Remarque comment elle mêle sa propre histoire à celle de
Job. «Voici donc que ton souvenir est rayé.» Voilà pour le
mari. «Souffrances et douleurs de mes entrailles.» Voilà

---

1. Sur tout ce passage, voir un commentaire tout à fait semblable
dans *In Epist. I ad Cor. hom.* 28, PG 61, 238.

« Σὺ δὲ αὐτός, ἐν σαπρίᾳ σκωλήκων κάθησαι. » Τοῦτο
τοῦ ἀνδρός. « Καὶ ἐγὼ πλανῆτις καὶ λάτρις. » Τοῦτο
τῆς γυναικός. Συνεχῶς μεταφέρει τὸν λόγον, ἀπὸ τῶν
ἐκείνου πρὸς τὰ αὐτῆς, ἵνα εὔνοιαν ἐπισπάσηται παρὰ
10 τοῦ ἀκουόντος. Οὐκ ἰσχύει τὰ σά, κρατείτω τὰ ἐμά. « Σὺ
δὲ αὐτός », φησί· μεγάλη ἔμφασις... « Σὺ δὲ αὐτός »,
ἐκεῖνος ὁ δίκαιος, ὁ θαυμαστός, ὁ μέγας, τὸ κεφάλαιον
ἡμῖν τῶν ἀγαθῶν, « ἐν σαπρίᾳ σκωλήκων κάθησαι, διανυκτερεύων αἴθριος. » Ἡμέραν καὶ νύκτα, φησίν, οὐδὲ
15 στέγης σοί τις μετέδωκεν, οὐδεὶς συμπαθής, οὐδεὶς
ἐλεήμων, οὐδεὶς συναλγῶν.

« Καὶ ἐγώ, πλανῆτις καὶ λάτρις. » Ὦ τῆς συμφορᾶς.
Οὐδεὶς ἠλέει τὴν γυναῖκα, οὐδὲ τὴν πενίαν ἐπεκούφιζεν,
ἀλλ᾽ ἐθήτευεν καὶ αἴθριος ἦν ἡ τοῦ βασιλέως σύνοικος.
20 Ἐμοὶ δοκεῖ, καὶ παράνομόν τινα αὐτὴν ἀπὸ τῆς συμφορᾶς
ἐνόμιζον εἶναι· ἀνέστιος, ἄπολις, ἄοικος, πλανῶμαι, φησίν,
κατὰ τὴν πόλιν, οὐδὲ δουλείας ηὐπόρησα, οὐδὲ τὴν θητείαν
αὐτὴν ἐξ εὐκολίας δυναμένη λαβεῖν· ταῖς ἑτέρων προ-
σεδρεύω θύραις, καθάπερ φιλονεικοῦσα πάντας τὰς ἐμαυτῆς
25 διδάξαι συμφοράς· οὐδὲ ἐν οἰκίᾳ μιᾷ καταστεῖλαι τῆς
πενίας τὴν ἀσχημοσύνην ἔστιν, ἀλλὰ πανταχοῦ με δεῖ
ἐκπομπεύεσθαι καὶ παραδειγματίζεσθαι. Πόσῳ αὕτη τῆς
τῶν παίδων τελευτῆς ἡ συμφορὰ χαλεπωτέρα. Πανταχοῦ
περίειμι διδάσκαλος τῶν κακῶν.

30 Ὅπερ δὲ ἐξ ἀρχῆς εἶπον, ὅτι διὰ τοῦτο καὶ χρόνον
πολὺν συνεχώρησεν ὁ θεὸς γενέσθαι, ἵνα μὴ μετὰ τὴν

11 φησί > p ‖ 14 ἡμέρα *(sic)* p ‖ 17 κἀγώ p ‖ 18 πενίαν + αὐτῇ p ‖ 20
αὐτήν > p ‖ 22 ηὐπόρησα : εὐποροῦσα p ‖ 30 εἶπον + τοῦτο καινὸν ἐρῶ p

10-13 : οὐχ ἰσχύει — ἀγαθῶν abc (yz) ‖ 25-26 : οὐδὲ — ἔστιν abc, yz ‖
28-29 : πανταχου — κακῶν (yz)

1. Cf. Prologue 3, 5-11. Par là, Chrysostome montre la cohérence de
sa pensée et témoigne qu'il a bien écrit un commentaire suivi du *livre de
Job.*

pour la femme. «Toi, tu es assis dans la pourriture et la vermine.» Voilà pour le mari. «Moi, je suis une vagabonde et une servante à gages.» Voilà pour la femme. Elle ne cesse d'établir un parallèle, dans son discours, entre la situation de son mari et la sienne propre, afin de s'attirer la bienveillance de celui qui l'écoute. Tes maux ne le peuvent, que les miens l'obtiennent. «Quant à toi-même», dit-elle avec beaucoup d'emphase... «Quant à toi-même», toi, le juste par excellence, l'admirable, le fort, le résumé, à nos yeux, de toutes les perfections, «tu es assis dans la pourriture et la vermine, passant toutes tes nuits à la belle étoile». Jour et nuit, dit-elle, tu n'as trouvé personne pour partager son toit avec toi, personne pour s'associer à ta souffrance, personne pour te plaindre, personne pour s'unir à tes douleurs.

«Et moi, je suis vagabonde et une servante à gages.» Ah! quel malheur! Personne n'avait pitié de sa femme, ni ne soulageait son dénuement, et la compagne du Roi était servante et vivait à la belle étoile. A mon avis, son malheur la faisait considérer un peu comme hors la loi : sans foyer, sans cité, sans maison, j'erre, dit-elle, à travers la ville, sans même parvenir à trouver une place comme esclave, sans que mon humeur accommodante me permette de recevoir même le salaire d'un mercenaire; je reste assise aux portes des autres, comme si je mettais mon point d'honneur à apprendre à tout le monde mes propres misères; il n'est pas possible, même dans une seule maison, d'atténuer la honte de mon dénuement, et il faut que partout je sois livrée à la risée publique et déshonorée. Combien ce malheur est plus pénible que la mort de mes enfants! Je circule partout pour raconter mes malheurs.

Comme je l'ai dit dès le début[1], si Dieu a permis à l'épreuve de se prolonger longtemps, c'est pour qu'on ne mette pas en doute le malheur de Job après l'intervention

μεταβολὴν ἀπιστηθῇ ἡ συμφορά, καὶ διὰ τοῦτο αἴθριος, ἵνα
πάντες ὁρῶσιν · τοῦτο καὶ ἐπὶ τῆς γυναικὸς ἔστιν εἰπεῖν,
ἵνα, ὅταν ἴδωσιν αὐτὴν μεταβαλλομένην, καὶ βελτίω γεγε-
35 νημένην, καὶ εὔπαιδα καὶ πολύπαιδα, μὴ ἀπιστῶσιν αὐτῆς
τῇ προτέρᾳ συμφορᾷ, οἱ καὶ μισθὸν αὐτῇ τῶν μόχθων
πολὺν παρεσχηκότες.

12. Τόπον, φησίν, ἐκ τόπου περιερχομένη καὶ οἰκίαν
ἐξ οἰκίας, προσδεχομένη τὸν ἥλιον πότε δύσῃ[y].
Εἰκότως · ἐλευθερίως γὰρ ἦν ἀνατραφεῖσα ἡ γυνή · Ἵνα
ἀναπαύσωμαι τῶν μόχθων μου καὶ τῶν περιεχουσῶν
5 με ὀδυνῶν, αἵ με νῦν συνέχουσιν[z]. Τὸν πολὺν πόνον
φησὶ καὶ τὴν πλάνην καὶ τὴν λατρείαν.

Ἀλλ' εἶπόν τι ῥῆμα πρὸς Κύριον καὶ τελεύτα[a].
Ὅρα · μετὰ τὸ τὴν τραγῳδίαν ἀκριβῶς διηγήσασθαι, τότε
τὴν ἀναίσχυντον ἐπάγει συμβουλήν, οὐ τολμήσασα πρὸ
10 τούτου ταῦτα εἰπεῖν, ἀλλὰ πρότερον δείξασα πιθανήν τινα
τὴν παραίνεσιν, τότε τὸ δηλητήριον ἐνίησι, καὶ οὐδὲ αὐτὸ
φανερῶς. Οὐκ εἶπεν · βλασφήμησον, ἀλλ' «εἶπόν τι ῥῆμα
πρὸς Κύριον καὶ τελεύτα». Τίνος ἕνεκεν; Ἆρα οἶδας ὅτι
τελευτὴ τὸ πρᾶγμά ἐστιν; Ποία δέ σοι παραμυθία ἀπὸ
15 τῆς ἐμῆς τελευτῆς; Τίς παραψυχή; Οἱ γὰρ τὰ πονηρὰ
συμβουλεύοντες οὐ τολμῶσιν ἀνακεκαλυμμένην ἔχειν τὴν
συμβουλήν, ἀλλὰ τῇ ἀσαφείᾳ περιστέλλουσι τὸ πονηρὸν τῆς
παραινέσεως. Ὅπερ οὐκ ἐτόλμησας συμβουλεῦσαι, τοῦτό με
ὑπομεῖναι παραινεῖς; Διὰ τί γὰρ μὴ λέγεις ποῖον ῥῆμα;
20 Πανταχόθεν σοι προσεχώσθησαν οἱ λιμένες. Τὰ παιδία

35-36 τῇ προτέρᾳ αὐτῆς συμφορᾷ ~ p ‖ 37 πολὺν > p
12, 1 φησίν > p ‖ 3 εἰκότως + φησι προσδεχομένη τὸν ἥλιον πότε δύσει
p ‖ 4 μόχθων : μόνων p ‖ μου > p ‖ 4-5 περιεχουσῶν με : περιεχομένων p ‖
5-6 τὸν — λατρείαν > p ‖ 9 ἐπάγει : ἐπιφέρει abcyz ‖ 12 οὐκ : οὐδὲ γὰρ p ‖
16 ἔχειν : εἰσάγειν abcyz ‖ 18 παραινέσεως + ὦ γύναι p ‖ 20 σοι + φησί p

12, 3 : εἰκότως — γυνή abc ‖ 8-9 : μετὰ — συμβουλήν (9 ἐπάγει LMp :
ἐπιφέρει abcyz) abc, yꝣ ‖ 11-12 : καὶ — βλασφήμησον abc, yꝣ ‖ 15-17 : οἱ
γὰρ — συμβουλήν (16 ἔχειν LMp : εἰσάγειν abcyz) abcyꝣ

du changement, et s'il vivait en plein air, c'est pour que tous le voient. On peut en dire autant à propos de sa femme, afin que, lorsqu'ils auront vu le revirement et l'amélioration de sa situation et qu'elle a de nombreux et beaux enfants, les gens ne doutent pas de son malheur antérieur, eux qui lui avaient donné souvent un salaire pour ses peines.

**Elle l'invite
à la révolte** **12.** *Errant de lieu en lieu,* dit-elle, *et de maison en maison, attendant le moment où le soleil se couchera*[y]. C'était normal, car cette femme avait reçu l'éducation d'une personne libre. *Afin que je me repose des fatigues et des douleurs qui m'enveloppent et me pressent actuellement*[z]. Elle veut parler de sa longue fatigue, de sa vie nomade et mercenaire.

Eh bien! dis une parole contre le Seigneur et meurs[a]! Remarque-le : c'est après avoir raconté minutieusement la tragédie, qu'elle introduit son conseil impudent. Elle n'avait pas osé dire cela auparavant, mais c'est seulement après s'être montrée assez persuasive dans son exhortation, qu'elle lâche alors son venin, et encore, sans le faire bien voir. Elle n'a pas dit : Blasphème, mais : «Dis une parole contre le Seigneur. Et meurs.» Pourquoi? Alors, tu sais que faire cela, c'est mourir; mais quelle consolation peut t'apporter ma mort? Quel adoucissement? Car ceux qui donnent de mauvais conseils n'osent pas les tenir dévoilés, mais ils cherchent à envelopper d'obscurité la perversité de leurs exhortations. C'est précisément ce que tu n'as pas osé conseiller, que tu m'engages à accepter? Pourquoi ne dis-tu pas de quelle parole il s'agit?

De tous côtés, tu vois que les issues sont bouchées. Tes

ἀνήρηται · ἡ γυνὴ πάντων ἐλεεινότερον πράττει · τὸ σῶμα
οὕτω διάκειται ὥσπερ αὐτὸς ὁρᾷς. Μία ὑπολέλειπται παραμυθία, εἷς ἀπαλλαγῆς τρόπος · εἰπεῖν τι πρὸς τὸν Θεόν. Τί
λέγεις, ὦ γύναι; Δέον ἐξιλεώσασθαι, δέον καταλλάξαι,
25 παροξύναι μᾶλλον παραινεῖς. Εἰ γὰρ ὁ Θεὸς ταῦτα
ἐποίησεν, παρακαλέσαι αὐτόν, οὐ βλασφημῆσαι δεῖ · εἰ δὲ
οὐκ αὐτός, οὐ δεῖ οὕτω βλασφημεῖν. Τί μοι τῶν δεινῶν
ἐπιθήκην ἐπιτείνεις διὰ τῆς τῶν δεινῶν λύσεως; Πῶς οἴει,
πόθεν γὰρ δῆλον ὅτι καὶ ἐρῶ καὶ τελευτήσω; Ἂν δέ, μετὰ
30 τὸ εἰπεῖν, πάλιν μείζοσι περιβάλλωμαι δεινοῖς...; Ἀλλ᾽
οὐδὲν τούτων εἶπεν.

Πῶς δὲ οὐκ εἶπεν πρὸς αὐτόν · Διαχείρισαι σαυτόν;
Ἀλλ᾽ ὃ μάλιστα ἐπεθύμει ὁ διάβολος, τοῦτο συμβουλεύει
καὶ παραινεῖ · ὥσπερ διὰ τοῦ ὄφεως πρότερον, οὕτω διὰ
35 τῆς γυναικὸς νῦν. Ἂν κατηγορήσω τοῦ Θεοῦ, φησίν, οὐ
δέχεται τὴν συμβουλήν. Ἐπαίρω τὰ δεινά · ἐμὲ ἐλέησον.
Καὶ ποία σοι τῶν δεινῶν παραμυθία, ἀπελθόντος τούτου;
Τίς παραψυχή; Οὐχὶ δὲ μᾶλλον ἐπιταθήσεται; Νῦν μὲν γὰρ
ἐλπίσαι ἔστιν τι χρηστόν, τότε δὲ οὐκέτι, ἀλλὰ χηρεία
40 ἀπαραμύθητος. Ἐμοὶ δοκεῖ καὶ αἰσχύνεσθαι αὐτήν.

13. Τίνα οὐκ ἂν ἐθορύβησεν ταῦτα; Τίνα οὐκ ἂν ἰλιγ-
γιάσαι ἐποίησεν τὰ λεγόμενα; Τί οὖν ὁ γενναῖος οὗτος καὶ
φιλόθεος ἀνήρ;

Ὁ δὲ ἐμϐλέψας αὐτῇ[b]. Καὶ καλῶς εἶπεν « Ἐμϐλέψας
5 αὐτῇ » · τὸν θυμὸν ἐνέφηνεν διὰ τῆς ὄψεως, οὐκ ἀρκούντων
τῶν ῥημάτων αὐτῆς καθάψασθαι · καὶ ὅρα πῶς μεμετρη-

27 οὐ δεῖ οὕτω : οὐδὲ οὕτως p ǁ μοι + τὴν p ǁ 30 περιϐάλλωμαι :
περιϐληθῶ p ǁ 34 παραινεῖ + καὶ p ǁ οὕτω + καὶ p ǁ 36 συμβουλήν + ἀλλὰ
p ǁ 37 σοι : σὺ p ǁ τῶν δεινῶν > p ǁ 38 ἐπιταθήσεται + σοι ἡ συμφορά p
13, 2 ἐποίησεν : πεποίηκεν p ǁ τὰ λεγόμενα > p ǁ 4-5 ὁ δὲ — αὐτῇ : ὁ δὲ
ἐμϐλέψας αὐτῇ εἶπεν · ἵνα τί ὥσπερ μία τῶν ἀφρόνων γυναικῶν ἐλάλησας ·
καλῶς ἐμϐλέψας εἶπεν αὐτῇ p ǁ 5 τὸν + γάρ p

23-26 : τί λέγεις — δεῖ abc, yz ǁ 29 : πόθεν — τελευτήσω abcyz
13, 5 - 14, 3 : τὸν θυμὸν — ἐφθέγξω (abc) (yz)

enfants sont morts; ta femme est dans la plus pitoyable des
situations; tu es, physiquement, dans l'état que tu peux
constater toi-même. Il ne te reste qu'une seule consolation,
une seule façon de t'en tirer : c'est de «dire quelque chose
contre Dieu». – Que dis-tu, femme? Alors qu'il faudrait se
rendre Dieu favorable, qu'il faudrait se le concilier, tu
l'engages plutôt à le provoquer! Car si c'est Dieu qui a
causé ces maux, il faut l'invoquer, et non pas le blasphémer; si, par contre, ce n'est pas lui, il ne faut pas alors le
blasphémer. Pourquoi vas-tu accroître le fardeau de mes
malheurs sous prétexte de m'en libérer? Comment peux-tu
croire, comment donc est-il évident que je vais parler et
que je vais mourir? Et si, après avoir parlé, j'étais précipité
dans de plus grands maux...? Mais de cela elle n'a rien dit.

Et comment ne lui a-t-elle pas dit : «Suicide-toi»? Mais
c'est ce que le diable désirait le plus qu'elle lui conseille et à
quoi elle l'exhorte. Jadis, il s'est servi du serpent, maintenant, c'est la femme qu'il utilise. Si j'accuse Dieu, dit-elle,
Job n'accepte pas mon conseil. Je m'en vais exalter nos
malheurs : prends pitié de moi. Et quelle consolation
auras-tu à tes maux, si Job meurt? Quel adoucissement?
Ton malheur ne va-t-il pas s'étendre davantage? Car
maintenant, il est encore possible d'espérer une bonne
solution, mais alors, ce ne sera plus possible, et ce sera le
veuvage inconsolable. Je crois aussi qu'elle a honte.

13. Qui n'aurait pas été troublé par ces conseils? A qui
ces paroles n'auraient-elles pas donné le vertige? Que va
donc faire notre noble et pieux héros?

Il jeta sur elle un regard[b]. Le texte a eu raison de dire : «il
jeta sur elle un regard»; car c'est par le regard qu'il a
manifesté sa colère, puisque les paroles ne suffisaient pas à
la toucher. Et remarque avec quelle délicatesse il l'a fait : il

b. Job 2, 10

μένως · οὐδὲν χαλεπαίνοντος οὐδὲ δυσχεραίνοντος ῥῆμα
προήκατο · καὶ τὴν γυναῖκα ἐπέγνω καὶ τὴν συμβουλὴν οὐκ
ἐδέξατο, καὶ οὐκ εἶπεν · Ἄφρων εἶ καὶ ἀνόητος, ἀλλὰ τί;

14. Ἵνα τί ὥσπερ μία τῶν ἀφρόνων γυναικῶν οὕτως
ἐλάλησας[c]; Τοῦτ' ἔστιν · οὐδὲν ἄξιον ἑαυτῆς, οὐδὲ τῆς
ἀνατροφῆς καὶ τῆς παρ' ἐμοῦ παιδεύσεως ἐφθέγξω · οὐκ
ἔστι σὰ τὰ ῥήματα ταῦτα · οὐ γὰρ ὅπως αὐτὴν ἐξυβρίσειε
5 μόνον ἐσπούδαζεν, ἀλλὰ καὶ ὅπως ἀπαγάγοι τῆς πονηρᾶς
ταύτης διανοίας.

15. Εἰ τὰ μὲν ἀγαθά, φησίν, ἐδεξάμεθα παρὰ
Κυρίου, τὰ κακὰ οὐχ ὑποίσομεν[d]; Τοῦτ' ἔστιν · εἰ γὰρ
μόνον κακὰ ἦν, φέρειν ἔδει · Κύριός ἐστι καὶ Δεσπότης ·
οὐχὶ ἐξουσίαν ἔχει πάντα ἐπαγαγεῖν; Τίνος ἕνεκεν ἔδωκεν
5 τὰ ἀγαθά; Οὐχ ὡς ἀξίοις. Μὴ τοίνυν μηδὲ νῦν ὡς παρ'
ἀξίαν ταλαιπωροῦντες ἀλγῶμεν. Μάλιστα μὲν κύριος ἦν καὶ
μόνα δοῦναι τὰ κακά. Εἰ δὲ καὶ ἀγαθὰ δέδωκεν, τί
δυσχεραίνομεν; Ὅρα πῶς οὐδαμοῦ οὔτε τὰ ἁμαρτήματα,
οὔτε τὰ κατορθώματα λέγει, ἀλλὰ μόνον ὅτι ἔξεστι τῷ
10 Θεῷ ἃ βούλεται ποιεῖν. Ἀνάμνησον σαυτὴν τῆς προτέρας
εὐπραγίας, καὶ οὐκ οἴσεις χαλεπῶς τὰ παρόντα. Ἀρκεῖ
πρὸς παραμυθίαν ἡμῖν, τὸ τὸν Κύριον εἶναι τὸν ἐπαγα-
γόντα. Μὴ λέγωμεν δικαίως ἢ ἀδίκως.

16. Καὶ ὅρα · πάλιν ἡ ἀνακήρυξις τοῦ ἀθλητοῦ. Ἐν
τούτοις πᾶσι τοῖς συμβεβηκόσιν αὐτῷ, φησίν, οὐχ

8 προήκατο : προσήκατο M
14, 1 οὕτως > p ‖ 4 σὰ ταῦτα τὰ ῥήματα ~ p ‖ ἐξυβρίσειε αὐτὴν ~ p
15, 1 μὲν > p ‖ φησίν > p ‖ παρὰ : ἐκ χειρὸς p ‖ 8 τὰ > p ‖ 9 τὰ > p ‖
12-13 ἐπάγοντα p
16, 1 καὶ ὅρα — ἀθλητοῦ > p ‖ 2 φησίν > p

c. Job 2, 10 ‖ d. Job 2, 10

n'a prononcé aucune parole qui trahisse de l'irritation ou du mécontentement. Il l'a reconnue comme sa femme, mais il n'a pas accepté son conseil, et il n'a pas dit : Tu es stupide et insensée. Mais, qu'a-t-il dit?

Nouvelle victoire de Job

14. *Pourquoi as-tu parlé comme une femme insensée*[c]? c'est-à-dire : tu n'as rien dit qui fût digne de toi, ni de l'éducation, ni de la formation que tu as reçues de moi; ces paroles ne sont pas dignes de toi; car, il ne cherchait pas seulement à la tancer vertement, mais aussi à la détourner de cette pensée perverse.

15. *Si nous avons reçu les biens du Seigneur,* dit-il, *n'en accepterons-nous pas les maux*[d]? C'est-à-dire : si, en fait, il n'y avait que des maux, il faudrait les supporter. Il est Maître et Seigneur; n'a t-il pas le pouvoir de tout nous envoyer? Pourquoi nous a-t-il donné nos biens? Ce n'est pas parce que nous les méritons. Ne nous affligeons donc pas, aujourd'hui non plus, à la pensée que nous souffrons sans que nous le méritions. Il était absolument libre même de ne donner que des maux. S'il a donné aussi les biens, de quoi nous plaignons-nous? Remarque comme il ne parle nulle part ni des fautes ni des bonnes actions, mais dit seulement que Dieu a le pouvoir de faire ce qu'il veut. Rappelle-toi ton bonheur d'antan, et tu n'auras pas de peine à supporter les difficultés actuelles. Il suffit, pour nous consoler, que ce soit le Seigneur qui nous les envoie. Ne parlons pas de justice ou d'injustice[1].

16. Et remarque-le : à nouveau, on proclame la victoire de l'athlète.

Dans tout ce qui lui arriva, dit l'Écriture, *Job ne commit*

---

1. C'est le thème fondamental du commentaire : «Dieu a donné, Dieu a ôté. Que son nom soit béni.»

ἥμαρτεν Ἰὼβ οὐδὲ ἐν τοῖς χείλεσιν αὐτοῦ ἔναντι
Κυρίου᷎. Οὐκ ἔστιν εἰπεῖν ὅτι πρὸς μὲν τὴν γυναῖκα ταῦτα
5 ἔλεγεν, τὰ δὲ ἀπόρρητα αὐτοῦ τῆς διανοίας ἔγεμεν θυμοῦ
καὶ ἀποδυσπετήσεως, ἀλλ᾽ «οὐδὲ ἐν τοῖς χείλεσιν αὐτοῦ»
ἐφθέγγετό τι.

17. Ἀκούσαντες δὲ οἱ τρεῖς φίλοι αὐτοῦ τὰ κακὰ
πάντα τὰ ἐπελθόντα αὐτῷ, παρεγένοντο ἕκαστος ἐκ
τῆς ἰδίας πόλεως πρὸς αὐτόν · Ἐλιφὰζ ὁ Θαιμανῶν
βασιλεύς, Βαλδὰδ ὁ Σαυχέων τύραννος, καὶ Σωφὰρ ὁ
5 Μιναίων βασιλεύς, καὶ παρεγένοντο ὁμοθυμαδὸν πρὸς
αὐτόν, τοῦ παρακαλέσαι καὶ ἐπισκέψασθαι αὐτόν᷊.
Ὥσπερ, ὅθεν προσεδόκησε παραμυθίαν τινὰ καὶ παραίνεσιν
ἀρίστην εὑρήσειν, ἐντεῦθεν εὗρεν ὄλεθρον ἀπὸ τῆς γυναικός,
οὕτω καὶ ἀπὸ τῶν φίλων. Παραγίνονται μὲν ὡς παραμυθη-
10 σόμενοι, τὸ δὲ ἐναντίον ποιοῦσι, καὶ πρὸ τῶν ῥημάτων δὲ
αὐτῶν, ἱκανὴ μόνη ἡ ὄψις τὸν δίκαιον καταβαλεῖν. Τὰ γὰρ
ἡμέτερα δεινὰ μάλιστα ἐν τοῖς ἄλλων καθορῶμεν ἀκρι-
βέστερον ἀγαθοῖς. Ἐννόησον ὅσον ἦν ἑαυτὸν ἐν τούτοις
ὁρᾶν, καὶ ἐκείνους τοὺς συνήθεις καὶ γνωρίμους ἐπὶ τῆς
15 προτέρας εὐπραγίας μένοντας. Οὐδὲν γὰρ ἕτερον ἀλλ᾽ ἢ τὴν
ἑαυτοῦ προτέραν εὐπραγίαν ἐν τούτοις ἀνετυποῦτο, ἑαυτὸν
ἐννοῶν ἐν τίσιν ἦν, καὶ τὸ δὴ δεινὸν τὸ πανταχοῦ περιε-
νεχθῆναι τὴν συμφοράν · εἰ γὰρ οὗτοι τοσοῦτον ἀπέχοντες
ἤκουσαν, πολλῷ μᾶλλον οἱ πλησίον ὄντες.

20   Μάλιστα δὲ αὐτὸν ἐλύπει, οὐ τὸ μέγεθος τῶν δεινῶν,
ἀλλὰ τὸ δοκεῖν ὡς ἀσεβῆ καὶ παράνομον ταῦτα πάσχειν τὰ

17, 13-14 ὅσον ἦν ... ὁρᾶν (pyz) : ἦν ... ὁρᾷ M πῶς ... ὁρᾷ L ‖ 15 ἕτερον
+ τι p ‖ 17 δὴ > p ‖ τὸ² + καὶ p ‖ 19 ἤκουσεν p ‖ 21 ἀλλὰ + καὶ p ‖
πάσχειν p : πάσχει LM

16, 4-7 : οὐκ ἔστιν — ἐφθέγγετό τι yz
17, 9-27 : παραγίνονται — ἑώρα (> 15-17 : οὐδὲν — ἦν) yz

e. Job 2, 10 ‖ f. Job 2, 11

1. Nous avons corrigé οὐδέν, leçon de LM, en οὐδὲ ἐν, leçon de p
conforme au texte que nous trouvons plus bas (cf. II, 16, 6 et III,

aucune faute, même des lèvres[1], *devant le Seigneur*[e]. On ne
saurait dire : «Sans doute parlait-il ainsi à sa femme, mais le
tréfonds de sa pensée était plein de colère et de découragement. Eh bien! «même ses lèvres» n'exprimaient rien.

L'arrivée des trois amis de Job

17. *Ses trois amis*[2], *ayant entendu parler de tous les malheurs
qui lui étaient survenus, venant chacun de leur propre cité, s'en
furent le trouver : Éliphaz, roi de Théman, Baldad, souverain de
Suhé, et Sophar, roi de Minée, et ils vinrent le trouver d'un
commun accord, pour le saluer et le consoler*[f]. Tout comme il
avait espéré trouver une consolation et un bon réconfort
auprès de sa femme, et n'y avait trouvé que ruine, de même
auprès de ses amis. Ils viennent pour le consoler, et c'est le
contraire qu'ils font, et, avant même de les entendre, il
suffit au juste de les voir pour être abattu. Car c'est surtout
en regardant le bonheur des autres que nous apercevons
nos propres maux avec plus de précision. Songe comme il
était pénible de se voir lui-même au milieu de ces maux,
alors qu'il voit ses amis et ses connaissances conserver leur
bonheur d'autrefois. En les apercevant, il ne pouvait que se
représenter son bonheur d'antan; il songeait à la situation
où il se trouvait et à cette idée terrible que la nouvelle de
son malheur s'était répandue partout; car si ses amis, qui
habitaient si loin, en avaient entendu parler, à plus forte
raison ceux qui étaient près.

Mais ce qui le chagrinait le plus, ce n'était pas la
grandeur de ses malheurs, mais le fait qu'il paraissait
supporter ces maux à cause de son impiété et de son

1, 25-26) et qui représente le texte de **A,** habituellement suivi par
Chrysostome.

2. Sur les amis de Job, cf. P. DHORME, *Le livre de Job,* Paris, Gabalda,
1926, p. XXII-XXIII.

κακά, ὡς ἐχθρὸν τοῦ Θεοῦ καὶ πολέμιον, ὡς ὑποκρίσει τὸν
ἔμπροσθεν ζήσαντα χρόνον. Οὐκ ἔμελεν αὐτῷ τοῦ σώματος
διαφθειρομένου, ἀλλὰ τῆς δόξης καταβαλλομένης · οὐχ ὅτι
25 φιλότιμος ὁ ἄνθρωπος ἦν, οὐδὲ ὅτι πρὸς τὴν τῶν πολλῶν
ἔζη δόξαν, ἀλλ᾽ ὅτι πολλοὺς ἐπὶ τούτοις σκανδαλιζομένους
ἑώρα. Οὕτω καὶ Μωσῆς ὑπὲρ τῆς δόξης ἔδεισεν τοῦ Θεοῦ
καὶ Παῦλος δὲ ὁμοίως. Ἄκουε γὰρ τί φησιν ὁ Μωσῆς ·
« Μήποτε εἴπωσι, φησίν, ὅτι ἐξήγαγες αὐτοὺς ἐξ Αἰγύπτου
30 ἐν πονηρίᾳ, ἀπολέσαι ἐνταῦθαᵍ.» Τί γὰρ ἐνενόει; Ὅτι οἱ
πολλοὶ καλὰ παρ᾽ αὐτοῦ παθόντες, οἷς πενίαν ἔλυσεν, καὶ
χηρείαν συνδιήνεγκεν, καὶ ὀρφανίαν κουφοτέραν ἐποίησεν,
οἷς ἐγένετο λιμὴν καὶ καταγώγιον, τοῦτον ἀκούουσι χει-
μαζόμενον, καὶ οὐδεμιᾶς τυγχάνοντα παραμυθίας, πόσαις
35 εἰκὸς αὐτοὺς τρικυμίαις βάλλεσθαι λογισμῶν · ὥστε τὰ
τούτου δεινὰ τοὺς ἑτέρων ἐχείμαζεν λογισμούς · καὶ ὅτι
ταῦτά ἐστιν, ἀναμείνωμεν, καὶ ἐκ τῶν ἔμπροσθεν εἰσόμεθα.

« Καὶ παρεγένοντο, φησίν, ὁμοθυμαδὸν πρὸς αὐτόν, τοῦ
παρακαλέσαι καὶ ἐπισκέψασθαι αὐτόν.» Ἀλλ᾽ οὐχὶ τοῦτο
40 ἐποίησαν, ἀλλὰ τοὐναντίον. Φιλικὴ μὲν ἡ παρουσία, οὐ
φιλικὴ δὲ ἡ παραίνεσις καὶ ἡ συμβουλή.

18. **Ἰδόντες δὲ αὐτὸν πόρρωθεν, οὐκ ἐπέγνωσαν,
καὶ βοήσαντες φωνῇ μεγάλῃ ἔκλαυσαν, ἕκαστος
ῥήξαντες τὴν ἑαυτοῦ στολήν, καὶ καταπασάμενοι γῆν
ἐπὶ τῆς κεφαλῆς αὐτῶν, παρεκαθέζοντο αὐτῷ εἰς γῆν**

22 ὡς + ἐν p ‖ 29 φησίν > Lp ‖ 30 οἱ : εἰ p ‖ 31 πολλοὶ p : πολλὰ LM ‖
34 πόσαις : πῶς LM ‖ 37 ἐστιν + μικρὸν p ‖ 38 φησίν > p ‖ πρὸς αὐτὸν
ὁμοθυμαδὸν ~ p ‖ 38-39 τοῦ ἐπισκέψασθαι αὐτὸν καὶ παρακαλέσαι αὐτόν
~ p ‖ 40 μὲν + γὰρ p ‖ 41 συμβουλή + ἠλλοιώθη γὰρ ὡς εἰκὸς τὴν ὄψιν
τῶν ἑλκῶν εἰς ἐσχατην δυσωδίαν μεταβαλόντων τὴν μορφὴν (attributum
Olympiodoro in Young, p.110)
18, 1 ἐπέγνωσαν + τῆς λώβης τοὺς παλαιοὺς αὐτοῦ χαρακτῆρας
ἐξαφανισάσης p (Olympiodori. Young p. 110) ‖ 3 γῆν + τήν τε τοῦ φιλοῦ
συμφορὰν ἰδόντες καὶ τὴν ἀγχίστροφον τῶν πραγμάτων μεταβολὴν ἐνθυμη-
θέντες ἔκλαυσαν μετ᾽ οἰμωγῆς p (Polychronii Young, p. 110)

injustice, de son opposition et de son hostilité à Dieu, de
l'hypocrisie dans laquelle il aurait vécu précédemment. Il
ne se préoccupait pas de voir son corps se décomposer,
mais de voir sa réputation compromise ; non que l'homme
fût vaniteux ni qu'il vécût pour se concilier l'opinion de la
foule, mais parce qu'il voyait que bien des gens étaient
scandalisés à propos de ces événements. C'est ainsi que
Moïse, lui aussi, trembla pour la gloire de Dieu, comme
saint Paul aussi, d'ailleurs. Écoute donc ce que dit Moïse :
« Que les Égyptiens ne disent pas que tu as fait sortir ton
peuple d'Égypte par fourberie pour le faire périr en ce
lieu[g]. » A quoi songeait donc Job ? A ce fait : la multitude
de ceux qui avaient reçu de lui des bienfaits, qu'il avait tirés
de la pauvreté, qu'il avait aidés à supporter le veuvage,
dont il avait allégé la condition d'orphelins, pour qui il
avait été un havre et un refuge, voilà qu'ils entendent dire
que cet homme est ballotté par les flots, sans pouvoir
trouver aucune consolation : quelles tempêtes d'objections
n'allaient-elles pas tout naturellement les assaillir ? Ainsi,
les maux de Job bouleversaient les pensées d'autrui.
Attendons patiemment, et nous saurons, de la bouche de
ceux qui sont devant lui, qu'il en est bien ainsi.

« Et ils vinrent le trouver, dit le texte, d'un commun
accord, pour le saluer et le consoler. » Mais, ce n'est pas
cela qu'ils ont fait : c'est le contraire. Amicale, en effet, était
leur présence, inamicaux, par contre, leurs conseils et leurs
exhortations.

18. *L'ayant aperçu de loin ils ne le reconnurent pas, et,*
poussant de grands cris, ils se mirent à pleurer, en déchirant chacun
sa robe, et en répandant de la terre sur leur tête, ils s'assirent par

40-41 : φιλικὴ — παραίνεσις *yχ* + b[mg]

g. Ex. 32, 12

5 ἕπτα ἡμέρας καὶ ἕπτα νύκτας καὶ οὐδεὶς αὐτῶν
ἐλάλησεν πρὸς αὐτόν · ἑώρων γὰρ τὴν πληγὴν δεινὴν
οὖσαν καὶ μεγάλην σφόδρα[h]. Ταῦτα πάντα καλὰ καὶ
φίλων ἄξια καὶ συμπαθούντων τεκμήρια, ἀλλὰ τὰ μετὰ
ταῦτα οὐκέτι τοιαῦτα, ἀλλὰ πολλῷ τούτων ἐναντία καὶ
10 ἀποδέοντα. Καὶ ὅρα τί γίνεται. Ἵνα μὴ δόξωσιν ὡς ἐχθροὶ
καὶ βλάσφημοι λέγειν τὰ μετὰ ταῦτα, προλαβόντες τοῖς
γεγενημένοις ἀνεῖλον τὴν ὑποψίαν, ὥστε τὸν δικάζοντα τοῖς
λεγομένοις μὴ παρακρουσθῆναι τῇ τῶν ἐχθρῶν ὑποψίᾳ.

«Καὶ οὐδεὶς αὐτῶν, φησίν, ἐλάλησεν πρὸς αὐτὸν
15 λόγον.» Ὅρα μεῖζον τῆς ἀπὸ τοῦ λόγου παραμυθίας τὸ
δεινόν · καὶ τοῦτο συνετῶς ἐποίησαν, τοῖς πράγμασιν αὐτὸν
παρακαλοῦντες, τῇ προσεδρείᾳ, τῷ διαρρῆξαι τὰ ἱμάτια.

7 ταῦτα + μὲν p ‖ 8-9 ἀλλὰ — τοιαῦτα > p ‖ 10 ἵνα + γὰρ p ‖ 16 τοῦτο
+ δὲ p

18, 7-9 : ταῦτα — οὐκέτι abcyz ‖ 15-17 : ὅρα — ἱμάτια abc, yχ

terre, près de lui, pendant sept jours et sept nuits, et aucun d'eux ne lui adressa la parole ; car ils voyaient que son malheur était terrible et infiniment profond[h]. Tous ces gestes sont beaux et bien dignes d'amis dont ils prouvent la sympathie ; mais ce qui va suivre, par contre, n'est plus pareil, mais complètement opposé et bien inférieur. Regarde ce qui arrive. Pour qu'on ne croie pas, en effet, qu'ils parlent ensuite en adversaires malveillants, tout d'abord, par ce qui s'est passé, ils ont coupé court au soupçon, pour que celui qui juge leurs paroles ne se laisse pas égarer par le soupçon qu'ils sont ses ennemis.

«Et aucun d'eux ne lui adressa la parole», dit le texte. Remarque que son malheur dépasse la consolation que les mots peuvent apporter ; aussi ont-ils fait preuve d'intelligence en le consolant par leurs actes, en s'asseyant auprès de lui, en déchirant leurs vêtements.

h. Job 2, 12-13

III

1. Καὶ μετὰ ταῦτα, ἤνοιξεν Ἰὼβ τὸ στόμα αὐτοῦ, καὶ κατηράσατο τὴν ἡμέραν αὐτοῦ, καὶ ἀπεκρίθη Ἰὼβ λέγων · Ἀπόλοιτο ἡ ἡμέρα ἐν ᾗ ἐγεννήθην ἐν αὐτῇ, καὶ ἡ νὺξ ἐν ᾗ εἶπον · Ἰδοὺ ἄρσεν[a]. Ὅτι δεινὰ τὰ
5 συμβεβηκότα, διὰ τῆς σιγῆς ἐμαρτύρουν αὐτοί · οὐκ ἂν ἐτόλμησαν παραμυθήσασθαι, εἰ μὴ πρότερος αὐτὸς ἀρχὴν ἔδωκεν. Τί δὴ τοῦτό ἐστιν · «Ἀπόλοιτο, φησίν, ἡ ἡμέρα ἐν ᾗ ἐγεννήθην ἐν αὐτῇ»; Τοῦτο καὶ ὁ Ἐκκλησιαστής φησι · «Ἐπήνεσα τοὺς ἀποθανόντας, τοὺς ἤδη τεθνηκότας ·
10 ἀγαθὸς ὑπὲρ τοὺς δύο τούτους, ὅστις οὔπω ἐγένετο[b].» Ταῦτα δὲ τὰ ῥήματα μὴ ἁπλῶς ἐξετάζωμεν, ἀλλ᾽ ἐκ ποίας λέγεται διανοίας ἴδωμεν · ἀθυμούσης καὶ θορυβουμένης. Ἐπεὶ καὶ Δαυίδ φησιν · «Ἐγὼ δὲ εἶπον ἐν τῇ ἐκστάσει μου...[c]», ἀλλ᾽ ἐν τῇ ἐκστάσει εἶπεν, καὶ ἑτέρωθί φησιν ·
15 «Ἐγὼ δὲ εἶπον ἐν τῇ εὐθηνίᾳ μου · οὐ μὴ σαλευθῶ εἰς τὸν αἰῶνα[d].» Οὕτω καὶ αὐτὸς ἐν τῇ συμφορᾷ ταύτῃ εἶπεν. Οὐχ ὁρᾷς, ἀγαπητέ, τοὺς τεμνομένους βοῶντας μεγάλα; Ἆρ᾽ οὖν αὐτοῖς ἐπιπλήττομεν; Οὐδαμῶς, ἀλλὰ συγγιγνώσκομεν. Εἰ μὴ ταῦτα ἐφθέγξατο, ἔδοξεν ἂν μηδὲ τῆς κοινῆς
20 μετέχειν φύσεως. Οὐκ ἀκούεις τοῦ Μωσέως οἷα φησίν; «Ἀπόκτεινόν με, εἰ οὕτω μοι μέλλεις ποιεῖν[e].» Τί δια-

---

1, 4 ὅτι + μὲν p ‖ 5 οὐκ : οὐ γὰρ p ‖ 7 τί — ἐστιν > p ‖ 9 τεθνηκότας + καὶ p ‖ 12 ἀθυμούσης + γὰρ ταῦτα ψυχῆς p ‖ 16 αὐτὸς : οὗτος p ‖ 18 ἀλλὰ + καὶ p ‖ 19 μὴ + γὰρ p ‖ 20 μωϋσέως p

1, 4-7 : ὅτι — ἔδωκεν *yχ* ‖ 11-12 : ταῦτα — θορυβουμένης (yz) ‖ 19-20 : εἰ μὴ — φύσεως *yχ*

a. Job 3, 1-3 ‖ b. Eccl. 4, 2-3 ‖ c. Ps. 30, 23 ‖ d. Ps. 29, 7 ‖ e. Nombr. 11, 15

CHAPITRE III

LES PLAINTES DE JOB

Job maudit le jour de sa naissance

1. *Ensuite, Job ouvrit la bouche et maudit le jour (de sa naissance) et il prit la parole en disant : Périsse le jour où je suis né, et la nuit où on a dit : Voici un mâle*[a]. Par leur silence, ils témoignaient du caractère terrible de ce qui s'était passé ; ils n'auraient osé le consoler s'il n'avait pas pris l'initiative de parler le premier. Que signifie donc : «Périsse, dit-il, le jour où je suis né»? C'est ce que dit aussi l'Ecclésiaste : «Je félicite ceux qui sont morts, ceux qui sont déjà morts[1] ; plus heureux encore que ceux-là, celui qui n'est pas encore né[b].» Ne nous contentons pas simplement de scruter ces paroles, mais voyons dans quel état d'esprit elles sont prononcées ; elles trahissent, en effet, une âme découragée et bouleversée. Car David dit, lui aussi : «J'ai parlé, dans mon effroi[c]...» – mais, c'est dans l'effroi qu'il a parlé – et, dans un autre passage : «J'ai dit dans ma prospérité : je ne serai sûrement pas ébranlé pour toujours[d]»; c'est aussi dans son malheur que Job a parlé. Ne vois-tu pas, bien-aimé, que ceux qu'on mutile poussent de grands cris? Est-ce que nous les en blâmons? Pas du tout, mais nous leur pardonnons. Si, en effet, il ne s'était pas exprimé ainsi, il aurait semblé qu'il ne participait même pas à la nature humaine. N'entends-tu pas ce que dit Moïse? «Tue-moi, si tu dois agir ainsi à mon égard[e]!» Quelle différence y a-t-il,

---

1. L'emploi successif de l'aoriste ἀποθανόντας et du parfait τεθνηκότας souligne la différence entre l'acte de mourir et l'état de mort. Cf. E. PODECHARD : *L'Ecclésiaste*, Paris, Gabalda, 1912, p. 321, l. 1 et n. 2. Podechard traduit, sur l'hébreu : «Et moi, de proclamer les morts qui sont déjà morts plus heureux que les vivants qui sont encore vivants.»

φέρει, εἰπέ μοι, τὸ εἰπεῖν «Ἀπόλοιτο ἡ ἡμέρα ἐν ᾗ
ἐγεννήθην ἐν αὐτῇ»; Τοῦτο καὶ Ἰερεμίας εἶπεν · «Ἐπικα-
τάρατος ἡ ἡμέρα ἐν ᾗ ἐγεννήθην[f].» Μὴ τὰ ῥήματα ἴδῃς
25 ἁπλῶς, ἀλλὰ τὴν διάνοιαν ἐξέταζε. Ὅτι μὲν γὰρ «οὐχ
ἥμαρτεν οὐδὲ ἐν τοῖς χείλεσι αὐτοῦ[g]» πολλάκις ἤκουσας ·
ὅτι δὲ οὐδὲ μετὰ ταῦτα ἥμαρτεν, αὐτοῦ πάλιν ἀκούσῃ τοῦ
Θεοῦ λέγοντος · «Οἴει με ἄλλως σοι κεχρηματικέναι ἢ ἵνα
δίκαιος ἀναφανῇς[h];» Οὐκ ἂν διπλασίονα τῶν προτέρων
30 ἔλαβεν, εἰ μὴ διπλασίονα ἀρετὴν ἐπεδείξατο. Τὴν οὖν
ἀπόφασιν ἰδόντες τοῦ Θεοῦ, προσέχωμεν τοῖς λεγομένοις.
Κἂν μὲν εὕρωμέν τι εἰπεῖν, ἐπεὶ εὐχαριστήσωμεν τῷ
Θεῷ. «Ἀπόλοιτο, φησίν, ἡ ἡμέρα ἐκείνη ἐν ᾗ ἐγεννήθην
ἐν αὐτῇ, καὶ ἡ νὺξ ἐν ᾗ εἶπον · Ἰδοὺ ἄρσεν.» Τί
35 ἐστιν · «Ἀπόλοιτο»; Ἴδωμεν καὶ ὀψόμεθα ἀθυμίας ὄντα
τὰ ῥήματα, οὐχὶ πονηρίας οὐδὲ βλασφημίας τινός · οὐ γὰρ
ἀπώλετο. Μὴ γὰρ δυνατὸν αὐτὴν ἐπανελθεῖν πάλιν καὶ
γενέσθαι ἄνωθεν; Ὡς περί τινος ἀνυποστάτου διαλέγεται
πράγματος.

2. **Ἡ ἡμέρα**, φησίν, **ἐκείνη εἴη σκότος καὶ μὴ ἀνα-
ζητήσαι αὐτὴν ὁ Κύριος ἄνωθεν, μηδὲ ἔλθοι εἰς αὐτὴν
φέγγος, ἐκλάβοι δὲ αὐτὴν σκότος καὶ σκιὰ θανάτου,
καὶ ἐπέλθοι ἐπ' αὐτὴν γνόφος · καταραθείη ἡ ἡμέρα**
5 **ἐκείνη καὶ ἡ νὺξ ἐκείνη · ἀπενέγκοιτο αὐτὴν σκότος ·
μὴ εἴη εἰς ἡμέραν ἐνιαυτοῦ μηδὲ ἀριθμηθείη εἰς
ἡμέραν μηνῶν, καὶ ἡ νὺξ ἐκείνη εἴη ὀδυνηρά, καὶ μὴ
ἔλθοι ἐν αὐτῇ εὐφροσύνη μηδὲ χαρμονή, ἀλλὰ καταράσαιτο αὐτὴν ὁ καταρώμενος τὴν ἡμέραν ἐκείνην, ὁ
10 μέλλων τὸ μέγα κῆτος χειροῦσθαι · σκοτωθείη τὰ**

22 μοι + τοῦ εἰπεῖν · ἀπόκτεινον με p ‖ ἀπόλλοιτο p ‖ 23 ἐν αὐτῇ > p ‖
23-24 τοῦτο — ἐγεννήθην > p ‖ 24 μὴ : ἀλλὰ μὴ p ‖ 29 διπλασίαν p ‖ 33
θεῷ : κυρίῳ p ‖ 35 ὄντα : οὖν LM ‖ 38-39 ὡς — πράγματος > p
2, 1-2 ἡ ἡμέρα — ἄνωθεν > p ‖ 7 καὶ[1] : ἀλλὰ p ‖ ὀδυνηρά : ὀδυνή p ‖ 8
χαρμονή + ἐπ' αὐτὴν p ‖ 10 χειροῦσθαι : χειρώσασθαι p

dis-moi, avec l'expression : «Périsse le jour où je suis né»?
C'est aussi ce que dit Jérémie : «Maudit soit le jour où je
suis né[f]». Ne regarde pas simplement les mots, mais scrute
à fond la pensée. Tu as, en effet, souvent entendu dire que
Job «n'avait pas péché, même des lèvres[g]»; mais, qu'il
n'ait pas péché, même après ces paroles, tu vas entendre
Dieu lui-même le dire encore : «Crois-tu que ma conduite
envers toi a eu un autre but que de manifester ta justice[h]?»
Il n'aurait pas reçu deux fois plus de biens qu'auparavant,
s'il n'avait pas fait preuve de deux fois plus de vertu. Donc,
c'est après avoir vu la déclaration de Dieu, qu'il faut être
attentif à ce qui est dit; et si nous trouvons quelque chose à
dire, eh bien! que ce soit pour rendre grâces à Dieu.
«Périsse, dit-il, le jour où je suis né, et la nuit où l'on a dit :
Voici un mâle.» Que veut dire le mot «périsse»? Réfléchis-
sons et nous comprendrons que ces paroles sont vraiment
dues au découragement[1], et non pas à la méchanceté ou à
l'impiété; car il n'a point péri. Était-il possible, en effet,
que ce jour-là revienne et qu'il naisse à nouveau? Il en
parle comme d'une chose chimérique.

   2. *Que ce jour,* dit-il, *soit ténèbres, et que le Seigneur ne le
recherche pas d'en haut; que la lumière ne descende pas sur lui, mais
que les ténèbres et l'ombre de la mort s'en emparent, et que
l'obscurité fonde sur lui; que ce jour et cette nuit-là soient maudits;
que les ténèbres l'emportent; qu'il n'entre pas en compte dans
l'année, et ne soit pas calculé dans le comput des mois; que cette nuit
soit pleine de douleur, qu'elle ne connaisse ni joie ni plaisir, mais
que la maudisse celui qui maudit ce jour-là, celui qui doit dompter
le grand monstre; que soient obscurcis les astres de cette nuit;*

23-24 : τοῦτο — ἐγεννήθην (yz)

f. Jér. 20, 14 ‖ g. Job 2, 10 ‖ h. Job 40, 8

   1. Au lieu de ὄντα, **L** et **M** ont ici οὖν qui n'a aucun sens. Nous avons
rétabli ὄντα, d'après III, **2,** 15.

ἄστρα τῆς νυκτὸς ἐκείνης · ὑπομείναι, καὶ μὴ ἔλθοι,
καὶ μὴ φωτίσαι · μηδὲ ἴδοι ἑωσφόρον ἀνατέλλοντα,
ὅτι οὐ συνέκλεισεν πύλας γαστρὸς μητρός μου.
Ἀπήλλαξεν γὰρ ἂν κόπον ἀπὸ ὀφθαλμῶν μου[i]. Ὁρᾷς
15 ἀθυμίας ὄντα τὰ ῥήματα; Τῆς ἡμέρας ἦν τὸ ταῦτα
ἐργάσασθαι, εἰπέ μοι;

3. Διὰ τί γάρ, φησίν, ἐν κοιλίᾳ οὐκ ἐτελεύτησα, ἐκ
γαστρὸς δὲ ἐξῆλθον, καὶ οὐκ εὐθέως ἀπωλόμην; Καὶ
ἵνα τί συνήντησάν μοι γόνατα; Ἵνα τί δὲ ἐθήλασα
μαστοὺς μητρός μου; Νῦν ἂν κοιμηθεὶς ἡσύχασα,
5 ὑπνώσας δὲ ἀνεπαυσάμην μετὰ βασιλέων καὶ βουλευτῶν γῆς, οἳ ἐγαυριῶντο ἐπὶ ξίφεσι, καὶ μετὰ
ἀρχόντων ὧν πολὺς ὁ χρυσός, οἳ ἔπλησαν τοὺς
οἴκους αὐτῶν ἀργυρίου · ἢ ὥσπερ ἔκτρωμα ἐκπορευόμενον ἐκ μήτρας μητρός, ἢ ὥσπερ νήπιοι οἳ οὐκ εἶδον
10 φῶς[j].

Τί λέγεις; Οὐχὶ σὺ εἶπας · «Εἰ τὰ μὲν ἀγαθὰ ἐδεξάμεθα
παρὰ Κυρίου, τὰ δὲ κακὰ οὐχ ὑποίσομεν[k];» Τί γέγονεν;
Ἀθρόον μετέσπασας καὶ ἐπαράσαι τὴν ἡμέραν καὶ τὴν
γένεσιν αἰτιᾷ σὺ τὴν σεαυτοῦ, καὶ ταῦτα παρόντων τῶν
15 ἀκροατῶν. Σὺ δέ, οὐ θαυμάζεις, ὅτι οὐκ ἐκεῖνα ἐφθέγξατο
τὰ ῥήματα, ὅτι τινὰ ἀντὶ τινος ἀπολαμβάνω, ταῦτά μοι
ἀντὶ τῆς φιλοξενίας, ταῦτα ἀντὶ τῆς πολλῆς φιλανθρωπίας ·
ἀλλὰ τούτων μὲν οὐδὲν εἶπεν · ὥσπερ δὲ δικαίως ὑπομένων
ἅπερ ὑπέμεινεν, καὶ κατ' ἀξίαν καὶ κατὰ λόγον ηὔξατο μὴ
20 γενέσθαι · ὅπερ καὶ περὶ τοῦ Ἰούδα ἔλεγεν ὁ Χριστός ·
«Καλὸν ἦν αὐτῷ, εἰ μὴ ἐγεννήθη ὁ ἄνθρωπος ἐκεῖνος[l].»
Ὅπερ οὖν καὶ οὗτός φησι · Διὰ τί ἐγενόμην; Βέλτιον ἦν
μὴ γενέσθαι.

14 ἂν > L
3, 4 μητρός μου > p ‖ 5 καὶ > p ‖ 6 οἱ ἐγαυριῶντο : ὃς ἐγαυριῶν τὸ
(sic) p ‖ καὶ : ἢ p ‖ 12 δὲ > p ‖ 13 μετέσπασας : μετέπεσε p ‖ 16 τινος :
τινων p ‖ 21 αὐτῷ : τῷ ἀνθρώπῳ ἐκείνῳ p

qu'elle les attende, sans qu'ils arrivent, et qu'ils ne donnent point leur lumière; qu'elle ne voie point se lever l'étoile du matin, parce qu'elle n'a point fermé les portes du ventre de ma mère, car, ainsi, elle aurait éloigné la souffrance de mes yeux[i]. Comprends-tu que c'est du découragement que trahissent ces paroles? Le jour (de sa naissance) pouvait-il avoir provoqué cela, dis-moi?

3. *Pourquoi donc,* poursuit-il, *ne suis-je point mort dans les entrailles (de ma mère) et pourquoi suis-je sorti de son ventre, sans périr aussitôt? Et pourquoi ses genoux m'ont-ils recueilli? Pourquoi ai-je têté le sein maternel? Maintenant, je dormirais en paix, et, dans mon sommeil, je reposerais avec les rois et les arbitres de la terre, qui s'enorgueillissaient de leurs épées, et avec les chefs qui possédaient de l'or en abondance, qui ont rempli d'argent leurs maisons; ou bien, je serais comparable à un fœtus rejeté du sein maternel ou à de petits enfants qui n'ont jamais vu la lumière*[j].

Que dis-tu? N'était-ce pas toi qui avais dit : «Si nous avons reçu du Seigneur des biens, n'en accepterons-nous pas les maux[k]?» Que s'est-il passé? Brusquement, tu as changé d'avis; tu maudis et tu mets en cause le jour de ta naissance, et cela, en présence de tes auditeurs. Et toi, n'es-tu pas étonné, en te disant que ce ne sont pas ces paroles-là qu'il a prononcées, que je fais une confusion avec un autre, que ces paroles que je lui prête sont contraires à sa bienveillance, qu'elles sont contraires à sa profonde bonté et qu'en fait, il n'a rien voulu dire de semblable et que, de même qu'il a supporté en juste ce qu'il supportait, il a souhaité aussi, d'une façon méritoire et sage, de n'être pas né. C'est justement ce que le Christ aussi disait de Judas : «Il eût mieux valu pour cet homme de n'être pas né[l]», c'est justement donc ce que dit aussi Job : Pourquoi suis-je né? Mieux valait ne pas naître.

i. Job 3, 4-10 ‖ j. Job 3, 11-16 ‖ k. Job 2, 10 ‖ l. Matth. 26, 24

4. Ἐκεῖ ἀσεβεῖς ἔπαυσαν θυμὸν ὀργῆς, ἐκεῖ ἀνε-
παύσαντο κατάκοποι τῷ σώματι· ὁμοθυμαδὸν δὲ δι᾽
αἰῶνος οὐκ ἤκουσαν φωνὴν φορολόγου· μικρὸς καὶ
μέγας ἐκεῖ ἐστι, καὶ θεράπων οὐ δεδοικὼς τὸν κύριον
5 αὐτοῦ[m]. Τί λέγεις; Ὅτι ἀσεβὴς καὶ πονηρὸς ἐγώ, καὶ οὐ
τοιαύτης ἔτυχον τῆς παραμυθίας.

Ἵνα τί γάρ, φησί, δέδοται τοῖς ἐν πικρίᾳ ψυχῆς
φῶς, ζωὴ δὲ ταῖς ἐν ὀδύναις ψυχαῖς, οἳ ὁμείρονται
τοῦ θανάτου, καὶ οὐ τυγχάνουσι, ἀνορύσσουσι δὲ
10 αὐτὸν ὥσπερ θησαυρόν, περιχαρεῖς δὲ ἐγένοντο, ἐὰν
κατατύχωσιν αὐτοῦ; Θάνατος γὰρ ἀνδρὶ ἀνάπαυσις,
οὗ ἡ ὁδὸς ἀπεκρύβη, συνέκλεισεν γὰρ ὁ Θεὸς κατ᾽
αὐτοῦ[n]. Θαύμασον καὶ ἐνταῦθα αὐτοῦ τὴν εὐλάβειαν, πῶς
ἐπιθυμεῖ τοῦ θανάτου, καὶ οὐ τυγχάνει, καὶ οὐκ ἐτόλμα
15 ἑαυτὸν διαχρήσασθαι. Ταῦτα δὲ οὐχὶ ἐγκαλοῦντός ἐστιν,
ἀλλὰ διαποροῦντος, καὶ τὴν αἰτίαν οὐχ εὑρίσκοντος. Ὥσπερ
ὁ Χριστὸς εἰπών· «καλὸν ἦν αὐτῷ εἰ μὴ ἐγεννήθη[o]» οὐδὲν
ἕτερον ἐδήλωσεν, ἀλλ᾽ ἢ ὅτι δεινὰ αὐτὸν ἀναμένει καὶ
χαλεπά· οὕτω καὶ ἐνταῦθα ὁ Ἰὼβ λέγων· «Εἴθε μὴ
20 ἐγεννήθην», οὐ τῆς δημιουργίας τοῦ Θεοῦ κατατρέχει ἀλλὰ
τὸ μέγεθος τῆς συμφορᾶς παρίστησιν. Διὰ τί· «Εἴθε μὴ
ἐγεννήθην»; Ὅτι ἄδικόν τι πέπονθας; Οὐδαμῶς, φησίν,
ἀλλ᾽ ὅτι οὐ φέρω τὴν συμφοράν· καὶ ὅρα τὴν εὐλάβειαν·
ἅπαντα τὸν θυμὸν εἰς τὴν ἡμέραν ἐκχέει, οὐ τολμῶν τοῦτον
25 ὑπερβῆναι τὸν ὅρον, ἀλλ᾽ ἀεὶ τὰ αὐτὰ καὶ συνεχῶς λέγων·

4, 1 ἀσεβεῖς > p ǁ 2 τῷ > p ǁ 2-3 δι᾽ αἰῶνος : οἱ αἰώνιοι εὐθύνησαν οἵ p ǁ
5-6 καὶ οὐ τοιαύτης : ἀλλὰ καὶ οὗτοι ταύτης p ǁ 7 ψυχῆς > p ǁ 11 γὰρ > p ǁ
12 ἀπεκρύβη + ἀπ᾽ αὐτοῦ p ǁ 13 θαύμασον : θαυμάσαι ἄξιον p ǁ 16
διαποροῦντος + ἐστι p ǁ ὥσπερ + γὰρ p ǁ 17 αὐτῷ > p ǁ ἐγεννήθη + ὁ
ἄνθρωπος ἐκεῖνος p ǁ 18 ἀλλ᾽ > p ǁ 19 ὁ > p ǁ 22 ἐγεννήθην : ἐγεννήθης
LM

4, 5-7 : τί λέγεις — παραμυθίας abcyz ǁ 16-26 : ὥσπερ — καὶ νύξ[1]
(> 22-24 : διὰ τί — συμφοράν) abc yz

m. Job 3, 17-19 ǁ n. Job 3, 20-23 ǁ o. Matth. 26, 24

1. Avec une négation, peut-être tombée, le sens serait plus satisfaisant : «Que, moi, je ne suis ni impie, ni pervers...»

Éloge de la mort

4. *Là-bas, les impies ont mis un terme à la fureur de leur colère, là-bas, ceux dont le corps est brisé de fatigue se reposent. Tous ensemble, à jamais, ils n'entendent plus la voix de leur oppresseur; petits et grands se trouvent là-bas, et le serviteur n'y craint plus son maître*[m]. Que veux-tu dire? Que moi je suis impie et pervers et n'ai point rencontré pareille consolation[1].

Pourquoi donc, dit-il, *la lumière est-elle accordée à ceux dont l'âme est dans l'amertume, et la vie aux êtres qui sont dans les souffrances, qui désirent la mort sans pouvoir l'obtenir, qui la cherchent comme on fouille un trésor qui vous comble de joie, si l'on parvient à le découvrir? Car pour l'homme, c'est un repos que la mort*[2], *dont la route a été cachée, car Dieu l'a encerclée d'une muraille*[n]. Admire, là encore, sa piété, comment il désirait passionnément la mort sans l'obtenir, et n'osait se suicider. Ce ne sont pas là les sentiments de quelqu'un qui fait des reproches, mais de quelqu'un qui est embarrassé et ne découvre pas sa culpabilité. Lorsque le Christ a dit : «Il eût mieux valu pour lui de n'être pas né[o]», il n'a rien voulu dire d'autre sinon que des malheurs et des difficultés l'attendaient; de même ici, lorsque Job dit : «Si seulement je n'étais pas né», il n'attaque pas l'œuvre créatrice de Dieu, mais il montre la grandeur de son malheur. Pourquoi : «Si seulement je n'étais pas né»? As-tu éprouvé quelque injustice? Nullement, dit-il, mais c'est que je ne supporte pas mon malheur; et remarque sa piété : il déverse toute sa colère sur le jour (de sa naissance), sans oser franchir cette limite, et sans cesser de répéter conti-

---

2. «La mort est un repos pour l'homme.» C'est là un aspect de la mort sur lequel revient volontiers notre commentaire (cf. dans notre chapitre 5, 5-7.35.42.45) et qu'on retrouve ailleurs dans l'œuvre de Chrysostome : cf. *IIIᵉ Lettre à Olympias* (*SC* 13 bis, p. 269, e) et dans *Expositio in Ps. 110* (*PG* 55, 280, l. 15 *a.i.*).

Ἡμέρα καὶ νύξ, καὶ νὺξ καὶ ἡμέρα.., καὶ πλέον οὐδέν.
Καίτοι ἤρκει τὸ πρῶτον ῥῆμα ἅπαντα παραστῆσαι· εἰπὼν
γάρ· «Ἀπόλοιτο ἡ ἡμέρα ἐν ᾗ ἐγεννήθην^P », πάντα τὰ
ἐνταῦθα ἐδήλωσεν. Τίνος ἕνεκεν εἶπεν τὸ· «μὴ ἔλθοι εἰς
30 αὐτὴν φέγγος^q» καὶ ὅσα τοιαῦτα; Ἔθος τοῖς ἀλγοῦσι
περισσολογεῖν. Μὴ τοίνυν ὑπὸ ἀσεβεῖς εὐθύνας τοὺς λόγους
ἀγάγωμεν· «Ὃν γὰρ ὁ Θεὸς δικαιοῖ τίς κατακρινεῖ^r ;»
«Ἡ ἡμέρα, φησίν, ἐκείνη εἴη σκότος καὶ μὴ ἀναζητῆσαι
αὐτὴν ὁ Κύριος ἄνωθεν, μηδὲ ἔλθοι εἰς αὐτὴν φέγγος,
35 ἐκλάβοι δὲ αὐτὴν σκότος καί σκιὰ θανάτου^s.» Τί τοῦτο
ἐκείνου διαφέρει; Καὶ πάλιν· «Καταράσαιτο αὐτὴν ὁ καταρώμενος τὴν ἡμέραν ἐκείνην, ὁ μέλλων τὸ μέγα κῆτος
χειροῦσθαι^t.» Τί βούλεται ἐνταῦθα τὸ κῆτος; Τὴν πολλὴν
τοῦ Θεοῦ δύναμιν ἐνδείκνυται.
40 «Νῦν ἂν κοιμηθείς, φησίν, ἡσύχασα, ὑπνώσας δὲ ἀνεπαυσάμην μετὰ βασιλέων καὶ βουλευτῶν γῆς^u.» Ὅπερ καὶ
ὁ Ἠλίας· «Ἱκανούσθω μοι. Μὴ ἐγὼ κρείττων εἰμι τῶν
πατέρων μου^v ;»
«Καὶ μετὰ ἀρχόντων, φησίν, ὧν πολὺς ὁ χρυσός^w.»
45 Ἐμοὶ δοκεῖ καὶ ἐκείνους καταστέλλειν καὶ πείθειν μὴ μέγα
νομίζειν εἶναι τὰ ἀνθρώπινα πράγματα· οὐ γὰρ ἁπλῶς,
οὐδὲ ὡς ἔτυχεν, τοὺς βασιλεῖς ἐνταῦθα παρήγαγεν. «Οἳ
ἐγαυριῶντο, φησίν, ἐπὶ ξίφεσιν^x.» Ὅρα καὶ ἐπὶ τῇ συμφορᾷ
φιλόσοφα ῥήματα· οὐδὲν ἐκείνων ὁ πλοῦτος προέστη·
50 οὐδὲν ἐκείνους ἡ δύναμις ὠφέλησεν· ὁ θάνατος πάντων

28 ἐγεννήθην : ἐγεννήθη p ‖ 29 ἐδήλωσεν + ἵνα εἰπῇ ὅτι τέως τῶν
παρόντων οὐκ ἐπειρώμην δείνων κἂν μὴ μισθὸν εὐσεβείας ἐκομιζόμην
(= PG 64, 580 B in fine) p ‖ 34-35 φέγγος — αὐτὴν (homoiotéleute) > p ‖
37 κῆτος + σκιὰ θανάτου — κῆτος (= l. 35-37) p ‖ 39 δύναμιν τοῦ Θεοῦ
~ p ‖ 42 ὁ > p ‖ ἡλίας + φησιν p ‖ 49 οὐδὲν + γὰρ p ‖ 50 δύναμις :
δύναμιν (sic) p ‖ ὁ πάντων θάνατος ~ p

41-43 : ὅπερ — πατέρων μου abc ‖ 45-49 : ἐμοὶ — ῥήματα (> 47-49 : οὐ
γὰρ — ξίφεσι) abc, yχ

nuellement les mêmes paroles : Le jour et la nuit, la nuit et
le jour..., et rien de plus. Or, il suffisait du premier mot
pour tout expliquer. En disant, en effet : «Périsse le jour où
je suis né[p]», il a fait savoir tout ce qui se trouve dans ce
passage. Pourquoi a-t-il dit : «Que la lumière ne descende
pas sur lui[q]» et toutes les expressions semblables? C'est
une habitude pour ceux qui souffrent de se répéter.
N'accusons donc pas d'impiété les paroles de Job, «car
celui que Dieu justifie, qui le condamnera[r]?»

«Que ce jour-là, dit-il, soit ténèbres, que le Seigneur ne
le recherche pas de là-haut, et que la lumière ne descende
pas sur lui, mais que les ténèbres et l'ombre de la mort s'en
emparent[s].» En quoi ce passage diffère-t-il de l'autre? Et
de nouveau : «Que maudisse cette nuit, celui qui maudit ce
jour-là, et qui doit dompter le grand monstre[t].» Que vient
faire ici, ce monstre? Il faut y voir la grande puissance de
Dieu.

«Maintenant, dit-il, je dormirais en paix, et, dans mon
sommeil, je me reposerais avec les rois et les arbitres de la
terre[u].» C'est précisément ce que disait aussi Élie : «C'en
est assez pour moi! Est-ce que je vaux mieux que mes
pères[v]?»

«Et avec les chefs, dit-il, qui ont de l'or en abondance[w].»
Il me semble qu'il cherche à la fois à rabaisser ces grands
personnages et à leur persuader de ne pas faire grand cas des
choses humaines; car ce n'est pas sans dessein, ni au hasard,
qu'il a introduit les rois dans ce passage. «Ceux qui
s'enorgueillissaient de leurs épées[x]», dit-il. Note encore, à
propos de son malheur, des paroles pleines de sagesse : leur
richesse, en effet, ne leur a assuré aucune protection; leur
puissance ne leur a été d'aucune utilité; la mort est venue à

p. Job 3, 3 || q. Job 3, 4 || r. Cf. Rom. 10, 34 || s. Job 3, 4-5 || t. Job 3, 8
|| u. Job 3, 13-14 || v. III Rois 19, 4 || w. Job 3, 15 || x. Job 3, 14

περιεγένετο. «Ή ὥσπερ, φησίν, ἔκτρωμα ἐκπορευόμενον
ἐκ μήτρας μητρός^y.» Ὅρα πῶς, ἵνα μὴ δόξῃ ἑαυτὸν
ἐπαίρειν, καὶ τοῖς ἀμβλωθριδίοις ἑαυτὸν παραβάλλει, οὕτω
ταπεινὸς ὢν καὶ ἐλεεινός.

5. «Ἐκεῖ ἀσεβεῖς, φησίν, ἔπαυσαν θυμὸν ὀργῆς.»
Εἶτα λοιπὸν ἐγκώμιον θάνατου, ὅτι οἱ μὲν τῆς κακίας
ἀπέστησαν, οἱ δὲ τῆς ταλαιπωρίας ἀπηλλάγησαν · οἱ μὲν
εὗρον λιμένα δεινῶν, οἱ δὲ κώλυμα τῆς πονηρίας · καὶ, τὸ
5 μέγιστον, ὅτι οὐδὲ ἔστι πάλιν προσδοκῆσαι τὰ πρότερα,
ἀλλὰ ἀναπαυσαμένους, ἀεὶ μένειν ἐπὶ τῆς ἀναπαύσεως δεῖ,
καὶ ὅτι πάντων ἔσται λύσις τῶν δεινῶν. Πῶς βούλει με
παύσασθαι, ὡς θέλεις; Διὰ τί μὴ ἀπῆλθον ἐντεῦθεν; Οὐχὶ
ἐγκαλοῦντός ἐστι ταῦτα τὰ ῥήματα, ἀλλὰ διαποροῦντος, καὶ
10 τὸν θάνατον ἐπιθυμοῦντος μόνον.
«Ὁμοθυμαδὸν δέ, φησίν, οἱ δι' αἰῶνος οὐκ ἤκουσαν
φωνὴν φορολόγου.» Πάντων ἐστὶν ἀνώτερος ὁ θάνατος. Οὐ
μόνον οὐδὲν ἔστιν ὑπομεῖναι δεινόν, ἀλλ' οὐδὲ μέχρις ἀκοῆς
τὰ δεινὰ παραδέξασθαι.
15 «Μικρὸς καὶ μέγας ἐκεῖ ἐστι καὶ θεράπων οὐ δεδοικὼς
τὸν κύριον αὐτοῦ.» Οὐδεὶς ἐξελθεῖν ἰσχύει τῆς τυραννίδος
ἐκείνης, οὐ δοῦλος, οὐκ ἐλεύθερος. Πάντα τὰ ἀνθρώπινα
διαλύεται, καὶ πλοῦτος καὶ ἀξιώματα. Πολλὴ κατὰ τὸν
παρόντα βίον ἡ ἀνωμαλία, πολλὴ μετὰ τὴν ἐντεῦθεν ἀποδη-
20 μίαν ἡ ἐλευθερία. Ἐπειδὴ γὰρ φρικτὸν τὸ πρᾶγμα ἐδόκει

---

51 φησίν > p ‖ 53 ἐπαίρειν : ἐπαινεῖν p ‖ 54 ὢν : ἦν p
5, 3 ἀπέστησαν + καὶ p ‖ οἱ μὲν : ἡ μεν (η = οι *itacisme?*) p ‖ 6-7 δεῖ καὶ
ὅτι : διὸ καὶ ὅτι abc διότι yz ‖ 7 ἔσται : ἐστιν p ‖ 12 φωνὴν > p ‖ 13 μόνον
+ γὰρ p ‖ 16 ἐξελθεῖν : ἐξελεῖν p ‖ ἰσχύει + φησίν p ‖ 18 διαλύεται :
διαλέλυται p ‖ πολλὴ + ἡ p ‖ 19 ἡ > p

52-53 : ἵνα — παραβάλλει abc
5, 2-4 : εἶτα — δεινῶν abc, yz ‖ 12-14 : πάντων — παραδέξασθαι abcyz ‖
18-20 : πολλὴ — ἐλευθερία abc yz

y. Job 3, 16

bout de tous. Ou, tel un fœtus, dit-il, qui est rejeté du sein maternel[y].» Remarque comment, pour ne pas avoir l'air de se vanter lui-même, il va jusqu'à se comparer aux avortons, tellement il était humilié et pitoyable!

Job expose son malheur

5. «Là-bas, les impies, dit-il, ont mis un terme à la fureur de leur colère.»

Et puis, vient un éloge de la mort, puisque, (grâce à elle), les uns se sont éloignés du mal, les autres ont été libérés de leur misère; ceux-là y ont trouvé un refuge contre leurs maux, ceux-ci un obstacle à leur méchanceté : et, point capital, il ne leur est même plus possible de redouter de nouveau les maux passés, mais il faut qu'après avoir pris du repos, ils ne cessent de persévérer dans ce repos, et ce sera la fin de toutes leurs épreuves. Comment veux-tu que je me repose, comme tu le désires? Pourquoi ne suis-je pas parti d'ici-bas? Ces paroles ne sont pas celles de quelqu'un qui fait des reproches, mais de quelqu'un qui est dans l'embarras et ne désire que la mort.

«Tous ensemble, dit-il, ceux qui sont dans l'éternité[1] n'entendent plus la voix de leur oppresseur.» La mort est au-dessus de tout. Non seulement il n'est plus possible de supporter aucun mal, mais le bruit même des maux ne parvient plus jusqu'à l'oreille.

«Petits et grands se retrouvent là-bas, et le serviteur n'y craint plus son maître.» Personne ne peut échapper à cette tyrannie, ni esclave, ni homme libre. Toutes les choses humaines sont anéanties par elle, la richesse comme les honneurs. Grande est l'inégalité pendant la vie présente, grande la liberté après le départ d'ici-bas. Comme la chose,

---

1. Le texte scripturaire : οἱ δι' αἰῶνος semble résulter d'une contamination entre le texte commun : οἱ αἰώνιοι et δι' αἰῶνος qui est le texte de **AS**[c], que l'on a trouvé en **4, 3**.

εἶναι, ἐμφιλοσοφεῖ τῷ θανάτῳ ὑπὸ τῆς συμφορᾶς, δεικνὺς
αὐτὸν τῆς ζωῆς ὄντα βελτίονα τοῖς ἐν ὀδύναις. Πολλὴ
ἰσοτιμία, φησίν· ἐκεῖ, οὐκ ἔστιν φοβηθῆναι μεταβολήν,
καθάπερ ἐνταῦθα. Πᾶσιν ἀναγκαίως συμβαίνει, πάντων
25 ὁμοίως κρατεῖ, κακῶν ἐστιν ἐμπόδιον, ταλαιπωρίας λύσις.
Τὰ δοκοῦντα εἶναι δεινὰ λέλυται.
« Ἵνα τί γάρ, φησίν, δέδοται τοῖς ἐν πικρίᾳ ψυχῆς φῶς,
ζωὴ δὲ ταῖς ἐν ὀδύναις ψυχαῖς. » Πάλιν ἐνταῦθα, οὐκ
ἐγκαλοῦντός ἐστι τὰ ῥήματα, μὴ γένοιτο, ἀλλὰ ζητοῦντος
30 καὶ ἀλγοῦντος· τὰ γὰρ μὴ μετὰ τῆς αὐτῆς διανοίας
λεγόμενα, οὐχ ὁμοίως ὑποληπτέον· ὥσπερ ὅταν λέγῃ
τις σοφός· « Ἵνα τί ὑπῆρξεν χρήματα ἄφρονιᶻ; », οὐδὲν
δηλοῦται ἐνταῦθα, ἀλλ᾿ ἢ ὅτι ἀνάξιος ἦν. Ἐντεῦθεν μανθάνομεν ὅτι οὐχ ἡ ζωὴ μόνον, ἀλλὰ καὶ ὁ θάνατος χρήσιμος
35 γέγονεν, ὁπότε οὕτως ἐστὶ ποθεινός. « Οἳ ὁμείρονται, φησίν,
τοῦ θανάτου καὶ οὐ τυγχάνουσιν. » Διὰ τοῦτό φησιν ὁ
Ἐκκλησιαστής· « Καιρὸς τῷ παντὶ πράγματιᵃ », καὶ πάλιν·
« Ὦ θάνατε, ὡς γλυκύ σου τὸ μνημόσυνονᵇ ». Ταῦτα δὲ
λέγει, ἵν᾿ ὅταν ἀκούσῃς τῆς γυναικὸς συμβουλευούσης
40 αὐτῷ· « Εἰπόν τι ῥῆμα πρὸς Κύριον καὶ τελεύταᶜ », μὴ
νομίσῃς διὰ φιλοζωίαν αὐτὸν μὴ εἰρηκέναι ἀλλὰ δι᾿ εὐσέ-
βειαν· ὁ γὰρ οὕτω ποθεινὸν ἡγούμενος αὐτόν, καὶ μέγα τι
νομίζων ἀγαθόν, παρὸν αὐτὸν εὑρεῖν, οὐκ ἐτόλμησεν.

21 εἶναι + τὸ τῆς πληγῆς p ‖ 22 πολλὴ + ἡ p ‖ 24 συμβαίνει + ὁ
θανατός p ‖ 29 μὴ γένοιτο > p ‖ 32 οὐδὲν + γὰρ p ‖ 36 τοῦ > p ‖ 36-37 ὁ
ἐκκλησιαστής φησιν ~ p ‖ 41 νομίσῃς + ὅτι p ‖ 43 εὑρεῖν αὐτὸν ~ p

22-26 : πολλὴ — λέλυται (24-25 : πᾶσιν — κρατεῖ > yz) abc, yχ ‖
28-31 : πάλιν — ὑποληπτέον yχ ‖ 33-35 : ἐντεῦθεν — ποθεινός yz ‖ 36-38 :
διὰ — μνημόσυνον (38 : γλυκύ : πικρόν yz, cf. Sir.) yz ‖ 38-43 : ταῦτα —
ἐτόλμησεν (42 αὐτὸν LMpa : ἑαυτῷ bcyz) abcyχ

z. Prov. 17, 16 ‖ a. Eccl. 3, 1 ‖ b. Cf. Sir. 41, 1-2 ‖ c. Job 2, 9

à vrai dire, semblait effrayante, il raisonne sur la mort en philosophe, sous la pression du malheur, voulant montrer qu'elle vaut mieux que la vie pour ceux qui sont dans les souffrances. Grande égalité d'honneurs aussi, dit-il; là-bas, il n'est pas possible de redouter de changement, comme ici-bas. La mort arrive fatalement pour tous, elle triomphe de tous sans distinction, elle fait obstacle aux maux, met fin à la misère. Ce qu'on prenait pour des malheurs est anéanti.

«Pourquoi donc, dit-il, la lumière a-t-elle été accordée à ceux dont l'âme est dans l'amertume, et la vie aux âmes qui sont dans la souffrance?» Là encore, ce n'est pas le langage, à Dieu ne plaise! de quelqu'un qui fait des reproches, mais de quelqu'un qui cherche et qui souffre : car lorsque des paroles sont prononcées dans un esprit différent, il ne faut pas les interpréter de la même façon : ainsi, lorsqu'un sage déclare : «Pourquoi l'insensé a-t-il disposé de richesses[z]?», il ne montre rien d'autre ici sinon qu'il en était indigne. Nous apprenons par là que non seulement la vie, mais la mort aussi est utile, quand elle est si désirée. «Ceux qui désirent la mort sans l'obtenir.» C'est pourquoi l'Ecclésiaste dit : «Il y a un temps favorable pour chaque chose[a]», et, dans un autre passage : «Ô mort, comme ton souvenir est doux[b1].» Or, s'il dit cela, c'est pour que, lorsque tu entends sa femme lui conseiller : «Dis une parole contre le Seigneur, et meurs[c]», tu ne penses pas que c'est par amour de la vie qu'il n'a pas dit cette parole, mais bien par piété. Car celui qui considérait la mort comme si désirable, et la regardait comme un grand bien, quand il lui était possible de l'obtenir, n'a pas osé (parler contre Dieu).

---

1. La leçon γλυκύ, qui s'accorde avec le commentaire, est inconnue du texte scripturaire qui porte la leçon : πικρόν.

«Θάνατος, φησίν, ἀνδρὶ ἀνάπαυσις.» Ἀπόφασίς ἐστιν
45 αὕτη. Εἰ τοίνυν ἀνάπαυσις, τίνος ἕνεκεν οὐκ ἐπιτρέχουσιν
οἱ πολλοί; Διὰ γὰρ τοῦτο ὁ Θεὸς τὴν ζωὴν ἡμῖν ποθεινὴν
ἐποίησεν, ἵνα μὴ ταχέως ἐπιτρέχωμεν τῷ θανάτῳ. «Οὗ ἡ
ὁδός, φησίν, ἀπεκρύβη.» Ἐμοὶ δοκεῖ τοῦ θανάτου λέγειν,
τινὲς δὲ τοῦ ἀνθρώπου φασίν· ὅτι γὰρ τοῦ θανάτου λέγει,
50 δῆλον ἐκ τῶν προειρημένων καὶ τοῦ λέγειν· «Ἀνορύτ-
τοντες αὐτὸν ὥσπερ θησαυρόν», δηλονότι κεκρυμμένον.
Ἄδηλον τὸ μέλλον, φησίν· οὐχ εὑρίσκομεν ὁδόν. Μὴ γὰρ
μοι τοὺς ἀπαγχονιζομένους εἴπῃς· περὶ γὰρ τοῦ κατὰ
φύσιν λέγει καὶ κατὰ πρόσταγμα τοῦ Θεοῦ. «Συνέκλεισε
55 γάρ, φησίν, ὁ Κύριος κατ' αὐτοῦ», κατὰ τὸ ἐν τῷ
Εὐαγγελίῳ εἰρημένον, ὅτι «ἡμέρα Κυρίου ὡς κλέπτης ἐν
νυκτὶ οὕτως ἔρχεται[d]». Ἵνα γὰρ μὴ λέγῃ τις· τίνος οὖν
ἕνεκεν οὐκ αἴρῃ τὸν θάνατον; «Συνέκλεισε, φησίν, ὁ Κύριος
κατ' αὐτοῦ.» Αἱ πύλαι, φησίν, κεκλεισμέναι εἰσίν.

6. Εἶτα ἐκτραγῳδεῖ τὴν συμφοράν. **Πρὸ γὰρ τῶν σίτων
μου**, φησί, **στεναγμὸς ἥκει μοι, δακρύω δὲ ἐγὼ συνεχόμενος φόβῳ**[e]. Τὰ παρόντα, τὰ μέλλοντα θρηνῶ· ὁ
καιρὸς τῆς τροφῆς, καιρὸς ἐμοὶ δακρύων· «Ψωμιεῖς γάρ
5 με, φησίν, ἄρτον δακρύων[f].»
**Φόβος γάρ, ὃν εὐλαβούμην, ἦλθέν μοι, καὶ ὃν
ἐδεδοίκειν συνήντησέν μοι**[g]. Ὁρᾷς φιλοσοφίαν ἀνδρός, οὐ
κατ' ἐκεῖνον τὸν ἐν τῷ ψαλμῷ λέγοντα· «Οὐ μὴ σαλευθῶ
ἀπὸ γενεᾶς εἰς γενεὰν ἄνευ κακοῦ[h]», οὐδὲ κατ' ἐκεῖνον τὸν
10 λέγοντα· «Οὐ μὴ σαλευθῶ εἰς τὸν αἰῶνα[i]». Ἀλλ' ἀνθρώπινον εἶχεν ἀεὶ λογισμόν, τοσαύτης ἀπολαύων εὐημερίας,

44 φησίν > p ‖ 48 φησίν > p ‖ ἀπεκρύβη + ἀπ' αὐτοῦ οὗ ἡ ὁδὸς
ἀπεκρύβη p ‖ 49 γὰρ : δὲ p ‖ 54 καὶ + τοῦ p ‖ 55 φησίν > p ‖ κύριος : θεὸς
p ‖ 56 ὅτι + ἡ p ‖ 57 τις + αὐτῷ p ‖ 59 πύλαι + αὐτοῦ p
6, 2 φησί > p ‖ 6 εὐλαβούμην : ἐφρόντισα p ‖ 10 μὴ > LM ‖ 11 ἀεὶ > p

44-47 : ἀπόφασις — θανάτῳ *yz* ‖ 54-57 : συνέκλεισε — ἔρχεται (*yz*)

« La mort, dit-il, pour l'homme, est un repos. » Voilà ce qu'il déclare. Or, si c'est un repos, pourquoi la plupart des gens ne s'y précipitent-ils pas ? C'est que Dieu nous a rendu la vie désirable pour nous empêcher de courir à la mort. « La route, dit-il, en est cachée. » A mon avis, c'est de la mort qu'il parle, mais certains prétendent que c'est de (la route de) l'homme ; or, ce qui prouve clairement qu'il parle de la mort, c'est ce qui a été dit auparavant, et notamment l'expression : « la cherchant comme on fouille un trésor », évidemment caché. L'avenir est inconnu, dit-il : nous ne trouvons pas la route. Ne me parle pas, en effet, de ceux qui se pendent, car Job parle de ce qui est conforme à la nature et au commandement de Dieu. « Car le Seigneur, dit-il, l'a encerclée d'une muraille » ; selon le mot de l'Évangile : « Le jour du Seigneur vient comme un voleur dans la nuit[d]. » Pour qu'on ne lui dise pas, en effet : Pourquoi donc ne choisis-tu pas la mort ? « Le Seigneur l'a encerclée d'une muraille », répond-il. Les portes en sont closes.

6. Puis, il expose son malheur en termes dramatiques. *Car devant mes aliments,* dit-il, *je me mets à gémir, et je pleure, oppressé par la crainte*[d]. Je me lamente sur le présent, sur l'avenir : l'heure du repas est pour moi l'heure des larmes. « Car, dit l'Écriture, tu me nourriras du pain des larmes[f]. »

La crainte, en effet, que j'appréhendais est arrivée pour moi, et celle que je redoutais m'a rencontré[g]. Vois-tu la sagesse de l'homme ! Il n'est pas comme celui qui dit dans le psaume : « Je ne serai sûrement pas ébranlé, et n'éprouverai pas de dommage, de génération en génération[h] » ; ni comme celui qui dit : « Je ne risque pas d'être ébranlé à jamais[i] ». Mais il conservait des pensées humaines, alors qu'il jouissait d'un

d. I Thess. 5, 2 ; cf. Matth. 24, 43 ‖ e. Job 3, 24 ‖ f. Ps. 79, 6 ‖ g. Job 3, 25 ‖ h. Ps. 9, 27 ‖ i. Ps. 29, 7

καὶ τὰ ἐναντία καθ' ἑκάστην προσδοκῶν ἡμέραν · ὅθεν
οὐδὲ ὡς ἀκαίρως αὐτῷ ἐπελθόντα χαλεπῶς ἤνεγκεν, ἀλλ'
ἐγγυμνασάμενος καὶ ἐμμελετήσας τῇ προσδοκίᾳ, καὶ τῇ
15 ἐλπίδι καλῶς ἐγυμνάσατο.

7. Οὔτε εἰρήνευσα, φησίν, **οὔτε ἀνεπαυσάμην,
ἦλθεν δέ μοι ὀργή**[j]. Οὐ περὶ τῶν προτέρων λέγει, ἀλλὰ
περὶ τῶν παρόντων νῦν, τοῦτ' ἔστι · φόβου, πολέμου καὶ
ταραχῆς ἐμπέπλησμαι, φησίν, αὐτὸς ἐμαυτῷ πολεμῶν. Τῶν
5 ἔξωθεν συνεχόντων αὐτὸν δεινῶν, ὁ τῶν λογισμῶν πόλεμος
χαλεπώτερος ἦν. Οὐδὲν γαληνὸν εἶχεν κατὰ διάνοιαν · τὸ δὲ
αἴτιον, φησίν, ἀπὸ τοῦ τὴν ὀργὴν ἐλθεῖν τοῦ Θεοῦ. Ὅρα
πῶς τῶν σωματικῶν δεινῶν τὰ κατὰ ψυχὴν πλέον πενθεῖ,
ὡς ἐκείνης μᾶλλον τηκομένης καὶ τεθορυβημένης καὶ δεινὰ
10 πασχούσης.

Οὕτω καὶ ἡμᾶς διακεῖσθαι καλόν, πρόσκαιρα πάντα
νομίζειν, καὶ τὰ καλὰ καὶ τὰ μὴ τοιαῦτα · οὕτως οὐδὲ
ἐκείνων αἰσθησόμεθα τῆς δεινότητος, οὐδὲ ὑπὸ τούτων
ἐπαρθῆναι δυνησόμεθα, ἀλλὰ διὰ παντὸς ἐν ταῖς ἀνωμαλίαις
15 ταύταις γαλήνης ἀπολαύσομεν καὶ εἰρήνης. Καὶ τὸ δὴ
θαυμαστόν, ὅτι μετὰ βίου καθαροῦ καὶ ζωῆς ἀλείπτου, τὰ
ἐναντία προσεδόκα, καὶ οὐ προσεδόκα μόνον, ἀλλ' ἐφοβεῖτο,
ἐννοῶν τὰ πρότερα · οἷον τὰ κατὰ τὸν Ἀβράαμ. Ἡμεῖς δέ,
καθ' ἑκάστην ἡμέραν πονηρίᾳ συζῶντες, οὐδὲν ὑποπτεύ-
20 σομεν ἐναντίον; Ὅρα πῶς καὶ πρὸ τῆς πείρας φιλοσοφεῖ.

---

13 αὐτῷ : αὐτὸ LM
7, 1 φησίν > p ‖ ἀνεπαυσάμην : ἡσύχασα p ‖ 3 φόβου + καὶ p ‖ 4
ἐμαυτῷ : ἐμαυτόν L ‖ 12 οὕτως + γὰρ p ‖ 17 ἀλλ' : ἀλλὰ καὶ p ‖ 20 ὅρα :
ὁρᾷς p ‖ φιλοσοφεῖ : ἐφιλοσόφει p

j. Job 3, 26 ‖

si grand bonheur, et qu'il s'attendait chaque jour aux difficultés. Aussi n'eut-il pas non plus de peine à les supporter, comme si elles fondaient sur lui à l'improviste, mais parce qu'il s'était entraîné et exercé à les attendre, il s'était aussi bien entraîné à l'espérance.

7. *Je n'ai eu,* dit-il, *ni paix ni repos, et la colère est venue pour moi*[j]. Il ne parle pas du passé, mais de la situation actuelle, c'est-à-dire : Je suis rassasié de crainte, de guerre et de trouble, dit-il, à lutter contre moi-même. Les maux qui l'oppressaient de l'extérieur étaient moins pénibles que le combat que se livraient ses pensées. Aucune sérénité ne régnait dans son esprit; et la cause en est due, dit-il, à la venue de la colère de Dieu. Remarque comment, plus que les maux de son corps, il déplore ceux de son âme, car c'est elle qui est plus épuisée, plus troublée, plus terriblement éprouvée.

Il est bon que, nous aussi, nous ayons de semblables dispositions, que nous considérions tout comme provisoire, le bien, comme ce qui ne l'est pas; ainsi, ni nous ne sentirons la rigueur du malheur, ni nous ne pourrons être exaltés par les succès, et nous ne cesserons pas, au milieu de ces fluctuations, de jouir de la sérénité et de la paix. Et ce qui, justement, était surprenant, c'est qu'avec une vie pure et une existence parfaite il s'attendait aux revers, et non seulement il s'y attendait, mais il les redoutait[1], en songeant aux exemples du passé, par exemple au cas d'Abraham. Et nous, qui chaque jour vivons dans le mal, n'appréhenderons-nous aucune adversité? Remarque comme il était sage, même avant l'épreuve; car

---

1. Cette idée que Job, non seulement «s'attendait aux revers, mais les redoutait» revient dans *Expos. in Ps.,* 9, *PG* 55, 137, l. 23.

Ὁ γὰρ προσδοκῶν μεταβολὴν μετὰ βίου καλοῦ, οὐχ ὡς μισθωτὸς ἦν, ὥστε πολλὴν αὐτοῦ τὴν ἀρετὴν δείκνυσιν ἡμῖν τὸ λέγειν · «φόβος ὃν εὐλαβούμην ἦλθέν μοι[k]».

22 ἡμῖν > p ‖ 23 εὐλαβούμην > ηὐλαβούμην LM

k. Job 3, 25

celui qui s'attendait à un bouleversement au milieu d'une belle vie morale, ne ressemblait pas à un mercenaire. Ainsi, c'est la grandeur de sa vertu que montre l'expression : «La crainte que j'appréhendais est arrivée pour moi[k].»

IV

1. Ὑπολαβὼν Ἐλιφὰζ ὁ Θαιμανίτης λέγει · Μὴ
πολλάκις σοι λελάληται ἐν κόπῳ; Ἰσχὺν δὲ ῥημάτων
σου τίς ὑποίσει[a]; Καλῶς ὑπολαβὼν εἶπεν τὰ κατειληφότα
αὐτὸν πάντα κακὰ καὶ τὴν προσθήκην τῶν δεινῶν, ἐπειδὴ
5 ἐβούλοντο αὐτῷ ἐπεμβαίνειν καὶ ἐνάλλεσθαι κειμένῳ · οὐ
γὰρ ἔστιν πάντων εἰδέναι ἐν ταῖς τοιαύταις ἁρμόζεσθαι
συμφοραῖς, ἀλλὰ πολλοὶ πολλάκις τὸ τραῦμα χαλεπώτερον
ἐποίησαν, οἳ μὲν ἀπὸ βασκανίας, οἳ δὲ ἀπὸ ἀφροσύνης · οὐ
γὰρ δὴ τῶν ἰατρῶν τῶν τεμνομένων τὰ τραύματα ἐλάτ-
10 τονος δεῖται τέχνης ὁ τὸν παρακλητικὸν ἀναδεδεγμένος
λόγον. Καλῶς οὖν «ἰατροὶ κακῶν[b]» ἐκλήθησαν, ἐπιτρί-
βοντες τὸ τραῦμα, πάσχουσι δὲ αὐτὸ ἀπὸ βασκανίας.
Πόσης δὲ πονηρίας ἂν εἴη, ἐν τοσούτῳ βασκαίνειν χειμῶνι,
καὶ κειμένῳ φθονεῖν, καὶ τὸν ἄξιον ἐλεεῖσθαι τοῦτον μυρίοις
15 περιβάλλειν δεινοῖς; Ὅρα γὰρ πῶς οὐ μόνον παραμυθίας
ἀπέχει τὰ ῥήματα τὰ παρ' αὐτῶν, ἀλλὰ καὶ πολλὴν
τὴν ἀθυμίαν ἐντίθησι καὶ κατηγορίας μακροὺς ἀποτείνει
λόγους · διὸ καί τίς φησι · «Ψυχὴν παρωργισμένην μὴ
προσταράξῃς[c].» Ἀλλ' ἴδωμεν τί φησι, καὶ φύγωμεν τὴν
20 μίμησιν. Τί οὖν λέγει;

2. «Μὴ πολλάκις σοι λελάληται ἐν κόπῳ[d];» Κόπον οἶδεν
ἡ Γραφὴ τὴν ἁμαρτίαν λέγειν, ὡς ὅταν λέγῃ · «Ὑπὸ
τὴν γλῶσσαν αὐτοῦ κόπος καὶ πόνος[e].» Οὐκ εἶπεν ·

1, 14 μυρίοις + τε p ‖ 15 περιβάλλειν : βαλεῖν p ‖ 16 τὰ² > L ‖ καὶ >
M ‖ 20 τί οὖν λέγει >p

2, 1-8 : κόπον — ἁμαρτίαν abc yẓ

a. Job 4, 1-2 ‖ b. Job 13, 4 ‖ c. Sir. 4, 3 ‖ d. Job 4, 2 ‖ e. Ps. 9, 28
(10, 7)

CHAPITRE IV

Discours d'Éliphaz

Un «médecin de malheur»

1. *Éliphaz de Théman prit la parole et dit : As-tu parlé souvent dans la souffrance? Et qui supportera la violence de tes paroles*[a]*?* Job a bien fait de prendre les devants pour indiquer tous les maux qui ont fondu sur lui, et l'accumulation de ses malheurs, puisqu'ils voulaient le piétiner et l'insulter, alors qu'il gisait à terre; car tout le monde n'est pas capable de savoir s'adapter à de telles infortunes, et bien des gens avivent souvent la blessure, les uns par malignité, les autres par sottise. Car il est évident que celui qui s'est chargé de la parole de consolation n'a pas besoin de moins d'habileté que les médecins qui incisent les plaies. C'est donc à bon droit qu'ils ont reçu de Job le nom de «médecins de malheur[b]», eux qui irritent la plaie, et cela par malignité. Comme il serait méchant, dans une si violente tempête, de faire preuve de malveillance, de jalouser un homme qui gît à terre et de précipiter dans des maux innombrables celui qui mérite d'être pris en pitié. Remarque donc comment leurs paroles non seulement sont dénuées de consolation, mais inspirent même un profond découragement et développent longuement des discours accusateurs : c'est pourquoi aussi il est dit : «N'ajoute pas au trouble d'une âme qui est dans un état d'irritation[c].» Mais, voyons ce que dit Éliphaz, et gardons-nous de l'imiter. Que dit-il donc?

Il reproche à Job de pécher dans ses paroles

2. «As-tu souvent parlé dans la souffrance[d]?» Par «souffrance», l'Écriture peut signifier le péché; c'est ainsi qu'elle dit : «La souffrance et la douleur sont sous sa

Μὴ ἔπραξάς τι πονηρόν; ἀλλά· «Μὴ λελάληταί σοι;»
5 Ἐπειδὴ γὰρ ἔλαμπεν ὁ βίος αὐτοῦ πανταχοῦ, καὶ πολλὰ
τῆς ἀρετῆς ὑπομνήματα πανταχοῦ τῆς γῆς εἶχεν, μὴ τοῦτο,
φησίν, εἴπῃς ὅτι αἱ πράξεις σου καλαὶ καὶ ἀγαθαί·
συμβαίνει γὰρ ἐν τοῖς ῥήμασι γεγενῆσθαι τὴν ἁμαρτίαν.
«Ἰσχὺν δὲ ῥημάτων σου τίς ὑποίσει;» Καὶ ὅρα τό·
10 «μὴ πολλάκις σοι λελάληται;» Οὐχὶ φειδομένου ἐστὶν
ἡ ἀμφισβήτησις καὶ ἡ ἀμφιβολία, ἀλλὰ μὴ ἔχοντος ἐλέγξαι
σαφῶς. «Ἰσχὺν δὲ ῥημάτων σου.» Τί γὰρ εἶπεν; Ηὔξατο
ἀποθανεῖν καὶ ἀπαλλαγῆναι τῆς παρούσης ζωῆς. Μὴ γὰρ
εἶπεν ὅτι δίκαιος ὢν καὶ μεγάλα κατορθωκώς, τοιαῦτα
15 πάσχω; Ἀλλ᾽ ἐβουλόμην, φησί, μετὰ τῶν ἀσεβῶν, μετὰ
τῶν οἰκετῶν, μετὰ τῶν ἐκτρωμάτων ἀπελθεῖν, τῶν αὐτῶν
τυχεῖν ὢν καὶ οἱ ἀσεβεῖς. Οὐκ εἶπεν· Ἐγὼ ὁ τοιοῦτος καὶ
τοσοῦτος.

3. **Εἰ γὰρ σὺ ἐνουθέτησας πολλούς, καὶ χεῖρας
ἀσθενούντων παρεκάλεσας, ἀσθενοῦντας δὲ ἐξανέστη-
σας ῥήμασι, γόνασι δὲ ἀδυνατοῦσι περιέθηκας
θάρσος**[f]...» Ὅρα· τέως τὴν ἐν τοῖς ῥήμασιν αὐτοῦ λέγει
5 βοήθειαν καὶ συμμαχίαν, δεικνὺς ὅτι οὐδὲ τοῦτο μικρόν· εἰ
γὰρ εἶπεν· Εἰ σὺ παρεκάλεσας χρήμασι, πῶς σαυτὸν
οὐ δύνασαι παρακαλέσαι; ἐνῆν εἰπεῖν τὴν πενίαν· εἰ δὲ
λόγοις πολλοὺς παρεκάλεσας, φησί, καὶ ἑτέρους ὄντας
ἐν συμφοραῖς ἀνέστησας, πῶς ἐπὶ σοῦ τὸ φάρμακον γέγονεν
10 ἀσθενές; Ὁ τὰς ἑτέρων λύων ἀνάγκας διὰ τῆς ἐν τοῖς
λόγοις παραινέσεως καὶ συμβουλῆς, πῶς οὐκ ἀποκέχρησαι
τῇ μεθόδῳ τῆς θεραπείας ἐπὶ τῶν οἰκείων κακῶν;

2, 7 εἴπῃς (pbcyz) : εἶπες LM ‖ 9 ὑποίσει : ὑπενέγχῃ p ‖ 10 μὴ : μὲν p ‖
11 ἢ² > p ‖ 12 σαφῶς + αὐτὸν p ‖ σου + τίς ὑποίσει p

3, 1 σύ : σοι LM ‖ 2 ἀσθενούντων : ἀσθενοῦς p ‖ δὲ : τε p ‖ 3-4 θάρσος
περιέθηκας ~ p ‖ 7 πενίαν + νῦν δὲ λέγει p ‖ δὲ : γὰρ p ‖ 8 λόγοις (p) :
λέγοις LM ‖ πόλλους παρεκάλεσας : παρεκάλεσας πόλλα p ‖ φησί > p ‖ 8-9
ὄντας — ἀνέστησας : ἀνέστηκας ὄντας ἐν συμφοραῖς p

f. Job 4, 3-4

langue[e].» Éliphaz n'a pas dit : As-tu commis un acte mauvais? mais : «As-tu parlé?» Puisque, en effet, l'éclat de sa vie brillait partout, et qu'il conservait partout sur la terre de nombreux témoignages de sa vertu; ne va pas dire, lui dit-il, que tes actions sont belles et bonnes; car parfois, c'est dans les paroles que se produit la faute. «Et, qui supportera la violence de tes paroles?» Note donc l'expression : «As-tu souvent parlé?» L'hésitation et l'incertitude ne viennent pas de sa modération, mais de ce qu'il ne peut le convaincre d'une faute évidente. «La violence de tes paroles.» Qu'a donc dit Job? Il a souhaité de mourir et d'être délivré de la vie présente. A-t-il dit, en effet : C'est malgré ma justice et mes grandes vertus que j'éprouve de tels maux? Non, mais il a dit : Je voulais disparaître avec les impies, avec mes serviteurs, avec les avortons, obtenir le même sort que les impies. Il n'a pas dit : Moi, qui ai de telles qualités et tant d'importance.

Job aurait consolé les autres et ne pourrait se consoler lui-même?

3. *Car si toi, tu as fait la leçon à bien des gens, si tu as raffermi les mains des faibles, relevé par tes paroles ceux qui faiblissaient, redonné de l'assurance aux genoux chancelants*[f]... Remarque-le : jusqu'ici, il parle du secours et de l'aide qu'apportaient ses paroles, montrant que cela non plus n'est pas négligeable. Car s'il avait dit : Si toi, tu en as raffermi (d'autres) avec des richesses, comment ne peux-tu te raffermir toi-même? il serait possible de faire état de sa pauvreté; mais, dit-il, si c'est par des paroles que tu as raffermi bien des gens et que tu en as relevé d'autres qui étaient dans les malheurs, comment le remède est-il devenu sans force dans ton cas? Toi qui résolvais les difficultés des autres par les encouragements et les conseils de tes paroles, comment n'as-tu pas profité de ta méthode de guérison, pour tes propres maux?

222 COMMENTAIRE SUR JOB

4. **Νυνὶ δέ**, φησίν, **ἥκει ἐπὶ σὲ πόνος καὶ ἥψατό σου, σὺ δὲ ἐσπούδακας**[g]. Τί ἐστιν «ἐσπούδακας»; Ταράττῃ, θορυβῇ, ἰλιγγιᾷς, σπεύδεις ἀπολέσθαι, οὐκ ἔχεις σαυτόν.

5. **Πότερον οὐχὶ ὁ φόβος σού ἐστιν ἐν ἀφροσύνῃ, καὶ ἡ ἐλπίς σου, καὶ ἡ κακία τῆς ὁδοῦ σου**[h]; Ὄντως ἀφροσύνης τὰ ῥήματα· εἰ ἑτέροις βοηθήσας σαυτῷ μὴ δύνασαι βοηθῆσαι, μηδὲ παραινέσαι σαυτῷ, ὅπερ ἑτέροις 5 συνεβούλευες, οὐ δῆλον ὅτι πάσης ἀρετῆς ἄμοιρος αὐτὸς εἶ; Ὁ γὰρ ἑαυτῷ χρήσιμος γενέσθαι μὴ δυνηθείς, πῶς ἂν ἑτέροις γένοιτο; Ἐκ τούτων διαβάλλειν ἐπιχειρεῖ τὴν δόξαν τῶν προτέρων κατορθωμάτων· ὥστε μοι δοκεῖ καὶ ἐκεῖνο εἶναι τὸ νόημα «Μὴ πολλάκις σοι λελάληται ἐν κόπῳ;» οὐ 10 πολλάκις, φησίν, εἶπες ἐν κόπῳ ἀλλοτρίῳ. «Τίς» γὰρ δύναται ἐνεγκεῖν τὴν «ἰσχὺν» τῶν «ῥημάτων σου;» ὧν ἀεὶ καυχώμενος ἔλεγες. Ἀλλ᾽ ἰδοὺ νῦν ἐλήλεγκται ἡ μεγαληγορία σου. Εἰκὸς γὰρ ἦν τὸν δίκαιον καὶ εἰπεῖν τινα τῶν οἰκείων κατορθωμάτων, καὶ ἤδη ὥσπερ νῦν εἰς ἀνάγκην 15 ἐμπεσόντα. Διὰ τοῦτό φησιν· «Ἐν κόπῳ». Τίς γὰρ καὶ δύναται τοῦτο, φησίν, διηγήσασθαι ἢ ἐνεγκεῖν τὰ καυχήματά σου; Ἀλλὰ νῦν ἐλήλεγκται· εἰ γὰρ σὺ ἐβοήθησας ἑτέροις. Καὶ ὅρα πῶς ἐκαύχατο· οὐκ ἔλεγεν τὰ ἐν χρήμασιν αὐτῷ κατορθώματα, ἀλλ᾽ εἴ τινας ἀπὸ λόγων ὠφέ-20 λησεν· ταῦτα γοῦν αὐτῷ καὶ προφέρει.

«Πότερον οὐχὶ ὁ φόβος σού ἐστιν ἐν ἀφροσύνῃ καὶ ἡ ἐλπίς σου, καὶ ἡ κακία τῆς ὁδοῦ σου;» Τοῦτ᾽ ἐστιν· ὁ

La crainte et les espérances de Job
prouvent sa perversité

4. *Mais, maintenant,* dit-il, *la souffrance t'a atteint et t'a touché, et toi, tu as été troublé*[g1]. Que signifie l'expression «tu as été troublé»? Tu es agité, bouleversé, saisi de vertige, tu as hâte de mourir, tu ne te possèdes plus toi-même.

5. *Ta crainte n'est-elle pas insensée, comme ton espérance et la perversité de ta route*[h]? Vraiment, tes paroles sont insensées : si après en avoir aidé d'autres, dit-il, tu ne peux t'aider toi-même, ni te donner à toi-même les conseils que, précisément, tu adressais à d'autres, n'est-il pas clair que tu es toi-même dénué de toute espèce de vertu? Car si l'on n'a pas pu être utile à soi-même, comment le serait-on à d'autres? Par là, il cherche à jeter le discrédit sur la gloire de ses précédents actes de vertu; aussi, à mon avis, voilà quelle est sa pensée : «As-tu parlé souvent dans la souffrance?» signifie : tu n'as pas souvent parlé dans la souffrance d'autrui. «Qui peut, en effet, supporter la violence de tes paroles?», elles dont tu te vantais toujours. Mais, maintenant, voici que l'orgueil de tes propos a été confondu. Il était normal en effet, pour le juste, de parler de certaines de ses bonnes actions, autrefois tout comme maintenant où il est tombé dans la misère. C'est pourquoi il ajoute : «Dans la souffrance.» Qui peut alors, en effet, raconter cela ou supporter tes vantardises? Mais, maintenant, elles ont été confondues. Plût au ciel que tu en aies aidé d'autres! Et vois comme il se vantait : il ne parlait pas des bonnes actions qu'il faisait quand il était dans la richesse, mais il disait s'il avait rendu service à certaines personnes par ses paroles : c'est là, du moins, ce qu'il lui reproche.

«Ta crainte n'est-elle pas insensée, comme ton espérance et la perversité de ta route?» C'est-à-dire : l'intention avec

σκοπὸς μεθ' οὗ ταῦτα ἐποίεις ἢ ὅτι οὐδὲ ἐποίησας, ἢ ὅτι ὁ
βίος σου πονηρίας γέμει, ἢ ὅτι οὐ μετὰ ὀρθῆς διανοίας
25 ἐφοβοῦ τὸν Θεόν, ἀλλὰ ῥήματα ταῦτα ἦν. «Καὶ ἡ ἐλπίς
σου ἐν ἀφροσύνῃ ἦν.» Ἔγεμεν ἀνοίας, φησίν. Διὰ τί; ποία
ἀνάγκη; Οὐ γὰρ ἔνι πολλάκις ἑτέροις βοηθήσαντα, αὐτὸν
εἶναι ἐν συμφοραῖς; Οὔ, φησίν. Εἶτα καὶ συλλογισμὸν
μάταιον ἐπάγει. Ἐπειδὴ γὰρ ἔλεγεν · «Φόβος ὃν ἐφοβούμην
30 ἦλθέν μοι[i]», οὗτος «ὁ φόβος, φησίν, ἐν ἀφροσύνῃ ἦν» καὶ
ἡ ἐλπίς σου ἀπὸ τῆς κακίας τῆς καρδίας σου ἦν · εἰ γὰρ ἐν
ἀληθινοῖς πράγμασιν ἦς καὶ βίου καθαροῦ, οὐκ ἂν ταῦτα
προσεδόκησας, ὥστε αὐτὸς ἑαυτὸν ἤλεγξας, ὅτι βίου ἀκαθάρτου ἦς καὶ πονηροῦ · ἀνόητον γάρ, φησίν, ἀγαθὸν ὄντα
35 καὶ χρηστὸν τοιαῦτα φοβεῖσθαι καὶ τοιαῦτα ἐλπίζειν · εἰ
γὰρ ἐν τῷ τὰς ἑτέρων διορθοῦν συμφορὰς τὸν βίον ἀνά-
λωσας, πῶς λέγεις ὅτι «φόβος ὃν ἐφοβούμην ἦλθέν μοι»;
Καὶ «ἡ κακία τῆς ὁδοῦ σου» τοιαῦτά σε ἐποίει προσδοκᾶν.
Ὅρα πῶς ἀγωνίζεται καὶ φιλονεικεῖ καὶ πάντα κινεῖ,
40 δεικνὺς αὐτὸν ἀπὸ πονηρίας ταῦτα παθόντα.

6. Μνήσθητι οὖν, φησίν. Οὐκ εἶπεν · βλέπε, ἀλλά ·
μνήσθητι · **Τίς, καθαρὸς ὢν, ἀπώλετο**[j]; Τοῦτ' ἔστιν ·
ἀναλόγισαι πάντα τὸν ἔμπροσθεν χρόνον · οὕτω σαφές ἐστι
τοῦτο καὶ δῆλον · εἶτα, ἐπειδὴ ὁ λόγος εὐχείρωτος ἦν,
5 ἐπάγει τὸ δεύτερον, δοκοῦν ἀναμφισβήτητον εἶναι.

7. Ἢ πότε ἀληθινοὶ ὁλόρριζοι ἀπώλοντο[k]; Πλήττει

30 φησιν ὁ φόβος ∼ p ‖ ἐν > p ‖ 30-31 καὶ ἡ ἐλπίς — ἦν > p ‖ 31 ἐν
(p) : ἦν LM ‖ 32 βίου καθαροῦ : βίῳ καθαρῷ p ‖ 35 ἐλπίζειν : ἔλπιζεν LM
6, 1 φησίν > p ‖ 1-2 οὐκ εἶπεν — μνήσθητι, *transp. post* ἀπώλετο (l. 2) p
‖ 3 χρόνον + τίς καθαρὸς ὢν ἀπώλετο; οὕτω λέγοντος · φόβος γὰρ ὃν
ἐφρόντισα ἦλθέ μοι · εἰ γὰρ ἐθάρρεις p ‖ οὕτω > p ‖ 5 δοκοῦν : τὸ δοκεῖ p ‖
εἶναι + ἀλλ' ἔασας, φησί, περὶ σεαυτοῦ πρόληψιν, ἀκριβὴς τῶν πραγμάτων
ἐξεταστὴς γένου · εὑρήσεις γὰρ ὡς οὐδεὶς ἄμεμπτος βιώσας δέδωκέ ποτε
δίκην (= *Polychr. Young, p. 140 2 l. a.f.*) p

28-31 : εἶτα — ἦν *abc* (yz) ‖ 33-35 : ὥστε — ἐλπίζειν (abcyz)

laquelle tu agissais ainsi. Il veut dire : ou bien tu n'as même pas agi, ou bien ta vie est pleine de méchanceté, ou bien tu ne craignais pas Dieu avec une intention droite, mais tout cela était des mots. «Ton espérance était insensée.» Elle était pleine de sottise, dit-il. Pourquoi? Quelle nécessité à cela? N'est-il pas possible que, après en avoir souvent aidé d'autres, il soit lui-même dans les malheurs? Ce n'est pas (possible), dit-il. Ensuite, il ajoute encore un raisonnement sans valeur. Puisqu'il disait, en effet : «La crainte que je redoutais a fondu sur moi[i]», «cette crainte, dit-il, était insensée», et ton espérance venait de la perversité de ton cœur; car si tes actions étaient sincères et ta vie pure, tu n'aurais pas appréhendé ces maux, si bien que tu t'es convaincu toi-même d'avoir une vie impure et perverse; car il est stupide, dit-il, quand on est bon et honnête d'avoir de telles craintes et de telles espérances; car si tu as dépensé ta vie à réparer les malheurs d'autrui, comment peux-tu dire : «La crainte que je redoutais est arrivée pour moi?» Et c'est «la perversité de ta route» qui te faisait appréhender de tels maux. Vois comment Éliphaz l'attaque, le querelle, et met tout en œuvre pour montrer que c'est sa perversité qui lui a valu ces souffrances.

Qui, étant pur, a péri?

6. *Souviens-toi donc,* dit-il. Il n'a pas dit : Regarde, mais : «Souviens-toi». *Qui, étant pur, a péri[j]?* C'est-à-dire : récapitule tout le passé, tellement cela est clair et évident. Puis, comme le raisonnement était facile à réfuter, il introduit le second qui semble incontestable.

7. *Ou bien, quand les hommes intègres ont-ils été complètement déracinés[k]?* Il cherche à le frapper à travers le malheur de ses

i. Job 3, 25 ‖ j. Job 4, 7 ‖ k. Job 4, 7

αὐτὸν διὰ τῆς τῶν παίδων συμφορᾶς · ἔστω γάρ · ἔχεις
εἰπεῖν ὅτι ἔπαθόν τι δεινὸν ἕτεροι, ἀλλ' οὐ μέχρι τῶν
ἐκγόνων ἦλθεν αὐτοῖς τὰ δεινά, οὐδὲ μέχρι τῆς ῥίζης αὐτῆς
5 ἀνετράπησαν. Ἐπειδὴ γὰρ ὁ πρῶτος λόγος ἠλέγχετο,
τὸν δεύτερον ἐπήγαγεν, δοκοῦντα ἰσχυρὸν εἶναι καὶ τῆς
συμφορᾶς αὐτὸν ἀναμιμνήσκοντα τῆς οἰκείας.

8. **Καθ' ὃν τρόπον εἶδον**, φησί, **τοὺς ἀροτριῶντας τὰ
ἄτοπα**[1]... Τοῦτ' ἔστιν · αὕτη ἡ συμφορὰ ἐκείνων ἐστὶ τῶν
ἐργασαμένων τὴν ἀδικίαν. Τίς ἀπώλετο, φησίν, οὕτως
ὡς ἐκείνους ὁρῶμεν ἀπολλυμένους; Ἢ · «Τίς ἀπώλετο,
5 καθαρός;» «Ὃν τρόπον εἶδον τοὺς ἀροτριῶντας τὰ
ἄτοπα», **οἱ δὲ σπείροντες αὐτὰ ὀδύνας θεριοῦσι ἑαυτοῖς**[m]. Καλῶς σπόρον καὶ ἄροσιν εἶπεν. Ἵνα γὰρ μὴ λέγῃ
τις · Τίνος ἕνεκεν οὐκ εὐθέως ἀπώλοντο; Οὐδὲ ὁ σπόρος
εὐθέως ἀποδώσει, φησίν.

9. **Ἀπὸ προστάγματος Κυρίου ἀπολοῦνται, ἀπὸ δὲ
πνεύματος ὀργῆς αὐτοῦ ἀφανισθήσονται**[n]. Ὅρα καὶ
ἕτερον δεινόν. Μὴ νομίσῃς, φησί, δαιμόνων εἶναι πονηρῶν,
μηδὲ ἀνθρώπων ἐπιβούλων τὰ συμβεβηκότα. Ὁ Θεός ἐστιν
5 ὁ κολάζων. Οὐκοῦν ἀναμφισβήτητον δικαίαν εἶναι τὴν
κόλασιν.

10. **Σθένος λέοντος, φωνὴ δὲ λεαίνης, γαυρίαμα δὲ
δρακόντων ἐσβέσθη**[o]; Ὅρα τί φησιν. Ὥσπερ τὰ κατὰ
φύσιν πράγματα οὐκ ἂν ἑτέρως γένοιτο, ἀλλ' ἢ ὡς κατὰ
φύσιν τέτακται, οὕτω, φησί, καὶ ἐνταῦθα, οἷον δὴ τὸ τοὺς
5 μὲν πονηροὺς ἀπολέσθαι, τοὺς δὲ ἀγαθοὺς ἐν εὐθηνίᾳ εἶναι.
Μὴ εἶδες, φησί, τὸν δρόμον τῆς φύσεως διακοπέντα; Οἷόν
φησιν ὁ Προφήτης ἐπὶ τῶν ἀδυνάτων. «Εἰ πορεύσονται δυὸ

8, 4 ἤ : εἰ p ‖ 5-7 ὃν τρόπον — ἑαυτοῖς > p ‖ 7 καλῶς + δὲ p ‖ 8 τίνος
+ οὖν p ‖ ἀπώλοντο : ἀπώλετο p
9, 5 ἀναμφισβήτητον + τὸ p
10, 3 ἑτέρως (p) : ἑτέρων LM ‖ ἀλλ' ἢ : ἢ p ‖ 4 δὴ + τι p

enfants; eh bien, soit : tu peux dire que d'autres ont
éprouvé du malheur, mais ces maux n'ont pas atteint leurs
descendants, et ils n'ont pas été retournés jusqu'à la racine.
Comme le premier raisonnement, en effet, était réfuté, il a
introduit le second, qui avait l'air solide et qui lui remettait
en mémoire son malheur personnel.

8. *Comme je l'ai vu arriver,* dit-il, *pour ceux qui labourent
l'infamie*[1]... C'est-à-dire : voilà le malheur de ceux qui ont
commis l'iniquité. Qui a péri comme nous les voyons
périr? Ou : «Qui, étant pur, a péri?» «Comme je l'ai vu
arriver pour ceux qui labourent l'infamie, *ceux qui la sèment
récoltent des souffrances*[m].» Il a eu raison de parler de semence
et de labour. Car pour qu'on ne dise pas : Pourquoi donc
n'ont-ils pas péri tout de suite? la semence non plus, dit-il,
ne produira pas tout de suite.

9. *C'est un ordre du Seigneur qui les fera périr, et c'est le souffle
de sa colère qui les fera disparaître*[n]. Remarque encore autre
chose de terrible. Ne crois pas, dit-il, que ce sont de
méchants démons ou des hommes pleins de ruse qui sont
responsables de ce qui s'est passé. C'est Dieu qui te châtie.
Donc, il est incontestable que le châtiment est juste.

Pas d'exception aux lois de la nature

10. *La force du lion, la voix de la lionne, et l'arrogance des
serpents se sont-elles éteintes*[o]? Examine ce qu'il dit. Les
choses naturelles ne sauraient se présenter autrement que la
nature l'a réglé : de même ici, dit-il, par exemple, en ce qui
concerne la mort des méchants et la prospérité des bons.
As-tu vu, par hasard, le cours de la nature interrompu,
comme le dit le Prophète à propos des choses impossibles :

7, 2-4 : ἔστω — δεινά abcyz
9, 3-6 : μὴ νομίσῃς — κόλασιν acyz (b *mutilus*)

l. Job 4, 8 ‖ m. Job 4, 8 ‖ n. Job 4, 9 ‖ o. Job 4, 10

ἐπὶ τὸ αὐτὸ καθόλου, ἐὰν μὴ γνωρίσωσιν ἑαυτοῖς; Εἰ
ἐρεύξεται λέων ἐκ δρυμοῦ, εἰ δώσει σκύμνος φωνὴν αὐτοῦ
10 καθόλου, ἐὰν μὴ ἁρπάσῃ τι; Εἰ πεσεῖται ὄρνεον ἐν παγίδι,
εἰ σχασθήσεται παγὶς ἄνευ τοῦ συλλαβεῖν τιᵖ;» Καὶ πάλιν ·
«Εἰ διώξονται ἐν πέτραις ἵπποι, εἰ παρασιωπήσονται ἐν
θηλείαις ᑫ;» Καὶ ὅρα · φυσικὰ πράγματα λαμβάνει, τοῦτ'
ἔστιν · οὐδὲν καινὸν οὐδὲ ξένον γίνεται, ἀλλὰ νόμοις τισὶ
15 πάντα τέτακται, καὶ οὐδὲν ἐνήλλακται. Εἰ γὰρ καὶ τὰ
θηρία ἔστηκε, πολλῷ μᾶλλον τὰ ἡμέτερα. Ὥσπερ σθένος
λέοντος οὐκ ἂν κωλυθείη, οὕτως οὐδὲ παρρησία δικαίου ·
οὐ γὰρ οὕτω κατὰ φύσιν πρόσεστι τῷ θηρίῳ ἡ δύναμις, ὡς
τῷ δικαίῳ ἡ δύναμις καὶ ἡ ἰσχύς. Εὐκολώτερον λέοντα
20 ἄνανδρον γενέσθαι ἢ δίκαιον εὐχείρωτον.

11. **Μυρμηκολέων ὤλετο παρὰ τὸ μὴ ἔχειν βοράν,
σκύμνοι δὲ λεόντων ἀπέλιπον ἀλλήλους** ʳ; Τὸ ζῷον
τοῦτό φασι μὴ δύνασθαι σιτεῖσθαι. Τί οὖν · διεφθάρη;
φησίν – Οὐδαμῶς. Τοῦτο δὲ παράδοξον καὶ μέγα χωρὶς
5 τροφῆς διατρέφεσθαι τὸ ζῷον, τῆς ἄνωθεν προνοίας ἀπο-
λαῦον. Ἡ τοίνυν πρόνοια ἡ ταῦτα διατάξασα καὶ μὴ
διακόπτουσα, πῶς ἂν τοὺς περὶ δικαιοσύνης ἔλυσε νόμους;
Ἀλλ' ἀλόγων μὲν τοσαύτην ποιεῖται πρόνοιαν, ἀνθρώπων
δέ, οὔ; Καὶ λαμβάνει φύσιν ἀλόγων οὐ πάνυ χρησίμην τῷ
10 γένει τῷ ἡμετέρῳ, ἀλλὰ καὶ ἐπίβουλον καὶ θανάσιμον · ὁ
τοίνυν ἐν τοῖς δηλητηρίοις ζῴοις οὐδὲν διαταράττων καὶ
τοῖς ἐπιβουλεύουσιν ἡμῖν τὴν εὐταξίαν διατηρῶν, καίτοι μὴ

13 φυσικὰ : φυσικὸς p ‖ 15 τέτακται : διατέτακται p ‖ ἐνήλλακται :
ἤλλακται p ‖ 15 καὶ τὰ : τὰ κατὰ τὰ p ‖ 16 ὥσπερ + γὰρ p ‖ 19
εὐκολώτερον + γὰρ p

11, 2 ἀπέλιπον : ἔλιπον p ‖ 3-4 φησί, διεφθάρη ~ p ‖ 4 δὲ : γὰρ p ‖
παράδοξον + ὅτι p ‖ καὶ μέγα > p ‖ 5 διατρέφεσθαι : διατρέφεται p ‖ ζῷον
+ τοῦτο p ‖ 6 διατάξασα : τάξασα p ‖ 11 διαταράττων : παραλάττων (sic)
p ‖ καὶ : ἀλλὰ καὶ p

11, 9-10 : καὶ λαμβάνει — ἐπίβουλον γℓ

p. Amos 3, 4-6 ‖ q. Amos 6, 12 ‖ r. Job 4, 11

«Deux hommes feront-ils jamais route ensemble dans la même direction sans s'être concertés? Le lion rugira-t-il dans la forêt, le lionceau donnera-t-il jamais de la voix, s'ils n'ont pas attrapé une proie? L'oiseau tombera-t-il dans le filet, le filet s'ouvrira-t-il sans rien prendre[P]?» Ou encore : «Poursuivra-t-on les chevaux dans les rochers? Resteront-ils silencieux au milieu des juments[Q]?» Et, remarque-le : il cite des choses naturelles, c'est-à-dire, rien n'est nouveau ni insolite, mais des lois règlent tout et rien n'a été changé. Car si ce qui concerne les bêtes sauvages se maintient, à plus forte raison ce qui nous concerne, nous. Si l'on ne peut contenir «la force du lion», on ne peut pas non plus empêcher le juste d'avoir son franc-parler : car il n'est pas aussi conforme à la nature de la bête sauvage de posséder la puissance qu'il ne l'est à celle du juste de posséder la puissance et la force. Il est plus facile, en effet, à un lion de devenir lâche qu'à un juste de se laisser manier facilement.

11. *Le fourmi-lion*[1] *a-t-il péri, faute de nourriture, et les petits des lions se sont-ils séparés les uns des autres*[R]? Cet animal, dit-on, ne peut pas s'alimenter. Eh quoi! a-t-il péri? dit-il. Pas du tout. Ce qui est extraordinaire et étonnant, en effet, c'est que cet animal subsiste sans nourriture, parce qu'il jouit de la protection d'en haut. Comment donc la Providence qui a pris ces dispositions et ne les interrompt pas, aurait-elle annulé les lois relatives à la justice? Voyons! il prend tant de soin des animaux, et des hommes aucun? Or, il cite une espèce d'animaux qui n'est pas précisément utile à notre race, mais lui est même nuisible et mortelle : donc, celui qui ne bouleverse rien quand il s'agit des animaux nuisibles, et qui maintient en bon état ceux qui sont

---

1. Sur le fourmi-lion : μυρμηκολέων, terme que la Septante est seule à donner, en *Job* 4, 11, voir J.-B. PITRA : *Spicilegium Solesmense,* Paris 1855, t. III, «Physiologus», p. 354, XXII. Grégoire le Grand fait, au sujet du fourmi-lion, un long commentaire dans les *Moralia in Job* 5, 20, 40.

ἐχόντων ἀπὸ φύσεως τὸ τρέφεσθαι, πολλῷ μᾶλλον ἐπ'
ἀνθρώπων · ἀλλὰ μυρμηκολέοντος τοσοῦτον προνοεῖ, δι-
15 καίου δέ, οὐχί;

«Σκύμνοι δὲ λεόντων ἔλιπον ἀλλήλους;» Καὶ τοῦτο
φυσικὸν τὸ συναγελάζεσθαι. Καίτοι μικρὸν ὄν, καὶ οὐδὲ
τοῦτο διέφθαρται, ἀλλ' ὅπερ τέθεικεν τῇ φύσει, τοῦτο
διατηρεῖ. Ὁρᾷς ζῷον ἄγριον.

12. Εἰ δέ τι, φησίν, ῥῆμα ἀληθινὸν ἐγεγόνει ἐν
λόγοις σου, οὐδὲν ἂν κακὸν τούτων συνήντησέν σοι[s].
Καὶ ἐν τῷ παρόντι αἰνίττεταί μοι ὅτι πολλάκις τοιαῦτά
τινα εἶπεν ὁ Ἰώβ, ἴσως ἢ εἰς ζῆλόν τινας ἄγων, ἢ καὶ
5 ἑτέρας ἕνεκεν οἰκονομίας. Ὁρᾶτε, ὅσοι τοιαῦτα διαπορεῖτε,
εἰ καὶ νῦν, τίνι προσεοίκατε · εἰ γὰρ ἐκεῖνος κατ' ἐκείνους
τοὺς καιροὺς τοιαῦτα εἰπὼν οὐκ ἔτυχεν συγγνώμης, πολλῷ
μᾶλλον ἡμεῖς, οἱ μετὰ τὴν πεῖραν τῶν πραγμάτων τοιαῦτα
λέγοντες, καὶ πολλὰς ἔχοντες αἰτίας τῶν γενομένων
10 εἰπεῖν, ὥσπερ δοκοῦσι καιρὸν εὑρηκέναι τοῦ ὀνειδίσαι
καὶ ἐπεμβῆναι αὐτῷ, τὴν ἀπὸ τῶν πραγμάτων πεῖραν οὐκ
ἀναμένοντες.

13. Πότερον οὖν, φησίν, οὐκ ἐδέξατό σου τὸ οὖς
ἐξαίσια[t]; Ὃ λέγει τοιοῦτόν ἐστιν · Οὐκ εἶδες οὐδέποτε
ἐνύπνιον; φησίν, οὐκ ἐταράχθης; Ἢ ὃ λέγει τοιοῦτόν
ἐστιν · Οὐκ ἤκουσας τοιούτων διηγημάτων; Μὴ ψεύδομαι,
5 φησί; «Τὸ οὖς σου οὐκ ἐδέξατο ἐξαίσια;» Οὐ γὰρ δὴ ἐν

---

14 μυρμηκολέοντος + μὲν p ‖ 17 τὸ + μὴ p ‖ 19 ὁρᾷς ζῷον ἄγριον > p
12, 1 τι, φησίν > p ‖ 2 κακὸν : τῶν κακῶν p ‖ 3 αἰνίττεται : αἰνίττεσθαι
p ‖ μοι + δοκεῖ p ‖ τοιαῦτα : σεμνά pacyz ‖ 4 ἢ[2] (pacyz) : εἰ LM ‖ 6 ει[1]
> p
13, 1 φησίν > p ‖ ἐδέξατο p (p, cf. l. 5) : δέξεται LM ‖ σου : μου p ‖ 2
ἐξαίσια + παρ' αὐτοῦ p ‖ 3 οὐκ : οὐδὲ p ‖ ἐταράχθης + ἢ ὅτι οὐδὲ
ἐταράχθης p[ac] quod deleuit p[pc] ‖ 3-4 ἢ ὃ λέγει — οὐκ : ἢ ὅτι οὐδέ p

12, 3-5 : αἰνίττεται — οἰκονομίας acyz (b mutilus)

dangereux pour nous, bien que la nature ne leur fournisse
pas leur nourriture, en fera autant, à plus forte raison,
quand il s'agit des hommes; il prend un si grand soin du
fourmi-lion, et du juste, aucun?

«Les lionceaux se sont-il séparés les uns des autres?»
Cela aussi est naturel de se réunir en bandes. Bien que ce
soit un détail, il n'est pourtant pas supprimé non plus, et
Dieu maintient ce qu'il a établi par la nature. Tu le
constates en ce qui concerne un animal sauvage.

12. *Mais, si tes paroles avaient contenu un mot de vérité,* dit-il,
aucun de ces maux ne te serait survenu[s]. Et, dans le cas présent,
il veut laisser entendre, à mon avis, que, souvent, Job a
prononcé de telles paroles, soit, peut-être, pour en pousser
d'autres à la jalousie, soit dans une autre intention.
Comprenez, vous tous qui vous posez de pareilles questions maintenant encore[1], à qui vous ressemblez; car si
Éliphaz a parlé ainsi dans ces circonstances, sans obtenir de
pardon, à plus forte raison nous, qui tenons des propos
semblables après l'épreuve des faits, et qui pouvons donner
bien des raisons de ce qui est arrivé à Job, de même qu'eux
croient avoir trouvé une occasion de le blâmer et de
l'attaquer sans attendre l'épreuve des faits.

Dieu ne t'avait-il pas prévenu par des songes?

13. *Ton oreille,* dit-il, *n'a-t-elle pas reçu d'étranges révélation*[t]? Ce qu'il dit signifie, ou bien : N'as-tu jamais eu de
vision dans ton sommeil, et n'as-tu pas été troublé? ou bien
ce qu'il dit signifie : N'as-tu pas entendu de tels récits?
Est-ce que je mens? dit-il. «Ton oreille n'a-t-elle pas reçu
d'étranges révélations?» Car ce n'est pas seulement pen-

s. Job 4, 12 ‖ t. Job 4, 12

1. Des questions soit sur la vertu de Job, soit peut-être sur la vertu de
ceux qui sont dans l'épreuve, une épreuve que nous considérons trop
facilement comme un châtiment. Cf. I, **12,** 7.

ἡμέρα μόνον πτοεῖ καὶ ταράσσει, ἀλλὰ καὶ ἐνυπνίοις, φησί,
καὶ τοιαῦτα πολλὰ πολλάκις ἔπαθον · οἶδεν καὶ ὀνειράτα
μόνα ταράττειν, φησί, καὶ δίκην εἰσπράττεσθαι. Ἐπειδὴ
γὰρ συνέβαινεν ἐναντιοῦσθαι αὐτῷ τῷ λόγῳ · πολλοὺς ὄντας
10 ἀδίκους καὶ οὐδὲν πάσχοντας τοιοῦτον, ἀλλ' ἐν ὀνείροις,
φησίν. Ἐπειδὴ γὰρ οὐκ εἶδεν τὸν Θεὸν οὐδὲ χειρὸς
ᾔσθετο ἁπτομένης αὐτοῦ, μὴ θαυμάσῃς, φησίν, ἀοράτως
γὰρ κολάζῃ. Ἐπεὶ καὶ ἐμὲ πολλάκις ἐτάραξεν ἐνυπνίοις καὶ
οὐδεμίαν αἴσθησιν ἔσχον τῶν γενομένων, «ἀλλ' ἢ αὔραν καὶ
15 φωνὴν ἤκουον ᵘ». Τοῦτο μόνον, φησίν, ὡς οἶδεν ὁ Θεός,
συνταράττει, καὶ μὴ θαυμάσῃς. Ταῦτα δὲ πάντα λέγει, ἵνα
δείξῃ ὅτι «παρ' αὐτοῦ ἐστιν ἡ ὀργή ᵛ». Ἐμοὶ δοκεῖ καὶ
ἕτερόν τι αἰνίττεσθαι. Ἐπειδὴ γὰρ τὸν ἔμπροσθεν πάντα
βίον γαληνὸν διήγαγεν, τί οὖν φησιν; Εἰ ἐν ὀνείροις σε
20 ἐτάραξεν, πόθεν ἴσμεν, εἰ δὲ καὶ προεῖπεν, ὥστε φοβηθῆναι
καὶ προφυλάξασθαι; Σὺ δὲ οὐκ ἐφυλάξω · ἐγὼ δὲ πολλὰ
τοιαῦτα ὑπέστην. Καὶ οὐχ ἡγῇ τὸν βίον ἀβίωτον εἶναι τῶν
καθ' ἑκάστην ἡμέραν ταραττομένων καὶ θορυβουμένων, κἂν
ἐν ἡμέρᾳ διὰ παντὸς ἐν εὐπραγίᾳ διατελῶσιν; Ἐμοὶ γὰρ
25 τοῦ ἐν ἡμέρᾳ χαλεπώτερον εἶναι δοκεῖ, ὅταν τις αὐτῶν τῆς
ἀναπαύσεως προσχώσῃ τὸν λιμένα. Εἰ γάρ τις τὸν ὁδοι-
πόρον δι' ὅλης ἡμέρας φλογμῷ παλαίοντα καὶ ταλαιπωρίᾳ
ἑσπέρας ἀναπαύσασθαι βουλόμενον εἰς τὸ καταγώγιον ἀπε-
λάσειεν, ἰνδάλματά τινα δεικνὺς καὶ θορύβους ψυχῆς, ἆρ'
30 οὐχ ἡγῇ τῶν κατὰ τὴν ὁδὸν δεινὰ πασχόντων δεινότερα
πείσεσθαι;

---

7 καὶ¹ + ἐγὼ p ‖ οἶδεν + γὰρ p ‖ 7-8 ὀνειράτα μόνα L : ὀνειράτα μόνον
M δι' ὀνειράτων μόνων p ‖ 8 δίκην : δίκας p ‖ 9 λόγῳ + τό p ‖ 10 καὶ > p ‖
οὐδὲν : μηδὲν p ‖ πάσχοντας : πάσχειν p ‖ 13 ἐτάραξεν : συνετάραξεν ἐν p ‖
14 ἀλλ' ἢ : ἀλλ' ὃ p ‖ 17 ἐμοὶ + δὲ p ‖ 18 ἕτερόν τι conieci : ἕτερόν τινα LM
ἕτερον p ‖ πάντα : ἅπαντα p ‖ 21-22 τοιαῦτα πολλὰ ∼ p ‖ 22 ὑπέστην Lp :
ὑπέστη M ‖ 23 καθ' ἑκάστην : καθ' ἑκαθεκάστην M ‖ 24 διατελῶσιν :
διατελῶσι p ‖ γὰρ + τοῦτο p ‖ 25 αὐτῶν : αὐτὸν p ‖ 26 προσχώσῃ :
προσχῶσι p

u. Job 4, 16 ‖ v. Sir. 16, 11

dant le jour que Dieu jette l'effroi et le trouble, mais aussi au cours de visions nocturnes, dit-il, et, pour ma part, j'ai bien souvent fait nombre d'expériences de ce genre : Dieu sait, en effet, dit-il, que des rêves suffisent à troubler et à imposer des châtiments. Puisqu'il pouvait se faire qu'on oppose à son raisonnement : il y a bien des gens injustes et qui ne subissent rien de pareil : Eh bien! ils le subissent dans des rêves, dit-il. Comme, en effet, Job n'avait pas vu Dieu, ni n'avait senti sa main se poser sur lui : Ne sois pas surpris, dit-il, car tu es châtié de façon invisible. Car moi aussi, c'est souvent qu'il m'a troublé en rêve, sans que je me sois rendu compte de ce qui s'était passé, sauf que «j'entendais un souffle et une voix[u]». Cela seul, dit-il, suffit à troubler, comme Dieu sait le faire, et ne t'en étonne pas. S'il dit tout cela, c'est pour montrer que «la colère vient de lui[v]». Mais, je crois qu'il veut laisser encore entendre autre chose. Puisque Job, en effet, a passé toute sa vie antérieure dans le calme, que veut-il donc dire? Comment savoir s'il t'a troublé dans des songes, et s'il t'a accordé aussi des prémonitions pour t'effrayer et te mettre sur tes gardes? Mais toi, tu ne t'es pas tenu sur tes gardes; quant à moi, j'ai été soumis à bien des expériences de ce genre. Ne crois-tu pas que la vie est intolérable pour ceux qui, quotidienne-ment, sont troublés et bouleversés, même si, la journée, ils vivent continuellement dans le bonheur? Car, à mon avis, on supporte les difficultés de la journée plus facilement qu'on n'accepte de voir bloquer le havre de son repos. Si le voyageur, en effet, qui lutte tout le jour contre l'ardeur du soleil et de la fatigue voulait, le soir venu, descendre à l'hôtel pour se reposer, et s'en voyait empêché par des visions et des bruits imaginaires, ne crois-tu pas qu'il subirait pire torture que ceux qui connaissent des épreuves en cours de route?

14. Ἐξαίσιοι γάρ, φησί, **παρ' αὐτοῦ φόβοι, καὶ ἠχὼ νυκτερινή, ἐπιπίπτων φόβος ἐπ' ἀνθρώπους, φρίκη δέ μοι συνήντησεν καὶ φόβος καὶ μεγάλως μου τὰ ὀστᾶ συνέσεισεν, καὶ πνεύματα ἐπὶ πρόσωπόν μου ἐπῆλθεν,** 5 **ἔφριξαν δέ μου τρίχες καὶ σάρκες, καὶ ἀνέστην καὶ οὐκ ἐπέγνων · εἶδον, καὶ οὐκ ἦν μορφὴ πρὸ ὀφθαλμῶν μου ἀλλ' ἢ αὔραν καὶ φωνὴν ἤκουον**[w]. Οὐκ ἤκουσας, φησίν, ὅτι πολλοὶ οὕτως ἐκολάσθησαν; Εἶτα, ἵνα ποιήσῃ ἀξιόπιστον τὸν λόγον, ἑαυτὸν παράγει ὑπόδειγμα, ὅτι, 10 οὐδενὸς προλαβόντος, οὐδενὸς φαινομένου, ἀθρόον φόβος τις καὶ ταραχὴ ἐνέπεσεν εἰς τὴν διάνοιαν αὐτοῦ. Τοῦτο καὶ ἡ Πανάρετός φησι περὶ τοῦ σκότους ἐκείνου ὅτι ἴνδαλμα αὐτοῖς ἐφαίνετο κατὰ τὴν νύκτα[x] καὶ τὸ σκότος ἐκεῖνο, καὶ ἱκανὸν ἦν εἰς τιμωρίαν τοῦτο. Εἶτα πάλιν, ἐκ περιουσίας, 15 ἐκ τοῦ καθόλου τὸ κατὰ μέρος δείκνυσιν. Ὅρα · ἐπειδὴ εἶδεν τὴν δόξαν ἀντικειμένην τοῦ δικαίου τοῖς αὐτοῦ ῥήμασι, δι' ὅσων αὐτὴν καταβαλεῖν βούλεται.

15. Τί γάρ; φησίν. **Μὴ καθαρὸς ἔσται βροτὸς ἔναντι Κυρίου, ἢ ἀπὸ τῶν ἔργων αὐτοῦ ἄμεμπτος ἀνήρ**[y]; Ἄλλος δέ φησιν · «Οὐδὲ» δυνατὸν «ἄνθρωπον» ὄντα «καθαρὸν[z]» εἶναι. Μὴ δὴ ταῦτα εἰς δόγματα δεξώμεθα, 5 ἀγαπητοί · καὶ καλῶς προσέθηκεν «Ἔναντι Κυρίου» καθὼς ὁ Προφήτης φησί · «Μὴ δικαιωθήσεται ἐνώπιόν σου πᾶς ζῶν[a];» Καὶ πάλιν «Ἐὰν ἁμαρτίας παρατηρήσῃ, Κύριε, τίς ὑποστήσεται[b];» Καθάπερ γὰρ ἡμῶν ἡ ἀγαθότης πονηρία ἐστὶν πρὸς τὴν ἐκείνου ἀγαθότητα συγκρινομένη, οὕτω καὶ 10 τὰ λοιπά. «Ἢ ἀπὸ τῶν ἔργων αὐτοῦ, φησίν, ἄμεμπτος

14, 3 φόβος : τρόμος p ǁ 7 μου + 3 l. *Olympiodori* (*Young, p. 148 in fine*) p ǁ ἀλλ' ἢ —ἤκουον > p ǁ 9 ὑπόδειγμα παράγει ~ p ǁ 15 δείκνυσιν + καὶ p ǁ 16 αὐτοῦ : αὐτοῖς LM ǁ 17 καταβαλεῖν : καταβάλλειν p

15, 1 φησίν > p ǁ 3 οὐδὲ : οὐ p ǁ 5 καθὼς + καὶ p ǁ 7 κύριε + κύριε p

w. Job 4, 13-16 ǁ x. Cf. Sag. 17, 1 s. ǁ y. Job 4, 17 ǁ z. Cf. Job 25, 4 ǁ a. Ps. 142, 2 ǁ b. Ps. 129, 3

14. *Il provoque des craintes extraordinaires*, dit-il, *une rumeur nocturne, une terreur qui s'abat sur les hommes ; un frisson d'effroi m'a saisi, et un tremblement aussi a secoué violemment mes os ; des souffles ont effleuré mon visage, mes cheveux et mes chairs ont frémi d'effroi, je me suis dressé et n'ai rien perçu ; j'ai regardé, mais il n'y avait pas de forme apparente devant mes yeux : j'entendais seulement un souffle et une voix*[w]. N'as-tu pas entendu dire que bien des gens ont été châtiés de cette façon ? Ensuite, pour rendre son récit digne de foi, il se donne lui-même en exemple, en disant que, sans aucun signe prémonitoire, sans aucune apparition, une crainte et un trouble ont fondu brusquement sur sa pensée. C'est aussi ce que dit la Sagesse[1] à propos de cette obscurité, disant qu'un fantôme leur apparaissait dans la nuit[x] et dans cette obscurité, et cela suffisait à les châtier. Puis, de nouveau, il développe et passe du général au particulier. Et, remarque, puisqu'il a vu que la réputation du juste s'oppose à ses paroles, par combien d'arguments il veut la ruiner.

Même les anges ne sont pas purs devant Dieu

15. *Quoi donc !* dit-il. *Un mortel sera-t-il pur devant le Seigneur, ou ses actions rendront-elles un homme irréprochable*[y] ? Un autre personnage (de ce livre) déclare : « Il n'est pas possible qu'on soit pur, si l'on est un homme[z]. » Ne prenons donc pas cela pour des opinions, bien-aimés ; et il a bien fait d'ajouter : « Devant le Seigneur » ; comme dit aussi le Prophète : « Un vivant sera-t-il justifié devant toi[a] ? » et ailleurs : « Si tu observes nos fautes, Seigneur, qui résistera[b] ? » Car si notre bonté est malice, quand on la compare à sa bonté, ainsi en va-t-il du reste. « Ses actions rendront-

---

1. ‘Η Πανάρετος (Βίϐλος) : le « livre de toute vertu » est une périphrase dont les Pères de l'Église se servent parfois pour désigner les livres de la Sagesse.

ἀνήρ;» Ὅρα αὐτὸν ἀντιφθεγγόμενον τῷ Θεῷ· αὐτοῦ γὰρ
εἰρηκότος· «Ἄνθρωπος ἄμεμπτος[c]», οὗτός φησιν· οὐκ
ἄμεμπτος.

16 Ἀπὸ τῶν οἰκείων ἐπαίρει τὴν ψῆφον. Εἰ κατὰ
παίδων αὐτοῦ οὐ πιστεύει, κατὰ δὲ ἀγγέλων αὐτοῦ
σκολιόν τι ἐπενόησεν[d]... Ἐμοὶ δοκεῖ περὶ τῶν ἄνω
λέγειν δυνάμεων. Τί δεῖ λέγειν περὶ ἀνθρώπων, φησίν, ὅταν
5 ἄγγελοι μὴ ὦσιν ἄμεμπτοι; Τί δέ ἐστιν· «Οὐ πιστεύει»;
Ὡς δικαίοις καὶ ἀμέμπτοις καὶ οὐκ ἂν ἁμαρτοῦσιν. Ἐμοὶ
δοκεῖ ὅτι δεκτικὴ τῶν ἐναντίων ἡ φύσις αὐτῶν. Τί ἐστι·
«σκολιόν τι ἐπενόησεν»; Οὐκ ἀφῆκεν, φησίν, ἐν τῇ φύσει
αὐτῶν εἶναί τι ἐνάρετον καὶ καλῶς εἶπεν «Ἐπενόησεν»,
10 ἵνα μὴ τὸ τῆς φύσεως μεγαλεῖον αὐτοὺς ἐπάρῃ, ἀλλὰ διὰ
παντὸς ὦσιν ὑποτεταγμένοι τῷ Θεῷ. Καθάπερ γὰρ ἐπὶ τῶν
ἀνθρώπων· οὐκ ἔχων ὁ ἄνθρωπος ἐν τῇ φύσει τὸ ἀθάνατον,
ὅμως ἐπήρθη· εἰ δὲ καὶ ἐν τῇ φύσει ἔσχεν, τί οὐκ ἂν
ἐγένετο;

15 «Οὐρανὸς δέ, φησίν, οὐ καθαρὸς ἐνώπιον αὐτοῦ[c].» Τοῦτ᾽
ἔστιν· ἡ τοσαύτης φύσεως καθαρότης κηλίς ἐστι πρὸς
ἐκεῖνον, οὐχ ὡς τοῦ οὐρανοῦ προαίρεσιν ἔχοντος, ἀλλὰ τὴν
κατὰ φύσιν καθαρότητα παραβάλλει τῇ καθαρότητι τῆς
ἀρετῆς τοῦ Θεοῦ.

17. Ἔα δὲ τοὺς κατοικοῦντας οἰκίας πηλίνας[f]. Τί
χρὴ λέγειν περὶ τῶν ἀνθρώπων, φησί; Καὶ πρῶτον ἀπὸ τῆς

16, 4 τί + γάρ p ‖ 8 ἀφῆκεν + αὐτοὺς p ‖ 9 τι : τὸ p ‖ 10 τὸ : τὸν L ‖ 13
δὲ > p ‖ φύσει + αὐτό p ‖ 14 ἐγένετο (p) : ἐγίνετο LM ‖ 15 οὐρανός : ὁ
οὐρανός p
17, 1 ἔα (p) : ἐᾷ LM

15, 11 - 16, 1 : ὅρα — ψῆφον abcyz
16, 4-5 : τί δεῖ — ἄμεμπτοι abc, yχ ‖ 9-11 : καὶ καλῶς — τῷ θεῷ abcyz

c. Job 1, 1; 2, 3 ‖ d. Job 4, 18 ‖ e. Job 15, 15 ‖ f. Job 4, 19 ‖ g. Cf. Job
13, 12

elles un homme irréprochable?» Regarde : il contredit Dieu. Comme Dieu, en effet, avait dit : «C'est un homme irréprochable[c]», lui rétorque qu'il n'est pas «irréprochable».

16. Et c'est sur les intimes (de Dieu) qu'il appuie son jugement. *S'il ne fait pas confiance à ses serviteurs, et s'il a songé à quelque imperfection dans ses anges*[d]... A mon avis, il parle des puissances d'en haut. Que faut-il dire des hommes, quand les anges eux-mêmes ne sont pas irréprochables? Mais que signifie l'expression : «Il ne fait pas confiance»? Comme (il le ferait) pour des (êtres) justes, irréprochables, et incapables de pécher. Il me semble que leur nature est capable de dispositions opposées. Que signifie : «Il a songé à quelque imperfection»? Il n'a pas toléré, dit-il, que leur nature comportât la perfection, et il a eu raison de dire : «Il a songé», pour que la grandeur de leur nature ne les enorgueillisse pas, et qu'ils ne cessent d'être soumis à Dieu. C'est ce qui s'est passé, en effet, pour les hommes ; l'homme, dont la nature ne comportait pas l'immortalité, ne s'en est pas moins enorgueilli ; mais, s'il avait été naturellement immortel, que se serait-il passé?

«Le ciel, dit-il, n'est pas pur devant lui[e].» C'est-à-dire, la pureté de cette grande réalité naturelle est souillure devant lui, non que le ciel possède un pouvoir de libre arbitre, mais le texte compare la pureté naturelle à la pureté de la vertu divine.

A plus forte raison les hommes

17. *Infortunés ceux qui habitent des maisons de boue*[f][1]. Que faut-il dire des hommes? Tout d'abord, c'est en partant de

---

1. Il est probable que ces «maisons de boue» désignent dans la pensée de Chrysostome le corps humain, cette «tente faite de terre» (*Sag.* 9, 15). Cf. P. Dhorme : *Le Livre de Job,* Paris, Gabalda, 1926, p. 48, n. 1.

οἰκίας ἔβαλεν τὴν φύσιν, εἶτα ἐξευτελίζει αὐτήν, καὶ
ἑτέρωθεν. Οὐκ ἦρκει εἰπεῖν ὅτι ἀπὸ πηλοῦ ἐσμεν^g, ἀλλὰ
5 καὶ ποίου πηλοῦ · ἀπὸ τοῦ χείρονος τὴν φύσιν ἐκάλεσεν.
Μόνον οὐχὶ λέγων ὅτι, καθάπερ ἡμῖν τῆς φύσεως ἡ
κατασκευὴ αἰτία τῶν ἁμαρτημάτων γίνεται, οὕτω καὶ τοῖς
ἀγγέλοις · ἔστι τι ὃ ἐπενόησεν ὁ Θεὸς πρός τε τὸ
ταπεινοῦσθαι αὐτοὺς καὶ καταστέλλεσθαι · καὶ γὰρ καὶ καθ'
10 ἡμῶν τοῦτο «ἐπενόησεν», τὴν σοφίαν αὐτοῦ δεικνὺς διὰ
τοῦ εἰπεῖν «ἐπενόησεν», οὐχ ὡς πολλὰ καμόντος, ἀλλ ὡς
σοφόν τι καὶ συνετὸν εὑρηκότος.

18. Εἶτα καὶ κοινοῖ τὸν λόγον, ἵνα μὴ δόξῃ φορτικὸς
εἶναι. **Ἐξ οὗ καὶ αὐτοί ἐσμεν ἐκ τοῦ αὐτοῦ πηλοῦ**^h.
Καὶ γὰρ ἑτέρωθεν πάλιν τὸ δυνατὸν τοῦ Θεοῦ καὶ τὸ
ἀσθενὲς τὸ ἡμέτερον παρίστησιν εἰπών · **Ἔπαισεν αὐτοὺς**,
5 φησί, **σητὸς τρόπον**^i. Τοῦτ' ἔστιν · εὐκόλως καὶ τὰ
ἐνδότατα διέφθειρεν.

Ἀπὸ πρωίθεν, φησίν, **ἕως ἑσπέρας καὶ οὐκέτι εἰσίν**^j.
Τοῦτ' ἔστιν · ἐν ἡμέρᾳ μιᾷ ἢ ὅτι διὰ παντός.

19. **Καὶ παρὰ τὸ μὴ δύνασθαι αὐτοὺς ἑαυτοῖς βοηθῆσαι ἀπώλοντο**^k. Τοῦτ' ἔστιν ὅτι οὐδεὶς ἀντιστῆναι
δύναται τῷ Θεῷ · οὐ δυνάμεθα δὲ βοηθῆσαι ἑαυτοῖς, καὶ
διὰ τὸ ὑπερέχον τῆς φύσεως τοῦ Θεοῦ καὶ διὰ τὸ τῶν
5 κακῶν πλῆθος. «Ἃ γὰρ ἡ χεὶρ ἡ ἁγία βεβούλευται, τίς
διασκεδάσει^l;» **Ἐνεφύσησε γὰρ αὐτοῖς καὶ ἐτελεύτησαν
καὶ παρὰ τὸ μὴ ἔχειν αὐτοὺς σοφίαν ἀπώλοντο**^m.

5 ἀπὸ + γὰρ p ‖ 7-8 τοῖς ἀγγέλοις (p) : οἱ ἄγγελοι LM ‖ 8 τε > p ‖ 10
δεικνὺς (p) : δεικνύσθαι LM
18, 3 καὶ γὰρ : εἶτα p ‖ 4 ἔπαισεν : ἔπεσεν *(sic)* LM ‖ 7 φησίν > p
19, 6 ἐτελεύτησαν : ἐξηράνθησαν p ‖ 7 ἀπώλοντο παρὰ τὸ μὴ ἔχειν αὐτοὺς
σοφίαν ~ p

18, 3-6 : καὶ γὰρ — διέφθειρειν abc (yz)
19, 3-5 : καὶ διὰ — πλῆθος abc

leur maison qu'il a porté un coup à leur nature ; puis il la
déprécie encore par ailleurs. Il ne suffisait pas de dire que
nous sommes constitués de boue[g], il fallait encore préciser
de quelle boue : c'est, en effet, de l'argile la plus humble
qu'il a tiré le nom de notre nature. C'est tout juste s'il ne
dit pas que si, pour nous, la composition de notre nature
est responsable de nos fautes, de même pour les anges : il y
a quelque chose à quoi Dieu «a songé» pour les humilier et
les abaisser ; et de fait, en ce qui nous concerne aussi, il y «a
songé», voulant montrer sa sagesse par l'expression : «il a
songé», non pas pour souligner que Dieu avait pris
beaucoup de peine, mais qu'il avait découvert là une idée
ingénieuse et intelligente.

18. Ensuite, il rend son propos plus accessible, pour
qu'on ne le trouve pas fatigant. *Nous aussi nous sommes
formés de la même boue*[h]. Puis, d'une autre façon encore, il
montre la puissance de Dieu et notre propre faiblesse, en
disant : *Il les frappe comme vers de terre*[i]. C'est-à-dire, il lui est
facile de détruire même les parties les plus intimes de notre
être.

Du matin au soir, dit-il, *c'en est fait d'eux*[j]. C'est-à-dire : il
suffit d'un jour, ou bien : cela se produit sans arrêt.

19. *Et ne pouvant se porter secours à eux-mêmes, ils périssent*[k]. C'est-à-dire qu'aucun ne peut se dresser contre Dieu ;
et nous ne pouvons nous porter secours à nous-mêmes,
aussi bien en raison de la supériorité de la nature divine que
de la multitude de nos maux. «Car ce que la main divine a
résolu, qui le déjouera[l] ?» *Il souffle sur eux, en effet, et ils
meurent, et ils périssent faute de sagesse*[m]. Rien, en effet, n'est

---

h. Job 4, 19 ‖ i. Job 4, 19 ‖ j. Job 4, 20 ‖ k. Job 4, 20 ‖ l. Is. 14, 27 ‖ m.
Job 4, 21

Οὐδὲν γὰρ ἰσχυρότερον τοῦ σοφοῦ[n]. Τοῦτο αὐτοὺς εὐχειρώ-
τους ἐποίησεν καὶ τῷ Θεῷ · μάλιστα μὲν οὖν καὶ ἀπὸ τῆς
10 φύσεως αὐτῆς εἰσιν εὐάλωτοι, ἔπειτα δὲ καὶ ἀπὸ τῆς
κακίας καὶ τῆς ἀσεβείας.

8 οὐδέν : οὐδὲ p ‖ γὰρ > p ‖ 9 οὖν > p

plus puissant que le Sage[n]. C'est cette condition humaine qui a permis à Dieu aussi de les manier facilement. C'est donc avant tout leur nature même qui les rend aisés à entraîner, et ensuite aussi leur perversité et leur impiété.

n. Cf. Prov. 24, 5

V

1. Ἐπικάλεσαι δέ, εἴ τίς σου ὑπακούσεται, εἴ τινα
ἁγίων ἀγγέλων ὄψει[a]. Καὶ ἀπὸ τούτου τὴν ὑπεροχὴν
δείκνυσιν. Ἐπειδὴ γὰρ εἰκὸς ἦν ἀπὸ οἰκείων λογισμῶν
ἐξετάζειν τὰ καθ' ἑαυτὸν τὸν Ἰώβ, ὅρα τί φησι· Μή μοι
5 τοῦτο εἴπῃς· μέγας ἐστὶν ὁ Θεός, πολλὰ ποιεῖ ὧν οὐκ
ἴσμεν. Πολὺ τὸ ταπεινὸν τὸ ἡμέτερον. Ἀποκείμεθά που
πόρρω. Καὶ τί λέγω περὶ αὐτοῦ, ὅπου γε καὶ περὶ τῶν
παίδων αὐτοῦ, τὸ αὐτὸ ἔστιν εἰπεῖν; Ὥστε, ὅπερ ἂν
ποιήσῃ, καλῶς ποιεῖ.

2. Καὶ γὰρ ἄφρονα, φησίν, ἀναιρεῖ ὀργή, πεπλανημένον δὲ θανατοῖ ζῆλος[b]. Ἀλλ' ὁ σοφὸς ταῦτα πάντα
ἐπέσκεπται μετὰ ἀκριβείας, ὁ δὲ ἀνόητος πρὸς οὐδὲν
τούτων ὁρᾷ. Ἢ ὅτι ὁ Θεὸς «ἀναιρεῖ τῇ ὀργῇ τὸν ἄφρονα,
5 πεπλανημένον δὲ θανατοῖ ζῆλος», ὁ τοῦ Θεοῦ, τοῦτ' ἔστιν·
«Ἡ ὀργὴ τοὺς ἄφρονας ἀναιρεῖ». Ἐμοὶ δοκεῖ, τοὺς
ἁμαρτωλοὺς λέγειν. «Τὸν ἄφρονα, φησίν, ὀργὴ ἀναιρεῖ»,
ὥστε τὸν φρόνιμον οὐδαμῶς· οὐδὲ γὰρ ὀργή ἐστιν ἐκεῖ.
«Ὀργὴ δὲ ἀπόλλυσι καὶ φρονίμους[c]», ἀλλαχοῦ φησίν·
10 ὅταν δὲ καὶ ἀφροσύνη, πολλῷ μᾶλλον.

3. Ἐγὼ δὲ ἑώρακα ἄφρονας ῥίζας βαλόντας, ἀλλ'
εὐθὺς ἡ δίαιτα αὐτῶν ἐβρώθη[d]. Καὶ ὅρα πῶς προ-
διορθοῦται· μή μοι τοῦτο εἴπῃς, ὅτι πολλάκις καὶ παῖδας

1, 1 ὑπακούσεται + ἢ p ‖ 2 ἀγγέλων ἁγίων ~ p ‖ ὄψει : ὄψῃ p ‖ 5 εἴπῃς
+ ὅτι p ‖ 6 ἀποκείμεθα : ἀπῳκίσμεθα p ‖ 8-9 ὥστε — ποιεῖ > p
2, 1 φησίν > p ‖ 2 πάντα ταῦτα ~ p ‖ 5-6 τοῦτ' ἔστιν ἡ ὀργὴ > p ‖ 6
ἀναιρεῖ > p ‖ 7 ὀργὴ : ὀργὴν LM ‖ 10 ἀφροσύνη + ἢ p
3, 2 ἐβρώθη αὐτῶν ἡ δίαιτα ~ p

2, 5-8 : τοῦτ' ἔστιν — ἐκεῖ (6-7 : ἐμοὶ — ἀναιρεῖ > a) a bc (yz)

a. Job 5, 1 ‖ b. Job 5, 2 ‖ c. Prov. 15, 1 ‖ d. Job 5, 3

CHAPITRE V

SUITE DU DISCOURS D'ÉLIPHAZ

C'est le pécheur que Dieu fait disparaître

1. *Appelle au secours, pour voir si l'on te prêtera l'oreille, si tu apercevras l'un des saints anges*[a]. Et par là, il montre l'excellence (de Dieu). Puisqu'il était normal, en effet, que Job examine sa propre situation en partant de raisonnements personnels, regarde ce que dit (Éliphaz) : Ne parle pas ainsi. Dieu est grand, il fait beaucoup de choses que nous ignorons. Profonde est notre bassesse. Nous gisons quelque part, loin de lui. Et que dire sur lui, quand, même sur ses serviteurs, on peut dire la même chose[1] ? Par conséquent, ce qu'il fait est bien fait.

2. *Et, de fait, c'est l'insensé*, dit-il, *que fait disparaître sa colère et l'égaré que fait périr son ardeur*[b]. Mais le sage examine tout cela avec soin, tandis que l'insensé n'y voit rien. Sans doute cela veut dire que c'est Dieu qui «fait disparaître l'insensé par sa colère, et que c'est son ardeur qui fait périr l'égaré», c'est-à-dire l'ardeur de Dieu. «Sa colère fait disparaître les insensés», signifie selon moi : fait disparaître les pécheurs. «C'est l'insensé», dit-il, «que fait disparaître sa colère», par conséquent, elle ne fait nullement disparaître celui qui est sensé ; la colère, en effet, ne trouve pas place dans ce cas-là. Mais, «la colère fait aussi périr les gens sensés[c]», dit ailleurs l'Écriture ; mais, en cas de folie, combien plus !

3. *Pour ma part, j'ai vu des insensés prendre racine, mais, aussitôt, leur demeure a été engloutie*[d]. Et remarque comment il prend ses précautions oratoires. Ne me dis pas : Souvent ils

---

1. C.-à-d. que nous ignorons tout aussi de ses serviteurs, les anges.

ἔσχον· ἀλλ' οὐ διηνεκῶς. Ἐπειδὴ γὰρ εἰκὸς ἦν λέγειν
5 τινά· Πῶς οὖν, εἰ ἁμαρτωλὸς ἦν ὁ Ἰώβ, τοσούτων
ἀπήλαυσεν ἀγαθῶν; Ναί, φησίν· « Ἑώρακα ἄφρονας ῥίζας
βαλόντας.» Ὁρᾷς ὅτι τὸν ἄφρονα τὸν ἁμαρτωλὸν λέγει·
καὶ τοῦτο τῆς τοῦ Θεοῦ οἰκονομίας, ὥστε μὴ εὐθέως
τοὺς ἁμαρτωλοὺς ἀναιρεῖν, ἀλλὰ διδόναι αὐτοῖς προθεσμίαν
10 μετανοίας, ἢ ὥστε τοῖς ἄλλοις μὴ εἶναι ἀναγκαστὸν τὸ
καλόν.

**4. Πόρρω γένοιντο, φησίν, οἱ υἱοὶ αὐτῶν ἀπὸ σωτη-
ρίας, κολαβρισθείησαν δὲ ἐπὶ θύραις ἡσσόνων**[e]. Τοῦτ'
ἔστιν· ἐσκορπίσθησαν, ἐξερρίφησαν. **Καὶ οὐκ ἔσται ὁ
ἐξαιρούμενος**[f].

**5. Ἃ γὰρ ἐκεῖνοι ἐθέρισαν, δίκαιοι ἔδονται· αὐτοὶ
δὲ ἐκ κακῶν οὐκ ἐξαιρεθήσονται, καὶ ἐκσιφωνισθείη
αὐτῶν ἡ ἰσχύς**[g]. Τοῦτ' ἔστιν· ἐξαντληθείη αὐτῶν ἡ
δύναμις· ἅμα καὶ ἐπαιρομένου ἐστὶ ταῦτα.

**6. Οὐ γὰρ μὴ ἐξέλθῃ ἐκ τῆς γῆς κόπος, οὐδὲ ἐξ
ὀρέων ἀναβλαστήσει πόνος**[h]. Τὸ γὰρ «βαρύθυμον»
τοῦτο, φησίν, ἐν ἀνθρώποις ἐστίν. Ὅρα πῶς πάλιν βιάζεται
δεῖξαι φυσικὰ τὰ εἰρημένα· ἵνα μὴ ἔχῃ τις ἐπισκῆψαι
5 τῷ λόγῳ· ἡ γὰρ τῶν ἀνθρώπων φύσις τοιαύτη, φησίν.
«Οὐδὲν γὰρ μοχθηρότερον καὶ κακοπαθέστερον γαῖα τρέφει
ἀνθρώπου», τοῦτ' ἔστιν· οὐ δεῖ θαυμάζειν οὐδὲ ξενίζεσθαι·

4 ἔσχον : εἶχον LM ‖ 10 ἢ > p
4, 1 φησίν > p ‖ 2-3 τοῦτ' ἔστιν — ἐξερρίφησαν > p
5, 2 καὶ > p ‖ 3-4 τοῦτ' ἔστιν — ταῦτα > p
6, 3 ὅρα + δὲ p ‖ 4 φυσικὰ : φυσικὸν p ‖ 6 οὐδὲν : οὐδὲ p ‖ γὰρ + οἱ LM
‖ καὶ (p) : ἢ L^{pc} > M ‖ κακοπαθέστερον (p) : ξυρότερον (ξηρότερον?) LM ‖
7 ἀνθρώπου *conieci* : ἄνθρωπος ML^{pc} ἀνθρώπους L^{ac} ἀνθρώποις p

4, 2-4 : τοῦτ' ἔστιν — ἐξαιρούμενος abc

e. Job 5, 4 ‖ f. Job 5, 4 ‖ g. Job 5, 5 ‖ h. Job 5, 6

avaient aussi des enfants. – Oui, mais pas de façon durable.
Puisqu'en effet il était normal qu'on dise : Comment donc,
si Job était pécheur, a-t-il joui de si grands biens ? – Oui,
dit Éliphaz, «j'ai vu des insensés prendre racine». Tu vois
que, par l'insensé, il désigne le pécheur, et c'est dans la
méthode divine de ne pas faire disparaître les pécheurs
sur-le-champ, mais de leur accorder un délai pour se
repentir, ou pour que les autres ne soient pas forcés de faire
le bien.

4. *Que leurs fils,* dit-il, *soient privés de salut, et qu'on les raille
auprès des portes de leurs inférieurs*[e]. C'est-à-dire : ils ont été
dispersés et disséminés. *Et il n'y aura personne pour les
délivrer*[f].

5. *Car ce qu'ils ont moissonné, ce sont les justes qui le
mangeront ; quant à eux, ils ne seront pas délivrés de leurs maux, et
que leur force s'épuise*[g] ! C'est-à-dire : que leur puissance se
dissipe ; et, en même temps, ce sont là propos d'exalté.

Mais le malheur est naturel à l'homme

6. *La souffrance, en effet, ne sortira certainement pas du sol, et
ce ne sont pas les montagnes qui feront fleurir la douleur*[h]. Car cet
accablement[1], dit-il, ce sont les hommes qui le portent en
eux. Regarde comment il est obligé, de nouveau, de
montrer que ses paroles sont conformes à la nature, pour
qu'on ne puisse critiquer son discours : la nature humaine,
en effet, est ainsi faite, dit-il. «La terre ne nourrit rien
de plus pitoyable et de plus misérable que l'homme[2]»,
c'est-à-dire, nous ne devons pas être surpris ni étonnés :

---

1. Pour l'épithète βαρύθυμος, qui appartient au vocabulaire poétique,
voir : EURIPIDE, *Médée,* v. 176; CALLIMAQUE, *Hymne à Délos,* v. 215;
Hymne à Déméter, v. 81; etc.
2. Le texte, ici, est sans doute corrompu. Il est difficile de rapprocher
les leçons de **L** et de **M** de celle de **p**. Nous avons choisi le texte de ce
dernier, mais, peut-être a-t-il été corrigé.

ἐπὶ τούτῳ γεγόναμεν ὥστε ταλαιπωρεῖν καὶ ταλαιπω-
ρεῖσθαι. Τοῦτο καὶ ὁ Προφήτης φησί · «Καὶ τὸ πλεῖον
10 αὐτῶν κόπος καὶ πόνος[i].» Καὶ πάλιν ὁ Ἰακώβ · «Μικραὶ
καὶ πονηραὶ αἱ ἡμέραι μου[j].»

7. Ἀλλ' ἄνθρωπος, φησίν, ἐν κόπῳ γεννᾶται[k].

Φυσικὸν τὸ πρᾶγμά ἐστι, φησίν · ἀδύνατόν ἐστιν διαφυγεῖν
δυσπραγίαν · ἵνα γὰρ μὴ λέγῃ τις πάλιν ὅτι δίκαιος ἦν ὁ
Ἰώβ, ἐστι δίκαιος, φησίν, ἀλλ' ἡ φύσις ἡ ἀνθρωπίνη
5 τοιαύτη τίς ἐστιν ὥστε φέρειν τὰ δεινά. Ὅρα · ὅτι οὐκ
ἔστιν ἀναμάρτητος ἀπὸ τῆς φύσεως διισχυρίζεται. «Ἔα δέ,
φησί, τοὺς κατοικοῦντας οἰκίας πηλίνας[l].» Καὶ πάλιν «Τί
γάρ; Μὴ καθαρὸς ἔσται βροτὸς ἔναντι Κυρίου[m];» Πάλιν,
ὅτι οὐκ ἔνι χωρὶς τῶν κακῶν ἐξελθεῖν, «Ἄνθρωπος, φησίν,
10 ἐν κόπῳ γεννᾶται.» Οὐ γὰρ δὴ τὰ ἀναίσθητα οὐδὲ τὰ
ἄλογα ζῷα μέλλουσι τῆς ἀθυμίας αἰσθάνεσθαι, ἀλλ' ἐν
ἀνθρώποις τοῦτ' ἔστιν · ἐπισκέψαι τὴν κοινὴν φύσιν καὶ
ὄψῃ τοῦτο οὕτως ἔχον.

8. Νεοσσοὶ δέ, φησί, γυπῶν τὰ ὑψηλὰ πέτονται[n].

Τοῦτ' ἔστιν · ἀφρόντιδές εἰσι καὶ ἀμέριμνοι. Τί οὖν, φησί,
πλείονος ἀπολαύουσι προνοίας; Ἄπαγε. Ἐπεὶ οὐδὲ ἡ γῆ
οὐδὲ τὰ ὄρη, ἐπειδὴ ἀναισθησίας μετέχει, ἐμοὶ δοκεῖ καὶ
5 τοῦτο ἀναίσθητον εἶναι τὸ ζῶον αἱμοβόρον καὶ σαρκοφάγον
ὄν.

---

8 ταλαιπωρεῖν : μοχθεῖν p
7, 1 φησίν > p ‖ ἐν > p ‖ γεννᾶται κόπῳ ~ p ‖ 10 ἐν > LM ‖ 11 ζῷα
> p ‖ 12 ἀνθρώποις : ἀνθρώπῳ p
8, 1 φησί > p ‖ γυπῶν : ἀέτων p

7, 2-6 : φυσικόν — διισχυρίζεται abcγχ
8, 2-4 : τί οὖν — μετέχει abcγχ

i. Ps. 89, 10 ‖ j. Gen. 47, 9 ‖ k. Job 5, 7 ‖ l. Job 4, 19 ‖ m. Job 4, 17 ‖
n. Job 5, 7

nous sommes nés pour faire souffrir et pour souffrir. C'est aussi ce que dit le Prophète : «La plupart de nos années sont souffrance et peine[i].» Et Jacob, de son côté : «Mes jours sont courts et mauvais[j].»

7. *Mais l'homme,* poursuit le texte, *naît dans la souffrance*[k]. La chose est dans notre nature, dit-il; il est impossible d'échapper au malheur. Il ne veut pas, en effet, qu'on objecte à nouveau que Job était juste; il est juste, dit-il, mais la nature humaine est faite normalement pour supporter les maux. Remarque-le : c'est de la nature qu'il part pour affirmer que Job n'est pas irréprochable.

«Infortunés, dit-il, ceux qui habitent des maisons de boue[l]!» Et encore : «Quoi donc! Un mortel sera-t-il pur devant le Seigneur[m]?» ou encore – puisqu'il n'est pas possible de quitter cette vie sans souffrances – : «L'homme, dit-il, naît dans[1] la souffrance.» Il est clair, en effet, que ce ne sont pas les êtres privés de sensibilité et les animaux sans raison qui vont ressentir le découragement, mais que cela se trouve chez les hommes; observe notre commune nature, et tu verras qu'il en est ainsi.

8. *Les petits des vautours,* dit-il, *volent vers les hauteurs*[n]. C'est-à-dire : ils n'ont ni soucis ni préoccupations. Quoi donc! dit-il, jouissent-ils d'une plus grande sollicitude? A Dieu ne plaise! puisque ni la terre ni les montagnes non plus, étant donné que l'insensibilité est leur partage. Il me semble que cet animal aussi est insensible, lui qui est un buveur de sang et un mangeur de chair.

---

1. 'Εν : leçon de **A**, est donné par **LM**, mais omis par **p** qui suit le texte reçu. Nous l'avons donc conservé.

9. Οὐ μὴν δὲ ἀλλ' ἐγὼ δεηθήσομαι Κυρίου, Κύριον δὲ τὸν Παντοκράτορα ἐπικαλέσομαι[o]. Καί, τούτων ὄντων οὕτω, φησίν, οὐδὲν πείθομαι ἐγὼ οἷον σύ, ἀλλ' ἐπιμένω, τὸν δεσπότην ἐπιγιγνώσκων· σὺ μὲν γὰρ σχετλιάζεις, ἐγὼ δὲ ἐπιμένω τὸν Θεὸν ἀεὶ καλῶν καὶ οὐκ ἀπελπίζων· οἶδεν γὰρ ἀεὶ πρὸς τὸ ἐναντίον τὰ πράγματα μεταστρέφειν. Ἐν κακοῖς εἰμι, ἀλλὰ δύναταί με ποιῆσαι καὶ ἐν ἀγαθοῖς εἶναι, ὥσπερ οὖν ἐξ ἐκείνων εἰς τοῦτο ἤγαγεν. «Κύριον δέ, φησί, τὸν Παντοκράτορα», τοῦτ' ἔστιν· πάντων καιρῶν καὶ τόπων καὶ πραγμάτων κρατοῦντα. Εἶτα, διηγεῖται περὶ τῆς δυνάμεως αὐτοῦ, τῆς ἐφ' ἑκάτερα, καὶ λέγει πρῶτον κατὰ γένος, εἶτα εἰδικῶς.

10. Τὸν ποιοῦντα τὰ μεγάλα καὶ ἀνεξιχνίαστα, ἔνδοξά τε καὶ ἐξαίσια, ὧν οὐκ ἔστιν ἀριθμός, τὸν διδόντα ὑετὸν ἐπὶ πρόσωπον τῆς γῆς, τὸν ἀποστέλλοντα ὕδωρ ἐπὶ τὴν ὑπ' οὐρανόν[p]. Ὃ πρῶτον τῆς εὐεργεσίας αὐτοῦ τεκμήριον, καὶ τῆς ζωῆς ἡμῶν συνεκτικόν, καὶ μεταβολῆς καιροῦ δηλωτικόν.

11. Τὸν ποιοῦντα ταπεινοὺς εἰς ὕψος καὶ ἀπολωλότας ἐξεγείροντα ἐν σωτηρίᾳ[q]. Τοῦτο καὶ ἐπὶ τοῦ κατὰ μέρος, τὸ μὲν δῆλον, τὸ δὲ ἄδηλον, ἀλλὰ τοῦτο οἰκειότερον τὸ παράδειγμα.

12. Τὸν διαλλάσσοντα βουλὰς πανούργων[r]. Τοῦτ' ἔστι· μεταβάλλοντα, μεταλλάττοντα τῶν πανούργων τὰς βουλάς. **Καὶ οὐ μὴ ποιήσωσιν αἱ χεῖρες αὐτῶν ἀληθές**[s].

9, 2 παντοκράτορα : τὸν πάντων δεσπότην p || 3 πείθομαι : πείσομαι p || 4-5 δεσπότην — σχετλιάζεις > p || 10 πάντων + καὶ p || 10-11 κρατοῦντα : κρατοῦντες p || 12 εἰδικῶς + καὶ ταῦτα — ἕλκων *(Olymp. in Young, p. 155 l. 10 a.i. - l. 4 a.i.)* p
10, 1 τὰ > p || 4 ὃ : τοῦτο p
11, 2 ἐν σωτηρίᾳ : εἰς σωτηρίας p

9, 9-11 : τοῦτ' ἔστιν — κρατοῦντα abc(yz)
10, 4-6 : ὃ πρῶτον — δηλωτικόν *abc* yz

A ta place, je prierais le Seigneur

9. *Cependant, je prierai le Seigneur; j'invoquerai le Seigneur Tout-Puissant*[o]. Et, quand je me trouve dans cette situation, dit-il, ma confiance ne ressemble nullement à la tienne, mais j'attends, en reconnaissant que Dieu est le maître; car toi, tu t'irrites, mais moi j'attends Dieu, sans cesser de l'appeler et sans renoncer à l'espoir : il est toujours capable, en effet, de modifier et de renverser les situations. Je me trouve au milieu des maux; mais Dieu peut aussi m'établir au milieu des biens, tout comme il m'a fait passer de ma situation antérieure à celle-ci. «Le Seigneur Tout-Puissant», dit-il, c'est-à-dire : maître de tout, des circonstances, des lieux et des choses. Ensuite, il s'étend sur sa puissance, qui s'applique à chaque catégorie d'êtres, dont il parle d'abord par genre, ensuite par espèce.

Car Dieu fait des merveilles

10. *Lui qui réalise de grandes et d'insondables merveilles, des splendeurs et des prodiges innombrables, qui répand la pluie sur la surface de la terre, qui envoie l'eau sur les étendues subcélestes*[p]. Ce qui, d'abord, est une preuve de sa bienfaisance, et qui, ensuite, non seulement sert à maintenir notre vie, mais encore est le signe d'un changement dans la situation.

11. *Lui qui exalte les humbles, et réveille les morts en les sauvant*[q]. Cet exemple-là, quand on regarde ses deux parties, présente un aspect visible et un aspect invisible, mais c'est un exemple bien adapté.

12. *Lui qui déjoue les plans des fourbes*[r]. C'est-à-dire qui modifie, qui transforme les plans des fourbes. *Et jamais leurs mains ne réalisent la vérité*[s]. Dans le cas de ceux qui ne

---

11, 2-4 : τοῦτο — παράδειγμα abc

o. Job 5, 8 ‖ p. Job 5, 9-10 ‖ q. Job 5, 11 ‖ r. Job 5, 12 ‖ s. Job 5, 12

Τῶν μὴ ποιούντων, φησί, τὸ ἀληθές, καὶ τοῦτο τῆς τοῦ
5 Θεοῦ δυνάμεως καὶ οἰκονομίας ἔργον, δύνασθαι κατα-
λαμβάνειν πανουργίαν καὶ ποιεῖν ἀνόητον · ὥσπερ γὰρ
τὸ σωμάτων ἰσχυρῶν περιγενέσθαι, οὕτω καὶ ψυχῆς
δολερᾶς ἔργον Θεοῦ.

13. Ὁ **καταλαμβάνων σοφοὺς ἐν τῇ φρονήσει
αὐτῶν**ᵗ. Τοῦτ' ἔστιν · περιγινόμενος, κρατῶν · **Βουλὰς
δὲ πολυπλόκων ἐξέστησεν**ᵘ. Ἀντὶ τοῦ ἀκύρους ἐποίησεν.
Ταῦτα πρὸς τοῦτον αἰνίττεται ὡς καυχώμενον καὶ φιλοτι-
5 μούμενον, εἶτα λέγει οἵοις περιβάλλει κακοῖς.

14. **Ἐν ἡμέρᾳ αὐτοῖς**, φησί, **συναντήσεται σκότος,
τὸ δὲ μεσημβρινὸν ψηλαφήσειαν ἴσα νυκτί. ἀπόλοιντο
δὲ ἐν πολέμῳ**ᵛ. Καὶ ὅτι τὰ ἐναντία ποιεῖ ἐπὶ τῶν
ἀδυνάτων. **Ἀδύνατος δέ**, φησίν, **ἐξέλθοι ἐκ χειρὸς
5 δυνάστου, καὶ εἴη ἀδυνάτῳ ἐλπίς, καὶ ἀδίκου στόμα
ἐμφραχθείη**ʷ. Ταῦτα ποιεῖ ὁ Θεός, ἵνα καὶ ὁ ἀδύνατος
ἐλπίζῃ τὰ χρηστά, καὶ ἐκεῖνος μὴ ἐπαίρηται. Ἐπειδὴ γὰρ
εἶπεν ἀνωτέρω ὅτι «ἐπικαλέσαι, εἴ τίς σοι ὑπακούσεταιˣ»,
ἵνα μὴ νομίσῃς ἀπρονόητα εἶναι διὰ τὸ μὴ ἀκούεσθαι ·
10 οὐχί, φησίν, ἀλλά, καίτοι μὴ ὁρώμενος, πολλὰ ποιεῖ ὁ Θεὸς
πράγματα. Καὶ πολύς ἐστι τὸν ὑπὲρ αὐτοῦ λόγον κινῶν,
ὥστε τοῦτον βαλεῖν · εἰ γὰρ ἔθος αὐτῷ τοὺς ἀδυνάτους
ἐπαίρειν εἰς ὕψος, καὶ τοὺς ὑψηλοὺς ταπεινοῦν, τοὺς
δολεροὺς ἐλέγχειν, ὅρα τὸ συναγόμενον · εἶτα, ἵνα μὴ
15 ποιήσῃ φορτικὸν τὸν λόγον, καὶ πάνυ αὐτοῦ καθάψηται,
φησιν ὅτι οὐχ οὗτος ὁ τρόπος τῆς τιμωρίας μόνον τὸ

12, 4 φησί > p ‖ τό : τι p ‖ 5 ἔργον + τὸ p ‖ 6 ἀνόητον : ἀνόνητον p ‖ 7
περιγενέσθαι (Mp) : περιγίνεσθαι L

13, 2 κρατῶν + τὸ δὲ p ‖ 2-3 βουλὰς δὲ πολυπλόκων > p ‖ 4 ὡς : ἕως
LM

14, 1 φησί > p ‖ 2 ἀπόλοιντο : ἀπόλοντο p ‖ 4 φησίν > p ‖ 5 καὶ εἴη : εἴη
δὲ p ‖ 7 ἐκεῖνος : ὁ δυνατός p ‖ 9 διὰ τὸ (Lp) : διὰ τοῦ M ‖ 10 καίτοι : καὶ τι
p ‖ 13 ὑψηλούς : δυνατοὺς p ‖ τούς + δὲ p

réalisent pas la vérité, dit-il, c'est là encore l'œuvre de la puissance et de la sagesse divine de pouvoir contenir leur fourberie et de la rendre insensée : car il appartient tout aussi bien à Dieu de pouvoir triompher d'une âme fourbe que de corps robustes.

13. *Celui qui prend les sages au piège de leur propre sagesse*[t], c'est-à-dire qui en triomphe, qui les maîtrise. *Il bouleverse les projets des fourbes*[u], c'est-à-dire : il les réduit à l'impuissance. Éliphaz fait ces insinuations contre Job, comme si Job se glorifiait et était ambitieux. Puis il indique de quels maux Dieu l'enveloppe.

14. *Le jour,* dit-il, *ils rencontreront les ténèbres, et en plein midi, qu'ils tâtonnent comme pendant la nuit, et qu'ils périssent au combat*[v]! Et il ajoute que Dieu fait le contraire quand il s'agit des faibles. *Que le faible échappe à la main du puissant, que le faible espère, et que la bouche de l'injuste soit close*[w]! Voilà ce que fait Dieu, pour que non seulement le faible espère le bonheur, mais pour que le puissant ne s'enorgueillisse pas. En effet, puisqu'il a dit plus haut : «Appelle au secours pour voir si l'on te prêtera l'oreille[x]», pour que tu ne croies pas qu'il existe des choses qui échappent à la Providence, sous prétexte qu'on ne t'écoute pas; non, dit-il, mais, même si on ne le voit pas, Dieu fait pourtant bien des choses. Et Éliphaz est tout occupé à mettre en branle son discours à son sujet, pour pouvoir abattre Job; car, si Dieu a l'habitude d'exalter les faibles, mais de rabaisser les puissants et de confondre les fourbes, tire la conclusion. Ensuite, pour ne pas rendre son discours pénible, et ne pas s'attaquer à lui à fond, il ajoute que la façon de châtier ne

---

13, 2 : τοῦτ' ἔστιν — κρατῶν (yz)
14, 6-7 : ταῦτα — ἐπαίρηται *abcyχ*

t. Job 5, 13 ‖ u. Job 5, 13 ‖ v. Job 5, 14-15 ‖ w. Job 5, 15-16 ‖ x. Job 5, 1

πονηροὺς εἶναι τοὺς κολαζομένους, ἀλλ' ἔστιν ὅπου καὶ ἐπὶ
χρησίμῳ γίνεται τῶν παιδευομένων, μᾶλλον δὲ οὐ τοῦτό
φησιν, ἀλλ' ὅτι, κἂν παμπόνηροι ὦσιν, ὠφελοῦνται οἱ
20 κολαζόμενοι.

15. **Μακάριος δὲ ἄνθρωπος**, φησίν, **ὃν ἤλεγξεν
Κύριος ἐπὶ τῆς γῆς · νουθέτημα δὲ παντοκράτορος μὴ
ἀπαναίνου** [y]. Διὰ τοῦτο καὶ συγγνώμης ἔτυχον ἀπὸ τοῦ
σκοποῦ, ὅτι καὶ ἀνέμαξαν τοιαῦτά τινα · εἶτα λέγει τὴν
5 ἰσχὺν τὴν ἐπὶ τὰ ἐναντία, ὅτι καὶ διὰ τῆς τιμωρίας ὠφελεῖ,
καὶ πάλιν μεταβάλλει τὴν ἀλγηδόνα ἐπειδὰν τὸ αὐτῆς
ἐργάσηται. Ἵνα γὰρ μὴ λέγῃ τις · εἰ καὶ ὠφέλιμον τὸ
φάρμακον, ἀλλὰ καὶ πικρόν, καὶ οὐ δύναμαι φέρειν, διὰ
τοῦτό φησιν · ἀλλ' οὐ διηνεκές ἐστιν · ἐπειδὰν τὸ ἑαυτοῦ
10 ποιῇ, ἀφαιρεῖται αὐτό. Μὴ γὰρ ἀφήσιν σε ἑτέρου δεηθῆναι
ἰατροῦ; ἐννόησον ὅτι αὐτός ἐστιν ὁ θεραπεύων. Δῆλον ὅτι
καὶ νῦν θεραπεύων ἀλγεῖν ποιεῖ.

16. **Αὐτὸς γάρ**, φησίν, **ἀλγεῖν ποιεῖ, καὶ πάλιν
ἀποκαθίστησιν · πατάξει καὶ αἱ χεῖρες αὐτοῦ
ἰάσονται** [z]. Εἰ αὐτός ἐστιν ὁ λύων τὰ δεινὰ καὶ πρὸς τὰ
ἐναντία μετάγων, καὶ ποιῶν ἀπολαῦσαι βαθείας εἰρήνης,
5 οὐδὲ ταῦτα ἀπὸ γνώμης ἑτέρας ποιεῖ ἀλλ' ἀπὸ τῆς αὐτῆς.

17. **Ἑξάκις ἐξ ἀναγκῶν ἐξελεῖταί σε, ἐν δὲ τῷ
ἑβδόμῳ, οὐχ ἅψεται σοῦ κακόν** [a], τοῦτ' ἔστιν · οὐκ ἀεὶ

15, 1 φησίν > p ‖ 2 ἐπὶ τῆς γῆς > p ‖ 6 αὐτῆς : ἑαυτῆς p ‖ 7 τις + ὅτι p
‖ 8 καὶ [1] > p ‖ 9 ἐπειδὰν + γὰρ p ‖ 10 μὴ : οὐ p ‖ 11 ἐννόησον + τοίνυν p ‖
θεραπεύων + εἰ δὲ αὐτός ἐστιν ὁ θεραπεύων p ‖ 12 νῦν + ὁ p
16, 1 φησίν > p ‖ 2 πατάξει : ἔπαισε p ‖ 3 ἰάσονται : ἰάσοντο p ‖ ἐστιν :
φησι p ‖ τὰ δεινὰ + ἐστι p

16, 3-5 : εἰ — αὐτῆς abcyz
17, 2-4 : τοῦτ' ἔστιν — πειρᾶν abcyz

y. Job 5, 17 ‖ z. Job 5, 18

1. **LMp** donnent : ἀνέμιξαν, de ἀναμίγνυμι : mêler, qui n'a aucun

consiste pas seulement à punir des méchants, mais qu'il y a
des cas où elle tourne à l'utilité de ceux qu'on veut former,
ou plutôt, il ne dit pas cela, mais que, seraient-ils les
derniers des coquins, ceux qu'on châtie en retirent du
profit.

Le châtiment de Dieu est utile à l'homme

15. *Heureux l'homme,* dit-il, *que le Seigneur a corrigé sur la
terre; ne repousse donc pas un avertissement du Tout-Puissant*[y].
S'ils ont obtenu le pardon de leur gardien, c'est parce qu'ils
ont essuyé[1] de telles épreuves. Ensuite, il parle de la force
de Dieu pour faire passer à la situation contraire, (disant)
que Dieu nous fait du bien par son châtiment et qu'ensuite
il transforme la douleur, une fois qu'elle a produit son effet.
Pour qu'on ne dise pas, en effet : sans doute, le remède est
utile, mais il est aussi amer, et je ne suis pas capable de le
supporter, il ajoute à cause de cela : oui, mais il n'est pas
continuel; car une fois qu'il a produit son effet, Dieu le fait
disparaître. Permet-il, en effet, que tu aies besoin d'un autre
médecin? Songe que c'est lui-même qui soigne. Il est
évident que maintenant aussi, puisqu'il te soigne, il te fait
souffrir.

Dieu comble de biens l'homme qui se repent

16. *C'est lui, en effet,* dit-il, *qui fait souffrir, et c'est lui aussi
qui rétablit, il frappera et ses mains guériront*[z]. Si c'est lui qui
met un terme aux maux, les transforme en leur contraire, et
fait jouir d'une paix profonde, ce n'est pas une pensée
différente, mais la même qui le guide dans son attitude
actuelle.

17. *Six fois, il te délivrera de tes tribulations et, à la septième,
tu ne seras pas atteint par le mal*[a], c'est-à-dire : il n'agit pas

sens. Nous avons conjecturé : ἀνέμαξαν, de ἀναμάσσω : essuyer, expier.

τὰ αὐτὰ ποιεῖ, ἀλλ' ἐν μὲν πρώτοις ἀφίησι πεῖραν λαβεῖν,
μετὰ δὲ ταῦτα οὐδὲ πεῖραν.

18. Ἐν λιμῷ ῥύσεται ἐκ θανάτου, καὶ ἐν πολέμῳ ἐκ
χειρὸς σιδήρου ῥύσεταί σε, καὶ ἀπὸ μάστιγος
γλώσσης κρύψει σε καὶ οὐ φοβήσει ἀπὸ κακῶν
ἐπερχομένων[b]. Οὐ μικρὸν δὲ καὶ τοῦτο, ἀλλὰ καὶ πάνυ
5 μέγα. «Ἀπὸ ἀνδρὸς λαλοῦντος μηδὲν ἀγαθόν[c]» · οὐδὲν γὰρ
γλώσσης χεῖρον πάσης ἐπιβουλῆς, καὶ συκοφαντίας. Παντὸς
ξίφους τοῦτο χαλεπώτερον καὶ ἀφορητότερον. «Οὐ μὴ
φοβηθῇς», φησίν · οὐ μόνον οὐδὲν πείσει, ἀλλ' οὐδὲ
φοβηθήσῃ, φησίν, ἀπὸ ταλαιπωρίας, ὅτι ἐλεύσεται
10 ταλαιπωρία · ἀδίκων καὶ ἀνόμων καταγελάσει[d]. Καὶ
τοῦτο πολλῷ μεῖζον · τὸ μὴ μόνον αὐτὸν εἶναι ἐν ἀσφαλείᾳ,
ἀλλὰ καὶ ἑτέρων καταγελᾶν. Καὶ τί λέγω πρὸς ἀνθρώπους;
οὐδὲ αὐτὰ τὰ θηρία ἔσται σοι φοβερά.

19. Ἀπὸ γὰρ θηρίων τῆς γῆς οὐ φοβηθήσῃ · θῆρες
γὰρ ἄγριοι εἰρηνεύσουσίν σοι, καὶ γνώσει ὅτι ἐν
εἰρήνῃ τὸ σκήνωμά σου καὶ ἐπισκοπὴ τῆς εὐπρεπείας
σου, καὶ οὐ μὴ ἁμάρτῃς · εἶτα, γνώσῃ ὅτι εἰρηνεύσει
5 σου ὁ οἶκος[c]. Τοῦτ' ἔστι · Καὶ ἡ οἰκία σου, φησί, πολλῆς
ἀπολαύσεται τῆς εἰρήνης. Οὐδὲν γὰρ τούτου ἴσον, τοῦ κατὰ
τὴν οἰκίαν εἰρηνεύειν · τί γὰρ ὄφελος τῶν ἔξωθεν ἀπηλ-
λάχθαι πολέμων, ταραχῆς τὰ ἔνδον γέμοντα.

20. Ἡ δὲ δίαιτα τῆς σκηνῆς σου, φησίν, οὐ μὴ
ἁμάρτῃ[f] · οὐ μὴ πταίσῃ, φησίν, τοῦτ' ἔστιν · οὐ μὴ

18, 1 καὶ > p ‖ 3 φοβήσει : φοθηθήσῃ p ‖ 4 δὲ > p ‖ πάνυ : πόλυ L ‖ 5
μέγα + ἐνδείας etc. (Polychronios, Young, p. 161, l. 13) p ‖ γὰρ > p ‖ 13
φοβερά + γνοὺς etc. (Olymp. Young, p.162) p

19, 2 σοι p : σου LM ‖ σοι + ὅτι μετὰ τῶν λίθων τοῦ ἀγροῦ ἡ διαθήκη
σου καὶ τὰ θηρία τοῦ ἀγροῦ εἰρηνεύσουσί σοι (= Job 5, 23 ut A in Rahlfs)
p ‖ 4-5 καὶ — ὁ οἶκος : καὶ οὐ μὴ γνώσῃ ὅτι εἰρηνεύσει σοῦ ὁ οἶκος p ‖ 5-6
τοῦτ' ἔστι — εἰρήνης > p

20, 2 οὐ μὴ πταίσῃ > p

toujours de la même façon, mais d'abord, il permet qu'on fasse l'expérience (de la souffrance), ensuite, il ne permet même pas d'expérience.

18. *En période de famine, il t'arrachera à la mort, et en temps de guerre, il te soustraira à la puissance du fer, il te mettra à l'abri du fouet de la langue, et tu n'auras rien à craindre des maux qui t'assaillent*[b]. Voilà un avantage qui n'est pas mince, mais fort grand. «Rien de bon à attendre d'un bavard[c]»; car rien n'est pire qu'une langue qui profère toutes sortes de perfidies et de calomnies. Voilà qui est plus terrible et plus redoutable que n'importe quel glaive. «Tu n'auras absolument rien à craindre», dit-il; non seulement tu ne souffriras rien, mais *tu n'auras même pas à craindre, dit-il, la venue de la misère; tu te riras des méchants et des impies*[d]. Et voilà encore bien mieux : non seulement il est lui-même en sécurité, mais il se rit des autres. A quoi bon parler des hommes? Même les bêtes féroces ne te seront pas redoutables.

19. *Tu n'auras pas, en effet, à redouter les bêtes féroces de la terre; car les bêtes sauvages vivront en paix avec toi, et tu sauras que ton campement est en paix, et que ta splendeur est protégée, et aucune crainte d'échec pour toi; alors, tu sauras que ta maison sera en paix*[e]. C'est-à-dire : ta maison aussi jouira d'une paix profonde; rien, en effet, ne vaut la joie de voir régner la paix dans sa maison. A quoi sert-il, en effet, d'être libéré des guerres extérieures, quand on est plein de trouble à l'intérieur!

20. *Le ravitaillement pour ta tente, dit-il, ne fera sûrement pas défaut*[f]; il ne manquera pas, dit-il. C'est-à-dire : pas de

---

18, 4-7 : οὐ μικρὸν — ἀφορητότερον abc*yz*
19, 5-8 : τοῦτ' ἔστι — γέμοντα *abc* (yz)

a. Job 5, 19 ‖ b. Job 5, 20-21 ‖ c. Cf. Prov. 2, 12 ‖ d. Job 5, 21 (A) ‖ e. Job 5, 22-24 (A) ‖ f. Job 5, 24

δυσπραγήσῃ, οὐ μὴ πάθῃ τι δεινόν. Εἶτα καὶ ἐπὶ τῶν
ἐκγόνων ἡ εὐπραγία ἐκταθήσεται, καὶ οὐδὲ ἄωρος ἥξει σοι
5 θάνατος.

21. **Καὶ γνώσῃ, φησίν, ὅτι πολὺ τὸ σπέρμα σου, τὰ
δὲ τέκνα σου ἔσται ὥσπερ τὸ παμβότανον τοῦ ἀγροῦ·
ἀπελεύσῃ δὲ ἐν τάφῳ ὥσπερ σῖτος ὥριμος κατὰ
καιρὸν αὐτοῦ θεριζόμενος, ἢ ὥσπερ θημωνία ἅλωνος
5 καθ' ὥραν συγκομισθεῖσα. Ἰδού, ταῦτα, φησίν, οὕτως
ἐξιχνιάσαμεν· ταῦτα δέ ἐστιν ἃ ἀκηκόαμεν· σὺ δὲ
γνῶθι σεαυτῷ εἴ τι ἐποίησας**[g]. Ὅρα πῶς τὴν ὠφέλειαν
τῶν εἰρημένων κατέστρεψεν ἅπασαν, καὶ χαλεπὴν ἔδωκεν
τὴν πληγήν. Πῶς καὶ τίνι τρόπῳ; Δεικνὺς ὅτι οὐχὶ τῶν
10 νουθετουμένων ἐστίν, οὐδὲ τῶν ἐχόντων ἐλπίδα· καὶ γάρ, ἃ
εἴρηκεν δῆθεν ἐπὶ τοῦ προσώπου αὐτοῦ εἴληφεν, ἐπὶ δὲ τοῦ
καθόλου τὸν λόγον ποιεῖται· ταῦτα γάρ, φησίν, ἃ εἴδομεν
καὶ ἠκούσαμεν· εἰ δὲ ἐπὶ σοῦ οὐκ ἐξέβη, ἀλλ' ἐμμενεῖς
τοῖς δεινοῖς, σόν ἐστιν εἰδέναι τὴν πονηρίαν τὴν σαυτοῦ.

21, 1 καὶ γνώσῃ : γνώσῃ δὲ p ‖ 2 τέκνα : ἔκγονα p ‖ 6-7 σὺ δὲ —
ἐποίησας *transp. post* σαυτοῦ (l. 14) p ‖ 7 ἐποίησας : ἔπραξας p ‖ 9 τίνι
τρόπῳ : τίνα *(sic)* τρόπῳ p ‖ 11 ἐπὶ[1] + μὲν p ‖ 12 γάρ + ἐστι p ‖ 13
ἠκουσάμην LM ‖ 14 σαυτοῦ + σὺ δὲ — ἔπραξας (cf. l. 6-7) + τούτων
τοιγαροῦν — δυσχεραίνεις *(3 l. Polychronios-Olymp. in Young, p. 164)* p

g. Job 5, 25-27

risque de difficulté, ni de malheur. Ensuite le bonheur s'étendra même à tes descendants et la mort ne fondra pas sur toi prématurément.

21. *Et tu sauras*, dit-il, *que ta postérité sera nombreuse, et que tes descendants seront comme l'herbe du champ; et tu t'en iras dans la tombe comme le blé mûr, qu'on moissonne à la saison voulue, ou comme le tas de blé sur l'aire, engrangé au bon moment. Vois*, dit-il, *c'est cela que nous avons découvert*[1] ; *c'est cela que nous avons entendu dire; mais toi, réfléchis en toi-même, pour voir si tu as commis quelque faute*[g]. Remarque comment il a détruit tout l'intérêt de ce qui a été dit et a porté un coup sévère. Comment et de quelle façon? En montrant que Job ne fait pas partie de ceux qui reçoivent un avertissement, ni de ceux qui gardent l'espérance; et, de fait, ce qu'il a dit, il l'a appliqué, c'est évident, à la personne de Job, mais son discours a une portée générale, car, dit-il, voilà ce que nous avons vu et entendu[2]; mais, si cela ne s'est pas produit dans ton cas, et si tu restes dans tes malheurs, c'est à toi qu'il appartient de connaître ta propre perversité.

---

1. Nous avons corrigé **LMp**, qui donnent : ἐξιχνιασάμην, en : ἐξιχνιάσαμεν, à cause de ἀκηκόαμεν qui suit. C'est d'ailleurs la leçon du texte reçu. Il faut noter, cependant, que **S** a la leçon : ἐξιχνίασα, c.-à-d. qu'il a, lui aussi, une première personne de l'aoriste.

2. **LM** ont la leçon : ἠκούσαμην, qui est une faute de copiste. Avec **p** nous rétablissons : ἠκούσαμεν par symétrie avec εἴδομεν.

1. Ὑπολαβὼν δὲ Ἰὼβ λέγει · Εἰ γάρ τις ἱστῶν
στῆσαί μου τὴν ὀργήν, τὰς δὲ ὀδύνας μου ἄραι ἐν
ζυγῷ ὁμοθυμαδόν, καὶ δὴ ἄμμου παραλίας βαρύτεραί
εἰσιν[a]. Ἔθος τοῖς περὶ ὀδύνας τυγχάνουσι, μετὰ πολλῆς
5 τῆς ἀκριβείας ἐπιθυμεῖν εἰδέναι τοὺς παρόντας τὸ μέγεθος
τῶν κατειληφότων δεινῶν · τοῦτο δὴ οὗτος ὥσπερ ἐν τάξει
εὐχῆς φησιν · «Εἰ γάρ τις...» ἀντὶ τοῦ · εἴθε γάρ... Ἰδοὺ
ὀργὴν ἐνταῦθα τὴν ἀθυμίαν λέγει, καὶ πολλαχοῦ τῆς
Γραφῆς τοῦτο εὑρήσομεν, οἷον ὡς ὅταν λέγῃ · «Ὁ παρο-
10 ξύνων βασιλεῖς[b]...», τοῦτ᾽ ἔστιν · ὁ λυπῶν. Ὅδε λέγει
τοιοῦτόν ἐστιν · ἐν ἀλλοτρίοις ὑμεῖς φιλοσοφεῖτε κακοῖς, καὶ
πόρρω τῶν ἐμῶν συμφορῶν ἑστηκότες, μετὰ πολλῆς μοι
παραινεῖτε τῆς ἀδείας · τοῦτο πρὸς ἐκεῖνο τὸ ῥῆμα ὃ ἔλεγον
ὅτι «σὺ ἐνουθέτησας πολλούς[c]» · «γόνασι δὲ ἀδυνατοῦσι
15 περιέθηκας θάρσος[d]» · «νῦν δὲ ἥκει ἐπὶ σὲ πόνος, σὺ δὲ
ἐσπούδακας[e].» Τί λέγει · «Σὺ ἐσπούδακας»; Ἐβουλόμην
γενέσθαι δήλην μου τὴν συμφοράν, καὶ ἔγνωτε ἂν ὡς
οὐδεὶς τοιαῦτα ἔπαθεν, ἀλλ᾽ ὅρα δυσπραγίαν. Ἀφ᾽ ὧν ἔδει
με συγγνώμης τυγχάνειν, ἀπὸ τῶν αὐτῶν πραγμάτων
20 ἀσύγγνωστός εἰμι. Τὸ μέγεθος τῆς συμφορᾶς, οὐ μόνον οὐκ
ἀπολογεῖται, φησίν, ὑπὲρ ἐμοῦ, οὐδὲ μόνον οὐκ ἀφίησί με

1, 2 στῆσαι : στήσεται L ‖ 3 δὴ ἄμμου : διάμμου L ‖ 3-4 καὶ — εἰσιν > p
‖ 4 περὶ ὀδύνας : ἐν περιωδυνίᾳ p ‖ 5-6 τὸ μέγεθος τῶν κατειληφότων δεινῶν :
τοὺς παρόντας ~ p ‖ 6 δὴ : δὲ καὶ p ‖ 12 ἑστηκότες συμφορῶν ~ p ‖ 16
λέγει : λέγεις p ‖ 17 δήλην : δείλην p ‖ 20 τὸ + γὰρ p ‖ 21 με + φησίν p

1, 7-8 : εἰ γὰρ — λέγει abc yz ‖ 10-13 : ὅδε — ἀδείας abc yz ‖ 18 : ἀλλ᾽
ὅρα δυσπραγίαν abc yz

a. Job 6, 1-3 ‖ b. Is. 23, 11 ‖ c. Job 4, 3 ‖ d. Job 4, 4 ‖ e. Job 4, 5

CHAPITRE VI

LA RÉPONSE DE JOB

Qui pourrait comprendre sa douleur!

1. *Job prit la parole et dit : Ah! si quelqu'un pouvait placer ma colère sur la balance, et suspendre en même temps mes douleurs à son fléau, il est clair qu'elles seraient plus pesantes que le sable du rivage*[a]. C'est une habitude chez ceux qui éprouvent une vive douleur de désirer que ceux qui sont présents sachent avec beaucoup de précision la grandeur des maux qui les accablent[1] : c'est justement ce que dit Job, comme sous forme de prière : «Si quelqu'un...» au lieu de : «puisse»... Voici que, dans ce passage, il appelle colère son découragement, et, dans maint passage de l'Écriture, on trouvera cette façon de parler, par exemple, lorsqu'elle dit : «Celui qui met en colère les rois[b]...», c'est-à-dire, qui les afflige. Voici ce que Job veut dire : C'est dans les maux des autres que vous, vous faites montre de sagesse, et, parce que vous êtes loin de mes maux, vous m'exhortez en toute tranquillité. Cette remarque répond à la parole qu'ils disaient plus haut : «Tu as fait la leçon à bien des gens[c].» «Tu as redonné de l'assurance aux genoux chancelants[d].» «Mais maintenant, c'est toi que la douleur a atteint, et, toi, tu as été troublé[e].» Pourquoi dit-il : «Toi, tu as été troublé»? Je voulais que mon malheur devienne évident, et vous auriez compris que personne n'a éprouvé de tels maux; mais vois ma malchance. C'est ce qui aurait dû me procurer le pardon qui me rend précisément impardonnable. La grandeur de mon malheur, dit-il, non seulement ne plaide pas en ma faveur, non seulement elle ne me fait pas apparaître digne

---

1. Ceux qui souffrent désirent raconter leurs douleurs à leur entourage. La même idée est exprimée en VIII, **1**, 17-19; XVI, **6**, 4-7; XVII, **11**, 5-9. N'est-ce pas ce qu'a fait Chrysostome lui-même dans ses *Lettres à Olympias?*

ἐλεεινὸν φαίνεσθαι, ἀλλὰ καὶ αὐτό με καταδικάζει. Ἀφ'
ὧν ἐλεεῖσθαί με ἐχρῆν, ἀπὸ τούτων μισητός εἰμι καὶ
κατάκριτος, ἀλλ' οὐ δύναμαι, φησίν, ἐλέους τυχεῖν ὅσα ἂν
25 εἴπω. Τεκμήριον γὰρ τοῦτο ποιεῖσθαι ἀσεβείας πρὸς ὃ
εἶπεν ἐκεῖνος · «Μνήσθητι, εἴ τινες ἀληθινοὶ ὁλόρριζοι
ἀπώλοντο[f].» Καθάπερ καὶ περὶ τοῦ μακαρίου Παύλου
ἔλεγον οἱ βάρβαροι · «ὅτι τοῦτον διαφυγόντα τὴν θάλασσαν
ἡ δίκη ζῆν οὐκ εἴασεν[g]».

30   Οἱ γὰρ ἄνθρωποι καὶ μάλιστα ὁ δημώδης ὄχλος καὶ τὰ
γενόμενα ἁπλῶς καὶ κατὰ τὸ παρὰ τὸ τυχὸν κρίνων,
οὐκ ἀπὸ τῶν ἑκάστῳ πεπραγμένων, φησί, φέρει τὰς
ψήφους, ἀλλ' ἀπὸ τῶν τιμωριῶν καὶ τῶν κολάσεων ·
ἐπειδὴ γὰρ εἶπεν ἐκεῖνος · «Τίς γὰρ βροτὸς καθαρὸς
35 ἐνώπιον Κυρίου[h]», διὰ τοῦτό φησιν · Οὐ δύναμαι
ἀντιφθέγξασθαι, οὐδὲ εἰπεῖν ὅτι τοσαῦτα καὶ τοιαῦτα·
πέπονθα, οὐδὲν ἁμαρτών · ἀντιφθέγγεται γάρ μοι τὰ τῶν
τιμωριῶν. Ἐπεὶ ἠδυνάμην ἐλέγξαι, φησίν, τὸν ἰσχυρόν,
τοῦτ' ἔστιν ἀντειπεῖν.

**2. Ἀλλ', ὡς ἔοικεν, τὰ ῥήματά μού ἐστι φαῦλα ·
βέλη γὰρ Κυρίου ἐν τῷ σώματί μού ἐστιν, ὧν ὁ θυμὸς
αὐτῶν ἐκπίνει μου τὸ αἷμα. Ὅταν ἄρξωμαι λαλεῖν,
κεντοῦσί με[i].** Τί ποτε τοῦτό ἐστιν; οὐχὶ ταύτῃ μόνον
5 κεντοῦσι τῷ ἐμπεπηγέναι τῇ σαρκί, ἀλλὰ καὶ τῷ τὴν
ψῆφόν μου ἀφαιρεῖσθαι τὴν δικαίαν. Ἵνα τί · «ὅταν...
κεντοῦσί με», καὶ τὸ ἐναντίον δοκεῖ λέγειν ὅτι · ὅταν
κεντῶσί με, τότε λαλῶ; Σχεδὸν ἀπολογεῖται ὑπὲρ τῶν
προτέρων, ὑπὲρ ὧν ἐπηράσατο τὴν ἡμέραν · οὐ γάρ, φησίν,

22-23 Ἀφ' ὧν + γὰρ p ‖ 30 καὶ² > p ‖ 31 γενόμενα : γινόμενα p ‖ παρὰ
τὸ > p ‖ 32 φησί > p ‖ 37 μοι γὰρ ~ p ‖ 38 τὸν : τὸ p
2, 2 ἔστιν > p ‖ 4 μόνον + φησί p ‖ 5 ἐμπεπηγέναι + μου p ‖ 6
ἀφαιρεῖσθαί μου ~ p ‖ 7 κεντοῦσι : κεντῶσι p ‖ καὶ τὸ ἐναντίον : ἢ
τοὐναντίον p ‖ 8 κεντῶσι (p) : κεντοῦσι LM ‖ 9 ἐπηράσατο : ἐπαράσατο p

22-24 : ἀφ' ὧν — κατάκριτος abcyz

f. Job 4, 7 ‖ g. Act. 28, 4 ‖ h. Job 4, 17 ‖ i. Job 6, 3-4

de pitié, mais, au contraire, c'est elle qui me condamne. C'est ce qui aurait dû me faire prendre en pitié qui me rend odieux et condamnable, et je ne peux obtenir de pitié, quoi que je dise. La preuve, en effet, c'est qu'Éliphaz attribuait à l'impiété ce malheur auquel il opposait : «Rappelle-toi si des gens intègres ont été complètement déracinés[f].» C'est ainsi que les Barbares disaient aussi à propos du bienheureux Paul «que la justice n'avait pas permis de vivre à celui qui avait échappé à la mer[g]».

Les hommes, en effet, et surtout le commun de la foule qui jugent des événements de façon naïve et au petit bonheur, ne s'appuient pas, dit-il, sur les actes de chacun pour porter leurs jugements, mais sur les châtiments et les punitions qu'on subit; c'est, en effet, parce qu'Éliphaz a dit : «Quel est donc le mortel qui est pur devant le Seigneur[h]?» que Job affirme : Je ne puis répliquer, ni dire que j'ai subi des souffrances si nombreuses et si terribles, sans avoir commis aucune faute, car mes châtiments parlent contre moi. Je pourrais, cependant, dit-il, faire reproche au Puissant, c'est-à-dire le contredire.

Les flèches du Seigneur l'aiguillonnent

2. *Mais, à ce qu'il semble, mes paroles sont sans valeur, car les flèches du Seigneur sont dans mon corps, et leur violence boit tout mon sang. Chaque fois que je commence à parler, elles m'aiguillonnent*[i]. Que signifie donc cela? Si elles m'aiguillonnent ainsi, ce n'est pas simplement parce qu'elles sont enfoncées dans ma chair, mais aussi parce qu'elles me privent d'un jugement équitable. Pourquoi (déclare-t-il) : «Chaque fois, elles m'aiguillonnent», et il semble vouloir dire le contraire, c'est-à-dire : chaque fois qu'elles m'aiguillonnent, c'est alors que je parle? Il plaide presque pour les paroles qui auparavant lui avaient fait maudire le jour (de sa naissance) : car, dit-il, ce n'est pas par perversité, ni par

10 ἀπὸ πονηρίας, οὐδὲ εἰκῆ, οὐδὲ ἁπλῶς ταῦτα φθέγγομαι, ἀλλ᾽ ὑπὸ τῆς ὀδύνης κεντούμενος. Τίς γὰρ οὕτως ἄθλιος καὶ ταλαίπωρος ὡς εἰκῆ βούλεσθαι θρηνεῖν;

Διὰ τὸ λέγειν αὐτόν · «Νουθέτημα δὲ Παντοκράτορος μὴ ἀπαναίνου[j],» καθάπερ ἐκεῖνοι τὰ ἄλογα παρήγαγον, 15 λέγοντες σθένος λέοντος, οὕτω καὶ οὗτος ·

3. **Τί γάρ; Μὴ διὰ κενῆς κεκράξεται, φησίν, ὄνος ἄγριος, ἀλλ᾽ ἢ τὰ σῖτα ζητῶν; Εἰ δὲ καὶ ῥήξει φωνὴν βοῦς ἐπὶ φάτνης, ἔχων βρώματα**[k]; Καλῶς προσέθηκεν · «Ἐπὶ φάτνης», ἀλλαχοῦ γὰρ βοᾷ. Καὶ πάλιν · **Εἰ βρωθή-** 5 **σεται ἄρτος ἄνευ ἁλός; Εἰ δὲ καὶ ἔστι γεῦμα ἐν ῥήμασι κενοῖς**[l]; Ὥσπερ, φησίν, οὐκ ἂν ἕλοιτο βοῆσαι εἰκῆ ὄνος, οὐδὲ βοῦς ἐπὶ φάτνης, καὶ ὥσπερ οὐκ ἄν τις ἕλοιτο φαγεῖν ἄρτον ἄνευ ἁλός, οὐδὲ προσέχειν ῥήμασι κενοῖς (ἐκεῖνα τὰ μάλιστα ἀδύνατα τέθεικεν), οὕτως οὐδ᾽ ἂν αὐτὸς 10 ἑλοίμην, φησί, τοιαῦτα θρηνεῖν, οὐκ οὔσης ἀνάγκης τῆς κεντούσης · ὥσπερ γὰρ ἀηδὲς ἄρτον ἄνευ ἁλὸς φαγεῖν, οὕτω καὶ ἐμοὶ ἀηδὲς θρηνεῖν καὶ ὀδυνᾶσθαι καὶ ῥήματα περιττὰ φθέγγεσθαι. Τίς γὰρ ἂν ἕλοιτο ἁπλῶς ὀδύρεσθαι; < Ποία γὰρ ἡδονὴ «ἐν ῥήμασι κενοῖς» (γεῦμα ἡδονή 15 ἐστιν);> Ἀπὸ τοῦ πορρωτέρου ἐπὶ τὸ ἐγγύτερον ἐλήλυθεν, ἀπὸ τοῦ ὄνου ἐπὶ τὸν ἄρτον [...]. «Εἰ δέ τι ῥῆμα ἀληθινόν, φησίν, ἐγεγόνει ἐν λόγοις σου, οὐδὲν ἂν τούτων συνήντησέ σοι[m].» Διὰ τοῦτό φησιν · «Ἀλλ᾽, ὡς ἔοικε, τὰ ῥήματά μού ἐστι φαῦλα[n].»

3, 1 φησίν > p ‖ 3-4 καλῶς — βοᾷ > p ‖ 6-7 ὄνος εἰκῆ ∼ p ‖ 7 φάτνης + τροφῆς παρακειμένης p ‖ τις > p ‖ 8 φαγεῖν + τις p ‖ 9 ἐκεῖνα + γὰρ p ‖ 10 φησί > p ‖ 14 κενοῖς : καίνοις M ‖ 16 ἄρτον : ἄρτος LM

j. Job 5, 17 ‖ k. Job 6, 5 ‖ l. Job 6, 6 ‖ m. Job 4, 12 ‖ n. Job 6, 3

1. La phrase : Ποία γὰρ... ἡδονή ἐστιν, se trouvait dans nos manuscrits après : ἐπὶ τὸν ἄρτον (l. 16). Nous l'avons transposée, pour la suite des idées, après ὀδύρεσθαι.

légèreté, ni par naïveté que je prononce ces paroles, mais
sous l'aiguillon de la douleur. Qui, en effet, serait assez
malheureux et infortuné pour vouloir se lamenter à la
légère?

Parce qu'Éliphaz disait : «Ne repousse pas l'avertissement du Tout-Puissant[j]», Job imitant ses amis, qui avaient
mis en scène les animaux en parlant de la force du lion, en
fait autant :

Nul ne se plaint sans raison

3. *Eh quoi! l'âne sauvage braira-t-il pour rien,* dit-il, *s'il ne
recherche pas sa nourriture? Et le bœuf meuglera-t-il auprès de la
mangeoire s'il a du fourrage[k]?* Il a bien fait d'ajouter : «Auprès
de la mangeoire», car il meugle ailleurs. Et, d'autre part :
*Mangera-t-on du pain sans sel? Et de même, y a-t-il du goût dans
des paroles vaines[l]?* De même qu'un âne, dit-il, ne choisirait
pas de braire sans raison, ni un bœuf de meugler auprès de
la mangeoire, de même aussi qu'on ne choisirait pas de
manger du pain sans sel, ni de prêter attention à des
paroles vaines – il a pris, vraiment, les exemples les
plus impossibles –, de même, moi non plus, dit-il, je ne
choisirais pas de me lamenter ainsi, s'il n'y avait pas une
nécessité qui m'aiguillonne; car s'il est désagréable de
manger du pain sans sel, il ne l'est pas moins pour moi de
me lamenter, de m'affliger et de prononcer des paroles
superflues. Qui, en effet, choisirait de se lamenter sotte-
ment? < Quel plaisir, en effet, y a-t-il dans des paroles
vaines? – goût veut dire plaisir[l]. > Il est parti d'un
exemple plus éloigné pour en venir à un plus proche, allant
de l'âne au pain. [...] «Mais si tes paroles avaient contenu
un mot de vérité, aucun de ces maux ne te serait survenu[m].» C'est pourquoi il dit : «Mais, à ce qu'il semble,
mes paroles sont sans valeur[n].»

4. **Οὐ δύναται γάρ μου παύσασθαι ἡ ψυχή**[o]. Διὰ τί; **βρόμον γὰρ ὁρῶ τὰ σῖτά μου, ὥσπερ ὀσμὴν λέοντος**[p]. Οὐκ ἤρκει τὸ ἕλκος οὐδὲ ὁ ἰχώρ, ἀλλὰ καὶ ἑτέρα τιμωρία · ἀπὸ τῆς νόσου καὶ τὴν αἴσθησιν ἅπασαν ἐβλάβη, ὥστε
5 αὐτῷ καὶ αὐτὴν τὴν τροφὴν τιμωρίαν γενέσθαι · ἡ δυσωδία τῆς σηπεδόνος τὸ κριτήριον ἀφεῖλεν τῶν αἰσθήσεων. Τί ταύτης τῆς τιμωρίας χαλεπώτερον γένοιτο; Οὐχ ὕπνος ἀνέπαυεν, οὐ τροφὴ ἔτρεφεν · « Ὥσπερ ὀσμὴ λέοντος, » φησί · δυσῶδες γὰρ τοῦτο τὸ θηρίον μεθ' ὑπερβολῆς.
10 Ἐπειδὴ γὰρ ἔχει τὴν ἀπὸ τῆς φύσεως πλεονεξίαν ἑτέρως, αὐτὸ τῶν ἄλλων ἐποίησεν φαυλότερον ὁ Θεός.

5. **Εἰ γὰρ δῴη καὶ ἔλθη μου ἡ αἴτησις, καὶ τὴν ἐλπίδα μου δῴη ὁ Κύριος, τρωσάτω με, εἰς τέλος δὲ μή με ἀνελέτω · εἴη δὲ πόλις μου τάφος, ἐφ' ἧς ἐπὶ τειχέων ἡλλόμην ἐπ' αὐτῆς**[q]. Μία λύσις τούτων
5 ἐστί, φησί, τῶν δεινῶν θάνατος καὶ ἀνάπαυσις. Τί ἐστιν · « Ἡλλόμην »; Γαῦρος ἤμην, φησί, καὶ πεποιθώς.

6. **Οὐ μὴ φείσωμαι, οὐ γὰρ ἐψευσάμην ἐν ῥήμασιν ἁγίου Θεοῦ μου**[r]. Οὐ μὴ φείσωμαι τῆς πρὸς ὑμᾶς ἀντιλογίας, φησίν, οὐ γὰρ σύνοιδα ἐμαυτῷ τοιοῦτον οὐδὲν οἷον ὑμεῖς λέγετε. Ἀλλ' οὐ λέγω τοῦτο, ἀλλ' ὅτι μείζονα

4, 1 ψυχή + εἶτα λέγει τὸ p ‖ διὰ τί + *(txt. Olymp. Young, p. 167)* p ‖ 4 ἀπὸ + γὰρ p ‖ 5 δυσωδία + γὰρ φησί p
5, 2 κύριος + ἀρξάμενος ὁ κύριος p ‖ με > p ‖ 5 φησί > p ‖ 5-6 τί ἐστιν · « ἡλλόμην » : τὸ δὲ ἡλλόμην ἐστιν ὅτι p ‖ 6 φησί > p
6, 1 φείσωμαι : φείσομαι L ‖ 2 ἁγίου : ἁγίοις p ‖ 3 ἀντιλογίας : ἐναντιλογίας p

4, 6-11 : τί — θεος abcyz
5, 4-6 : μία — πεποιθώς (5-6 : τί — πεποιθώς > yz) abcyz
6, 2-4 : οὐ μὴ — λέγετε abcyz

o. Job 6, 7 ‖ p. Job 6, 7 ‖ q. Job 6, 8-10 ‖ r. Job 6, 10

1. Ἔλθη *(sic)*, leçon de **A**, est sans doute un itacisme pour ἔλθοι. Cette forme a peut-être été entraînée par δῴη.

4. *Mon âme, en effet, ne peut trouver le repos*[o]. Pourquoi?
*C'est que je vois que mes aliments ont l'odeur de la folle avoine, qui
rappelle celle du lion*[p]. Il ne suffisait pas de l'ulcère et du pus,
il s'y ajoute encore un autre supplice; la maladie a gâté
toute sa sensibilité au point que même sa nourriture lui est
devenue un supplice : car, dit-il, l'odeur nauséabonde de la
gangrène lui a ôté le discernement des sensations. Que
pouvait-il y avoir de plus pénible que ce supplice? Ni le
sommeil ne le reposait, ni la nourriture ne le nourrissait.
«Une odeur qui rappelle celle du lion», dit-il : ce fauve, en
effet, sent terriblement mauvais. Comme il a, par ailleurs,
une supériorité naturelle, Dieu, sur ce point, l'a moins bien
servi que les autres.

Job en appelle au Seigneur

5. *Oh! que le Seigneur accède à ma requête, et qu'elle
aboutisse*[1], *et qu'il m'accorde l'objet de mon espérance*[2] *: qu'il me
blesse, mais qu'il ne m'anéantisse pas entièrement; et que ma cité
soit mon tombeau, cette cité sur les remparts de laquelle je
bondissais*[q]. Le seul terme et le seul répit à ces maux, dit-il,
c'est la mort. Que signifie «Je bondissais»? Il veut dire :
j'étais joyeux et confiant.

6. *Je n'userai certes pas de ménagements, car je n'ai pas contesté
les paroles de mon Dieu saint*[r]. Je ne vous ménagerai sûrement
pas la contradiction, dit-il[3]. Je n'ai pas, en effet, conscience
d'avoir rien commis qui ressemble à ce que vous dites;
mais je ne dis pas cela, (je dis) simplement que je subis des

---

2. Il semble que **LM** (ou leur modèle) ont sauté, dans le texte
scripturaire, les mots : ἀρξάμενος ὁ Κύριος, sans doute par homoiotéleute.

3. Job ne ménage pas la contradiction à ses amis, car il n'a conscience
d'aucune faute. Cette idée reviendra souvent (cf. *Job* 6, 25-29; 16, 1 etc.).

5 τῆς οἰκείας, φησί, φύσεως μεμαστίγωμαι, ὑπὲρ σωμάτων
βασάνων τὸ μέγεθος. Σὺ δέ μοι παρατήρει πανταχοῦ,
πῶς, καὶ τοσαύτην ἀνάγκην ὁρῶν, οὐδαμοῦ πρὸς τὴν
τῶν κατορθωμάτων αὐτοῦ διήγησιν ἐξελθεῖν ἠνέσχετο, ἀλλὰ
κρύπτει τέως, καὶ τὰ μὲν ἁμαρτήματα μετὰ πολλῆς τῆς
10 παρρησίας ἐπὶ συλλόγου καὶ λαμπροῦ θεάτρου πολλάκις
ἐξεπόμπευεν, τὰ δὲ κατορθώματα, καὶ τοσαύτην ἀνάγκην
ὁρῶν, σιγᾷ· οὐ γὰρ δὴ λέγει ὅτι δίκαιος ὢν τοιαῦτα
πέπονθα, ἀλλ᾿ ὅτι οὐ δύναται ἐνεγκεῖν, ὥσπερ καὶ ὁ Δαυὶδ
ἔλεγεν· «Ἐλέησόν με, ὅτι ἀσθενής εἰμι[s].» Τοῦτο δὲ τὸ
15 ῥῆμα τῶν οὐκ ἐχόντων ἐστὶ παρρησίαν ἐπὶ τὴν ἀσθένειαν
καταφεύγειν τῆς φύσεως· τὸ γὰρ λέγειν ὅτι ἀσθενής εἰμι,
οὐκ εἰμι «λίθος», οὐχὶ δεικνύντος ἐστὶν ὅτι ἀναξίως
παιδεύεται ἀλλ᾿ ὅτι δικαίως μέν, οὐ δύναται δὲ ἐνεγκεῖν,
καὶ διὰ τοῦτο συγγνώμης ἀξιοῖ τυχεῖν.

7. Τίς γάρ μού ἐστιν ἡ ἰσχύς, φησίν, **ὅτι ὑπομένω,
ἢ τίς μου ὁ χρόνος ὅτι ἀνέχεταί μου ἡ ψυχή[t];** Τί
ἐστι· «Τίς μου ὁ χρόνος»; «Ὀλιγοχρόνιός εἰμι[u]», φησί.
Μεγάλην γὰρ ἔχω τὴν ἀντίδοσιν; Μὴ γὰρ ἔστιν ἐλπίσαι
5 μακρὸν ζήσεσθαι χρόνον; «Τίς γάρ μού ἐστιν ἡ ἰσχὺς ὅτι
ὑπομένω;» Οὐκοῦν οὐκ ἀπὸ ἰσχύος ὑπομένει, ἀλλ᾿ ἀπὸ
εὐλαβείας καὶ φόβου Θεοῦ· εἰ γὰρ ἐβούλετο, οὐκ ἂν
ὑπέμεινεν, ἀλλ᾿ ἑαυτὸν ἂν διεχρήσατο, ὥστε, εἰ καὶ μηδα-
μόθεν ἑτέρωθεν, ἐντεῦθεν κατάμαθε τοῦ ἀνδρὸς τὴν εὐλά-

5 φησί τῆς οἰκείας ∼ p ‖ ὑπὲρ + γὰρ δυναμένων θνητῶν p ‖ σωμάτων +
τῶν p ‖ 12 λέγει : φησιν p ‖ 13 δύναται : δύναμαι p ‖ 15 παρρησίαν + ὅθεν p
‖ 16 καταφεύγειν : καταφεύγει p ‖ εἰμι + τοῦτ᾿ ἔστιν p

7, 1 τίς γάρ — ἰσχύς : τίς γάρ ἡ ἰσχύς μου p ‖ 2-3 τί — χρόνος > p ‖ 4
μεγάλην γὰρ : μὴ γὰρ μεγάλην p ‖ τὴν + ἐκ τοῦ χρόνου p ‖ 5 ζήσεσθαι :
ζῆσαι p ‖ 6 ἀπὸ[2] (pabcyz) : ὑπὸ LM ‖ 8 διεχρήσατο : διεχειρίσατο p ‖ 9
ἐντεῦθεν + γοῦν p

7, 6-12 : οὐκοῦν — τόλμη (> 7 : εἰ γὰρ ἐβούλετο) abcyz

s. Ps. 6, 3 ‖ t. Job 6, 11 ‖ u. Sag. 9, 5

1. On remarquera que Chrysostome commente à plusieurs reprises le

châtiments qui dépassent notre nature, que la grandeur de mes épreuves dépasse ce que peuvent supporter des corps humains. Quant à toi, observe-moi comment partout, même à la vue d'une si profonde détresse, il n'a, en aucun cas, accepté d'en venir à raconter ses bonnes actions, mais il les dissimule jusqu'ici; et lui qui livrait souvent ses fautes à la risée publique, avec une grande franchise, devant un brillant parterre de spectateurs, il tait, par contre, ses bonnes actions, même à la vue d'une si profonde détresse; car précisément, il ne dit pas : j'ai éprouvé de telles souffrances, bien que je sois juste, mais il dit qu'il ne peut pas les supporter, tout comme David disait : «Prends pitié de moi, car je suis sans force[s].» C'est la manière de parler qui caractérise ceux qui n'ont pas la liberté de leurs paroles : ils se réfugient dans la faiblesse de la nature; car dire : je suis faible, je ne suis pas une pierre[1], n'est pas le langage d'un homme qui reconnaît qu'il est châtié de façon imméritée, mais qui reconnaît, au contraire, que c'est juste; seulement, il ne peut le supporter et, par conséquent, il demande d'obtenir le pardon.

Il n'est qu'un homme faible et éphémère

7. *Quelle est donc ma force,* dit-il, *pour que je résiste, ou quelle est ma durée pour que mon âme tienne bon[t]?* Que signifie : «Quelle est ma durée?» «Je suis de courte durée[u]», dit-il. Ai-je donc une grande durée à échanger? Peut-on, en effet, espérer vivre longtemps? «Quelle est donc ma force pour que je résiste?» Ce n'est donc pas sa force qui lui permet de résister, mais sa piété et sa crainte de Dieu; car s'il avait voulu, il n'aurait pas résisté, mais se serait détruit lui-même; si bien que, même si aucun autre texte ne te l'apprend, apprends du moins par celui-là à reconnaître la

verset de *Job* 6, 12 a, sans l'avoir cité entièrement. Il se contente chaque fois d'une simple allusion au mot λίθος, ici, et en **7,** 10; **10,** 10.

10 βειαν, ὡς ἄνθρωπος ὤν, τὰ μείζονα τῶν «λίθων» ὑπομένει διὰ τὸν τοῦ Θεοῦ φόβον, καὶ εὐχῇ τὸ πρᾶγμα ἐπιτρέπει καὶ τὴν οἰκείαν τελευτήν, οὐχὶ τῇ ἑαυτοῦ τόλμῃ.

8. **Ἤ αἰ σάρκες,** φησί, **χαλκαί, ἤ οὐκ ἐπ' αὐτῷ ἐπεποίθειν; βοήθεια δὲ ἀπ' ἐμοῦ ἄπεστιν, ἀπείπατο δέ με ἔλεος καὶ ἐπισκοπὴ Κυρίου ὑπερεῖδέν με**[v]. Ἐπειδὴ τοῦτο παραινεῖ οὗτος, ὅτι Κύριον τὸν Παντοκράτορα ἐπικά-
5 λεσαι[w], «Ἤ οὐκ ἐπ' αὐτῷ, φησίν, ἐπεποίθειν;» Ἐννόησον ὅτι οὐκ ἐν προοιμίοις τῆς συμφορᾶς ταῦτα λέγεται, ἀλλὰ, χρόνου πολλοῦ προβεβηκότος, πρὸς αὐτῷ τῷ τέλει τῶν ἀγώνων.

9. **Οὐ προεῖδόν με,** φησίν, **οἱ ἐγγύτατοί μου · ὥσπερ χειμάρρους ἐκλείπων, ἤ ὥσπερ κῦμα, παρῆλθόν με. Οἵτινές με ηὐλαβοῦντο, νυνὶ ἐπιπεπτώκασί μοι**[x]. Καὶ τοῦτο τῆς τοῦ Θεοῦ ἐγκαταλείψεως ἔργον, τὸ καὶ τοὺς
5 οἰκείους ὑπερορᾶν τοιαῦτα πάσχοντα. Ὅταν γὰρ αὐτὸς ἀποστῇ καὶ γυμνωθῇ τῆς παρ' αὐτοῦ βοηθείας, πάντα ἐχθρὰ καὶ πολεμία. Οὐδεὶς ἐπέγνω με, φησίν, ἐν τῇ συμφορᾷ, ἀλλὰ τοῦτο οὔπω μέγα. «Οἵτινές με ηὐλαβοῦντο, νυνὶ δὲ ἐπιπεπτώκασί μοι.» Τοῦτο πολλῷ χαλεπώτερον, τὸ
10 καὶ ἐπεμβαίνειν κειμένῳ. Ἐμοὶ δοκεῖ τούτους αἰνίττεσθαι.

10. **Ὥσπερ χιὼν ἤ κρύσταλλος,** φησί, **πεπηγώς · καθὼς τακεῖσα, θέρμης γενομένης, οὐκέτι ἐπεγνώσθη**

10 ὡς : ὃς p ‖ ὑπομένει : ὑπέμεινε p ‖ 11 καὶ² : ἤτοι p
8, 2 ἐπεποίθειν : ἐπεποίθην L ‖ 3-5 ἐπειδὴ — ἐννόησον : ἐπειδὴ παραινεῖ ἐλιφᾶζ λέγων ὅτι κύριον τὸν παντοκράτορα ἐπικάλεσε, φησὶν ὅτι ἤ οὐκ ἐπ' αὐτῷ ἐπεποίθειν. σὺ δὲ ἐννόησον p ‖ 7 πολλοῦ : πολλαχοῦ Μp ‖ προβεβη-κότος + καὶ p
9, 1 προεῖδον + δὲ p ‖ 3 ηὐλαβοῦντο : διηυλαβοῦντο p ‖ 5 οἰκείους + αὐτὸν p ‖ πάσχοντα (Lp) : πάσχοντας Mabcyz ‖ 6 ἀποστῇ + ὁ θεὸς p ‖ βοηθείας + ὁ ἄνθρωπος p ‖ πάντα + αὐτῷ p ‖ 8-9 οἵτινες — μοι > p ‖ 9 τοῦτο + δὲ p
10, 2 τακεῖσα : τακείς L

9, 3-7 : καὶ τοῦτο — πολεμία abcyʒ

piété du personnage qui, tout homme qu'il est, supporte des pressions plus fortes que les pierres, grâce à sa crainte de Dieu, et s'en remet de sa situation et de sa propre fin à la prière, et non pas à sa propre assurance.

8. *Mes chairs,* dit-il, *sont-elles de bronze, ou n'avais-je pas confiance en lui? Mais le secours est loin de moi; la pitié m'a repoussé, et l'attention du Seigneur n'a pas jeté les yeux sur moi*[v]. Puisque Éliphaz l'exhorte en disant : «Invoque le Seigneur Tout-Puissant[w1]», il répond : «N'avais-je pas confiance en lui?» Songe que ce n'est pas au début de son malheur qu'il parle ainsi, mais après un grand laps de temps, et au moment où les combats touchent à leur fin.

Tous l'ont abandonné

9. *Mes proches n'ont pas pourvu à mes besoins,* dit-il, *comme un torrent qui déborde, ou comme une vague, ils ont passé près de moi sans me voir. Tous ceux qui me respectaient sont tombés maintenant sur moi*[x]. Et c'est justement l'oubli de Dieu à son égard qui fait que même ses proches le méprisent, au milieu de telles souffrances[2]. Car chaque fois que Dieu s'éloigne et que l'homme est privé de son secours, tout lui devient opposé et hostile. Personne, dit-il, ne m'a reconnu dans mon malheur, mais ceci n'est encore pas grave. «Tous ceux qui me respectaient sont tombés maintenant sur moi», voici qui est bien pire : aller jusqu'à fouler aux pieds un homme terrassé! Il me semble que c'est à ses amis qui sont là qu'il fait allusion.

10. *Comme de la neige ou de la glace compacte,* dit-il. *Quand la neige a fondu, sous l'action de la chaleur, on ne reconnaît plus son*

---

v. Job 6, 12-14 ‖ w. Cf. Job 5, 8 ‖ x. Job 6, 15-16

1. Une fois encore, Chrysostome suit la leçon de **A**; cf. *Introd.*, p. 38.
2. La leçon πάσχοντας est sans doute une faute de copiste, entraînée par le pluriel : τοὺς οἰκείους.

ὅτι ἦν, οὕτως ἐγώ κατελείφθην ὑπὸ πάντων · ἀπωλόμην τε καὶ ἔξοικος ἐγενόμην[y]. Τοῦτ' ἔστιν · οὐδὲ
5 μνημόσυνον ὑπολέλειπται, οὐδὲ λείψανον τῆς προτέρας
εὐπραγίας. Ταῦτα τῆς συμφορᾶς χαλεπώτερά ἐστιν. «Ἣ
τίς ἄραί μου τὰς ὀδύνας ὁμοθυμαδόν[z];» Καὶ πειρᾶται
αὐτὰς διηγεῖσθαι. «Βρόμον γὰρ ὁρῶ, φησί, τὰ σῖτα μου[a].»
Εὔχομαι ἀποθανεῖν καὶ οὐκ ἀποθνήσκω · ἄνθρωπος ὤν,
10 ταῦτα πάσχω, «οὐ λίθος» · ἄνθρωπος ὀλιγοχρόνιος, οὐκ
ἀπολαύω τῆς ἄνωθεν ῥοπῆς. Οἳ μὲν παρατρέχουσί με τῶν
οἰκείων, οἳ δὲ καὶ ἐπεμβαίνουσιν · οὐδὲν λείψανον τῆς
προτέρας ὑπολέλειπται εὐπραγίας.

11. Ἴδετε ὁδοὺς Θαιμανῶν καὶ ἀτραποὺς ἀσεβῶν, οἱ
διορῶντες. Αἰσχύνθητε αἰσχύνην, οἱ ὁρῶντες. Ὀφει-
λήσουσιν οἱ ἐπὶ πόλεσι καὶ χρήμασι πεποιθότες[b].
Ἐπιβλέψατε, φησίν, καὶ ἴδετε, τοῦτ' ἔστιν · τὰ οἰκεῖα
5 ἀναμνήσθητε · τὸ μέλλον ἄδηλον, καὶ πάντες ὁμοίως ὑποκείμεθα · ταῦτα καὶ ὑμεῖς λογίζεσθε περὶ ὑμῶν αὐτῶν καὶ
τοῦ φρονήματος ἑαυτοὺς καταστέλλετε.

12. Ἀτὰρ δὴ καὶ ὑμεῖς ἐπέμβητέ μοι ἀνελεημόνως[c].
Ἀσυμπαθῶς, φησίν, ἐλεγκτικῶς, κατηγορικῶς. Ὥστε
ἰδόντες τὸ ἐμὸν τραῦμα, φοβήθητε[d]. Εἰ καὶ μηδὲν
ἕτερον, φησί, μήτε φιλία, μήτε ἡ τῶν προτέρων εὐεργεσία,

4 τοῦτ' ἔστιν : ταῦτα τῆς συμφορᾶς χαλεπώτερα οὐ μόνον γὰρ p ‖ 6-8
ταῦτα — μου > p ‖ 9 ante εὔχομαι add. διὰ τοῦτο p ‖ 10 ὀλιγοχρόνιος :
ὀλιχρόνιος L ‖ 11 μὲν + γὰρ p ‖ 12-13 οὐδὲν — εὐπραγίας > p
12, 2 κατηγορικῶς : κατηγορητικῶς ἐπέβητέ μοι p ‖ 3 φοβήθητε + μὴ
δίκας ἐξαιτηθῆτε τῆς ἀγριότητος (ut Chrysostomi, PG 64, 594 D) p ‖ εἰ +
γὰρ p

10, 4-6 : τοῦτ' ἔστιν — εὐπραγίας abc yz
11, 4-6 : τοῦτ' ἔστιν — ὑποκείμεθα abc yz
12, 2-7 : ἀσυμπαθῶς — ἐπιεικείας abc yz

y. Job 6, 16-18 ‖ z. Job 6, 2 ‖ a. Job 6, 7 ‖ b. Job 6, 19-20 ‖ c. Job 6, 21
‖ d. Job 6, 21

1. Nous avons maintenu les mots : οὐδὲν λείψανον... εὐπραγίας, qui se

état antérieur ; c'est ainsi que, moi aussi, j'ai été abandonné de tous ;
non seulement je suis perdu, mais je suis devenu un paria[y].
C'est-à-dire : il ne subsiste ni un souvenir ni une trace de
mon bonheur d'antan. Voilà qui est pire que le malheur.
« Si quelqu'un pouvait peser ensemble mes douleurs[z] ! » Et
il s'efforce de les détailler. « Je vois, en effet, dit-il, que mes
aliments ont l'odeur de la folle avoine[a]. » Je souhaite de
mourir et je ne meurs pas : c'est parce que je suis un
homme et non une pierre que je souffre ainsi ; homme
éphémère, je ne jouis pas de l'appui d'en-haut. Parmi mes
intimes, les uns passent près de moi sans me voir, d'autres
me foulent aux pieds. Aucune trace de mon bonheur
d'antan ne subsiste[1].

Job se retourne contre ses trois amis
qui n'ont pas compassion

11. *Regardez les chemins des Thémanites*[2] *et les sentiers des*
impies, vous qui savez voir. Rougissez de honte, vous qui voyez. Ils
deviendront débiteurs, ceux qui mettent leur confiance dans des cités
et des richesses[b]. Regardez, dit-il, et voyez, c'est-à-dire
souvenez-vous de votre propre cas ; l'avenir est mysté-
rieux, et nous sommes tous dans la même situation ;
ces réflexions, appliquez-vous-les aussi à vous-mêmes,
et rabaissez votre orgueil.

12. *Mais vous aussi, vous m'avez foulé aux pieds sans pitié*[c]. Il
veut dire : sans compassion, sans appel, sans nuances.
Aussi, à la vue de ma blessure, éprouvez de la crainte[d]. Car même
si rien d'autre, ni l'amitié, ni le dévouement de jadis, ni rien

trouvaient déjà en VI, **10,** 5-6, car, s'ils peuvent constituer un simple
doublet, ils peuvent, aussi bien, représenter une de ces récapitulations
familières à notre commentaire.

2. Chrysostome fait ici un commentaire qui se réfère au mot
« Thémanites ». Éliphaz est, en effet, le roi des Thémanites,
cf. *Job* 2, 11 d.

5 μήτε ἄλλο μηδὲν ὑμᾶς ἐπιεικεστέρους ἐποίει, αὐτὴ τῶν
ἐμῶν τραυμάτων ἡ θεωρία πολλῆς ὑμᾶς ὤφειλεν ἐμπλῆσαι
τῆς ἐπιεικείας.

13. Τί γάρ; Μή τι ὑμᾶς ᾔτησα, ἢ τῆς παρ' ὑμῶν
ἰσχύος ἐπιδέομαι, ὥστε με σῶσαι ἐκ χειρὸς κακῶν, ἢ
ῥύσασθαί με ἐκ χειρὸς δυνάστου[c]; Τοῦτ' ἔστιν · οὐ
πρότερον ὑμῶν ἐδεήθην, οὔτε νῦν, ἀλλ' αὐτόματοι παρεγέ-
5 νεσθε, ὡς δὴ παρακαλέσοντες. Τί δὴ τὰ τῶν ἐχθρῶν
διαπράττεσθε;

14. Διδάξατέ με, ἐγὼ δὲ κωφεύσω · εἴ τι πεπλά-
νημαι, φράσατέ μοι[f]. Ἀλλ' ὅμως, οὐδὲ οὕτως ἀρνοῦμαι
μανθάνειν, μόνον εἴ τι χρήσιμον δυνήσεσθε εἰπεῖν, ἀλλὰ
σιγήσομαι, ἄν τι εἴπητε τῶν δεόντων. Οὐ γὰρ δὴ εἶχον
5 ἐκεῖνοι φανερὰ ἐγκλήματα προβάλλεσθαι, ἀλλ' ἁπλῶς ἀπὸ
στοχασμοῦ, καὶ ὅτι μὲν βίου ἐναρέτου ἦν φανερόν, ὅτι δὲ
οὐκ ἦν ἐστοχάζοντο οὗτοι ἀπὸ τῶν τιμωριῶν.

15. Ἀλλ', ὡς ἔοικεν, φαῦλα ἀνδρὸς ἀληθινοῦ
ῥήματα[g]. Ἀλλ' οὐ δυνατόν, φησίν, ἀγωνίσασθαι καλῶς
μοι, τῆς συμφορᾶς ἀντιφθεγγομένης, ἢ ὅτι ὁ τὰ ὀρθὰ
λαλῶν καὶ μετὰ παρρησίας φθεγγόμενος, οὐκ ἔστι τοῖς
5 ἀκούουσι φορητός · τὰ γὰρ τοῦ δικαίου ῥήματα πάντες
φαυλίζουσι · τοῦτο καὶ γνωμικῶς εἶπεν, οὐχὶ διὰ τὴν
συμφορὰν μόνον.

13, 2 σῶσαί με ~ p ‖ κακῶν : ἐχθρῶν p ‖ 3 ἐκ χειρὸς δυνάστου ῥύσασθαί
με ~ p ‖ οὐ : οὔτε p
14, 3 χρήσιμον : τῶν χρησίμων p ‖ 6 φανερόν + ἦν (bis) p
15, 1 ἀνδρὸς > p ‖ 6 οὐχὶ : οὐ p

13, 3-6 : τοῦτ' ἔστιν — διαπράττεσθε abc yz
14, 4-7 : οὐ γὰρ — τιμωριῶν abc yz
15, 2-3 : ἀλλ' οὐ — ἀντιφθεγγομένης abc yz

d'autre ne vous rendait plus indulgents, dit-il, la vue même
de mes blessures aurait dû vous remplir d'une profonde
indulgence.

13. *Quoi donc! Vous ai-je réclamé quelque chose? Ai-je besoin
de votre force pour me sauver de la main des méchants ou
m'arracher à la main du Puissant*[e]? Cela veut dire : je ne vous
ai rien demandé ni auparavant, ni maintenant, et c'est
spontanément que vous êtes venus me trouver, précisément pour me consoler. Pourquoi donc vous comportez-
vous en ennemis?

14. *Enseignez-moi, et moi, je resterai muet. Expliquez-moi si
j'ai commis quelque erreur*[f]. Cependant, même dans ces
conditions, je ne refuse pas d'apprendre, pourvu que vous
puissiez dire quelque chose d'utile, et je me tairai, si vous
prononcez des paroles convenables. Ils ne pouvaient pas,
bien sûr, mettre en avant des griefs évidents, mais procé-
daient simplement par conjecture; et, comme sa vie était
manifestement pleine de vertu, c'est d'après ses châtiments
qu'ils conjecturaient qu'elle ne l'était pas.

15. *Eh bien! à ce qu'il paraît, les paroles d'un homme sincère
sont sans valeur*[g]. Mais, il ne m'est pas possible, dit-il, de
bien mener la lutte, car mon malheur s'y oppose ou parce
que, si l'on dit la vérité et qu'on s'exprime avec franchise,
on est insupportable à ses auditeurs; les paroles du juste, en
effet, sont considérées par tout le monde comme sans
valeur : cette réflexion a dans sa bouche une portée
générale et n'est pas provoquée simplement par son
malheur.

e. Job 6, 22-23 || f. Job 6, 24 || g. Job 6, 25

16. **Οὐ γὰρ παρ' ὑμῶν, φησί, ῥῆμα οὐδὲ ἰσχὺν αἰτοῦμαι, οὐδὲ ὁ ἔλεγχος ὑμῶν τὰ ῥήματα μου παύσει**[h]. Μάλιστα μὲν οὐδὲ μέλλοντας ὑμᾶς ἀπὸ τῶν παρόντων τὰ κατ' ἐμὲ κρίνειν παραιτήσομαι, πολλῷ δὲ πλέον νῦν.

5 «Οὐ γὰρ παρ' ὑμῶν ἰσχὺν αἰτοῦμαι, οὐδὲ ὁ ἔλεγχος ὑμῶν τὰ ῥήματά μου παύσει, **οὐδὲ φθέγμα ῥήματος ὑμῶν ἀνέξομαι · πλὴν ὅτι ἐπ' ὀρφανῷ ἐπιπίπτετε, ἐνάλλεσθε δὲ ἐπὶ φίλῳ ὑμῶν**[i]. Οὐχ ἡ συμφορά, οὐχ ἡ φιλία κατέκαμψεν ὑμᾶς, φησίν. Πλὴν ἀλλ' εἰ βούλεσθε, πάλιν

10 ἀναλάβωμεν τὸν λόγον · «Οὐ παραιτοῦμαι...» Κἂν εἰς τὴν ἐναντίαν μοῖραν αὐτοὺς τάξητε, καὶ ἀντερῶ · οὐδὲν γὰρ ἐμαυτῷ σύνοιδα.

17. **Νυνὶ δέ, φησίν, ἐμβλέψας εἰς πρόσωπον ὑμῶν, οὐ ψεύσομαι · καθίσατε δή, καὶ μὴ εἴη ἄδικον ἐν κρίσει, καὶ πάλιν τῷ δικαίῳ συνέρχεσθε**[j]. Νῦν ἄρξασθε. **Οὐ γάρ ἐστιν ἐν γλώσσῃ μου ἄδικον, οὐχὶ δὲ καὶ ὁ**

5 **λάρυγξ μου σύνεσιν μελετᾷ**[k]. Ὅρα πανταχοῦ τῆς δόξης τῆς ἑαυτοῦ φροντίζοντα τὸν ἄνθρωπον, μὴ πονηροῦ τινος καὶ ἀσεβοῦς λάβῃ δόξαν.

16, 1 φησί > p ‖ ῥῆμα οὐδὲ > p
17, 1 φησίν > p ‖ 3 νῦν ἄρξασθε > p ‖ 7 καὶ — δόξαν : λάβῃ δόξαν καὶ ἀσεβοῦς ∼ p

16, 8-12 : οὐχ — σύνοιδα (9-10 : φησίν — τὸν λόγον > yz) abc(yz)

Il ne leur demande rien et ne se taira pas

16. *Car je ne vous demande,* dit-il, *ni parole ni force, et ce n'est pas votre accusation qui fera cesser mes paroles*[h]. Oui, même si vous devez juger mon cas d'après les circonstances actuelles, je ne vous adresserai aucune prière; à plus forte raison, je ne le fais pas maintenant. «Car je ne vous demande pas de la force, et ce n'est pas votre accusation qui fera cesser mes paroles», *pas plus que je ne supporterai le bruit des vôtres; d'ailleurs vous attaquez l'orphelin, et insultez l'un de vos amis*[i]. Ni le malheur, ni l'amitié ne vous ont fait fléchir, dit-il. Cependant, si vous voulez, revenons sur la parole : « Je ne réclame pas...» Même si vous vous mettez dans le clan de l'opposition, je répliquerai encore, car ma conscience ne me reproche rien.

17. *Mais, maintenant,* dit-il, *vous regardant bien en face, je ne mentirai pas; asseyez-vous donc, qu'il n'y ait pas d'injustice dans votre jugement, mais revenez à la justice*[j]. Maintenant, commencez. *Car il n'y a pas d'injustice sur ma langue, et mon gosier non plus ne se soucie pas de comprendre*[k]. Remarque que, toujours, l'homme se préoccupe de sa propre réputation, craignant de passer pour un méchant et un impie.

h. Job 6, 25-26 ‖ i. Job 6, 25-27 ‖ j. Job 6, 28-29 ‖ k. Job 6, 30

VII

1. **Πότερον οὐχὶ πειρατήριον**, φησίν, **ἔστιν ὁ βίος τοῦ ἀνθρώπου ἐπὶ τῆς γῆς**[a]; Τοῦτο καὶ αὐτός φησιν· «Ἀλλ' ἄνθρωπος ἐν κόπῳ γεννᾶται[b].» Τί οὖν τοῦτο πρὸς αὐτόν; ὥστε συμβαίνει μὴ ἀπὸ ἀδικίας μόνης, ἀλλὰ καὶ ἀπ' αὐτῆς τῆς φύσεως ταῦτα παθεῖν· οὕτως ὁ Θεὸς ὥρισεν ἐπίπονον εἶναι τὸν ἀνθρώπινον βίον. Ἀλλὰ προσέθηκεν· «Ἐπὶ τῆς γῆς»· οὐκέτι ἐν τοῖς οὐρανοῖς.

Καὶ ὥσπερ μισθίου αὐθημερινοῦ ἡ ζωὴ αὐτοῦ[c]; Τὸ ἐπίπονόν φησι· καθάπερ ἐκεῖνος δι' ὅλης πονεῖται καὶ ταλαιπωρεῖ τῆς ἡμέρας, οὕτω καὶ βραχὺς καὶ ἐπίπονος ὁ βίος, καὶ οὐδὲν μέγα συλλέγων· καθάπερ γὰρ ἐκεῖνος ὁ μίσθιος πάντα μὲν τὸν χρόνον πονεῖται τῆς ἡμέρας, οὐδὲν δὲ μέγα συλλέγει, οὕτω καὶ ἄνθρωπος. Οὐ πόνων γέμει μόνον, οὐχὶ δὲ καὶ κινδύνων;

2. **Ἢ ὥσπερ θεράπων δεδοικὼς τὸν κύριον ἑαυτοῦ καὶ τετευχὼς σκιᾶς**[d]; Κἂν ἀνεπαυσάμην μικρόν, φησί, καθάπερ οἰκέτης μικρὸν ἀναπνεῖ, οὐ μετὰ ἀδείας οὐδὲ μετὰ παρρησίας, οὕτω πολλαὶ πολλαχόθεν αἱ τῆς τυραννίδος ἐπιθέσεις. Ἐμοὶ δοκεῖ, τὸν δραπέτην λέγειν οἰκέτην· καθάπερ ἐκεῖνος ὁ φυγὼν τὸν δεσπότην, ἐν ἀγωνίᾳ διὰ παντός ἐστιν. **Ἢ ὥσπερ μίσθιος ἀναμένων τὸν μισθόν**[e], ἐκεῖνον τὸν χρόνον ἀναπαύεται μόνον.

1, 1 φησίν > p ‖ 2 τοῦ > p ‖ 5 οὕτως + φησίν p ‖ ὥρισεν : ὥρησεν (η = ι) p ‖ 9 καθάπερ + γὰρ p ‖ πονεῖται : πονῇ (ῃ = εῖ) p ‖ 11 γὰρ > p ‖ 13 οὐ : ἀρ' οὖν p

2, 1 ἑαυτοῦ : αὐτοῦ p ‖ 2 κἂν : ἐάν p ‖ 6 καθάπερ + γὰρ p

1, 4-5 : ὥστε — παθεῖν abc yz ‖ 10-11 : βραχὺς — βίος (abc yz) ‖ 13-14 : οὐ πόνων — κινδύνων abc yz

2, 5-7 : ἐμοὶ — ἐστιν (abc yz)

CHAPITRE VII

Suite de la réponse de Job

La vie de l'homme est une épreuve

1. *N'est-ce pas une épreuve,* dit-il, *que la vie de l'homme sur la terre*[a]? Job, à son tour, reprend la phrase d'Éliphaz : «Mais, l'homme naît dans souffrance[b].» Que signifie donc cela, pour Job? C'est qu'il arrive que ce ne soit pas la seule injustice, mais la nature elle-même qui provoque ces épreuves; ainsi, c'est Dieu qui a décidé que la vie humaine serait pénible. Mais Job a ajouté : «sur la terre»; elle ne le sera plus dans les cieux.

Et sa vie ne ressemble-t-elle pas à celle d'un journalier à gages[c]? Il veut parler de son caractère pénible. De même que ce manœuvre se fatigue et souffre durant toute la journée, de même notre vie est courte et pénible, et elle ne recueille aucun profit important : tel ce journalier qui peine durant tout le jour, et sans en recueillir grand profit, tel aussi l'homme. Il n'est pas seulement accablé de fatigues, ne l'est-il pas aussi de dangers?

2. *Ou bien, ne ressemble-t-il pas à un serviteur qui redoute son maître et qui s'est caché dans l'ombre*[d]? Si j'ai fait une petite pause, dit-il, comme un serviteur qui reprend un peu son souffle, ce n'a pas été en toute sécurité ni en toute tranquillité, si nombreuses venaient de tous côtés les attaques de sa puissance. A mon avis, il veut parler d'un serviteur fugitif; comme celui qui, parce qu'il a fui son maître, est sans cesse dans les transes. *Ou bien comme le salarié qui attend son salaire*[e], il ne se repose que durant ce moment-là.

a. Job 7, 1 ‖ b. Job 5, 7 ‖ c. Job 7, 1 ‖ d. Job 7, 2 ‖ e. Job 7, 2

3. **Οὕτω κἀγὼ ὑπέμεινα μῆνας κενούς**[f], μετὰ ἀγωνίας,
μετὰ ταλαιπωρίας, μετὰ φόβου. Τοῦτο δέ, οὐχὶ περὶ
πάντων λέγει, ἀλλὰ περὶ ἑαυτοῦ. **Νύκτες δὲ ὀδυνῶν
δεδομέναι μοί εἰσιν · ἐὰν κοιμηθῶ, λέγω πάλιν · πότε**
5 **ἡμέρα; Ὡς δ' ἀναστῶ, λέγω πάλιν · πότε ἑσπέρα;
Πλήρης γὰρ γίνομαι ὀδυνῶν ἀφ' ἑσπέρας ἕως πρωΐ ·
φύρεται δέ μου τὸ σῶμα ἐν σαπρίᾳ σκωλήκων · τήκω
δὲ βώλακας γῆς ἀπὸ ἰχῶρος ξέων**[g] · ὅτι · «πειρατήριόν
ἐστι, φησίν, ὁ βίος τοῦ ἀνθρώπου ἐπὶ τῆς γῆς[h]» · «οὕτω
10 κἀγὼ ἀνέμεινα μῆνας κενούς.» Κενούς · διὰ τί; Ὅτι
ἐταλαιπώρησα καὶ μισθὸν οὐκ ἔλαβον, ὅτι ἐν συμφοραῖς,
καὶ οὐδὲν ἔχω τέλος χρηστόν, φλογμῷ καὶ ἱδρῶτι παλαίων
τοσούτῳ.

«Νύκτες, φησίν, ὀδυνῶν δεδομέναι μοί εἰσιν.» Τὸ μεῖζον
15 τούτου · πανταχοῦ δυσάρεστος ἦν. Οὔτε τὸ φῶς μετὰ
τῆς ἡμέρας παραμυθεῖται, οὔτε τῆς νυκτὸς ἡ ἀνάπαυσις ·
ἕκαστος καιρὸς ἐμοὶ φορτικός · τῶν παρόντων ἀπαλλαγὴν
μόνον ζητῶ · ὅπερ τῶν δυσαρέστων ἐστίν.

Εἶτα τὴν συμφορὰν λέγει · «Τήκω δὲ βώλακας γῆς ἀπὸ
20 ἰχῶρος ξέων» · οὐκέτι γὰρ ὀστράκῳ, ὡς ἐμοὶ δοκεῖ,
ταλαιπωρηθείς, ἀλλὰ γῇ λοιπὸν τοῦτο ἐποίει.

4. **Ὁ δὲ βίος μου ἐλαφρότερος δρομέως · ἀπόλωλεν
δὲ ἐν κενῇ ἐλπίδι**[i]. Ἐπειδὴ λέγει · «Ὑπόμεινον τὸν
Κύριον[j]», καὶ αὐτός σοι ἀποδώσει · οὐδὲν ὑπολέλειπταί
μοι, φησί, λοιπὸν τῆς ζωῆς, οὕτω ταχὺ παρέρχομαι πρὶν ἢ
5 φανῆναι, οὕτως ὀλίγος ἡμῶν ὁ χρόνος. Οὐκ ἔστιν εἰπεῖν ὅτι

3, 10 κενούς[1] : καινούς M ‖ κενούς[2] > p ‖ 14 εἰσιν + καὶ p ‖ 15 οὔτε +
γὰρ p ‖ μετά : με p
4, 1 μου + ἐστιν p ‖ 4 λοιπὸν > p ‖ παρέρχομαι : προέρχομαι L

3, 2-3 : μετά — ἑαυτοῦ abcyz ‖ 10-13 : διὰ τί — τοσούτῳ (12-13 :
φλογμῷ — τοσούτῳ > yz) abcyz ‖ 20-21 : οὐκέτι — ἐποίει abcyz

f. Job 7, 3 ‖ g. Job 7, 3-5 ‖ h. Job 7, 1 ‖ i. Job 7, 6 ‖ j. cf. Ps. 26, 14;
36, 24; Prov. 20, 9

Les nuits de Job sont souffrance et épouvante

3. *Moi aussi, j'ai patienté en vain durant des mois*[f], dans les transes, dans la détresse, dans la crainte. Mais cela, ce n'est pas pour tout le monde qu'il le dit, mais pour lui-même. *Des nuits de souffrances m'ont été réservées. Si je me couche, je redis : quand reviendra le jour ? Lorsque je me lève, je redis : quand reviendra le soir ? Car je suis plein de douleurs, du soir jusqu'au matin : mon corps baigne dans la pourriture de la vermine ; je me décompose en grattant les croûtes terreuses formées par le pus*[g]. «Car, c'est une épreuve, dit-il, que la vie de l'homme sur la terre[h]»; «de même, moi aussi, j'ai patienté en vain durant des mois [1].» En vain; pourquoi? Parce que j'ai souffert sans recevoir de récompense, que je suis dans les malheurs sans en tirer aucun bon résultat, alors que j'ai à lutter terriblement contre la sueur et la fièvre.

«Des nuits de souffrances, dit-il, m'ont été réservées.» Et pire que cela : il était tout le temps malheureux. Ni la lumière du jour ne m'apaise, ni le repos de la nuit. Chaque instant m'est à charge; je ne cherche qu'à être délivré de ma situation actuelle, ce qui, justement, est le propre des malheureux.

Ensuite, il parle de son infortune : « Je me décompose en grattant les croûtes terreuses formées par le pus.» Car ce n'est plus avec un tesson qu'il le faisait, me semble-t-il, dans sa misère, mais c'est maintenant avec de la terre.

4. *Ma vie est plus rapide qu'un coureur ; et elle a péri dans une vaine espérance*[i]. Puisque l'Écriture dit : «Attends le Seigneur[j]», et lui-même te récompensera, Job dit : «Il ne me reste plus de temps à vivre, si vite je m'écoule, avant même de paraître, si brève est notre durée! On ne peut dire que

---

1. L'attente patiente et confiante est un thème qui est déjà apparu (V, **9**) et que l'on retrouvera (cf. VII, **4**; XVII, **3, 11** etc.).

πολὺν χρόνον ἀπολαύσας τῆς ζωῆς ἢ μέλλων ἀπολαύσεσθαι, ταῦτα πάσχω τὰ δεινά. «Ἀπόλωλα δὲ ἐν κενῇ ἐλπίδι», προσδοκήσας μεταβολήν τινα καὶ λύσιν.

5. Μνήσθητι δὴ ὅτι πνεῦμά μοι ἡ ζωή μου[k]. Ὅρα οὐδαμοῦ ἀπὸ κατορθωμάτων ἀξιοῦντα σωθῆναι ἑαυτόν, ἀλλ᾽ ἐπειδὴ ὀλιγοχρόνιός ἐστιν.

Καὶ οὐκέτι, φησίν, ἐπανελεύσεται ὁ ὀφθαλμός μου 5 **τοῦ ἰδεῖν ἀγαθόν**[l]. Τὴν ἐνταῦθα ἐπάνοδόν φησιν. Ἐμοὶ δοκεῖ τὸν περὶ τῆς ἀναστάσεως ἀγνοεῖν λόγον τοῦτον · οὐ γὰρ ἂν οὕτως ἤνεγκεν χαλεπῶς ἐπιστάμενος. Ταῦτα γὰρ τὰ ῥήματα τοῦτον εἶχεν τὸν σκοπόν · ταῦτα διανοουμένου ἦν καὶ ἐνθυμουμένου, καὶ ἐννοοῦντος.

6. Οὐ κατανοεῖ μοι ὀφθαλμὸς ὁρῶντός με · **οἱ ὀφθαλμοί σου ἐν ἐμοί, οὐκέτι εἰμί, ὥσπερ νέφος ἀποκαθαρθὲν ἀπ᾽ οὐρανοῦ · ἐὰν γὰρ ἄνθρωπος καταβῇ εἰς Ἅιδην, οὐ μὴ ἀναβῇ ἔτι, οὐδὲ μὴ ἐπιστραφῇ ἔτι** 5 **εἰς τὸν ἴδιον οἶκον, οὐδὲ μὴ ἐπιγνῷ αὐτὸν ὁ τόπος αὐτοῦ ἔτι. Τοιγαροῦν, φησίν, οὔτε ἐγὼ φείσομαι τῷ στόματί μου, οὔτε τῇ διανοίᾳ, λαλήσω δὲ ἐν ἀνάγκῃ τοῦ πνεύματός μου**[m]. Ὅρα πρῶτον μὲν πῶς οἶδεν ἐπιγινώσκειν ἑαυτοῦ τὰ ῥήματα. Καὶ σχεδὸν ἀπολογίαν ἀπαιτεῖ 10 παρὰ τῶν δικαστῶν καὶ συγγνώμης ἀπολαῦσαι ἀξιοῖ, ὡς οὐκ αὐτοῦ, ἀλλὰ τῆς θλίψεως ταῦτα φθεγγομένης.

7. Ἀνοίξω, φησί, τὸ στόμα μου ἐν πικρίᾳ ψυχῆς συνεχόμενος. Πότερον θάλασσά εἰμι ἢ δράκων ὅτι κατέταξας ἐπ᾽ ἐμὲ φυλακήν[n]; Τοῦτ᾽ ἔστιν, ὅτι τοσαύτη

---

6 ἢ μέλλων p : ἤμελλον LM

5, 1 δὴ : οὖν p ‖ 4-5 καὶ — ἀγαθόν : τὸ δὲ οὐκέτι ἐπανελεύσεται p ‖ 6 τῆς > p

6, 2 ἐμοί + καὶ p ‖ 4 οὐδὲ μὴ ἐπιστραφῇ ἔτι > p ‖ 11 φθεγγομένης (p) : φθεγγόμενος LM

7, 3 φυλακήν + φυλακὴν τὰ περιστατικὰ λέγει · ὅτι με τὸν εὐτελῆ δέσμοις ἀλύτοις περιεφύλαξας p

c'est après avoir longtemps joui de la vie, ou bien sur le point d'en jouir encore, que j'endure ces souffrances terribles. « J'ai péri dans une vaine espérance », puisque je me suis attendu à un changement et à une délivrance.

5. *Souviens-toi donc que ma vie est un souffle*[k]. Remarque qu'il ne demande pas d'être sauvé par suite de ses actes de vertu, mais en raison du caractère éphémère de son existence.

Et, (souviens-toi donc), dit-il, *que mon œil ne remontera pas* (du Schéol) *pour voir le bonheur*[l]. Il parle du retour ici-bas. Il me semble que celui-ci (Job) ignore la doctrine sur la résurrection ; car, s'il la connaissait, il ne serait pas si accablé. Par ces paroles, en effet, c'est cela qu'il avait en vue ; c'est cela qu'il envisageait, qu'il méditait, qu'il gardait dans l'esprit.

6. *L'œil de celui qui me voit ne m'observe pas ; tes yeux se posent-ils sur moi, je n'existe plus, pareil à un nuage balayé du ciel ; car, si un homme descend dans l'Hadès, il n'a plus aucune chance d'en remonter, ni de revenir dans sa maison, ni d'être reconnu du lieu même où il était. C'est pourquoi,* dit-il, *je ne mettrai un frein ni à ma langue ni à ma pensée, mais je parlerai dans la contrainte de mon esprit*[m]. Remarque d'abord comment il sait faire approuver ses propres paroles. Il demande presque à ses juges une justification, et il prétend jouir du pardon, sous prétexte que ce n'est pas lui, mais son accablement qui prononce ces paroles.

7. *J'ouvrirai la bouche,* dit-il, *car l'amertume de mon âme m'oppresse. Suis-je la mer ou le dragon pour que tu disposes une garde contre moi*[n] ? C'est-à-dire, pour que tu exerces une telle

---

5, 1-3 : ὅρα — ἐστιν abcγχ

---

k. Job 7, 7 ‖ l. Job 7, 7 ‖ m. Job 7, 8-11 ‖ n. Job 7, 11-12

κέχρησαι φρουρᾷ περὶ ἐμέ· φυλακὴν δὲ τὸν φόβον λέγει.

8. Εἶπον· παρακαλέσει με ἡ κλίνη μου, ἀνύσω δὲ πρὸς ἐμαυτὸν διάλογον ἰδίᾳ τῆς κοίτης μου[o]. [...] Τοῦτ᾽ ἔστιν· τὴν ἀπὸ τοῦ ὕπνου λήψομαι παραμυθίαν.

9. Διὰ τί ἐκφοβεῖς με ἐν ἐνυπνίοις, καὶ ἐν ὁράμασί με καταπλήττεις[p]; Καὶ τοῦτο ἄρα τῆς τοῦ διαβόλου ἐνεργείας ἦν. Οὐδὲν γὰρ ὁ Θεὸς αὐτῷ ἐπῆγεν, ἀλλὰ πάντα τῆς τοῦ διαβόλου χειρὸς ἦν.

10. Ἀπαλλάξεις δέ, φησίν, ἀπὸ πνεύματός μου τὴν ζωήν μου, τὴν δὲ ψυχήν μου ἀπὸ τοῦ σώματος, ἀπὸ δέ θανάτου τὰ ὀστᾶ μου. Οὐ γὰρ εἰς τὸν αἰῶνα ζήσομαι, ἵνα μακροθυμήσω· ἀπόστα ἀπ᾽ ἐμοῦ, κενὸς
5 **γάρ μου ὁ βίος**[q]. Μόνον οὐχὶ λέγων· ἄνελέ με, φησίν. Ἰδοὺ ταῦτα φορτικὰ τὰ ῥήματα· τί φορτικὸν ἔχει; Εἶπεν τὴν συμφορὰν καὶ ᾔτησεν θάνατον καὶ κόλασιν.

«Οὐ γὰρ εἰς τὸν αἰῶνα ζήσομαι, φησίν, ἵνα μακροθυμήσω.» Ὁρᾷς πῶς καὶ ταύτην ἀφήρετο τὴν ἐλπίδα. «Τίς
10 γάρ μού ἐστιν ὁ χρόνος, φησίν, ὅτι ἀνέχομαι[r];» Ὁρᾷς πῶς τοῦτο μάλιστα πάντων αὐτὸν ἐθορύβει, τὸ μηδὲ προσδοκᾶν τινα μεταβολήν, εἴ γε καὶ γένοιτο βραχεῖαν ἔσεσθαι· «Οὐ γὰρ εἰς τὸν αἰῶνα, φησί, ζήσομαι·» ὥστε, εἰ ᾔδει τοῦτο, ἐμακροθύμησεν ἄν. «Ἀπόστα, φησίν, ἀπ᾽ ἐμοῦ, κενὸς γάρ

4 λέγει + φυλακὴν τὰ περιστατικὰ λέγει p
8, 1 εἶπον : εἶπα ὅτι p ‖ ἀνύσω : ἀνοίσω p ‖ 2 διάλογον ἰδίᾳ : ἰδίᾳ λόγον p ‖ τῆς κοίτης : τῇ κοίτῃ p ‖ τῆς κοίτης μου : hic LM iterum 7, 4 - 8, 1 : φυλακὴν — κλίνη μου ‖ 3 τοῦτ᾽ ἔστιν — παραμυθίαν > p
9, 1 διὰ τί > p ‖ ἐν² > p ‖ 3 αὐτῷ ἐπῆγεν : αὐτῷ ἐπήγαγεν abcyz ἐπήγαγεν αὐτῷ p ‖ ἀλλὰ + καὶ ταῦτα p
10, 1 δὲ φησίν > p ‖ 5 μόνον : μὴ μόνον p ‖ 5-6 ἰδού, φησίν ∼ p ‖ 6 ταῦτα : τὰ abc ‖ τὰ > LMabc ‖ 12 εἴ γε : εἰ δὲ p ‖ 13 φησί > p

9, 2-4 : καὶ τοῦτο — χειρὸς ἦν (3 : ἐπήγαγεν) abcyz
10, 5-7 : μόνον — κόλασιν abcyz

o. Job 7, 13 ‖ p. Job 7, 14 ‖ q. Job 7, 15-16 ‖ r. Cf. Job 6, 11

surveillance à mon égard; et, par «garde», il entend sa peur.

8. *J'ai dit : mon lit*[1] *me portera conseil et j'achèverai le dialogue avec moi-même dans le secret de ma couche*°. [...] C'est-à-dire : le sommeil me procurera un apaisement.

9. *Pourquoi m'épouvantes-tu par des rêves durant mon sommeil, et me frappes-tu de terreur par des visions*[p]*?* Et ces terreurs, naturellement, étaient dues à l'action du diable. Car, aucune attaque n'était provoquée par Dieu contre lui, mais tout venait de la main du diable.

Éloigne-toi, Seigneur, ma vie n'est pas éternelle

10. *Tu sépareras,* dit-il, *ma vie de mon souffle et mon âme de mon corps, mais tu mettras mes os à l'abri de la mort. Car je ne vivrai pas éternellement, pour pouvoir prendre patience; éloigne-toi de moi, car ma vie est épuisée*[q]. C'est tout juste s'il ne dit pas : supprime-moi; ce sont là paroles insupportables. – Qu'ont-elles d'insupportable? Il a dit son malheur, et réclamé la mort et le châtiment.

«Car je ne vivrai pas éternellement, dit-il, pour pouvoir prendre patience.» Tu vois comment il avait été privé même de cette espérance. «Quelle est, en effet, dit-il, la durée de mon existence, pour que je résiste[r]?» Tu vois comment ce qui le bouleversait surtout, c'était de ne pouvoir pas même espérer un changement, fût-il de courte durée. «Car, je ne vivrai pas, dit-il, éternellement.» Ainsi, s'il avait su cela, il aurait pris patience. «Éloigne-toi de

---

1. Nous rétablissons l'article ἡ, en nous appuyant sur le doublet : Τὸν φόβον φυλακὴν λέγει εἶπον παρακαλέσει με ἡ κλίνη μοῦ, qui se trouvait en ligne 2, après : τῆς κοίτης μου, et que nous avons naturellement supprimé. Cf. *Introd.,* p. 17. Quant à la leçon scripturaire ἀνύσω, donnée par L et M, nous l'avons maintenue, car elle peut être originale. Elle pourrait aussi être un itacisme pour ἀνοίσω, seule leçon indiquée par Rahlfs, et qui est aussi celle de p.

15 μου ὁ βίος.» Δοκεῖ τοῦτο βαρὺ εἶναι, ἀλλ' ἐξετάσωμεν
αὐτό. Τί γάρ ἐστιν ὅπερ καὶ ὁ Δαυίδ φησιν; «'Απόστησον
ἀπ' ἐμοῦ τὴν μάστιγά σου[s]». «Κενὸς γάρ μου ὁ βίος.»
'Αρκεῖ καὶ αὐτὸς εἰς τιμωρίαν ἐμοί. Μὴ γάρ εἰμί τι, φησίν,
ἵνα ταῦτα πάσχω; Σκιᾷ καὶ ὀνείρατι τὰ ἡμέτερα ἔοικεν.

11. **Τί γάρ ἐστιν ἄνθρωπος, ὅτι ἐμεγάλυνας αὐτόν,
ἢ ὅτι προσέχεις τὸν νοῦν ἐπ' αὐτῷ**[t]; Καὶ αὐτὸ τοῦτο
τοῦ μεγαλῦναι τεκμήριον τίθεται· ὅλως ἄξιος γάρ ἐστι
τοῦ κολάζεσθαι, ἢ τοῦ κἂν ἐν διανοίᾳ εἶναι. «Τί ἐστιν
5 ἄνθρωπος, ὅτι μιμνήσκει αὐτοῦ[u];» Τοῦτο γάρ αὐτὸ τὸ
δίκας ἀπαιτεῖν καὶ τιμωρίας, ὡς ὄντος τι τοῦ ἀνθρώπου
τεκμήριόν ἐστιν.

12. **Καὶ ἐπισκοπὴν αὐτοῦ**, φησί, **ποιεῖ τὸ πρωΐ**[v];
τοῦτ' ἔστιν ἀντιλαμβάνῃ αὐτοῦ; **καὶ εἰς ἀνάπαυσιν αὐτὸν
κρίνεις**[w]; Πολλάκις δὲ ἀντιλαμβάνῃ. Ὅρα μεμιγμένα τὰ
ῥήματα, τὰ μὲν ἐπιεικείας, τὰ δὲ ὀδύνης. 'Εμοὶ δοκεῖ κατὰ
5 τὴν ἐπίτασιν τῶν ἀλγηδόνων ταῦτα λέγεσθαι. Τί ἐστιν·
«εἰς ἀνάπαυσιν»; τοῦτ' ἔστιν· ἀποθανεῖν κελεύεις καὶ
ἀναπαύεσθαι, ἐμοὶ δοκεῖ.

13. **Ἕως τίνος**, φησίν, **οὐκ ἐᾷς με οὐδὲ προΐῃ με**[x];
Καθάπερ ὁ Δαυὶδ ἔλεγεν· «Ἕως πότε, Κύριε, ἐπιλήσῃ μου
εἰς τέλος; Ἕως πότε ἀποστρέφεις τὸ πρόσωπόν σου ἀπ'

16 αὐτὸ : αὐτὸν LM ‖ 17 τὴν μάστιγα : τὰς μάστιγας p ‖ 18 αὐτὸς : αὐτὸ
p ‖ 19 ὀνείρατι : ὀνείρατα p
12, 1 καὶ : ἢ p ‖ φησί > p ‖ ποιεῖ : ποιήσῃ ἕως p ‖ τὸ > p ‖ 4 ῥήματα +
καὶ p ‖ ὀδύνης + γέμονται p ‖ 7 ἀναπαύεσθαι : ἀναπαύσεσθαι p ‖ ἐμοὶ δοκεῖ
> p
13, 1 φησίν > p ‖ με² + ἕως ἂν καταπίω ἐν ὀδυνῇ τὸν πτύελόν μου p ‖
2-5 ἕως — νυκτός > p ‖ 3 ἀποστρέφεις : ἀποστρέφῃς L

11, 2-4 : καὶ αὐτὸ — εἶναι abc(yz) ‖ 5-7 : τοῦτο — ἐστιν abcyz
12, 2-7 : τοῦτ' ἔστιν — ἀναπαύεσθαι abcyz

s. Ps. 38, 11 ‖ t. Job 7, 17 ‖ u. Ps. 8, 5; Hébr. 2, 6 ‖ v. Job 7, 18 ‖ w.
Job 7, 18 ‖ x. Job 7, 19

moi, dit-il, car ma vie est épuisée.» Voilà qui semble grave,
mais examinons-le. Qu'est-ce que dit, en effet, David, lui
aussi? «Éloigne de moi ton fouet[s].» «Car ma vie est
épuisée.» Cette vie suffit, même à elle seule, à me châtier.
Suis-je, en effet, quelque chose, dit-il, pour souffrir ainsi?
Nos jours ressemblent à une ombre et à un songe[1].

11. *Qu'est-ce donc que l'homme pour que tu l'aies exalté et te
préoccupes de lui*[t]? Et voici justement la preuve qu'il apporte
de cette exaltation : c'est qu'en général l'homme est jugé
digne d'être châtié, ou (voici la preuve) du fait qu'il est
dans la pensée de Dieu. «Qu'est-ce que l'homme pour que
tu te souviennes de lui[u]?» C'est précisément le fait de (lui)
réclamer des peines et des châtiments qui prouve que
l'homme est quelque chose.

Pourquoi te préoccuper d'un homme?

12. *Pour que tu le visites,* dit-il, *dès le matin*[v]? c'est-à-dire :
pour que tu t'occupes de lui? *et pour que tu le juges jusqu'à
l'heure du repos*[w]? et pour que tu t'en occupes bien souvent.
Note ce mélange de paroles : les unes sont pleines de
sagesse, les autres de douleur. Je crois que c'est l'intensité
de ses souffrances qui le fait parler ainsi. Que signifie :
«jusqu'à l'heure du repos»? Cela veut dire, à mon avis : tu
lui ordonnes de mourir et de se reposer.

13. *Jusques à quand vas-tu refuser, dit-il, de me laisser
tranquille et de me laisser partir*[x]? Comme le disait David :
«Jusques à quand, Seigneur, m'oublieras-tu complètement? Jusques à quand détournes-tu de moi ton visage?

---

1. Peut-être y a-t-il dans σκιᾷ καὶ ὀνείρατι τὰ ἡμέτερα ἔοικεν un
souvenir de PINDARE; cf. *Pythique,* 8, 99 : Σκιᾶς ὄναρ ἄνθρωπος. Mais il
est possible aussi qu'il s'agisse simplement là d'une réminiscence d'un
psaume (cf. *Ps.* 101, 11; 143, 4) ou encore de *Job* 8, 9 : σκιὰ γάρ ἐστιν
ἡμῶν ἐπὶ τῆς γῆς ὁ βίος, ou de *Job* 14, 2 (βροτὸς) ἀπέδρα δὲ ὥσπερ σκιά.

ἐμοῦ; Ἕως τίνος θήσομαι βουλὰς ἐν ψυχῇ μου, ὀδύνας
5 ἐν καρδίᾳ μου, ἡμέρας καὶ νυκτός[y];» **Ἕως ἄν,** φησί,
καταπίω ἐν ὀδύνῃ τὸν πτύελόν μου[z]. Τοῦτ' ἔστιν · ἕως
ἂν ἀποξηρανθῶ εἰς τέλος καὶ ζῶν ἀποθάνω.

14. **Εἰ ἐγὼ ἥμαρτον,** φησί, **τί δύναμαί σοι πρᾶξαι**[a];
Τοῦτ' ἔστι · τί ὀφείλω ποιῆσαι λοιπόν; Παρῆλθεν ἡ
ἁμαρτία. Ὅρα πῶς ἑαυτὸν διέθηκεν, ὅτι καὶ ὑπὲρ ἁμαρτημάτων τίνει δίκας, ὁ μαρτυρηθεὶς παρὰ τοῦ Θεοῦ «δίκαιος,
5 ἄμεμπτος[b]». Τί ἐστι · «Τί δύναμαί σοι πρᾶξαι»; Τί με
δεῖ ποιῆσαι νῦν, ὥστε μὴ εἶναι τὴν ἁμαρτίαν, ὥστε
ἐξιλεώσασθαι καὶ καταλλάξαι.

15. **Ὁ ἐπιστάμενος τὸν νοῦν τῶν ἀνθρώπων, διὰ τί
ἔθου με κατεντευκτήν σου**[c]; Οὐχ ὡς ἑαυτοῦ κατεντυγχάνοντος, ἄπαγε, ἀλλ' ὡς τῶν εἰς αὐτὸν συμβαινόντων
πολλὴν τῷ Θεῷ τικτόντων κατηγορίαν · διὰ τοῦτό φησιν ·
5 «Ὁ ἐπιστάμενος τὸν νοῦν τῶν ἀνθρώπων.» Κἂν μὴ
λέγωσιν, οἶδας αὐτῶν τὰ ἀπόρρητα, ὅτι κατὰ διάνοιαν
ἐνθυμοῦνται · οὗτος ὁ τοιοῦτος τοιαῦτα πέπονθεν. Ταῦτα
δὲ οὐχὶ δικαιοῦντός ἐστιν ἑαυτόν. Οὐ γὰρ δὴ εἶπεν ὅτι
δίκαιός εἰμι, ἀλλ' ὅτι δόξαν εἶχον περὶ ἐμοῦ χρηστήν, καὶ
10 νῦν κατενέτυχόν σοι δι' ὧν πάσχω.

16. **Εἰμὶ δὲ ἐπὶ σοὶ φορτίον**[d], βάρος ῥημάτων, φησί,
καὶ βλασφημίας.

5 ante ἕως ἄν add. τὸ δὲ p ‖ φησί > p ‖ 6 ἐν ὀδύνῃ καταπίω ~ p
14, 1 εἰ + δὲ καὶ p ‖ ἐγώ > p ‖ 1-2 φησί — τοῦτ ἔστι > p ‖ 3 καὶ > p ‖
4 τίνει : τείνει LM ‖ δίκας + διὸ λέγει p ‖ 4-5 ὁ μαρτυρηθείς — πρᾶξαι >
p ‖ 7 καταλλάξαι + (ut Chrysostomi txt Olymp. et Polychr. Young, p. 192,
l. 4-15) p
15, 2-3 κατεντυγχάνοντος + τοῦτό φησιν p ‖ 10 σοι : σου p
16, 1-2 βάρος — βλασφημίας > p

y. Ps. 12, 2-3 ‖ z. Job 7, 19 ‖ a. Job 7, 20 ‖ b. Job 1, 1; etc. ‖ c. Job
7, 20 ‖ d. Job 7, 20

Jusques à quand vais-je délibérer en mon âme, me cha-
griner en mon cœur, nuit et jour[y]?» *Jusqu'à ce que, dans ma
douleur*, dit-il, *j'aie avalé ma salive*[z]? C'est-à-dire, jusqu'à ce
que je sois complètement desséché et que je sois devenu un
mort vivant.

14. *Si moi j'ai péché,* dit-il, *que puis-je faire pour toi*[a]?
C'est-à-dire : que dois-je faire désormais? Ma faute est
passée. Vois comment il s'est traité lui-même, disant qu'il
est châtié aussi pour des fautes, lui dont Dieu avait
témoigné qu'il était «juste, irréprochable[b]». Que signifie :
«Que puis-je faire pour toi?» Que faut-il que je fasse
maintenant, pour supprimer ma faute, pour t'apaiser et me
réconcilier avec toi?

Mon châtiment devient un scandale pour les autres

15. *Toi qui connais la pensée des hommes, pourquoi m'as-tu
placé en accusateur devant toi*[c]? (Il dit cela,) non parce qu'il
accuse Dieu, personnellement[1], loin de là, mais parce que
ce qui lui arrive fait naître contre Dieu une grande
accusation. C'est pourquoi il dit : «Toi qui connais la
pensée des hommes.» Même s'ils ne parlent pas, tu connais
leurs pensées secrètes, toutes leurs réflexions intimes :
«qu'un homme pareil ait enduré de telles souffrances!»
Mais ce n'est pas là l'attitude d'un homme qui cherche à se
justifier lui-même. Car justement, il n'a pas dit : je suis
juste, mais : Ils avaient une bonne opinion de moi, et voici
qu'ils ont porté plainte contre toi à cause de mes épreuves.

16. *Voici que je suis pour toi un fardeau*[d] : une lourde
charge, dit-il, de paroles et de blasphème.

---

1. Sur ces confusions entre le pronom αὐτός et le réfléchi, cf. *supra,*
p. 107, n. 2.

17. Καὶ διὰ τί οὐ λήθην ἐποιήσω τῆς ἁμαρτίας μου[e]; Ὁρᾷς πῶς ὁ δίκαιος λέγει ἡμαρτηκέναι. Καὶ καθαρισμὸν τῆς ἀνομίας μου[f];

18. Νυνὶ δὲ εἰς γῆν ἀπελεύσομαι, ὀρθρίζων δὲ οὐκέτι εἰμί[g]. Καὶ αὐτὴ ἡ φύσις ἐπιγνώσεται, φησί, τὴν οἰκείαν τελευτήν, καὶ ἐνίοτε αὔριον οὐκ ἔσομαι, τοῦτ᾽ ἔστιν· οὕτω ταχέως ἀπολοῦμαι. Διὰ τί οὐκ ἐπελάθου ₅ ἀνθρώπου οὕτως εὐτελοῦς;

17, 1 οὐκ ἐποιήσω λήθην ∼ p ‖ ἁμαρτίας : ἀνομίας p ‖ 2 ὁρᾷς — ἡμαρτηκέναι > p ‖ 3 ἀνομίας : ἁμαρτίας p
18, 4 ἀπολοῦμαι : ἀπολοῦμε (ε = αι) M

17. *Et pourquoi n'as-tu pas oublié mon iniquité*[e]? Tu vois comment le juste reconnaît qu'il a péché. *Et pourquoi ne m'as-tu pas purifié de mon péché*[f]?

18. *Mais, voici que je vais m'en aller sous la terre, et, à l'aube, je n'existe plus*[g]. Et ma nature, elle aussi, dit-il, connaîtra sa propre fin, et peut-être que demain je ne serai plus, c'est-à-dire : si rapide sera ma mort! Pourquoi n'as-tu pas oublié un homme de si peu d'importance?

e. Job 7, 21 ‖ f. Job 7, 21 ‖ g. Job 7, 21

VIII

1. Ὑπολαβὼν δὲ Βαλδὰδ ὁ Σαυχίτης λέγει · Μέχρι
τίνος λαλήσεις ταῦτα; Πνεῦμα πολυρῆμον τοῦ στόματός σου. Μὴ ὁ Κύριος ἀδικήσει κρίνων, ἢ ὁ τὰ
πάντα ποιήσας ταράξει τὸ δίκαιον[a]; Ταῦτα γὰρ εἶπεν
5 ὅτι ἀδίκως πάσχω; Ὁρᾷς πῶς οὐδαμοῦ τοῦ σκοποῦ
καταστοχάζονται τοῦ δικαίου · οὐδαμοῦ γὰρ τοῦτο εἶπεν,
ἀλλ' ἐπὶ τὴν ἀσθένειαν τῆς φύσεως κατέφυγεν, λέγων ·
«Μὴ θάλασσά εἰμι ἢ δράκων[b];» «Μὴ ἰσχὺς λίθων ἡ ἰσχύς
μου[c];» Τίς γάρ μού ἐστιν ὁ βίος; «Οὐ γὰρ εἰς τὸν αἰῶνα
10 ζήσομαι, ἵνα μακροθυμήσω[d].» Ἔτι καὶ τὰ ἁμαρτήματα
ὁμολογεῖ · «Διὰ τί, φησίν, οὐκ ἐποίησω λήθην τῆς ἀνομίας
μου[c]», εἰ καὶ μὴ δι' ἐμέ, ἀλλὰ διὰ σαυτόν; «Εἰ ἐγὼ
ἥμαρτον, τί δύναμαί σοι πρᾶξαι[f];» Ὥσπερ ἄν τις πένης
καὶ οὐδὲν ἔχων, καταφαγὼν ἅπαντα, λέγοι τῷ δεδανεικότι ·
15 Τί δύναμαί σοι ποιῆσαι; Μὴ γὰρ ἐγὼ δύναμαι ἀποδοῦναι
λοιπόν;

Εἶτα καὶ φλυαρίαν ἑαυτοῦ καταγινώσκει, οὐκ εἰδὼς ὅτι
τοῖς ἐν περιωδυνίᾳ τυγχάνουσι φέρει τινὰ παραμυθίαν τὸ
φθέγγεσθαι, ὥσπερ οὖν καὶ αὐτός φησιν · «Λαλήσω δὲ ἐν
20 ἀνάγκῃ ὤν[g]» τοῦ στόματός μου. Ἀλλ' ὅμως καὶ ταῦτα,
φησί, διὰ τοῦτο ἐφθεγξάμην, ἐπειδὴ ἀνάγκη ἀπῄτει · διὰ
τοῦτο θάνατον ἐζήτησα · ὁ δὲ μηδὲ τοῦτον ἐλθεῖν τολμῶν
αἰτεῖν, εἰ μὴ ἡ ἀνάγκη ἀπῄτει, ὅρα πόσην εὐλάβειαν
ἐπιδείκνυται · ὥστε οὐκ ἀπὸ σκοποῦ ὁ λόγος.

25 «Μὴ ὁ Κύριος, φησίν, ἀδικήσει κρίνων.» Καὶ μὴν οὐ

1, 14 δεδανεικότι (pbc - a *def* -yz) : δεδαπανηκότι LM ‖ 18 ἐν > LM ‖ 25
φησίν > p

1, 12-15 : εἰ καὶ — ποιῆσαι *abcyz*

a. Job 8, 13 ‖ b. Job 7, 12 ‖ c. Job 6, 12 ‖ d. Job 7, 16 ‖ e. Job 7, 21 ‖ f.
Job 7, 20 ‖ g. Job 7, 11

CHAPITRE VIII

Discours de Baldad

Cesse ton bavardage.
Le Seigneur peut-il être injuste?

1. *Baldad de Suhé prit la parole et dit : Jusques à quand vas-tu parler ainsi? Le souffle de ta bouche se répand en paroles. Le Seigneur sera-t-il injuste en ses jugements, ou celui qui a tout créé bouleversera-t-il ce qui est juste[a]?* A-t-il donc dit, qu'il souffrait injustement? Tu vois comment nulle part ils n'atteignent exactement le but, car, nulle part il n'a dit cela, mais il a invoqué la faiblesse de sa nature, en disant : «Suis-je la mer ou le dragon[b]?» «Ma force est-elle celle des pierres[c]?» Qu'est-ce donc que ma vie? «Car, je ne vivrai pas éternellement, pour que je puisse prendre patience[d].» De plus, il reconnaît aussi ses fautes : «Pourquoi, dit-il, n'as-tu pas oublié mon iniquité[e]», sinon à cause de moi, du moins à cause de toi? «Si moi j'ai péché, que puis-je faire pour toi[f]?» Comme si un pauvre qui n'a rien, parce qu'il a mangé tous ses biens, disait à son créancier : Que puis-je faire pour toi? Puis-je, en effet, te restituer, désormais?

Ensuite, quant au bavardage aussi, Baldad se condamne lui-même, car il ne comprend pas que ceux qui éprouvent une vive douleur trouvent une consolation à s'exprimer, comme Job le dit, en effet, lui-même : «Je parlerai, car ma bouche y est contrainte[g].» Cependant, même ces paroles, dit-il, je les ai exprimées parce que la nécessité l'exigeait; c'est pour cela que j'ai demandé la mort; lui qui n'osait même pas demander qu'elle vienne, si la nécessité ne l'exigeait pas, vois la piété profonde dont il fait preuve. Aussi, son discours n'est pas hors de propos.

«Le Seigneur, dit-il, sera-t-il injuste en ses jugements?»

δικαιοσύνην ἑαυτῷ ἐμαρτύρησεν, ἀλλά · «Διὰ τί οὐκ ἐπελάθου τῆς ἀνομίας μου^h;» Καὶ λέγει ὅτι καὶ «ὁ βίος
τοῦ ἀνθρώπου» τοιοῦτος ἅπας «ἐστὶ πειρατήριον ἐπὶ τῆς
γῆς^i».

30 «Μὴ ὁ Κύριος, φησίν, ἀδικήσει κρίνων, ἢ ὁ τὰ πάντα
ποιήσας ταράξει τὸ δίκαιον;» Ὅρα τί φησιν · ὅτι ἔπεται
τῷ δημιουργῷ τὸ δίκαιον · ἀλλ' ὅμως, εἰ καὶ μηδὲν πρὸς
τὸν Ἰὼβ τὰ λεγόμενα, ἴδωμεν τί φησιν. Οὐχ ὁρᾷς πόση
δικαιοσύνη, φησίν, ἐν τῇ κτίσει, πόση εὐταξία; Πῶς
35 ἔννομα πάντα καὶ τεταγμένα; Ὁ τοίνυν ἐν τοῖς ἀλόγοις
ἅπασι τὴν δικαιοσύνην, τὴν εὐταξίαν διατηρῶν, ἐπὶ σοῦ
διαταράξαι εἶχεν; Ἄλλως δέ, διὰ τί πάντα ἐποίησεν;
Οὐχὶ διὰ σὲ τὸν ἄνθρωπον; Εἶτα, ὁ τοσαῦτα διὰ σὲ
ποιήσας, οὐδὲ τοῦ δικαίου σοι μετεδίδου; Ὁ φιλανθρωπίᾳ
40 σε ποιήσας, καὶ τοσαῦτα διὰ σέ, εἰ ἀγαθότητα τὸν κόσμον
ἐποίησεν, καὶ δύναμιν αὐτῷ μαρτυρεῖ. Πολλάκις δὲ τὸ
δίκαιον ταράττομεν δι' ἀδυναμίαν, ἀλλ' οὗτος, φησί,
«πάντα ἐποίησεν». Ὁ οὕτω σοφός, οὕτω δίκαιος, οὕτω
δυνατός, ἄδικος ἔμελλεν ἔσεσθαι;

**2. Εἰ οἱ υἱοί σου ἥμαρτον ἐναντίον αὐτοῦ,
ἀπέστειλεν ἐν χερσὶν αὐτῶν ἀνομίαν^j.** Τί θρηνεῖς τὰ
παιδία, φησί; Καὶ μὴν οὐδαμοῦ τῶν παίδων ἐμνημόνευσεν
οὐδὲ τῶν χρημάτων. Ὅρα, καὶ ἐνταῦθα, φιλοσοφίαν. Καίτοι
5 τίς οὐκ ἂν ἐθρήνησεν; Ἀλλ' οὐδαμοῦ ἐν τοῖς λόγοις ὁρᾷς
αὐτὸν τοῦτο λέγοντα, ἀλλ' οὐ φέροντα τὰς ὀδύνας. Οὗτοι
δὲ τῆς συμφορᾶς ἀναμιμνήσκουσι, καὶ πικρῶς, οὐχ ὅτι

---

26 ἀλλὰ + τί p ‖ οὐκ > p ‖ 27 καὶ² > p ‖ 31 ὅρα τί φησιν : πρὸς ταῦτα
οὖν φησιν ὁ βαλδάδ p ‖ 33 ἴδωμεν : ἴδομεν LM ‖ 36 δικαιοσύνην + καὶ p ‖
43 ὁ + οὖν p ‖ οὕτω δίκαιος > p ‖ ante οὕτω³ add. ὁ p

33-34 : οὐχ ὁρᾷς — εὐταξία abcyz

h. Job 7, 21 ‖ i. Job 7, 1 ‖ j. Job 8, 4

Et pourtant, il n'a pas rendu témoignage à sa propre justice, mais il a dit : «Pourquoi n'as-tu pas oublié mon iniquité[h]?» Et il ajoute encore : «la vie de l'homme» est tout entière ainsi : «une épreuve sur la terre[i]».

«Le Seigneur, dit-il, sera-t-il injuste en ses jugements, ou celui qui a tout créé bouleversera-t-il ce qui est juste?» Remarque ce qu'il veut dire : c'est que la justice accompagne le créateur. Cependant, même si les paroles de Baldad ne s'appliquent pas du tout à Job, voyons ce qu'il veut dire. Ne vois-tu pas, dit-il, la profonde justice qui règne dans la création, la profonde ordonnance? Comment tout y est bien réglé et déterminé? Donc, celui qui, à propos de tous les êtres privés de raison, maintient la justice, le bon ordre, pouvait-il les bouleverser quand il s'agit de toi? Et, d'ailleurs, pourquoi a-t-il tout créé? N'est-ce pas à cause de toi, l'homme? Eh quoi! celui qui a créé tant de choses à cause de toi, ne t'a pas donné en partage à toi ce qui était juste? Lui qui t'a créé par amour, et a créé tant de choses à cause de toi, s'il a manifesté de la bonté à l'univers, fait preuve aussi de puissance à son égard. Souvent, nous bouleversons la justice par impuissance, mais lui, dit-il, «a tout créé». Celui qui est si sage, si juste, si puissant, allait-il être injuste?

Si tes enfants sont morts, c'est parce qu'ils ont péché

2. *Si tes fils ont péché contre lui, il a rejeté leur péché dans leurs mains[j].* Pourquoi te lamentes-tu sur tes enfants? dit-il. Et pourtant, nulle part il n'a fait mention de ses enfants, ni de ses richesses. Remarque, là encore, sa sagesse. Or, qui ne se serait lamenté? Mais nulle part dans ses discours tu ne le vois dire cela; mais tu vois qu'il ne supporte pas ses souffrances. Eux, au contraire, (les trois amis) rappellent son malheur, et avec aigreur, en disant non seulement que

ἐτελεύτησαν μόνον λέγοντες, ἀλλ' ὅτι καὶ δι' ἁμαρτίας. Οὐ
γὰρ ἦρκει ἑαυτῷ τοῦτο λέγειν μετὰ ταῦτα; Εἰκῇ καὶ
10 περιττῶς αἱ θυσίαι τοσαῦται, «μήποτε, φησίν, ἐν τῇ
διανοίᾳ ἑαυτῶν ἐνενόησάν τι κακὸν πρὸς τὸν Θεόν[k]»; Ὅρα
πῶς αὐτὸν ἔτηκεν τὸν οὕτω προνοοῦντα τῆς ἀρετῆς αὐτῶν
τῆς κατὰ ψυχὴν ἡ τούτων τελευτή. Πάλιν στοχασμός·
δίκαιός ἐστιν ὁ Θεός. Μὴ γὰρ οὐκ ἔστι καὶ δίκαιον εἶναι
15 καὶ μὴ ἁμαρτημάτων διδόναι τιμωρίαν, ἀλλὰ πειράζοντα
καθάπερ ἐπὶ τούτου; Μὴ γὰρ δι' ἁμαρτήματα μόνον εἰσὶν
αἱ τιμωρίαι;

3. **Σὺ δὲ**, φησίν, **ὄρθριζε πρὸς Κύριον παντοκράτορα
δεόμενος**[1]. Δείκνυσιν ὅτι ἐκεῖνοι χαλεπώτερα τούτου
ἥμαρτον. Καὶ ὅρα πῶς αὐτῷ παραινοῦσιν καὶ νουθετοῦσιν
αὐτόν, ὃ καὶ αὐτὸ βαρύ.

4. **Εἰ καθαρὸς εἶ**, φησί, **καὶ ἀληθινός, δεήσεως εἰσακούσεταί σου**[m]. Εἰ καθαρός ἐστι, τίνος ἕνεκεν ταῦτα
ἔπασχεν; Οὐκοῦν ἴστε ὅτι καὶ καθαρὸν ὄντα ταῦτα πάσχειν
ἔστιν; Οὐ πάντως δὲ τοῦ καθαροῦ καὶ ἀληθινοῦ τῆς
5 δεήσεως ἐπακούσεται. Ἔστιν γὰρ ὅτε καὶ ἀσύμφορα αἰτεῖ.

5. Ἐπειδὴ γὰρ ἔλεγεν· «Ὀλίγος μου ὁ χρόνος[n]»,
φησίν· **Ἔσται οὖν τὰ μὲν πρῶτά σου ὀλίγα, τὰ δὲ
ἔσχατά σου ἀμύθητα**[o]. Τοῦτ' ἔστι· δύναταί σε ἐν μείζονι

2, 9 τοῦτο > p ‖ ταῦτα + ὅτι p ‖ 10 μήποτε + γὰρ p ‖ 11 ἑαυτῶν > p ‖
14 καὶ > p ‖ 15 πειράζοντα : πειράζονται LM
3, 2 τούτου χαλεπώτερα ∼ p
4, 1 φησί > p ‖ 1-2 εἰσακούσεται : ἐπακούσεται p ‖ 2 σου +
ἀποκαταστήσει δέ σου δίαιταν δικαιοσύνης p

4, 2-5 : εἰ — αἰτεῖ abcyχ
5, 3-4 : τοῦτ' ἔστιν — προτέρας abc

k. Job 1, 5 ‖ l. Job 8, 5 ‖ m. Job 8, 6 ‖ n. Job 10, 20; cf. 7, 16 ‖ o. Job
8, 7

1. La pensée est claire, mais la construction est un peu difficile. On

ses enfants sont morts, mais que c'est leurs fautes qui en sont cause. Ne lui suffisait-il donc pas de se dire cela à lui-même? De plus, c'est inutilement et sans raison qu'avaient eu lieu tant de sacrifices, «pour le cas où, dit le texte, ils auraient conçu dans leur cœur de mauvaises pensées contre Dieu[k]». Vois comment leur mort le consumait de chagrin, lui qui se préoccupait tant de la vertu de leur âme. Et voici encore une conjecture : Dieu est juste. Ne lui est-il donc pas possible d'être juste sans, pour autant, châtier les fautes, mais en mettant à l'épreuve[1], comme dans le cas de Job? N'y a-t-il donc, en effet, que les fautes qui expliquent des châtiments?

Toi, adresse ta prière au Seigneur

3. *Quant à toi,* dit-il, *dès le matin, adresse ta prière au Seigneur tout-puissant*[1]. Baldad montre que ceux-là (ses fils) ont péché plus gravement que lui (Job). Et vois comment ils l'exhortent et lui donnent des conseils, ce qui, de soi, est pénible.

4. *Si tu es pur et sincère,* dit-il, *il écoutera[2] ta prière*[m]. S'il est pur, pourquoi a-t-il souffert ainsi? Vous savez donc que, même quand on est pur, on peut souffrir ainsi. Et Dieu n'écoutera pas forcément la prière de celui qui est pur et sincère. Il y a des cas, en effet, où il demande des choses désavantageuses.

5. Puisqu'il disait, en effet : «Courte est ma durée[n]», il ajoute : *Assurément, tes débuts seront modestes, mais ta fin sera merveilleuse*[o]. C'est-à-dire : Dieu peut t'établir dans un

---

attendrait plutôt πειράζειν. En tout cas, πειράζονται donné par **LM** est impossible. Nous avons choisi πειράζοντα qui est la leçon de **p**.

2. Nous avons maintenu εἰσακούσεται, qui semble pourtant une erreur de **LM**. Car, dans le commentaire du verset (VIII, **4,** 5) **L** et **M** retrouvent ἐπακούσεται, la leçon commune.

ποιῆσαι εὐπραγίᾳ τῆς προτέρας. Εἶτα τὰ φορτικὰ πάλιν.

6. Ἐπερώτησον γενεὰν πρώτην, ἐξιχνίασον δὲ κατὰ γένος πατέρων · χθιζοὶ γάρ ἐσμεν, καὶ οὐκ οἴδαμεν. Σκιὰ γάρ ἐστιν ἡμῶν ὁ βίος ἐπὶ τῆς γῆς. Ἢ οὐχ οὗτοί σε διδάξουσι ῥήματα, καὶ ἀναγγελοῦσί σοι
5 σύνεσιν σοφίας, καὶ ἐκ καρδίας σε διδάξουσι ῥήματα; Μὴ θάλλει πάπυρος ἄνευ ὕδατος, ἢ ὑψωθήσεται βούτομον ἄνευ πότου, ἔτι ὂν ἐπὶ ῥίζης; Καὶ οὐ μὴ θερισθῇ πρὸ τοῦ πιεῖν πᾶσα βοτάνη. Ἐὰν δὲ μὴ πίῃ, ξηραίνεται[P]. Ὁ δὲ λέγει τοιοῦτόν ἐστιν · ἐπειδὴ ἡμεῖς
10 ὀλιγοχρόνιοί ἐσμεν τοὺς γεγηρακότας ἐρωτήσωμεν, καὶ αὐτοὶ ἀπαγγελοῦσιν ὅτι, ὥσπερ ἀδύνατον ἄνευ νοτίδος χόρτον ἀνελθεῖν, οὕτως ἄνευ δικαιοσύνης διαμεῖναί τι · οὕτω, φησίν, οὐδὲ οἱ ἀσεβεῖς διαμενοῦσιν.

7. Οὕτω τοίνυν ἔσται, φησί, τὰ ἔσχατα πάντων τῶν ἐπιλανθανομένων τοῦ Θεοῦ · ἐλπὶς γὰρ ἀσεβοῦς ὀλεῖται, ἀοίκητος δὲ ὁ οἶκος αὐτοῦ ἔσται — ὁ οἶκος καὶ ἡ ὁδὸς αὐτοῦ · ἡ δὲ σκηνὴ αὐτοῦ ἀράχνη ἀποβή-
5 σεται · ἐὰν ὑπερείσῃ τὴν οἰκίαν αὐτοῦ, οὐ μὴ στῇ · ἐπιλαβομένου δὲ αὐτῆς, οὐ μὴ ὑπομείνῃ · ὑγρὸς γάρ ἐστιν ἀπὸ ἡλίου καὶ ἐκ σαπρίας αὐτοῦ ὁ ῥάδαμνος αὐτοῦ ἐξελεύσεται · ἐπὶ συναγωγὴν λίθων κοιμᾶται, εἰς δὲ μέσον χαλίκων ζήσεται · ἐὰν δὲ συγκαταπιῇ,
10 αὐτὸν ὁ τόπος ψεύσεται. Οὐχ ἑώρακας τοιαῦτα, ὅτι καταστροφὴ ἀσεβοῦς τοιαύτη · ἐκ δὲ γῆς ἄλλον ἀναβλαστήσει · ὁ γὰρ Κύριος οὐ μὴ ἀποποιήσεται τὸν ἄκακον · πᾶν δέ, φησί, δῶρον ἀσεβοῦς οὐ δέξεται[q].

5, 4 εἶτα — πάλιν : εἶτα ἐπιφέρει πάλιν τὰ φορτικά p
6, 1 ἐπερώτησον + γὰρ p ‖ 3 ἢ > p ‖ 4 ῥήματα > p ‖ 5 καρδίας + ἑαυτῶν p ‖ διδάξουσι : ἐξάξουσι p ‖ 6-7 βούτομον : βούτουμον p ‖ 8 ἐὰν δὲ μὴ πίῃ > p ‖ 9 ξηραίνεται : ξηρανθήσεται p ‖ δὲ > p ‖ 13 οὕτω : τοιοῦτον p ‖ φησίν > p
7, 1 οὕτω : οὕτως p ‖ φησί > p ‖ 2 θεοῦ : κυρίου p ‖ 3-4 ὁ² — αὐτοῦ > p ‖ 6 αὐτῆς : αὐτοῦ p ‖ 9-10 εἰς — ψεύσεται > p ‖ 13 φησί > p

bonheur encore supérieur au précédent. Puis, il introduit à
nouveau les arguments pénibles.

Les impies périront comme des plantes sans eau

6. *Interroge la génération précédente ; cherche attentivement
dans la race de nos pères ; car nous sommes d'hier, et nous ne savons
rien. Notre vie sur la terre, en effet, est une ombre. Mais eux, ne
t'enseigneront-ils pas, ne t'annonceront-ils pas la connaissance de la
sagesse et ne t'enseigneront-ils pas des mots qui leur viennent du
cœur ? Est-ce que le papyrus verdoie sans eau, ou le glaïeul d'eau
grandira-t-il sans humidité quand il est encore sur pied ? Il est sûr
qu'aucune herbe ne pourra être ramassée, qu'elle n'ait bu au
préalable. Et, si elle ne boit pas, elle se dessèche*[p]. Voici ce qu'il
veut dire : puisque nous sommes éphémères, interrogeons
les gens d'âge, et c'est eux qui nous apprendront que, s'il
est impossible à l'herbe de croître sans humidité, il est
impossible aussi que quelque chose subsiste sans la justice.
Ainsi, dit-il, les impies non plus ne subsisteront pas.

7. *Telle sera donc*, dit-il, *la fin de tous ceux qui oublient Dieu,
car l'espérance de l'impie périra, et sa maison sera inhabitée, sa
maison et sa route ; quant à sa tente, elle deviendra toile d'araignée.
S'il étaye sa maison, impossible qu'elle tienne debout : s'il y met la
main, pas question qu'elle résiste, car elle est humide, à l'écart du
soleil, et la pourriture décomposera ses branchages ; il repose sur un
tas de pierres, il vivra au milieu des cailloux ; et, si Dieu
l'engloutit, l'endroit où il se trouvait le reniera. Tu n'as pas vu de
catastrophe comparable à celle de l'impie ; et Dieu en fera germer
un autre de la terre, car le Seigneur ne rejettera sûrement pas
l'innocent ; mais il n'acceptera*, dit-il, *aucun don de l'impie*[q]. Vois

6, 9-13 : ὁ δὲ — διαμενοῦσιν (12-13 : τι — διαμενοῦσιν > yz) *abcyz*

p. Job 8, 8-12 ‖ q. Job 8, 13-20

Ὅρα καὶ ἐνταῦθα πῶς αὐτὸν ἔβαλεν, ἐπειδὴ ταῖς θυσίαις
15 εἰκὸς αὐτὸν ἦν θαρρεῖν. Σὺ δέ μοι θέα πῶς ἐν τάξει
παραινέσεως πλήττουσιν. Οἱ γὰρ εἰπόντες ὅτι ἔλπιζε ἐπὶ
τὸν Θεόν, οὗτοί φασιν ὅτι οὐδὲ ἐλπίς ἐστιν.

8. **Ἀληθινῶν δὲ στόμα,** φησίν, **ἐμπλήσει γέλωτος
καὶ τὰ χείλη αὐτῶν ἀγαλλιάσεως, οἱ δὲ ἐχθροὶ αὐτῶν
ἐνδύσονται αἰσχύνην καὶ δίαιτα ἀσεβοῦς οὐκ ἔσται**ᵣ.
Ὅπερ ἦν ἐπὶ τοῦ Ἰώβ. Πόσων ταῦτα τραυμάτων οὐ
5 χαλεπώτερα; πόσης νόσου; πόσης τηκεδόνος; Ἀκούειν ὅτι
ἀσεβής ἐστιν, ὅτι μυρίων γέμων κακῶν, ὅτι, εἰ μὴ τοῦτο
ἦν, οὐκ ἂν ταῦτα ἔπαθεν · καλή γε, οὐ γάρ, ἡ παράκλησις.

---

14 ἔβαλεν : ἔβαλλεν p ‖ 15 θαρρεῖν + φησιν ὅτι δῶρον ἀσεβοῦς οὐ δέξεται
p

8, 1 δὲ > p ‖ φησίν > p ‖ 2 καὶ > p ‖ ἀγαλλιάσεως : ἐξομολογήσεως p ‖
3 καὶ > p ‖ 4 ὅπερ — ἰώβ > p ‖ ταῦτα (p) > LM ‖ 7 οὐ γάρ > p

comment, là encore, il lui a porté un coup, puisqu'il était normal qu'il fasse confiance aux sacrifices. Quant à toi, considère-moi comment ils le frappent sous prétexte de l'exhorter. Car c'est ceux qui avaient dit : Espère en Dieu, qui disent qu'il n'y a plus d'espoir.

Mais Dieu bénit les gens sincères

8. *Il emplira de rire,* dit-il, *la bouche des gens sincères, et leurs lèvres de jubilation, tandis que leurs ennemis seront couverts de honte et que la demeure de l'impie n'existera plus*[r]. C'était précisément le cas de Job. Quelles blessures, quelle maladie, quelle gangrène seraient-elles plus pénibles que d'entendre dire qu'il était impie parce qu'il était accablé de mille maux, que, s'il n'en était pas ainsi, il n'aurait pas souffert. Bel encouragement, n'est-ce pas, en vérité !

r. Job 8, 21-23

1. Ὑπολαβὼν δὲ Ἰὼβ λέγει · Ἐπ' ἀληθείας, οἶδα
ὅτι οὕτως ἐστίν[a]. Πόσης φιλοσοφίας ταῦτα τὰ ῥήματα.
Οἶδα, φησίν, ὅτι οἱ μὲν ἀσεβεῖς ἀπόλλυνται, οἱ δὲ δίκαιοι
οὐχί. Ὁρᾷς πῶς οὐδαμοῦ καταγινώσκει τοῦ Θεοῦ ἀδικίαν.
5 «Ἐπ' ἀληθείας, οἶδα, φησίν, ὅτι οὕτως ἐστίν.» Καὶ μετὰ
συνειδότος συντιθεμένου τοῖς λεγομένοις. Πῶς γὰρ ἔσται
βροτὸς δίκαιος παρὰ Θεῷ[b]; Οὐχὶ πρὸς τοῦτο μόνον,
ἀλλὰ καὶ πρὸς τὸν σκοπὸν αὐτοῦ ἀπολογεῖται. Ὁ μὲν γὰρ
ἔλεγεν ὅτι ὁ δίκαιος σώζεται, ὁ δὲ ἁμαρτωλὸς ἀπολεῖται ·
10 οὗτος δέ φησιν · Οἶδα, φησίν, οἶδα ὅτι δι' ἁμαρτίας ταῦτα
πάσχω. Ὁρᾷς φιλοσοφίαν, πῶς οὐκ ἔστι γαῦρος.

2. Καὶ ὅτι πολὺ τὸ μέσον ἐμοῦ καὶ τοῦ Θεοῦ
ἐπίσταμαι · Ἐὰν γὰρ βούληται κριθῆναι μετ' αὐτοῦ, οὐ
μὴ ὑπακούσῃ αὐτῷ, ἵνα ἀντείπῃ αὐτῷ ἕνα λόγον
ἀπὸ χιλίων[c]. Ὁρᾷς πόση περιουσία δικαιοσύνης; Χιλίους
5 ἐὰν εἴπῃ λόγους ὁ Θεός, καταδικάζων ἡμᾶς, πρὸς ἕνα
ἀντιστῆναι οὐ δυνάμεθα, ἀλλὰ χιλίοις δικαιώμασιν ἡμῶν
κρατεῖ.

3. Σοφὸς γάρ ἐστι διανοίᾳ, κραταιός τε καὶ μέγας[d].
Καὶ δικαίως · σοφὸς γὰρ ὤν, μυρία εὐεργετεῖ. Εἰ δὲ
ἀπιστεῖς, ἄνθρωπε, φέρε, ἐπεξέλθωμεν τῷ λόγῳ. Χιλίους
λέγοντος λόγους, ἕνα ἀντειπεῖν οὐ δυνάμεθα. Ὅρα φιλοσο-

1, 7 δίκαιος βροτὸς ~ p ‖ θεῷ : κυρίῳ p ‖ 10 οὗτος : ὁ p
2, 2 μετ' αὐτοῦ : αὐτῷ p ‖ 3 ἵνα + μὴ p ‖ αὐτῷ : πρὸς p ‖ 4 χιλίων :
χειλέων L^{ac} ‖ ὁρᾷς : ὅρα γὰρ p ‖ 5 λόγους + φησὶν p
3, 1 διανοίᾳ + δίκαιος p ‖ 3 ἐπεξέλθωμεν + μίκρον p

1, 2-4 : πόσης — ἀδικίαν abcyz

a. Job 9, 1-2 ‖ b. Job 9, 2 ‖ c. Job 9, 3 ‖ d. Job 9, 4

CHAPITRE IX

RÉPONSE DE JOB

Job reconnaît la justice de Dieu

1. *Job prit la parole et dit : En vérité, je sais qu'il en est ainsi*[a]. Quelle sagesse dans ces paroles! Je sais, dit-il, que les impies périssent, mais non les justes. Tu vois comment nulle part il n'accuse Dieu d'injustice. «En vérité, dit-il, je sais qu'il en est ainsi.» Et ma conscience tombe d'accord avec ce qu'il dit : *Comment donc un mortel sera-t-il juste devant Dieu*[b]? Ce n'est pas seulement à cette objection qu'il répond, mais aussi à ce qu'elle veut prouver. Baldad, en effet, disait que le juste est sauvé, et que le pécheur périra; et lui dit : je sais, dit-il, je sais que c'est à cause de mes fautes que je souffre ainsi. Tu vois sa sagesse, (tu vois) comment il n'est pas arrogant.

2. Et je sais aussi toute la distance qui me sépare de Dieu. *Car, si* (un mortel) *veut entrer en jugement avec lui,* Dieu *ne lui cédera sûrement pas, si bien que l'homme ne pourra répondre à une seule de ses paroles sur mille*[c1]. Vois-tu quelle surabondance de justice! Si Dieu prononce mille paroles, lorsqu'il nous accuse, nous ne pouvons résister à une seule, mais, par mille jugements, il l'emporte sur nous.

3. *Il est sage dans sa pensée, il est puissant et fort*[d]. Et c'est à juste titre : car étant sage, ses bienfaits sont innombrables. Mais, si tu en doutes, ô homme, eh bien! poursuivons un peu le raisonnement jusqu'au bout. S'il prononce mille paroles, nous ne pouvons répondre à une seule. Voilà des

---

1. Nous suivons ici la leçon de **Mp** : χιλίων, et non χειλέων. En effet, bien que cette dernière leçon, donnée par **L**, soit celle de **A**, elle est incompatible avec le commentaire de Chrysostome qui exige χιλίων.

5 φίας ῥήματα. Ἐπειδὴ γὰρ ἔλεγεν ὁ δίκαιος οὗτος · Καὶ ὁ
δίκαιος ἐν ἀγαθοῖς ἔσται, ποῖος δίκαιος, φησί; Ποῦ γὰρ
πρὸς τὸν Θεὸν δίκαιος εὑρεθήσεται; «Πρὸς ἕνα λόγον
αὐτοῦ ἐκ χιλίων» · ὅπερ καὶ ὁ Προφήτης ἔλεγεν · «Οὐ
δικαιωθήσεται ἐνώπιόν σου πᾶς ζῶν[e];» «Ἁμαρτίας ἐὰν
10 παρατηρήσῃ, Κύριε, Κύριε, τίς ὑποστήσεται[f];»
     Καὶ ὅρα πῶς θαρρεῖ τῷ λόγῳ. Ὃν βούλει, φησίν,
ἄνθρωπον εἰς μέσον ἄγε, εἴτε ἐκ τῆς παλαίας, εἴτε ἐκ τῆς
καινῆς · βούλει Παῦλον, οὗ ἴσον οὐδὲν ἂν γένοιτο; τὸ
ἔσχατον τῆς ἀρετῆς μέρος; Οὐκ ὄντα ἐποίησεν, γενομένῳ
15 νόμον ἔδωκεν · δι' αὐτὸν οὐρανὸν ἐποίησεν.
     Μᾶλλον δέ, ἐπὶ τοῦ κοινοῦ αὐτὸ γυμνάσωμεν. Ἐποίησε
τὴν ἀνθρωπίνην φύσιν. Τίνος ἕνεκεν; Δι' ἀγαθότητα μόνην
καὶ τὰ ἄλλα τὰ λοιπά · τὸν κόσμον δι' αὐτόν, τὰ
ἄλλα ἅπαντα δι' αὐτόν. Ἐντολὴν ἔδωκεν · παρήκουσεν.
20 Πάλιν ἔδωκεν νόμον · πάλιν παρήκουσεν. Πάλιν τὸν Υἱὸν
ἔπεμψεν · πάλιν παρήκουσεν. Πάλιν μετάνοιαν ἔδωκεν ·
πάλιν παρήκουσεν. Πάλιν γέενναν ἠπείλησεν · πάλιν παρήκουσεν. Καὶ τί ἐβούλετο σῶσαι αὐτόν; Βούλει Παῦλον
αὐτὸν ἐξετάσωμεν; Ἄκουε αὐτοῦ λέγοντος · «Ἀλλ' ἠλεήθην,
25 ὅτι ἀγνοῶν ἐποίησα ἐν ἀπιστίᾳ[g].» Εἶτα ἐμαρτύρησεν μετὰ
τοῦτο, μετὰ τὸ κληθῆναι, ὅσης ἀπολαύει σπουδῆς καὶ
προνοίας. Μᾶλλον δέ, τί λέγωμεν ταῦτα; Οὐ γὰρ δυνατὸν
εἰπεῖν.

---

5 οὗτος ὁ δίκαιος ~ p ‖ 7 δίκαιος + τις p ‖ εὑρεθήσεται + ἢ p ‖ 9 ζῶν
+ καὶ πάλιν p ‖ 10 παρατηρήσῃ : παρατηρήσει p ‖ 11 ὃν + ἂν p ‖ 14 μέρος
+ τοῦτον p ‖ 14-15 γενομένῳ — ἐποίησεν > p ‖ 19 ἅπαντα : πάντα L ‖
20-21 πάλιν[3] — παρήκουσεν > p ‖ 23 τί : ἔτι p ‖ αὐτὸν + καὶ εἰ p

---

e. Ps. 142, 2 ‖ f. Ps. 129, 3 ‖ g. I Tim. 1, 13

paroles de sagesse. Puisque, en effet, ce juste disait : «Le juste aussi sera dans le bonheur», de quel juste s'agit-il? dit-il. Où, en effet, trouvera-t-on un juste au regard de Dieu? «A une seule de ses paroles sur mille» : c'est exactement ce que disait aussi le Prophète : «Aucun être vivant ne sera trouvé juste devant toi[e].» «Si tu épies nos fautes, Seigneur, Seigneur, qui subsistera[f]?»

Vois comme il fait confiance à la parole de Dieu. Prends comme exemple, dit-il le premier personnage venu, de l'Ancien ou du Nouveau Testament; veux-tu Paul[1], à qui rien ne saurait être comparé? – c'est le suprême degré de la vertu. Dieu l'a créé, alors qu'il n'existait pas, et après sa naissance, il lui a donné la Loi; c'est pour lui qu'il a créé le ciel.

Ou plutôt, discutons le cas général. Dieu a créé la nature humaine. Pourquoi? Par pure bonté, ainsi que tout le reste; il a créé l'univers pour l'homme, tout le reste pour l'homme; il a imposé un commandement : l'homme n'en a pas tenu compte. Ensuite, il lui a donné la Loi : de nouveau, il n'en a pas tenu compte. Ensuite, il lui a envoyé son Fils : de nouveau, il n'en a pas tenu compte. Ensuite, il lui a donné la pénitence : de nouveau, il n'en a pas tenu compte. Ensuite, il l' a menacé de la géhenne : de nouveau, il n'en a pas tenu compte. Et pourquoi voulait-il le sauver? Veux-tu que nous interrogions Paul en personne? Écoute ce qu'il dit : «Dieu m'a pris en pitié, car n'ayant pas la foi, j'ai agi par ignorance[g].» Puis, après avoir été appelé, il a témoigné de la profonde et prévoyante sollicitude dont il était l'objet. Ou plutôt, pourquoi en parler? C'est, en effet, impossible à exprimer.

---

1. Chrysostome a, comme l'on sait, un véritable culte pour S. Paul. Cf. JEAN CHRYSOSTOME, *Panégyriques de saint Paul*, SC 300, PG 50, 473-514.

4. Εἶτα, ἵνα μὴ κατὰ μέρος ἐξίῃ τῷ εἰρημένῳ, ἀπὸ τοῦ καθόλου αὐτὸ πιστοῦται καί φησι · **Τίς σκληρὸς γενό-μενος ἐναντίον αὐτοῦ ὑπέμεινεν**[h]; Οὕτως ἐστὶ «κραταιός». Εἶτα ἀπὸ τῆς πείρας πιστοῦται τὸν λόγον.
5 «Μέγας» ἐστὶν ὁ Θεός, φησίν · οὐδέν ἐστιν ἄνθρωπος, καὶ ὅρα πῶς ὑψηλῶς.

5. **Ὁ παλαιῶν**, φησίν, **ὄρη καὶ οὐκ οἴδασιν**[i]. Τὰ ὄρη, ἀνεπαισθήτως, φησίν, ὥσπερ ὁ Δαυὶδ ἔλεγεν «Ὁ ἁπτό-μενος τῶν ὀρέων καὶ καπνίζονται[j].» Ἐνταῦθα περὶ τῆς δυνάμεως αὐτοῦ διαλέγεται, ὅτι πάντα δύναται – περὶ τῆς
5 δυνάμεως αὐτοῦ τιμωρητικῆς. Ἐμαρτύρησεν αὐτῷ δικαιο-σύνην, μαρτυρεῖ αὐτῷ καὶ δύναμιν.

6. **Ὁ καταστρέφων αὐτά**, φησίν, **ἐν ὀργῇ, ὁ σείων τὴν ὑπ' οὐρανὸν ἐκ θεμελίων, οἱ δὲ στῦλοι αὐτῆς σαλεύονται** · **ὁ λέγων**, φησί, **τῷ ἡλίῳ μὴ ἀνατέλλειν, καὶ οὐκ ἀνατέλλει, κατὰ δὲ ἄστρων κατασφραγίζει**[k].
5 Ὁρᾶς πόσην αὐτῷ μαρτυρεῖ δύναμιν καὶ πρόνοιαν · οὐχ ὡς ἀκούοντος τοῦ ἡλίου, ἀλλὰ τὸ μεγαλεῖον τῆς ἐξουσίας ἐμφαίνων, τοῦτ' ἔστι καὶ ἐπὶ τῶν ἄστρων.

7. Τὸ αὐτὸ ποιεῖ καὶ τὸ αὐτὸ δείκνυσι τὸν δημιουργὸν πάλιν · **Ὁ τανύσας τὸν οὐρανὸν μόνος**[l], ὅπερ φησὶν ὁ Ἠσαΐας. **Καὶ περιπατῶν ἐπὶ θαλάσσης, ὡς ἐπὶ ἐδά-φους**[m]. Ἐνταῦθα καὶ προφητεία τίς ἐστιν. **Ὁ ποιῶν**

___

4, 1 μὴ > L ‖ ἐξίῃ : ἐπεξίῃ p ‖ τῷ εἰρημένῳ : τὸ εἰρημένον p ‖ 3 οὕτως p : οὗτος LM ‖ 4 τῆς > p ‖ 5 μέγας — καὶ > p
5, 1 φησίν > p ‖ 4 διαλέγεται : διαλέγετε (ε = αι) τῆς τιμωρητικῆς p ‖ 4-5 περὶ — τιμωρητικῆς > p ‖ 5 ἐμαρτύρησεν + γὰρ p ‖ 6 δύναμιν + διὸ p
6, 1 φησὶν αὐτά ~ p ‖ ἐν > p ‖ 3 φησί > p
7, 2-3 ὅπερ — ἠσαίας > p ‖ 3-4 ὡς ἐπὶ ἐδάφους ἐπὶ θαλάσσης ~ p

6, 5-7 : οὐχ ὡς — ἐμφαίνων abcyz

h. Job 9, 4 ‖ i. Job 9, 5 ‖ j. Ps. 103, 32 ‖ k. Job 9, 5-7 ‖ l. Job 9, 8; cf. Is. 44, 24 ‖ m. Job 9, 8; cf. Matth. 14, 25

Job exalte la puissance de Dieu

4. Puis, pour ne pas s'étendre en détail sur ce qu'il a dit, Job le confirme de façon générale en disant : *Qui s'est dressé contre lui et est demeuré ferme*[h]?» tellement il est «puissant». Puis, c'est d'après son expérience qu'il confirme son affirmation. Dieu est «grand», dit-il, l'homme n'est rien. Et remarque sur quel ton grandiose (il le dit)!

5. *C'est lui,* dit-il, *qui ébranle les montagnes à leur insu*[i]. Les montagnes! sans qu'elles s'en aperçoivent, dit-il. Tout comme David disait : «C'est lui qui touche les montagnes et elles se mettent à fumer[j].» Dans ce passage, il parle de la puissance de Dieu, en disant qu'il peut tout, de sa puissance vengeresse. Job a, en effet, rendu témoignage à sa justice, il rend témoignage aussi à sa puissance.

6. *C'est lui,* dit-il, *qui renverse les montagnes dans sa colère, qui ébranle la terre de ses fondements, et en secoue les colonnes; lui qui,* ajoute-t-il, *dit au soleil de ne pas se lever, et il ne se lève pas, et qui met un sceau sur les étoiles*[k]. Tu vois de quelle puissance et de quelle sagesse il lui rend témoignage. Ce n'est pas que le soleil entende, mais Job montre clairement la grandeur du pouvoir de Dieu, c'est-à-dire, même sur les astres.

7. C'est de la même façon encore qu'il présente à nouveau le Créateur : *C'est lui qui, à lui seul, a déployé le ciel*[l], exactement comme le dit Isaïe. *C'est lui qui marche sur la mer, comme sur un plancher*[m]. Il y a même dans cette expression une espèce de prophétie[1]. *C'est lui qui crée la constellation des*

---

1. Le rapprochement entre le texte de *Job* 9, 8 b, et celui de *Matth.* 14, 25, où Jésus marche sur les eaux du lac de Tibériade, est transparent. On retrouve ce rapprochement dans *In Joannem hom. 43 (al. 42), PG* 59, 247, l. 8-10.

5 Πλειάδα καὶ Ἕσπερον καὶ ταμιεῖα νότου · ὁ ποιῶν
μεγάλα καὶ ἀνεξιχνίαστα, ἔνδοξά τε καὶ ἐξαίσια, ὧν
οὐκ ἔστιν ἀριθμός[n], ἃ οὐκ ἴσμεν ἡμεῖς. Οὐκ εὔδηλον ὅτι
οὐδεὶς ἀντιστῆναι δυνήσεται τῷ τοιούτῳ σοφῷ καὶ δικαίῳ;
Ὅρα οὐδαμοῦ τὴν οὐσίαν, ἀλλὰ τὰς ἐνεργείας αὐτοῦ λέγει.
10 Εἶτα, τὸ ἀόρατον αὐτοῦ.

8. Ἐὰν ὑπερβῇ με, οὐ μὴ ἴδω, καὶ ἐὰν παρέλθῃ με,
οὐδ' ὅλως ἔγνων · ἐὰν ἀποστρέψῃ, ἀπαλλάξῃ, τίς
ἐπιστρέψει, ἢ τίς ἐρεῖ αὐτῷ · Τί ἐποίησας; Αὐτὸς γὰρ
ἀπέστραπται ὀργήν[o]. Καὶ δυνατός ἐστι καὶ οὐδένα τὸν
5 ὅμοιον ἔχων. Ὑπ' αὐτοῦ δὲ ἐκάμφθη κήτη τὰ ὑπ'
οὐρανόν[p]. Ὥστε μὴ ὑπερβαίνειν, φησί, τοὺς ἰδίους τόπους,
ὥστε μὴ εἶναι ὄρθια, ἅτε θάλασσαν βλέπων, ἐν μέσῳ ὤν.
Εἰκότως τῶν κητῶν μέμνηται, καὶ ἀπὸ τούτων τὴν δύναμιν
αὐτοῦ διηγεῖται.

10 «Τίς σκληρός, φησί, γενόμενος ἐναντίον αὐτοῦ ὑπέμεινεν[q];» Τοῦτ' ἔστιν · ἀντιστῆναι αὐτῷ καὶ βλασφημεῖν
αὐτόν · ὥστε οἶδεν ταὐτό, καὶ οὐκ ἂν ταῦτα αὐτὸς ἔπαθεν;
ὥστε, κἂν πρὸς βραχὺ συγχωρηθῇ, ἀλλ' οὐχ ὑπομενεῖ.
Εἶτα περὶ τῆς δυνάμεως αὐτοῦ λέγει καὶ τοῦ ἀοράτου.

9. Ἐὰν δέ μου εἰσακούσῃ, καὶ διακρίνῃ μου τὰ
ῥήματα μετ' αὐτοῦ, ἐάν τε γὰρ ὦ δίκαιος, οὐκ
εἰσακούσεταί μου · τοῦ κρίματος αὐτοῦ δεηθήσομαι[r].

5 ἕσπερον + καὶ ἀρκτοῦρον p ‖ 8 δυνήσεται : δύναται p ‖ τοιούτῳ + τῷ
οὕτω p ‖ 10 εἶτα — αὐτοῦ > p
8, 2 ὅλως : ὡς p ‖ ἔγνων + τὸ ἀόρατον p ‖ ἐὰν ἀποστρέψῃ > p ‖ 3
ἐπιστρέψει : ἀποστρέψει p ‖ 4-5 καὶ — ἔχων > p ‖ 5 ὑπ' αὐτοῦ : ἀπ' αὐτοῦ
p ‖ ἐκάμφθη : ἐκάμφθησαν p ‖ 7 ὄρθια : ὄρθρον p ‖ 10-14 τίς — ἀοράτου > p
‖ 13 συγχωρήσῃ LM
9, 1 καὶ : ἢ p ‖ 1-2 τὰ ῥήματά μου ~ p ‖ 2 γὰρ > p ‖ δίκαιος ὦ ~ p

7, 7-9 : ἃ — λέγει (> 7-8 : οὐκ εὔδηλον — δικαίῳ) abcγχ
8, 13 : ὥστε — ὑπομενεῖ abcγχ

n. Job 9, 10 ‖ o. Job 9, 11-13 ‖ p. Job 9, 13 ‖ q. Job 9, 4 ‖ r. Job
9, 14-15

Pléiades, l'étoile du soir[1], *et les chambres du Sud. C'est lui qui réalise des mystères aussi merveilleux que sublimes, qu'on ne saurait dénombrer*[n], que nous, nous ne connaissons pas. N'est-il pas évident que personne ne pourra s'opposer à celui qui a une telle sagesse et une telle justice? Remarque que, nulle part, il ne parle de l'essence de Dieu, mais de ses opérations. Ensuite il parle de son invisibilité.

Nul ne peut résister à Dieu

8. *S'il me dépasse, impossible de le voir, et s'il me frôle, je n'en sais même absolument rien; s'il se détourne, s'il s'éloigne, qui le fera se retourner, ou qui lui dira : Qu'as-tu fait? Car, c'est de lui-même qu'il se détourne de sa colère*[o]. Il est puissant, et n'a personne qui lui soit comparable. *C'est par lui qu'ont été maîtrisés les monstres marins qui vivent sous le ciel*[p]. Si bien, dit-il, qu'ils ne peuvent sortir des lieux qui leur sont propres, qu'ils ne peuvent se dresser sur leurs pattes, car il surveille la mer, étant en son milieu. Il est normal que Job fasse mention des monstres, et que leur évocation le pousse à décrire la puissance de Dieu.

«Qui s'est dressé contre lui, dit-il, et est demeuré ferme[q]?» C'est-à-dire : pour lui tenir tête et blasphémer contre lui; ainsi Job sait cela, lui aussi et il n'en aurait pas éprouvé les effets? si bien que , même si sa révolte est momentanément permise[2], elle ne demeurera pourtant pas. Puis, il parle de la puissance et de l'invisibilité de Dieu :

9. *S'il m'écoute, et s'il juge les paroles que j'ai échangées avec lui, même si je suis juste, il ne m'exaucera pas : j'implorerai son*

---

1. Les mots Καὶ ᾿Αρκτοῦρον qui se trouvent dans **p** et le texte reçu, sont absents de **LM**, sans doute par l'oubli d'un copiste.

2. Nous préférons à συγχωρήσῃ, leçon de **LM**, celle des chaînes (**p** déf.) : συγχωρήθη, dont le sens s'accorde mieux avec ὑπομενεῖ qui suit.

Ὁ λέγει τοιοῦτόν ἐστιν· ἐὰν τῶν ῥημάτων ἐξέτασιν
5 ποιήσηται τῶν ἐμῶν ἀκούσας — τοῦτο γάρ ἐστι·
«Διακρίνῃ», βασανίσῃ καί εὐθύνας ἀπαιτήσῃ — οὐδὲ τοῦ
ἀκούεσθαι εὑρίσκομαι ἄξιος ὤν, κἂν ᾧ δίκαιος· ἐάν τε
βασανίσῃ μου τὰ ῥήματα, κἂν ᾧ δίκαιος, οὐκ ἄξιός εἰμι
ἀκούεσθαι παρ' αὐτοῦ.

10. Ἐὰν δὲ ἐν φιλανθρωπίᾳ ζητήσω σωθῆναι, **ἐάν τε
καλέσω καὶ εἰσακούσῃ**, οὐκ οἶδα, τοῦτ' ἔστιν· **οὐ
πιστεύω ὅτι ἐπακήκοέν μου τῆς φωνῆς. Μὴ ἐν γνόφῳ
με ἐκτρίψῃ**[s]. Μήποτε. Τὸ «ἐν γνόφῳ», ὃ λέγει τοιοῦτόν
5 ἐστι· ὅτι πολλὴ ἐξουσία παρ' αὐτῷ, καὶ ὅπερ ἂν πράξῃ,
οὐδείς ἐστιν ὁ ἀντιπίπτων, ἀλλ' οὐδὲ εἰδὼς ὅπως ἀπόλλυται. Τοῦτ' ἔστιν ὃ λέγει· ἐπειδὴ ἔλεγον διὰ παντός·
«Ὄρθριζε πρὸς Κύριον καὶ ἐπακούσεταί σου[t]», πόθεν,
φησίν, ἂν μὲν ὡς δικαίου οὐκ εἰσακούσῃ, ἂν δὲ ἐξετάσῃ τὰ
10 ῥήματά μου, οὐκ οἶδα ὅτι δίκαιός εἰμι· ἂν τε ὡς ἐπικαλου-
μένου, οὐκ οἶδα εἰ ἀκήκοέν μου; Ἀπὸ γὰρ τῶν παρόντων
οὐκ οἶδα ταῦτα στοχάζεσθαι·

11. **Πολλὰ δέ μου τὰ συντρίμματα πεποίηκεν διὰ
κενῆς**[u]. «Σὺ δὲ εἶπας ἀπολέσαι τὰ ὑπάρχοντα αὐτοῦ διὰ
κενῆς[v].» Τί οὖν θαυμάζεις; Εἰ ὁ θεὸς εἶπεν τοῦτο, καὶ
αὐτὸς λέγει ὅτι· «διὰ κενῆς», οὐχ ὅτι < οὐχ > ἥμαρτεν,
5 ἀλλ' ὅτι οὐδὲν ἔσται πλέον ἀπὸ τῆς τιμωρίας αὐτοῦ καὶ
τοῦ κολάζεσθαι.

---

4 ὃ — ἐστιν > p ‖ 6 ἀπαιτήσῃ (p) : ἀπαντήσῃ LM[ac] ‖ 6-7 οὐδὲ —
δίκαιος > p

10, 2 εἰσακούσῃ : ὑπακούσῃ p ‖ οὐκ — ἔστιν > p ‖ 3 ἐπακήκοεν :
εἰσακήκοε p ‖ ἓν > p ‖ 4 τὸ > p ‖ 7 τοῦτ' ἔστιν ὃ λέγει : ὃ δὲ λέγει τοιοῦτόν
ἐστι p ‖ 9 ἂν² : ἐὰν p ‖ 11 εἰ : ὅτι p

11, 1 τὰ συντρίμματά μου ~ p ‖ 2-3 σὺ δὲ — κενῆς > p ‖ 3 κενῆς : κενες
M[ac] ‖ οὖν > p ‖ θαυμάζεις : θαυμάζετε p ‖ 4 ὅτι¹ (abcyz) : ἢ τὸ LM ἢ τὸ p
‖ οὐχ ὅτι οὐχ ἥμαρτεν (abc) : οὐχ ὅτι ἥμαρτεν LMpyz ‖ 5 αὐτοῦ : αὐτῷ p

11, 2 - 12, 2 : σὺ δὲ — δεινῶν abcyz

jugement[r]. Voici ce qu'il veut dire : s'il écoute mes paroles et les examine – c'est cela en effet, que signifie : «s'il juge», s'il les contrôle, s'il exige des comptes –, je ne suis même pas trouvé digne d'être écouté, même si je suis juste : et, de plus, s'il contrôle mes paroles, même si je suis juste, je ne mérite pas que lui m'écoute.

10. Si, d'autre part, je cherche à être sauvé en m'appuyant sur sa bienveillance pour les hommes, *et si je l'invoque et qu'il m'écoute,* je ne sais pas, c'est ce que veut dire *je ne crois pas qu'il ait prêté l'oreille à ma voix. Qu'il ne m'écrase pas dans l'obscurité*[s]! A Dieu ne plaise! Quant à l'expression : «dans l'obscurité», voici ce qu'elle veut dire : Dieu possède un grand pouvoir, et il n'y a personne qui résiste à ce qu'il fait, et même qui sache comment il périt. Voici ce qu'il veut dire : puisque ses amis disaient sans cesse : «Veille dès le matin devant le Seigneur et il t'exaucera[t]», d'où vient, dit-il, que, s'il ne m'écoute pas, quand je suis juste, et s'il examine mes paroles, je ne sais pas que je suis juste; et que si je l'invoque, je ne sais pas s'il m'a entendu? Car les circonstances actuelles ne me permettent pas de le conjecturer.

11. *A plusieurs reprises, il m'a brisé pour rien*[u]. «Et c'est pour rien que tu m'as dit de faire périr ce qui lui appartenait[v].» Pourquoi donc t'étonnes-tu? Puisque Dieu l'a dit, Job dit aussi que c'est «pour rien», non pas parce qu'il n'a pas péché[1], mais parce que son châtiment et sa punition n'ajouteront rien de plus.

---

s. Job 9, 16-17 ‖ t. Cf. Job 8, 5 ‖ u. Job 9, 17 ‖ v. Job 2, 3

1. Nous choisissons la leçon de **abc** : οὐχ ὅτι <οὐχ> ἥμαρτεν. La présence du second οὐχ s'accorde mieux avec la pensée de Chrysostome, pour qui Job est pécheur, même s'il n'a pas conscience de son péché; cf. IX, **18**, 2; XI, **2**, 6-7 etc.

12. Οὐκ ἐᾷ γάρ με ἀναπνεῦσαι^w. Τοῦτ' ἔστι · πολλῶν
πλήρης εἰμὶ δεινῶν. Ἐνέπλησε δέ με πικρίας, ὅτι μὲν
γὰρ ἰσχύϊ κρατεῖ. Τίς οὖν κρίματι αὐτοῦ ἀντιστήσε-
ται^x; Οὐ τοῦτο λέγει ὅτι ἁπλῶς ἰσχύϊ κρατεῖ, ἀλλ' ὅτι
5 δυνατός ἐστι ποιῆσαι ὅσαπερ ἂν θέλῃ.

13. Ἐάν τε γὰρ ὦ δίκαιος, τὸ στόμα μου ἀσεβή-
σει^y. Πρὸς τὸν Θεὸν κρίνομαι γάρ. Ἐάν τε ὦ ἀμεμπτός,
σκολιὸς ἀποβήσομαι. Εἴ τε γὰρ ἠσέβησα, οὐκ οἶδα
τῇ ψυχῇ, πλὴν ὅτι ἀφήρηταί μου ἡ ζωή^z. Ὁρᾷς
5 πόσην λέγει περιουσίαν τῆς τοῦ Θεοῦ δικαιοσύνης καὶ
τῆς ἡμετέρας ἀσθενείας, οἳ μηδὲ τὰ ἁμαρτήματα συνιδεῖν
δυνάμεθα.

14. Διὸ εἶπον · μέγαν καὶ δυνάστην ἀπολλύει ὀργή,
καὶ φαῦλοι ἐν θανάτῳ ἐξαισίῳ ἀπολοῦνται, ἀλλὰ
δίκαιοι καταγελῶνται · παραδέδονται γὰρ εἰς χεῖρας
ἀσεβοῦς^a. Τοῦτ' ἔστι · παρὰ τῷ θεῷ πᾶς ἄδικός ἐστιν ·
5 ἀλλ' ἔστί τις διαφορά · ὁ δυνάστης ἁλίσκεται παρ'
αὐτῷ · ὁ φαῦλος καὶ πονηρὸς ἀπόλλυται · ὁ δίκαιος,
ὅταν αὐτὸν ἐξετάσαι θελήσῃ, καταγελᾶται, ὡς οὐ μόνον
δεινὰ πάσχοντος, ἀλλὰ καὶ ἐλεγχομένου διὰ τῶν τιμωριῶν.
Ὃ λέγει τοιοῦτόν ἐστιν · ὅταν ἑαυτὸν ὁ Θεὸς κινήσῃ, καὶ
10 ἐπεξελθεῖν βουληθῇ, οὐ δικαιοσύνη προΐσταται, οὐ φαυλότης
ἀντίσταται, οὐ δυναστεία, οὐδὲν ἄλλο. «Παραδέδονται γὰρ
εἰς χεῖρας ἀσεβοῦς.» Πολλάκις οὕτω ποιεῖ · οὐχὶ τιμωρίᾳ,
ἀλλὰ καὶ τῷ παραδιδόναι ἀσεβεῖ, ποιεῖ καταγελάστους.

12, 1 γάρ : δὲ p ‖ 1-2 τοῦτ' ἔστι — δεινῶν > p ‖ 3 οὖν + τῷ p ‖ 4-5 οὐ
— θέλῃ > p

13, 2 πρὸς — γάρ > p ‖ 3 εἴ : ἐάν p ‖ 4 ὅτι > p

14, 2 καὶ : ὅτι p ‖ 3 παραδέδονται : παραδίδονται p ‖ 4 ἀσεβοῦς : ἀσεβῶν
p ‖ 5 παρ' αὐτῷ : παρ' αὐτοῦ p ‖ 8 δ + δὲ p ‖ 9 ὁ θεὸς κινήσῃ ἑαυτόν ~ p ‖
11 ἄλλο : ἄλλῳ LM ‖ 12 ἀσεβοῦς + καὶ p ‖ οὕτω : οὕτως p ‖ ποιεῖ + ὅτι p
‖ οὐχὶ : οὐχ ἡ p ‖ 13 τῷ : τὸ p ‖ ἀσεβεῖ : τοὺς ἀσεβεῖς p

12. *Car il ne me laisse pas reprendre haleine*[w]. C'est-à-dire : je suis plein d'une foule de maux. *Il m'a rempli d'amertume, car il l'emporte par sa puissance. Qui donc s'opposera à son jugement*[x]? Il ne veut pas dire simplement que Dieu l'emporte par sa puissance, mais qu'il est capable de faire tout ce qu'il veut.

13. *Si je suis juste, ma bouche sera impie*[y]. Car c'est devant Dieu que je suis jugé. *Si je suis irréprochable, je serai convaincu de perversité. Car si j'ai été impie, mon âme n'en sait rien, elle sait seulement que la vie m'a été arrachée*[z]. Tu vois quelle est, selon lui, la surabondance de la justice de Dieu et celle de notre faiblesse, à nous, qui ne pouvons même pas voir nos fautes.

Alors pourquoi le juste est-il tourné en dérision?

14. *C'est pourquoi j'ai dit : le grand et le puissant sont détruits par la colère, les méchants mourront de mort violente, mais les justes sont tournés en dérision; car ils ont été livrés aux mains de l'impie*[a]. C'est-à-dire : aux yeux de Dieu, tout homme est injuste; mais il y a une différence : le puissant est pris par lui; le pervers et le méchant périssent; le juste, lorsque Dieu veut l'examiner, est tourné en dérision, comme un homme qui, non seulement subit de terribles épreuves, mais encore dont les châtiments prouvent la culpabilité. Voici ce qu'il veut dire : chaque fois que Dieu se met en branle et veut poursuivre en justice, ce n'est pas la justice qui peut protéger, ni la perversité qui peut s'y opposer, ni la puissance, ni rien d'autre. «Car les justes ont été livrés aux mains de l'impie.» Voici, souvent, comment Dieu agit : ce n'est pas en les châtiant, mais en les livrant à l'impie, qu'il les tourne en dérision.

w. Job 9, 18 ‖ x. Job 9, 18-19 ‖ y. Job 9, 20 ‖ z. Job 9, 20-21 ‖ a. Job 9, 22-24

15. Πρόσωπα, φησί, κριτῶν αὐτῆς συγκαλύπτει · εἰ
δὲ μὴ αὐτός ἐστιν; ὁ δὲ βίος μου ἐλαφρότερος
δρομέως[b]. Ὁρᾷς · συνεχῶς ἐπὶ τὸ ὀλιγοχρόνιον καταφεύγει, εἶτα καὶ παραβάλλει πῶς ὀλιγοχρόνιος, ὡς μηδὲ
5 φαίνεσθαι · ἐν γὰρ τῷ παντὶ αἰῶνι τοιαύτη ἐστίν · πρὶν ἢ
φανῆναι, ἠφανίσθη.

16. Ἀπέδρα, φησί, καὶ οὐκ εἶδον · ἢ καὶ ἔστι
ναυσὶν ἴχνος ὁδοῦ, ἢ ἀετοῦ πετομένου ζητοῦντος
βοράν; Ἐάν τε γὰρ εἴπω, ἐπιλήσομαι λαλῶν[c]. Τοῦτ᾽
ἔστι · καὶ τὰ τῆς μνήμης μου διόλωλεν, οὐδὲ ὅτι φθέγγομαι
5 οἶδα · τοσαύτη ὀδύνη ἐστὶν ἐν ἐμοί. Μεταξὺ λαλῶν, ἐπι-
λανθάνομαι, τοσοῦτός ἐστιν ὁ χειμών · Τίς οὗτος ὁ πειρασμός; Σὺ δέ μοι, ὅταν ἀκούσῃς τολμηρόν τι λέγοντος,
τὴν ὑπερβολὴν ὅρα τοῦ χειμῶνος καὶ τοῦ ναυαγίου · εἶτα,
θαυμάζεις εἰ παρὰ ψυχῆς ἀθυμούσης οὕτως ἐλέχθη τι
10 φορτικόν, καὶ σαυτὸν ἐκείνῳ παρεξετάζεις; Ἵνα γὰρ μηδεὶς
ταῦτα καταγνῷ αὐτοῦ, διὰ τοῦτο καὶ ἐν προοιμίοις καὶ
μετὰ τὸ τέλος ἡ τοῦ Θεοῦ ψῆφος ἕστηκε προισταμένη, καὶ
οὐχὶ μόνον οὐκ ἀπαλλάττουσα ἐγκλημάτων αὐτόν, ἀλλὰ καὶ
τὸ τοῦ δικαίου περιτιθεῖσα ἀξίωμα.

17. Οἶδα, φησίν, ὅτι οὐκ ἀθῶόν με ἐάσει[d]. Ἡ τοῦτό
φησι · κἂν ἀπαλλαγῶ τῆς τιμωρίας, τὰ πάντων ἀνέῳξεν κατ᾽

15, 1 φησί > p ‖ 2 αὐτὸς + τίς p ‖ 3 δρόμου p ‖ ὅρᾷ : ὁρᾷς + πῶς p
16, 1 ἀπέδρα : ἀπέδρασαν p ‖ φησί > p ‖ 3 ἐπιλήσομαι : ἐπιλήσωμαι p ‖
λαλῶν + σύγκυψας τῶν προσώπων στέναξω σείομαι πᾶσι τοῖς μέλεσιν (Job
9, 27-28) p ‖ 4 μου : μοι p ‖ 6 τίς οὗτος : τοσοῦτος p ‖ 7 ἀκούσῃς + αὐτοῦ p
‖ 11 διὰ > LM ‖ 13 οὐκ > p ‖ αὐτόν > p ‖ 14 περιτιθεῖσα : περιθεὶς Mᵃᶜ
17, 1 οἶδα + γὰρ p ‖ φησίν > p ‖ ἢ (p) : εἰ LM ‖ 2 φησί + ὅτι p

16, 4-5 : καὶ τὰ — ἐν ἐμοὶ (> 4-5 : οὐδὲ — οἶδα) abcyz
17, 2-3 : κἂν — τιμωρία (2 τῆς τιμωρίας : τῶν κατεχόντων) abcyz

b. Job 9, 24-25 ‖ c. Job 9, 25-27 ‖ d. Job 9, 28

15. *Il voile,* dit-il, *le visage des juges de la terre; à moins que ce ne soit pas lui*[1] ! *Mais ma vie est plus rapide qu'un coureur*[b]. Tu le vois : il ne cesse d'en revenir à la brièveté de l'existence, puis il expose comment l'homme est éphémère, au point de n'être même pas une apparence; telle est, en effet, la vie humaine[2] dans toute sa durée : avant même d'apparaître, elle a disparu.

16. *Ma vie s'est enfuie,* dit-il, *sans que je le voie. Les navires, eux aussi, laissent-ils une trace de leur sillage, ou l'aigle à la recherche d'une proie, une trace de son vol? Si je parle, en effet, j'oublierai que je parle*[c]. C'est-à-dire : même mes souvenirs sont morts et je ne sais même pas que je parle : si grande est la douleur en moi! Au moment même où je parle, j'oublie, si violente est la tempête! Quelle est cette épreuve? Pour toi, dis-moi, quand tu l'entends prononcer une parole hardie, regarde la violence de la tempête et du naufrage[3]; ensuite, peux-tu t'étonner qu'une âme si découragée ait prononcé une parole insolente, et te comparer à lui? Car c'est pour que personne ne puisse condamner Job sur ce point, que, dans le Prologue et après la fin (de l'épreuve), le jugement de Dieu s'est dressé comme un rempart protecteur, et non seulement il ne le détourne pas de ses plaintes, mais encore il lui confère la dignité du juste.

17. *Je sais,* dit-il, *qu'il ne me laissera pas impuni*[d]. Ou bien, il veut dire : même si je suis délivré du châtiment, le

---

1. **p** et le texte reçu ont τίς ἐστιν après : εἰ δὲ μὴ αὐτός, texte bien plus clair. Nous suivons pourtant **LM**, et nous traduisons comme s'il s'agissait de l'expression d'un doute restreignant la portée de l'affirmation précédente. C'est d'ailleurs le texte de **A**.

2. Τοιαύτη, s.e. ζωή. Chrysostome reprend ici le thème de la brièveté de la vie, qu'il avait déjà abordé en VIII, **4,** 1-9.

3. On rapprochera *In Epist. I ad Cor. hom.* 28, PG 61, 236, où, dans une description de la soumission de Job, les mêmes mots reviennent, l. 6 : ναυάγιον, l. 27 : χειμών.

ἐμοῦ στόματα ἡ τιμωρία, ἢ ὅτι οὐ στήσεται κολάζων με,
ἀλλ' ἔτι τιμωρήσεταί με.

18. Ἐπειδὴ δέ εἰμι ἀσεβής, φησί, διὰ τί οὐκ ἀπέθανον[c]; Ὁρᾷς πῶς οὐκ ἀρνεῖται τὸ εἶναι ἁμαρτωλός. «Διὰ
τί οὐκ ἀπέθανον;» φησίν · οὐχὶ ἐγκαλοῦντός ἐστιν, ἀλλὰ
ζητοῦντος. Οὐκ οἶδα τὴν οἰκονομίαν, φησίν.

19. Ἐὰν γὰρ ἀπολούσωμαι χιόνι, καὶ ἀποκαθάρωμαι χερσὶ καθαραῖς, ἱκανῶς με ἐν ῥύπῳ ἔβαψας,
ἐβδελύξατο δέ με ἡ στολή μου[f]. Τοῦτ' ἔστιν · ὑπόδειγμα κεῖμαι πᾶσιν ἀσεβείας. Τὸν γὰρ πονηρὸν ἐκ τοῦ
5 μέσου ληφθῆναι ἐχρῆν, ὥστε μὴ εἶναι τοῖς ἄλλοις
διδάσκαλον. Ἂν τοῦ ἡλίου καθαρώτερος γένωμαι, ἔχω
κηλῖδα, φησίν, οὐ τὴν τυχοῦσαν.

«Ἐβδελύξατο δέ με ἡ στολή μου.» Τί δὲ λέγειν περὶ
ἀνθρώπων, ὅπου γε καὶ αὐτὰ τὰ ἱμάτια μισεῖ με; Ὁ δὲ
10 λέγει τοιοῦτόν ἐστιν · ὅτι καὶ ὁ ἐγγύτατος καὶ οὗτος
ἐμίσησέ με · οὐ διὰ τὴν τιμωρίαν ἀπεστράφη, ἀλλ' ὡς
ἐναγῆ καὶ μιαρόν, ὡς ἀκάθαρτον καὶ πάντων ἔσχατον
οὕτως ἀπεστράφησάν με. Τί ἀπὸ τούτου τὸ κέρδος
τοιαύτην περὶ ἐμοῦ ψῆφον ἐνεγκεῖν;

20. Οὐ γὰρ ἄνθρωπος κατ' ἐμέ, ᾧ ἀντικρινοῦμαι[g],
φησίν. Ὁ λέγει τοιοῦτόν ἐστιν · εἰ ἄνθρωπος ἦν ὁ κολάζων,
οὐ πάντως ἡ τιμωρία ἂν κατεψηφίσατο τοῦ κακῶς

3 στόματα : στόματι p
18, 1 φησί > p ‖ 2 ὁρᾷς : ὅρα p ‖ 3 ἐστιν + τοῦτο p ‖ 4 φησίν + (tres
lin. Olymp. Young p. 220, l. 8 a.f.) p
19, 1 ἀπολούσωμαι : ἀπολούσομαι p ‖ 1-2 ἀποκαθάρωμαι : ἀποκαθάρομαι
p ‖ 3 ἐστιν + διὰ τί p ‖ 8 ἐβδελύξατο — μου > p ‖ 10 οὗτος : αὐτός abc ‖
11 οὐ + γὰρ p ‖ ἀπεστράφη + με p ‖ 13 τὸ > p ‖ 14 τοιαύτην ψῆφον
ἐνεγκεῖν περὶ ἐμοῦ ~ p
20, 2 φησίν > p ‖ 3 ἂν > LM

18, 2-4 : διὰ τί — φησίν (> 3-4 : οὐχὶ — ζητοῦντος) abcyz
19, 3-7 : τοῦτ' ἔστιν — τυχοῦσαν abcyɀ ‖ 10-13 : καὶ ὁ ἐγγύτατος —
ἀπεστράφησάν με abcyɀ

châtiment a délié toutes les langues contre moi, ou bien : il
ne cessera pas de me punir et il me châtiera encore.

Comment connaître les desseins de Dieu?

18. *Mais, puisque je suis impie,* dit-il, *pourquoi ne suis-je pas
mort*[e]? Tu vois comment il ne nie pas qu'il est pécheur.
«Pourquoi ne suis-je pas mort?» dit-il. Ce n'est pas là
l'expression d'un homme qui accuse, mais qui cherche. Je
ne connais pas, dit-il, le dessein de Dieu.

19. *Car si je me lave avec de la neige et me nettoie avec des
mains propres, (cela ne servira de rien) : tu m'as plongé
profondément dans la boue, et mon vêtement m'a pris en horreur*[f].
C'est-à-dire : aux yeux de tous, je suis un exemple
d'impiété. Il faudrait, en effet, que le méchant disparaisse,
pour qu'il ne puisse servir de maître pour les autres. Si je
deviens plus pur que le soleil, je conserve une souillure, et
pas une souillure ordinaire.

«Mon vêtement m'a pris en horreur.» Mais que dire des
hommes, si mes vêtements eux-mêmes me haïssent? Voici
à peu près ce qu'il veut dire : même celui qui est le plus
proche de moi s'est mis à me haïr; ce n'est pas parce que je
suis châtié qu'il s'est détourné de moi, mais c'est en
pensant que je suis maudit et souillé, c'est en pensant que je
suis impur et le dernier de tous, qu'ils se sont ainsi
détournés de moi. Quel intérêt y a-t-il à porter sur moi un
tel jugement?

20. *Car tu n'es pas un homme comme moi, auquel je puisse
répondre*[g], dit-il. Voici à peu près ce qu'il veut dire : si celui
qui punit était un homme, son châtiment n'aurait pas
entièrement condamné celui qui est dans le malheur; je

e. Job 9, 29 ‖ f. Job 9, 30-31 ‖ g. Job 9, 32

πάσχοντος, ἀλλ᾽ ἠδυνάμην κριθῆναι πρὸς αὐτὸν καὶ δεῖξαι
5 ἀδικοῦντα · ἐπειδὴ δὲ ὁ Θεὸς εἶ, ἀδύνατον τοῦτο γενέσθαι,
ἀλλ᾽ ἀρκεῖ κολασθῆναι καὶ τὴν ἐσχάτην ψῆφον ἀπενεγκεῖν.

21 **Ἵνα ἔλθωμεν, φησίν, ὁμοθυμαδὸν εἰς κρίσιν, εἴθε
ἦν ὁ μεσίτης ἡμῶν, καὶ ὁ διελέγχων, καὶ διακρίνων
ἀνὰ μέσον ἀμφοτέρων. Δυεῖν δέ μοι χρεία. Ἀπαλλα-
ξάτω ἀπ᾽ ἐμοῦ τὴν ῥάβδον αὐτοῦ, καὶ ὁ φόβος αὐτοῦ
5 μή με στροβείτω · καὶ οὐ μὴ φοβηθῶ αὐτόν, ἀλλὰ
λαλήσω · οὐ γὰρ συνεπίσταμαι ἐμαυτῷ ἄδικον**[h].

4 ἠδυνάμην : ἢ δυναίμην LM ‖ δεῖξαι + αὐτὸν p ‖ 5 ἀδύνατον : οὐ
δύνατον p ‖ τοῦτο : ταῦτα p
    21, 1 φησίν > p ‖ 2 διακρίνων : διακούων p ‖ 3 δυεῖν — χρεία > p ‖ 4
καὶ > p

pourrais être jugé devant lui et prouver qu'il est injuste :
mais, parce que tu es Dieu, cela est impossible; et il suffit
d'être puni pour supporter aussi la dernière des condamna-
tions.

21. *Afin que nous puissions*, dit-il, *venir ensemble au jugement,*
ah! il faudrait qu'il y ait un médiateur, quelqu'un pour réfuter et
juger entre nous deux. Or, j'ai besoin de deux choses : qu'il écarte
sa verge loin de moi, et que sa crainte ne me bouleverse pas; alors, il
n'y a pas de danger que je le craigne, et je parlerai, car je n'ai
conscience en moi d'aucune injustice[h].

h. Job 9, 32-35

X

1. Κάμνω δὲ τῇ ψυχῇ μου, στένων ἐπ' ἐμαυτόν, ἐπαφήσω τὸν θυμόν μου · τὰ δὲ ῥήματά μου λαλήσω ἐν πικρίᾳ ψυχῆς συνεχόμενος[a]. Καὶ μὴν αὐτὸς ἔλεγεν ἀνωτέρω ὅτι «οὐ μὴ ἀποκριθῇ αὐτῷ πρὸς ἕνα λόγον αὐτοῦ ἀπὸ χιλίων[b].» Πῶς οὖν ἐνταῦθα λέγει; «Ἐν πικρίᾳ ψυχῆς», φησίν. Ὥστε οὐκ αὐτοῦ τὰ ῥήματα, ἀλλὰ τῆς πικρίας, ὅσον ἀπὸ λογισμῶν ἔστιν εἰπεῖν τί ἐστιν. «Εἰ ἦν ὁ κρίνων ἀνὰ μέσον ἡμῶν[c]»; Οὐχ ὥστε αὐτοῦ τὸν βίον ἐξετασθῆναι, καὶ ὅτι ἀδίκως πάσχει δειχθῆναι — τοῦτο γὰρ οὐ λέγει, διὰ γὰρ τῶν ἔμπροσθεν πολλάκις εἰπὼν ὅτι «δι' ἀνομίας[d]» — ἀλλ' ὅτι ἐπιμένουσα ἡ θλῖψις περιτρέπει με, φησίν · ὥσπερ ὅταν λέγῃ ὁ Ἡσαίας · «Σὺ ὠργίσθης, καὶ ἡμεῖς ἐπλανήθημεν[e]» ἢ πάλιν ὅταν λέγῃ · «Διὰ τί ἐπλάνησας ἡμᾶς ἀπὸ τῆς ὁδοῦ σου[f];» Τοῦτο φοβοῦμαι, φησί, μὴ πέσω ἢ περιτραπῶ · ἐδεδίειν μή ποτε ἀναγκασθῶ βλάσφημόν τι εἰπεῖν ἢ καὶ ἑαυτὸν διαχρήσασθαι.

2. Καὶ ἐρῶ, φησί, **πρὸς Κύριον · Μή με ἀσεβεῖν δίδασκε · καὶ διὰ τί με οὕτως ἔκρινας; Ἢ καλόν σοί ἐστιν, ἐὰν ἀσεβήσω; Ὅτι ἀπείπω ἔργα χειρῶν σου**[g]. Οὐκ εἶπε τὸν δίκαιον, τὸν ἐνάρετον, ἀλλ' «ἔργα χειρῶν σου». **Βουλῇ δὲ ἀσεβῶν προσέσχες**[h]. Εἰ γὰρ δι' ἁμαρτήματα, πῶς ἐκείνοις προσέχεις;

1, 10 εἰπών : εἶπεν p ‖ 13 ἐπλανήθημεν : ἡμάρτομεν p ‖ 14 τοῦτο, φησί, φοβοῦμαι ~p
2, 2 ἔκρινας : ἔκρινες Mᵃᶜp ‖ 4-5 οὐκ — σου > p ‖ 5-6 εἰ — προσέχεις > p

a. Job 10, 1 ‖ b. Job 9, 3 ‖ c. Cf. Job 9, 33 ‖ d. Cf. Job 7, 21 ‖ e. Is. 64, 4 ‖ f. Is. 63, 17 ‖ g. Job 10, 2-3 ‖ h. Job 10, 3

CHAPITRE X

SUITE DE LA RÉPONSE DE JOB

Mon âme est bouleversée d'amertume

1. *Mon âme est fatiguée, et en gémissant sur moi-même, j'exhalerai ma colère ; j'exprimerai ce que j'ai à dire, dans l'amertume de mon âme, car je suis accablé*[a]. Et pourtant, lui-même disait plus haut «qu'il n'y avait pas de danger que l'homme réponde à une seule de ses paroles sur mille[b]». Comment Job peut-il donc parler ici? «Dans l'amertume de mon âme», dit-il. En sorte que ce n'est pas lui qui parle, mais son amertume, autant que les réflexions de Job permettent de dire ce que cela signifie. «Si seulement il y avait quelqu'un pour juger entre nous[c].» Non pour examiner sa vie à fond et montrer qu'il souffre injustement – il ne dit pas cela, en effet, car dans tout ce qui précède, il a dit souvent que c'est «à cause de ses impiétés[d]» –, mais il veut montrer qu'en persistant l'oppression le bouleverse ; c'est ainsi qu'Isaïe dit : «Toi, tu t'es irrité, et nous, nous nous sommes égarés[e]», ou dans un autre passage : «Pourquoi nous as-tu égarés, loin de ta route[f]?» Je crains, dit-il, de tomber ou de chavirer ; je redoutais d'être contraint, un jour, de prononcer quelque blasphème ou même de me suicider.

Seigneur, ta conduite est mystérieuse

2. *Et je parlerai au Seigneur,* dit-il : *Ne m'enseigne pas à être impie ; et pourquoi m'as-tu jugé ainsi? Est-il bon à tes yeux que je sois impie? Car tu as renié les œuvres de tes mains*[g]. Il n'a pas dit : tu as renié le juste, l'homme vertueux, mais : «les œuvres de tes mains». *Et tu as prêté attention au conseil des impies*[h]. Si c'est, en effet, à cause de mes fautes (que tu me châties), comment leur prêtes-tu attention, à eux?

3. Ἠ ὥσπερ βροτὸς ὁρᾷ καθορᾷς, ἢ καθὼς ὁρᾷ
ἄνθρωπος βλέπεις; ἢ ὁ βίος σου ἀνθρώπινος, ἢ τὰ
ἔτη σου ἀνδρός[i]; Πῶς δὲ οὐ πάντων ἁμαρτημάτων
ἀπαιτεῖ τιμωρίαν; Τοῦτ' ἔστι τὸ δικάσασθαι.

4. Ὅτι ἀνεζήτησας, φησί, τὴν ἀνομίαν μου καὶ τὰς
ἁμαρτίας μου ἐξιχνίασας[j]. Ὁρᾷς ὅτι οὐ διὰ τοῦτο
βούλεται δικάσασθαι, ὡς καθαρῶς πράττων, ἀλλ' ὅτι οὐδὲν
ὠφελεῖ με, φησί, αὕτη ἡ θλῖψις, ἀλλὰ δέδοικα μὴ βλάψῃ·
5 «Ὅτι ἀνεζήτησας, φησί, τὴν ἀνομίαν μου καὶ τὰς
ἁμαρτίας μου ἐξιχνίασας.»

5. Οἶδα γὰρ ὅτι οὐκ ἠσέβησα, ἀλλὰ τίς ἐστιν ὁ ἐκ
τῶν χειρῶν σου ἐξαιρούμενος[k]; Ἐγώ, φησίν, οὐκ οἶδα,
ἀλλὰ συμβαίνει ἠσεβηκέναι με καὶ ἀγνοεῖν· «Ἀλλὰ τίς ὁ
ἐκ τῶν χειρῶν σου ἐξαιρούμενος;» Τοῦτ' ἔστιν· ὅταν σὺ
5 κολάσῃς, οὐδεὶς δικαιωθῆναι δύναται· μὴ γὰρ ὀφείλει
τοῦτο εἰπεῖν; Εἶτα λέγει ὅτι ἔργα χειρῶν σού ἐσμεν, εἰ καὶ
ἁμαρτωλοί.

6. Αἱ χεῖρές σου, φησίν, ἔπλασάν με καὶ ἐποίησάν
με· μετὰ δὲ ταῦτα, μεταβαλών με ἔπαισας. Μνήσθητι
ὅτι πηλόν με ἔπλασας, εἰς δὲ γῆν με πάλιν ἀποστρέφεις[l]. Ὥστε, διὰ τὸ εὐτελὲς τῆς φύσεως· καὶ ὅτι εὐτελής
5 εἰμι κατὰ φύσιν, καὶ ὅτι τέλος τοιοῦτον δέξεταί με, οὐκ
ἦρκει μοι ἡ τιμωρία ἡ μετὰ ταῦτα;

3, 2 ἀνθρώπινος + ἔστιν p ‖ 3 σου + ὡς ἡμέραι p ‖ 3-4 πῶς —
δικάσασθαι > p

4, 1 ἀνεζήτησας : ἐζήτησας p ‖ φησί > p ‖ 5-6 ὅτι — ἐξιχνίασας > p

5, 2 ἐξαιρούμενος + οὐδεὶς ἕτερος... (2 lin. Olymp. Young, p. 229, l. 15
a.i.) p ‖ 5 κολάσῃς : κολάζῃς p ‖ 6 εἰ > L

6, 1 φησίν > p ‖ 1-2 ἐποίησάν με καὶ ἔπλασάν με ~ p ‖ 2 δὲ > p ‖ 2-3
μνήσθητι — ἔπλασας > p ‖ 4 ὥστε > p

4, 2-4 : ὁρᾷς — βλάψῃ abcyz
5, 2-3 : ἐγώ — ἀγνοεῖν abcyz ‖ 4-5 : τοῦτ' ἔστιν — δύναται abcyz ‖ 6-7 :
εἶτα — ἁματωλοί (abcyz)

3. *Observes-tu d'en haut comme voit un mortel, ou bien, regardes-tu comme voit un homme ? Ou ta vie est-elle une vie humaine, ou tes années sont-elles celles d'un homme*[i] *?* Comment Dieu ne réclame-t-il pas le châtiment de toutes les fautes ? c'est cela plaider en justice.

4. *Car tu as recherché,* dit-il, *mon iniquité et dépisté mes fautes à la trace*[j].» Tu vois qu'il ne veut pas plaider en justice, dans la pensée que lui, il agit d'une façon pure, mais parce que, dit-il, cette affliction ne me sert à rien, et je crains qu'elle ne me nuise. «Car tu as recherché, dit-il, mon iniquité et dépisté mes fautes à la trace.»

5. *Je sais, en effet, que je n'ai pas commis d'impiété, mais qui peut délivrer de tes mains*[k] *?* Moi, je n'en ai pas conscience, dit-il, mais il se peut que j'aie été impie, et que je l'ignore. «Mais, qui peut délivrer de tes mains ?» C'est-à-dire : lorsque toi, tu as châtié, personne ne peut être justifié ; est-il donc besoin de le dire ? Ensuite, il dit : nous sommes les œuvres de tes mains, même si nous sommes pécheurs.

As-tu renié l'œuvre de tes mains ?

6. *Tes mains,* dit-il, *m'ont façonné*[1] *et m'ont créé ; mais ensuite, changeant d'avis, tu m'as frappé. Souviens-toi que tu m'as fait limon, et que tu me fais retourner de nouveau à la terre*[l]. Ainsi, (il implore) à cause de la faiblesse de sa nature. Et puisque je suis faible par nature et qu'une telle fin me sera réservée, ne suffisait-il pas du châtiment qui viendra ensuite ?

---

i. Job 10, 4-5 ‖ j. Job 10, 6 ‖ k. Job 10, 7 ‖ l. Job 10, 8-9

1. On notera que le texte : Αἱ χεῖρες... ἔπλασαν est le même que celui de *Ps.* 118, 73.

7. Οὐχ ὥσπερ γάλα με ἤμελξας; ἔπηξας δέ με ἴσα τυρῷ; δέρμα καὶ κρέας ἐνέδυσάς με; ὀστέοις δὲ καὶ νεύροις ἐνεῖρας με; ζωὴν δὲ καὶ ἔλεος ἔθου παρ' ἐμοί[m]; Τοῦτ' ἔστιν · ὁ τοσαύτην φιλανθρωπίαν ἐπιδειξά-
5 μενος, τοσαύτην σοφίαν; Διὰ γὰρ τοῦτο, κατὰ μικρὸν λέγει τὴν σύστασιν τοῦ ἀνθρώπου, ἵνα δείξῃ ὅτι · ἐκ τοῦ μὴ ὄντος ποιήσας, τοσαύτην πρόνοιαν καὶ σοφίαν περιορᾷς; Δείκνυσιν ὅτι οὐδὲν ἄνθρωπος.

8. Ἡ δὲ ἐπισκοπή σου ἐφύλαξέν μου τὸ πνεῦμα[n]. Οὐκ ἤρκει ἡ φύσις αὐτή, ἀλλὰ δεῖ πολλῆς τῆς δι' ἡμᾶς προνοίας · παρὰ πάντα, φησί, τὸν βίον, προνοίας ἀπήλαυσα τῆς σῆς.

9. Ταῦτα ἔχων ἐν ἐμαυτῷ, οἶδα ὅτι πάντα δύνασαι, ἀδυνατεῖ δέ σοι οὐδέν[o]. Ὁρᾷς ὅτι «τὸ γνωστὸν τοῦ Θεοῦ φανερόν ἐστιν ἐν αὐτοῖς[p]», ὅτι ἤρκει ἡ κτίσις ἡμῶν καὶ ἤδη μοι δεῖξαι τί ἐστιν ὁ Θεὸς καὶ τὴν δύναμιν αὐτοῦ,
5 οὐκ οὐρανὸς μόνος. Τὸ γὰρ ἐκ τοῦ σπέρματος ποιῆσαι τοιοῦτον, καὶ διακρατῆσαι, καὶ μὴ ἀφεῖναι κινδύνοις περιπεσεῖν, ἱκανὸν τοῦ Θεοῦ δεῖξαι τὴν ἰσχύν, τὴν δύναμιν καὶ ἁμαρτόντα τηρῆσαι καὶ μὴ κολάσαι καὶ δίκαιον ὄντα κολάσαι καὶ τιμωρήσασθαι.

10. Ἐάν τε γὰρ ἁμάρτω, φησί, φυλάξεις με, ἀπὸ δὲ

7, 1 οὐχ : ἢ οὐχ p ‖ ἤμελξας + (Olymp. 3 lin. Young, p. 231, lin. 3-6) p ‖ 3 ἐνείρας με + (Olymp. Young p. 231, lin. 7-9) p ‖ 4 ὁ > p ‖ 4-5 ἐπιδειξάμενος + καὶ p ‖ 7 σοφίαν καὶ πρόνοιαν ~ p ‖ περιορᾷς + καὶ p
8, 1 τὸ πνεῦμα μου ~ p ‖ 2 οὐκ : οὐ γὰρ p ‖ αὐτή : ἑαυτή p ‖ δι' ἡμᾶς : περὶ ἡμᾶς p ‖ 3 προνοίας[1] + ἢ p
9, 1 ἐν ἐμαυτῷ (M) : ἐν ἑαυτῷ p ἐμαυτῷ L ‖ 3 ἤρκει + μὲν p ‖ 7 δεῖξαι τοῦ θεοῦ ~ p ‖ ἰσχύν + καὶ p
10, 1 ἐάν : κἂν p ‖ φησί > p ‖ φυλάξεις : φυλάσσεις p

7, 4-7 : τοῦτ' ἔστιν — περιορᾷς (> 5-7 : διὰ γὰρ — ποιήσας) abcyz
8, 3-4 : παρὰ — σῆς abcyz

7. *Ne m'as-tu pas trait comme du lait ? Ne m'as-tu pas caillé comme du laitage, revêtu de peau et de chair ? Ne m'as-tu pas attaché avec des os et des nerfs, et ne m'as-tu pas accordé vie et pitié*[m] ? C'est-à-dire : N'es-tu pas celui qui a fait preuve d'un si grand amour des hommes, d'une si profonde sagesse ? Si Job, en effet, indique par le menu la constitution de l'homme, c'est pour montrer ceci : après l'avoir créé de rien, dédaignes-tu une si grande providence et une si grande sagesse ? Et il montre que l'homme n'est rien.

8. *C'est ta vigilance qui a préservé mon souffle*[n]. Il ne suffisait pas, en effet, de la nature seule, mais il faut la grandeur de sa providence à notre égard : durant toute ma vie, dit-il, j'ai joui de ta providence.

Job est cerné de tous côtés

9. *Puisque je possède cela en moi-même*[1], *je sais que tu peux tout et que rien ne t'est impossible*[o]. Vois-tu que «la possibilité de connaître Dieu est manifeste dans les créatures[p]», qu'il suffisait déjà alors de notre création pour me montrer la nature de Dieu et sa puissance, sans qu'il soit besoin du ciel ? Car nous créer ainsi, à partir d'un germe, nous soutenir, ne pas nous laisser tomber dans les périls, suffit à montrer la force de Dieu et sa puissance, comme le fait non seulement de conserver un pécheur et de ne pas le punir, mais aussi de punir un juste et de le châtier.

10. *Si je pèche, en effet,* dit-il, *tu me garderas, et ne me*

---

m. Job 10, 10-12 ‖ n. Job 10, 12 ‖ o. Job 10, 13 ‖ p. Rom. 1, 19

1. «Puisque je possède cela en moi-même», c'est-à-dire les preuves de ton amour et de ta sagesse. Cf. § 7.

ἀνομίας οὐκ ἀθῷόν με ἐάσεις q. Ἵνα γὰρ μὴ τὴν φυλακὴν
νομίσῃς σωτηρίαν, κατάδικον ὄντα, φησί, δύνασαι φυλάξαι.

11. Ἐάν τε γὰρ ἀσεβὴς ὦ, οἴμοι · ἐάν τε ὦ δίκαιος,
οὐ δυνήσομαι ἀνακύψαι · πλήρης γάρ εἰμι ἀτιμίας r.
Οὐκ ἀρκεῖ μοι πρὸς σωτηρίαν ἡ δικαιοσύνη, φησίν.

12. Ἀγρεύομαι δὲ ὥσπερ λέων εἰς σφαγήν, καὶ
πάλιν μεταβαλὼν δεινῶς με ὀλέκεις, ἐπανακαινίζων
ἐπ' ἐμὲ τὴν αἰτίαν μοῦ · ὀργῇ δὲ μεγάλῃ μοι ἐχρήσω,
καὶ ἐπήγαγες ἐπ' ἐμὲ πειρατήρια. Ἵνα τί οὖν ἐκ
5 κοιλίας με ἐξήγαγες, καὶ οὐκ εὐθὺς ἀπέθανον;
Ὀφθαλμὸς δέ με οὐκ εἶδεν, καὶ ὥσπερ οὐκ ὢν ἐγενόμην. Διὰ τί δὲ ἐκ γαστρὸς εἰς μνῆμα οὐκ ἀπῆλθον;
Ἢ οὐκ ὀλίγος ἐστὶν ὁ χρόνος τοῦ βίου μου; Ἔασον
δή με ἀναπαύσασθαι μικρὸν πρὸ τοῦ με πορευθῆναι
10 εἰς γῆν, ὅθεν οὐκ ἀναστρέφω, εἰς γῆν σκοτεινὴν καὶ
γνοφεράν, εἰς γῆν σκότους αἰωνίου, οὗ οὐκ ἔστι
φέγγος, οὐδὲ ὁρᾶν ζωὴν βροτῶν s.

« Ἀγρεύομαι δέ, φησίν, ὥσπερ λέων εἰς σφαγήν.»
Τοῦτ' ἔστιν · κατεχόμενος οὐκ οἶδα; Εἶτα, πάλιν τὴν
15 συμφορὰν διηγεῖται τὴν ἑαυτοῦ ὡς μεγάλη καὶ παράδοξος,
καὶ τὸ ὀλιγοχρόνιον τοῦ βίου, καὶ τὸ μετὰ ταῦτα ἡμῖν μὴ
εἶναι ἐλπίδα · ταύτῃ γὰρ γίνεται μεγάλη.

---

2 ἐάσεις : πεποίηκας p
11, 1 ἐάν τε 2 + γὰρ p ‖ 3 οὐκ — φησίν > p
12, 1-2 καὶ πάλιν : πάλιν δὲ p ‖ 3 αἰτίαν : ἔτασιν p ‖ 7 ἀπῆλθον :
ἀπηλλάγην p ‖ 10 ἀναστρέφω : ἀναστρέψω p ‖ 16 μὴ > LM

q. Job 10, 14 ‖ r. Job 10, 15 ‖ s. Job 10, 16-22.

laisseras pas impuni de mon iniquité[q]. Pour que tu ne croies
pas, en effet, qu'être gardé est synonyme d'être sauvé : tu
peux garder un coupable, dit-il.

11. *Car si je suis impie, malheur à moi! et si je suis juste, je ne
pourrai relever la tête ; car je suis plein d'infamie*[r]. Il ne me suffit
pas d'être juste, dit-il, pour être sauvé.

12. *Je suis capturé comme un lion pour être égorgé, et te
retournant encore tu cherches à me perdre d'une façon effroyable, en
renouvelant contre moi ton accusation ; tu as fait preuve envers moi
d'une grande colère, et tu m'as suscité des épreuves. Pourquoi donc
m'as-tu fait sortir du sein maternel, et ne suis-je pas mort
sur-le-champ ? Aucun œil ne m'avait vu, et j'étais comme si je
n'existais pas. Pourquoi, au sortir du sein maternel, ne suis-je pas
allé au tombeau ? Le temps de ma vie n'est-il pas éphémère ?
Laisse-moi donc reprendre un peu haleine avant que je ne m'en aille
en terre, d'où je ne reviendrai pas, la terre sombre et ténébreuse, la
terre des ténèbres éternelles où il n'y a pas de clarté, et où l'on ne
peut voir la vie des mortels*[s].

«Et je suis capturé, dit-il, comme un lion pour être
égorgé.» C'est-à-dire : ne sais-je pas que je suis pris ? Puis, à
nouveau, il décrit en détail la grandeur et l'étrangeté de son
malheur, la brièveté de la vie et l'absence d'espoir[1] pour
nous après la mort : c'est là ce qui accroît son malheur.

---

1. Jean Chrysostome ne rejette évidemment pas l'espérance de la vie
éternelle. Il veut dire – l'Ancien Testament y revient sans cesse –
qu'après la mort il n'y a plus d'espoir pour l'homme de connaître à
nouveau la vie mortelle.

1. Ὑπολαβὼν δὲ Σωφὰρ ὁ Μιναῖος λέγει · Ὁ τὰ πόλλα λέγων καὶ ἀντακούσεται[a]. Ἰδοὺ καὶ αὐτὸς φλυαρίαν αὐτοῦ κατηγορεῖ. Ἐκεῖνος μὲν γάρ φησι · «Πνεῦμα πολυρῆμον τοῦ στόματός σου[b].» Οὗτος δέ · «ὁ τὰ πόλλα λέγων καὶ ἀντακούσεται.» Καὶ ὁ εὔλαλος οἴεται δίκαιος εἶναι[c]; Μὴ γάρ, ἐπειδὴ φθέγξασθαι δύνασαι, φησίν, ἤδη καὶ δίκαιος εἶ; Εἶτα τὴν φύσιν φησίν · Εὐλογημένος γεννητὸς γυναικὸς ὀλιγόβιος[d]; Ὅτι υἱὸς γυναικός, φησί, πῶς οὖν δίκαιος;

2. Μὴ πολὺς ἐν ῥήμασι γίνου[e]. Μὴ πολλὰ φθέγγου, φησίν, ἢ οὐκ ἔστιν ὁ ἀνταποκρινόμενός σοι[f]; Ἢ τοῦτό φησιν · Μὴ γὰρ «οὐκ ἔστιν ὁ ἀνταποκρινόμενός σοι;» Τοῦτ' ἔστιν · ἡμεῖς; Ἤ · οὐκ ἔστιν ὁ εἰδὼς τὰ σὰ κακά, εἰ μὴ ὁ Θεός, ὅς, εἰ ἠθέλησέ σε ἐλέγξαι, ἤδη ἂν ἀπώλου. Ὅρα πῶς, οὐδαμοῦ τοῦ Ἰὼβ λέγοντος ὅτι ἀδίκως πάσχει καὶ οὐκ ἔχει ἁμαρτήματα, τοῦτο ἐπιφέρουσιν αὐτῷ.

3. Μὴ γὰρ λέγε ὅτι καθαρός εἰμι τοῖς ἔργοις καὶ ἄμεμπτος ἐναντίον αὐτοῦ[g]. Πῶς; Καὶ μήν, αὐτὸς εἶπεν ·

1, 2 αὐτὸς : οὗτος p ‖ 3 κατηγορεῖ : καταγινώσκει p ‖ 7 φησίν : λέγει p ‖ 8 γυναικὸς + εἶ p
2, 1 γίνου + οὐ γάρ ἐστιν ὁ ἀντικρινόμενός σοι p ‖ 2-4 ἢ[2] — ἡμεῖς : ἡμεῖς γὰρ ἀνταποκρινόμεθά σοι p ‖ 5 ὅς p : ὡς LM
3, 2 πῶς > p ‖ 3 ἐναντίον + τοῦ p

1, 6-7 : μὴ γάρ — εἶ abcyz
3, 2-4 : καὶ μὴν — ἐγκαλοῦσιν (3 : ἔναντι) abcyz

a. Job 11, 1-2 ‖ b. Job 8, 2 ‖ c. Job 11, 2 ‖ d. Job 11, 2 ‖ e. Job 11, 3 ‖ f. Job 11, 3 ‖ g. Job 11, 4

1. On notera que notre texte porte ἀνταποκρινόμενος, alors que le texte commun a ἀντικρινόμενος. C'est le texte que nous trouvons dans **p**.

CHAPITRE XI

DISCOURS DE SOPHAR

Cesse de discourir

1. *Sophar le Minéen prit la parole et dit : Au discoureur d'écouter à son tour*[a]. Voici que, lui aussi, accuse Job de bavardage. Baldad de Suhé, en effet, dit : «Le souffle de ta bouche se répand en paroles[b]». Sophar, lui : «Au discoureur d'écouter à son tour», *et le bavard se croit-il juste*[c]? En effet, sous prétexte que tu peux t'exprimer, dit-il, en es-tu devenu juste? Ensuite, il parle de sa nature : *Le rejeton éphémère de la femme est-il béni*[d]? Puisque tu es un fils de la femme, dit-il, comment donc serais-tu juste?

2. *Ne sois pas prolixe en paroles*[e]. Ne t'exprime pas longuement, dit-il. *N'y a-t-il personne pour te répliquer*[1][f]? Ou bien il veut dire : «N'y a-t-il donc personne pour te répliquer?» – C'est-à-dire : nous. Ou bien : il n'y a personne qui connaisse tes maux, à part Dieu, et, s'il avait voulu[2] te confondre, tu serais déjà mort. Remarque comment, alors que Job ne dit nulle part qu'il souffre injustement, et qu'il n'a pas de fautes, c'est cela qu'ils lui reprochent.

L'homme ne peut se justifier devant Dieu

3. *Ne dis donc pas : mes actes sont purs et je suis irréprochable devant lui*[g]. Comment! Mais, il l'a dit lui-même : «En vérité,

---

Mais dans le commentaire, **p** écrit : ἡμεῖς ἀνταποκρινόμεθα, ce qui prouve que **LM** ont bien le texte lu par Chrysostome.

2. Nous avons choisi la leçon de **p**, ὅς, qui nous a paru mieux lier θεὸς avec ἠθέλησε, dont il est le sujet. Pourtant, si l'on suivait la leçon de **LM**, on pourrait considérer ὡς comme une conjonction consécutive, ce qui s'accorde bien avec les habitudes de notre auteur. Voir, sur ce point : M. SOFFRAY : *Recherches sur la syntaxe de S. Jean Chrysostome*, Paris 1939, p. 124, remarque II.

« Ἐπ᾽ ἀληθείας οἶδα ὅτι οὐκ ἔστι βροτὸς καθαρὸς ἐναντίον Κυρίου[h] ». Ὁρᾷς πῶς ἐναντία ἐγκαλοῦσιν;

4. **Ἀλλὰ πῶς ἂν ὁ Κύριος λαλήσαι πρὸς σὲ καὶ ἀνοίξει χείλη αὐτοῦ μετὰ σοῦ; Εἶτα ἀναγγελεῖ σοι δύναμιν σοφίας, ὅτι διπλοῦς ἔσται τῷ κατὰ σέ**[i]. Ἀλλ᾽ εἰ ἦν δυνατόν, φησί, τὸν Θεὸν ἀποκρίνασθαί σοι, «ὅτι
5 διπλοῦς ἐστι τῷ κατὰ σέ», τότε ἂν ἔγνως ὅτι δικαίως πάσχεις. Τὸ μὲν ἡμάρτηται, τὸ δὲ ὀρθῶς εἴρηται. Τὸ μὲν γὰρ εἰπεῖν ὅτι, εἰ ἦν δυνατὸν τὸν Θεὸν ἀποκρίνασθαί σοι, (καὶ γὰρ πολύ σου βελτίων ἐστὶ καὶ σοφός), ἔδειξεν ἄν σε ὅτι καλῶς ταῦτα πάσχεις, καλῶς εἴρηται. Τὸ δὲ **καὶ τότε**
10 **γνώσῃ ὅτι ἄξιά σοι ἀπέβη παρὰ Κυρίου ὧν ἥμαρτες**[j], οὐκ ἔστι καλῶς. Ἐπειδὴ γὰρ εἶπεν· «Εἴ τις ἦν ὁ διελέγχων καὶ ὁ διακρίνων ἀνὰ μέσον ἀμφοτέρων[k]», αὐτός· τὸ ἐναντίον, φησίν, ὅ, τι, εἰ ἦν, ἔδειξεν ἄν· ἀλλ᾽ ὁ Ἰὼβ οὐ τοῦτο εἶπεν ὅτι οὐκ ἀξίως πάσχω, ἀλλ᾽ ὅτι ἐπὶ κακῷ τῷ
15 μέλλοντι, καὶ ὅτι εὐτελής μου ἡ φύσις, καὶ «ὅτι ἔργον εἰμὶ τῶν χειρῶν αὐτοῦ[l]». Αὐτὸς δέ, ὡς εἰρηκότος ὅτι ἀδίκως πάσχω, οὕτω φησίν· ἀλλ᾽ οὐχ οὕτως εἶπεν, ἀλλ᾽ ὅτι φοβοῦμαι μὴ ἁμάρτω.

5. Εἶτά φησιν· **Μὴ ἴχνος Κυρίου εὑρήσεις ἢ εἰς τὰ ἔσχατα ἀφίκου ὧν ἐποίησεν ὁ Παντοκράτωρ**[m]; Τοῦτ᾽ ἔστιν· μὴ δύνασαι εἰδέναι αὐτοῦ τὴν σοφίαν καὶ τὴν ὁδόν; Καὶ μήν, καὶ αὐτὸς προλαβὼν ταῦτα ὡμολόγησε,
5 καὶ πολλὰ περὶ τῆς δυνάμεως αὐτοῦ καὶ τῆς σοφίας

4, 2 ἀνοίξει : διανοίξαι p ‖ 3 τῷ : τῶν p ‖ κατὰ σέ : κατέσε L ‖ 4 φησί, δυνατόν ~ p ‖ 7 τὸν θεὸν > p ‖ 8 σε : σοι p ‖ 13 οὐ > p ‖ 14 ἀλλ᾽ ὅτι : ἀλλ᾽ ἢ ὅτι p ‖ 16 εἰρηκότος + αὐτοῦ p
5, 1 εἶτά φησιν > p ‖ 4 καὶ[2] > p

---

h. Job 9, 2 ‖ i. Job 11, 5-6 ‖ j. Job 11, 6 ‖ k. Job 9, 33 ‖ l. Cf. Job 10, 3 ‖ m. Job 11, 7 ‖ n. Job 11, 8

je sais qu'il n'y a pas de mortel pur devant le Seigneur[h]!»
Vois-tu comment ils lui adressent des reproches d'ennemis!

4. *Mais, comment le Seigneur pourrait-il te parler, et ouvrira-
t-il ses lèvres pour s'entretenir avec toi? Alors, il te révélera la
puissance de sa sagesse car elle sera double dans ton cas*[i]. Mais s'il
était possible, dit-il, que Dieu te réponde, «parce que la
puissance de sa sagesse est double dans ton cas», alors tu
aurais compris qu'il est juste que tu souffres. Une partie de
la phrase est une erreur, l'autre présente une affirmation
exacte. D'une part, en effet, dire : s'il était possible que
Dieu te réponde — et de fait, il est bien meilleur que toi et il
est sage —, il t'aurait montré qu'il est bon que tu souffres
ainsi, cela est exact. Mais dire, d'autre part : *Et tu comprendras alors que tes fautes ont mérité les châtiments que le Seigneur
t'a envoyés*[j], cela n'est pas exact. Puisque Job a dit, en effet :
«Ah! si seulement il y avait un arbitre et un juge entre nous
deux[k]», Sophar, lui, dit : s'il y en avait un, c'est le contraire
qu'il t'aurait montré; mais Job n'a pas dit : je souffre sans
l'avoir mérité, mais : je souffre à l'idée d'un mal[l] à venir, et
aussi : ma nature est faible et : «je suis l'œuvre de tes
mains[l]». Sophar, au contraire, parle comme si Job avait
dit : Je souffre injustement; or Job n'a pas parlé ainsi, mais
(il a dit) : Je crains de pécher.

Dieu domine l'homme de trop haut

5. Ensuite, il ajoute : *Trouveras-tu la trace du Seigneur, ou
as-tu atteint les limites de ce qu'a créé le Tout-Puissant*[m]?
C'est-à-dire : est-ce que par hasard tu peux connaître sa
sagesse et sa voie? Et pourtant, lui aussi en a convenu
auparavant, et il a parlé longuement de sa puissance et de sa

---

1. Le mot καχῷ est vague. Chrysostome veut dire sans doute que Job
craint d'offenser Dieu, à l'avenir, en se révoltant. Cf. *Job* 10, 2-3.

διελέχθη, καὶ τοῦ ἀκαταλήπτου καὶ τοῦ καθαροῦ, ὥστε ταῦτα περιττά.

6. **Ὑψηλὸς ὁ οὐρανός, γῆ δὲ βαθεῖα, καὶ τί ποιή-σεις**[n]; Ἢ τοῦτο λέγει· τί τοιοῦτον ποιῆσαι δύνασαι; Ἢ ὅτι· ὥσπερ ταπεινὸς εἶ ἐν οὐρανῷ, καὶ οὐδὲν δύνασαι ἐργάσασθαι· ἀλλ᾽ «ὅσον ἀπέχει ὁ οὐρανὸς τῆς γῆς[ο]» 5 τοσοῦτον καὶ σὺ τοῦ Θεοῦ. Αὐτὸς γὰρ οἶδε τὰ πάντα.

7. **Ἢ βαθύτερα, φησί, τῶν ἐν Ἅδου τί οἶδας; Ἢ μακρότερα μέτρων γῆς ἐπίστασαι, ἢ εὖρος θαλάσσης; Ἐὰν γὰρ καταστρέψῃ τὰ πάντα, ἢ συναθροίσῃ, τίς ἐρεῖ αὐτῷ· Τί ἐποίησας; Αὐτὸς γὰρ οἶδεν ἔργα** 5 **ἀνόμων, ἰδὼν δὲ ἄτοπον οὐ παρόψεται. Ἄνθρωπος δέ,** φησίν, **ἄλλως νήχεται λόγοις, βροτὸς δὲ γεννητὸς γυναικὸς ἴσα ὄνῳ ἐρημίτῃ**[p]. Καὶ καλῶς εἶπεν· «Ἴσα ὄνῳ ἐρημίτῃ», τῷ συνεχῶς ὀγκουμένῳ· οὐδὲν διαφέρει, φησί, τὰ ῥήματα ἡμῶν τῆς ἀσήμου φωνῆς ἐκείνης τῆς εἰκῇ 10 καὶ ἁπλῶς βοώσης. Ἐπὶ πᾶσι πάντα μεμφόμεθα· πάντα ἐγκαλοῦμεν. Πάλιν παραινοῦσιν αὐτῷ ὥστε ἐπιμεληθῆναι βίου· καὶ μὴν οὐδέν ἐστι τοῦτο, φησίν· διὰ γὰρ τοῦτο ἔλεγεν· «Ἐὰν ὦ δίκαιος, οὐ μὴ ἀνακύψω[q].» Τί τὸ ὄφελος, φησίν; Ἰδοὺ δίκαιός εἰμι, φησίν, ἀλλὰ πρὸς αὐτὸν ἀκά- 15 θαρτος.

8. **Εἰ γὰρ σὺ καθαρὰν ἔθου τὴν καρδίαν σου,** φησίν, **ὑπτίασας δὲ τὰς χεῖράς σου πρὸς αὐτόν, εἰ ἔστιν ἀνομία ἐν χερσί σου, πόρρω ποίησον αὐτὴν ἀπὸ σοῦ, ἀδικία δὲ ἐν διαίτῃ σου μὴ αὐλισθήτω· οὕτω** 5 **γὰρ ἀναλάμψει τὸ πρόσωπόν σου ὡς ὕδωρ καθαρόν, ἐκδύσῃ δὲ ῥύπον καὶ οὐ μὴ φοβηθῇς, καὶ τῶν κόπων**

6, 1 γῆ δὲ βαθεῖα > p ‖ 3 ὅτι > p ‖ 4 τῆς γῆς > LM

7, 1 ἢ[1] > p ‖ φησί > p ‖ 2 μέτρων : μέτρου p ‖ εὖρος : εὔρους p ‖ 3 ἐὰν γὰρ : ἂν δὲ p ‖ ἢ συναθροίσῃ > p ‖ 6 φησίν > p ‖ 12 γὰρ > p ‖ 13 ἐὰν : ἄν p ‖ 14 φησίν[2] > p

8, 1 φησίν > p ‖ 5 σου > p ‖ 6 τῶν : τὸν L

sagesse, de son incompréhensibilité et de sa pureté, si bien que ces réflexions sont hors de propos.

6. *Le ciel est haut, la terre profonde, et que feras-tu*[n] *?* Il veut dire, ou bien : Que peux-tu faire de pareil ? Ou bien : Tu es une humble créature dans l'univers, et, par conséquent, tu ne peux rien faire ; et tu es aussi loin de Dieu «que le ciel est éloigné de la terre[o]». Car Dieu sait tout.

7. *Or,* dit-il, *que sais-tu des réalités qui sont plus profondes que celles de l'enfer ? ou connais-tu des dimensions plus étendues que celles de la terre ? ou la largeur de la mer ? Si, en effet, il bouleverse ou rassemble tout, qui lui dira : Qu'as-tu fait ? Car il connaît les œuvres des impies, et, s'il voit quelque chose d'anormal, il ne le laissera pas passer. Et c'est en vain,* dit-il, *que l'homme se laisse emporter par des mots, et un mortel, né de la femme, est comme un âne du désert*[p]. Et il a eu raison de dire : «Comme un âne du désert», qui n'arrête pas de braire : il n'y a, dit-il, aucune différence entre nos paroles et cette voix inintelligible qui crie au hasard et de façon stupide. Nous blâmons tout, à propos de tout ; nous nous en prenons à tout. A nouveau, ils l'exhortent à se soucier de sa vie. Mais, dit-il, cela ne sert de rien ; c'est pour cela, en effet, qu'il disait : «Si je suis juste, je ne relèverai certainement pas la tête[q]». A quoi cela sert-il ? dit-il Voici que je suis juste, mais je suis impur à ses yeux.

Purifie ton cœur et la vie se lèvera pour toi

8. *Plût au ciel que tu aies purifié ton cœur,* dit-il, *et incliné tes mains vers lui ! S'il y a une souillure sur tes mains, repousse-la loin de toi, et que l'injustice ne séjourne pas dans ta demeure ; alors, en effet, ton visage retrouvera l'éclat d'une eau pure, tu te débarrasseras de ta souillure, tu n'éprouveras absolument plus aucune*

---

o. Is. 55, 9 ‖ p. Job 11, 8-12 ‖ q. Job 10, 15

σου ἐπιλήσῃ ὥσπερ κῦμα παρελθὸν καὶ οὐ πτοη-
θήσῃ ʳ. Ἐπειδὴ γὰρ ἔλεγεν ὅτι ἀδύνατος ἡ μεταβολή, «ἐὰν
ἀποπλύνωμαι χιόνι, ... ἱκανῶς με ἐν ῥύπῳ ἔβαψαςˢ» · διὰ
10 τοῦτό φησιν · «οὕτως ἀναλάμψει σου τὸ πρόσωπον, ὥσπερ
ὕδωρ καθαρόν». Τὰ μὲν οὖν ἄλλα καλῶς · τὸ δὲ λέγειν ἀεὶ
ὅτι δι᾽ ἁμαρτήματα ταῦτα γέγονεν, τοῦτο κακῶς καὶ τὸ
παραινεῖν μεταβάλλεσθαι πρὸς ἀρετήν · οὐ γὰρ ἦν ἐν
κακίᾳ · τοῦτο ἀγνοίας ἦν καὶ οὐκ εἰδότων οὐδέν.

9. Ἡ δὲ εὐχή σου, φησίν, ὥσπερ ἑωσφόρος, ἐκ δὲ
μεσημβρίας ἀνατελεῖ σοι ζωή · πεποιθώς τε ἔσῃ ὅτι
σοι ἐλπίς, ἐκ δὲ μερίμνης καὶ φροντίδος ἀναφανεῖταί
σοι εἰρήνη · ἡσυχάσεις γὰρ καὶ οὐκ ἔσται ὁ πολεμῶν
5 σε, μεταβαλλόμενοι δὲ πολλοί σου δεηθήσονται · καὶ
σωτηρία αὐτοὺς ἀπολείψει · ἡ γὰρ ἐλπὶς αὐτῶν ἀπολεῖται, ὀφθαλμοὶ δὲ ἀσεβῶν τακήσονται · παρ᾽ αὐτῷ
γὰρ σοφία καὶ δύναμις ᵗ.

7 σου > p ‖ 8 γὰρ > p ‖ ἐὰν + γὰρ p
9, 7-8 παρ᾽ αὐτῷ — δύναμις > p

r. Job 11, 13-16 ‖ s. Job 9, 30-31 ‖ t. Job 11, 17-20

*crainte, tu oublieras complètement tes souffrances comme une vague
qui a passé, et tu ne ressentiras plus aucun effroi*[r]. Puisqu'il
disait, en effet, que le changement était impossible : «si je
me lave avec de la neige (cela ne me servira de rien); tu
m'as plongé profondément dans la boue[s]»; c'est pour cela
qu'il dit : «ton visage retrouvera ainsi l'éclat d'une eau
pure». L'ensemble des réflexions (de Sophar) est assurément excellent; mais, répéter sans cesse que ce sont les
fautes de Job qui ont provoqué ces malheurs, voilà qui est
mal, tout comme de l'exhorter à se convertir à la vertu, car
il n'était pas dans le vice. Dire cela, c'était de l'ignorance et
le fait de gens qui n'y comprenaient rien.

9. *Ta prière, dit-il, sera comme l'étoile du matin, et du midi la
vie se lèvera pour toi; et tu auras confiance, car tu posséderas
l'espoir et, après tes soucis et tes inquiétudes, tu verras luire à
nouveau la paix; car tu seras en repos et il n'y aura personne pour
te faire la guerre, et bien des gens, changeant d'avis, t'adresseront
leurs prières : et leur sécurité les abandonnera, car leur espérance
périra, et les yeux des impies fondront en larmes, car c'est en Dieu
que se trouvent la sagesse et la puissance*[t].

1. Ὑπολαϐὼν δέ, φησίν, Ἰὼϐ λέγει · Μὴ ὑμεῖς ἐστε
ἄνθρωποι μόνοι ἢ μεθ᾽ ὑμῶν τελευτήσει σοφία[a];
Ἐπειδὴ τὰ φανερὰ καὶ δῆλα λέγουσιν. Ὅρα πῶς τὰ μὲν
προοίμια αὐτοῦ ἐπιεικέστερα, τὰ δὲ τέλη οὐχ οὕτω · διὰ
5 τοῦτο λέγει · «Ὅταν ἄρξωμαι λαλεῖν, κεντοῦσί με[b].»
Ὑμεῖς, ἔχετε λαϐεῖν τὴν σοφίαν, φησί, καὶ ἀπελθεῖν.
Παρατήρει πῶς πανταχοῦ ἐν ἀρχῇ τῶν λόγων, ἐπειδὴ
μέλλει μετὰ ταῦτα φορτικὰ φθέγγεσθαι, ἵνα μὴ αὐτὰ
καταψηφίσῃ, πῶς πανταχοῦ πρῶτον ἀφοσιοῦται πρὸς τὸν
10 Θεὸν καὶ λέγει ὅτι μέγας ἐστὶ καὶ θαυμαστὸς καὶ οὐδὲν
ἀδίκως ποιεῖ. «Μὴ ὑμεῖς ἐστε», φησίν, «ἄνθρωποι μόνοι ἢ
μεθ᾽ ὑμῶν τελευτήσει σοφία;» < Μὴ γάρ, ἐπειδὴ συμφορᾷ
περιέπεσα, φησί, καὶ τὸ φρονεῖν ἀπώλεσα; > Καὶ ἐμοὶ μὲν
καθ᾽ ὑμᾶς καρδία ἐστίν[c].

2 Δίκαιος δὲ ἀνὴρ καὶ ἄμεμπτος ἐγένετο εἰς
χλασμόν. Εἰς χρόνον γὰρ τακτόν, ἡτοίμασταί μοι
πεσεῖν ὑπὸ ἄλλων, οἴκους τέ μου ἐκπορθεῖσθαι ὑπὸ
ἀνόμων[d]. Δίκαιον ἑαυτὸν ἐνταῦθα λέγει, οὐχὶ τὴν τελείαν
5 ἀρετὴν ἑαυτῷ μαρτυρῶν, ἀλλὰ τὸ μηδένα ἠδικηκέναι, τὸ
μηδένα τῶν ἄλλων ἔχειν ἐγκαλεῖν αὐτῷ.

1, 1 φησίν > p ‖ ἐστε : ἔσται L ‖ 3 ἐπειδὴ + γὰρ p ‖ 5 κεντοῦσι :
κεντῶσι M ‖ 6 λαϐεῖν — ἀπελθεῖν : λαϐεῖν αὐτήν, φησί, καὶ ἀπελθεῖν τὴν
σοφίαν LM ‖ 7 παρατήρει + τοίνυν p ‖ πανταχοῦ (p) : πανταχῇ LM ‖ 8
αὐτὰ : αὐτοῦ p ‖ 9 πῶς πανταχοῦ > p ‖ 10 καὶ[1] > p ‖ 13 περιέπεσα :
περιέπεσεν L ‖ καὶ ἐμοὶ : κἀμοὶ p ‖ 14 καρδία καθ᾽ὑμᾶς ~ p
2, 5 τὸ ... τὸ (pabcyz) : τῷ ... τῷ LM

2, 4-6 : δίκαιον — αὐτῷ abcyz

a. Job 12, 1-2 ‖ b. Job 6, 4 ‖ c. Job 12, 3 ‖ d. Job 12, 4-5

1. Nous avons suivi p : ἔχετε λαϐεῖν τὴν σοφίαν, φησί, καὶ ἀπελθεῖν.

CHAPITRE XII

Réponse de Job

Êtes-vous seuls à être sages?

1. *Job*, dit le texte, *prit la parole et dit : Êtes-vous seuls, par hasard, à être des hommes, ou la sagesse mourra-t-elle avec vous*[a]*?* Puisqu'ils disent ce qui est clair et évident. Vois comment ses exordes sont plus mesurés, tandis que la fin de ses discours est différente. C'est ce qui lui fait dire : «Chaque fois que je commence à parler, ils m'aiguillonnent[b].» Vous, vous pouvez prendre votre sagesse, dit-il, et vous en aller[1]. Observe comment partout il commence ses discours : puisqu'il doit ensuite exprimer des choses pénibles, afin que tu ne les condamnes pas, comment, partout, il commence par s'acquitter de ses devoirs envers Dieu, et dit qu'il est grand et admirable, et ne commet aucune injustice. «Êtes-vous seuls, par hasard, dit-il, à être des hommes, ou la sagesse mourra-t-elle avec vous?» < Est-ce que, parce que je suis tombé dans le malheur, j'ai perdu le bon sens[2]? > *Mais, moi aussi, j'ai un cœur aussi bien que vous.*

Je sais que tout est réglé par Dieu

2. *Un homme juste et irréprochable est devenu un objet de risée. Car il a été réglé qu'au moment fixé, je tomberais au pouvoir d'autres hommes et que mes maisons seraient saccagées par des criminels*[d]. Il se présente ici comme un juste, non pas en se rendant le témoignage de la parfaite vertu, mais celui de n'avoir fait de tort à personne et que personne d'autre ne peut lui faire de reproche.

LM qui mettent un αὐτὴν après λαβεῖν, et τὴν σοφίαν après ἀπελθεῖν n'ont évidemment aucun sens.

2. Cette phrase, qui se trouvait primitivement en **2,** 7, était manifestement hors de son contexte et retrouve ici tout son sens.

« Οἴκους τέ μου ἐκπορθεῖσθαι ὑπὸ ἀνόμων.» [...] Οὕτως ἔδει γενέσθαι · τοῦτο ἄνωθεν τετύπωτο.

Πλήν, φησί, μὴ νομίζετε μέχρις ἐμοῦ ταῦτα στήσεσθαι.
10 Εἰ γὰρ ἐγώ, μηδὲν ἠδικηκώς, τοιαῦτα πάσχω, πολλῷ μᾶλλον ὁ πονηρός.

3. Οὐ μὴν δέ, φησίν, ἀλλὰ μηδεὶς πεποιθέτω, πονηρὸς ὤν, ἀθῷος ἔσεσθαι, ὅσοί παροργίζουσι τὸν Κύριον. Πῶς οὐχὶ καὶ ἔτασις αὐτῶν ἔσταιᶜ; Δῆλον τοῦτο, φησί, καὶ ὡμολογημένον. Οὐχ ἅπασι σαφὲς ὅτι τὸν
5 πονηρὸν παρὰ τῷ Θεῷ πάντως ἐξετασθῆναι δεῖ; Τοῦτο δέ, φησίν, οὐκ ἀνθρώποις δῆλον μόνον, ἀλλὰ καὶ ἀλόγοις καὶ αὐτῇ τῇ ἀναισθήτῳ γῇ.

4. Ἀλλὰ δὴ ἐπερώτησον τετράποδα, φησίν, ἐάν σοι εἴπῃ, ἢ πετεινὰ οὐρανοῦ, ἐάν σοι ἀναγγείλῃ · ἐκδιήγησαι δὲ γῇ, ἐάν σοι φράσῃ · καὶ εἰ ἐξηγήσονταί σοι οἱ ἰχθύες τῆς θαλάσσης, ὅτι τίς οὐκ ἔγνω ἐν πᾶσι
5 **τούτοις, ὅτι χεὶρ Κυρίου ἐποίησεν ταῦτα, ὅτι ἐν χειρὶ αὐτοῦ ψυχὴ πάντων τῶν ζώντων καὶ πνεῦμα παντὸς ἀνθρώπου**ᶠ; φησίν. Τί τοίνυν ὡς μέγα καὶ θαυμαστὸν εὑρηκότες οὕτω διάκεισθε; Δεῖ γὰρ πάντως τὸν τοιοῦτον ἀπολέσθαι, καὶ οὐδεὶς ἀγνοεῖ, καὶ τοῦτο δὲ πάντες ἴσμεν
10 «ὅτι ἐν χειρὶ αὐτοῦ ψυχὴ πάντων ἀνθρώπων». Ὁρᾷς πῶς οὐχὶ τὸ δημιουργικὸν μόνον, ἀλλὰ καὶ τὸ προνοητικὸν αὐτῷ

3, 1 φησίν > p ‖ μηδεὶς : μηθεὶς p ‖ 4 ὡμολογημένον + καὶ p ‖ οὐχ > p
4, 1 φησίν > p ‖ 2 εἴπῃ : εἴπωσιν p ‖ πετεινὰ + τοῦ p ‖ ἀναγγείλῃ : ἀναγγείλωσιν p ‖ 5 ἐποίησεν + πάντα p ‖ ὅτι² : εἰ μὴν p ‖ 7 τί : εἰ p ‖ τοίνυν + φησί p ‖ 8 οὕτω (pabcyz) : αὐτῷ LM ‖ 11 τὸ² > LM

10-11 : εἰ γὰρ — πονηρός abcyz
3, 3-4 : δῆλον — ὡμολογημένον yz ‖ 5-7 : τοῦτο — γῇ abcyz
4, 7-12 : τί τοίνυν — διακρατεῖ (8 : εὑρηκότες : εἰρηκότες) abc (yz)

e. Job 12, 6 ‖ f. Job 12, 7-10

1. Nous suivons **p** qui, seul, a l'article devant προνοητικόν. Ainsi, la

«Et que mes maisons seraient saccagées par des criminels.» [...] Il fallait qu'il en fût ainsi, dit-il. Cela avait été
réglé d'en-haut.

Cependant, dit-il, ne croyez pas que ces maux s'arrête-
ront à moi. Car si moi je souffre ainsi, alors que je n'ai
commis aucune injustice, à plus forte raison le méchant
souffrira-t-il!

Tout le monde sait que le méchant est puni

3. *Cependant*, dit-il, *que personne ne se persuade, s'il est
méchant, qu'il sera impuni, (personne) de ceux qui irritent le
Seigneur. Comment ne seraient-ils pas, eux aussi, examinés*[e]*?*
Voilà, dit-il, qui est clair et reconnu. N'est-il pas évident
pour tout le monde que le méchant doit, de toute façon,
être examiné par Dieu? Et, cela, dit-il, est évident, non
seulement aux hommes, mais aux animaux, et à la terre
elle-même, privée de sentiment.

4. *Eh bien donc! interroge les quadrupèdes,* dit-il, *s'ils peuvent
te parler, ou les oiseaux du ciel, s'ils peuvent te l'annoncer;
explique-toi à la terre, si elle peut t'adresser la parole; et si les
poissons de la mer peuvent s'expliquer devant toi,* (ils te le
diront), *car laquelle de toutes ces créatures n'a pas compris que
c'est la main du Seigneur qui a fait tout cela, que c'est dans sa main
que repose la vie de tous les êtres vivants et le souffle de
tout homme*[f]*?* dit-il. Pourquoi donc vous comportez-vous
comme si vous aviez fait une grande et merveilleuse
trouvaille? Il faut, en effet, absolument qu'un tel homme
périsse, et personne ne l'ignore, et même nous savons tous
que «c'est dans sa main que repose la vie de tous les
hommes». Vois-tu comment non seulement la création,
mais aussi la Providence[1] rendent témoignage à Dieu.

correction (adjectif avec l'article équivalent à un nom) et la symétrie
avec τὸ δημιουργικὸν sont respectées.

μαρτυρεῖ ὅτι πάντα συνέχει καὶ διακρατεῖ καὶ τὴν ζωὴν καὶ τὴν ψυχὴν τῶν ἀνθρώπων, ὥστε δύναται, ὅτε βούλεται, κολάσαι καὶ τιμωρήσασθαι.

5. Νοῦς μὲν γὰρ ῥήματα διακρίνει, λάρυγξ δὲ σῖτα γεύεται[g]. Τοῦτ' ἔστιν· εἰ τὰ ἄλογα οἶδεν ταῦτα, πολλῷ μᾶλλον ἡμεῖς, οἱ νοῦν ἔχοντες, οὐχὶ λάρυγγα μόνον ὥστε ἐσθίειν καθάπερ ἐκεῖνα· ἢ τοῦτο· ὅτι οὐκ εἰμὶ ἀνόητος,
5 οἶδα ταῦτα. Καθάπερ γὰρ λάρυγγα ἡμῖν ἔδωκεν ὁ Θεός, ὥστε διακρίνειν τὰ σῖτα, οὕτω καὶ νοῦν ὡς πρὸς τὰ ψηφίσματα, καὶ τὸν χρόνον ὥστε εὑρίσκειν τὴν ἐπιστήμην. <Ταῦτα μὲν γὰρ κατὰ φύσιν τῷ νῷ καὶ τῷ λάρυγγι· τὸ δὲ εὑρεῖν σοφίαν χρόνου ἐστίν.>

6. Ἐν πολλῷ γάρ, φησί, **χρόνῳ σοφία εὑρίσκεται, ἐν δὲ μακρῷ βίῳ ἐπιστήμη**[h]. Ἐνταῦθα κατὰ φύσιν εἶναι τὸ φρόνιμον τοῖς ἀνθρώποις συμβαίνει, ὥσπερ τὸ ἐσθίειν· καὶ ἀρχόμενος, τοῦτό φησι· «Μὴ ὑμεῖς ἐστε ἄνθρωποι
5 μόνοι[i];» Ἕως ἂν ὦ ἄνθρωπος, φησί, δύναμαι ταῦτα συνιδεῖν, ἃ καὶ ὑμεῖς. «Ἐν πολλῷ χρόνῳ, φησί, σοφία εὑρίσκεται.» Ἐμοὶ δοκεῖ καθάπτεσθαι αὐτῶν. Μὴ γὰρ νομίζετε, φησί, τὸ πᾶν εὑρηκέναι· εἰ γὰρ καὶ νοῦν ἔχομεν διακρίνοντα, ἀλλ' ὅμως καὶ χρόνου δεόμεθα πολλοῦ ὥστε
10 εὑρεῖν.

7. Παρ' αὐτῷ σοφία, φησί, **καὶ δύναμις, παρ' αὐτῷ**

13-14 ὥστε — τιμωρήσασθαι *transp. ante* ὁράς (l. 10) p
5, 5 ἔδωκεν ἡμῖν ~ p ‖ 8 φύσιν + ἐστὶ p
6, 1 γὰρ φησί > p ‖ εὑρίσκεται > p ‖ 2 μακρῷ : πολλῷ p ‖ 3 τοῖς ἀνθρώποις συμβαίνει τὸ φρόνιμον ~ p ‖ 4 τοῦτό φησι + δύναμαι ταῦτα συνιδεῖν ἃ καὶ ὑμεῖς p ‖ 5-6 ἕως — ὑμεῖς > p ‖ 7 αὐτων + ἐνταῦθα p ‖ 8 νομίζετε : νόμιζε p ‖ 9 ὥστε + σοφίαν p (*contra* LMabcyz)
7, 1 φησί > p ‖ παρ' > p

6, 7-10 : ἐμοὶ — εὑρεῖν abcyz

g. Job 12, 11 ‖ h. Job 12, 12 ‖ i. Job 12, 2

4. Cette phrase se trouvait primitivement en **7, 3**, au milieu d'un

Elles attestent qu'il maintient tout, et soutient aussi bien la vie que l'âme des hommes, si bien qu'il peut, quand il le veut, punir et châtier.

5. *C'est l'intelligence, en effet, qui discerne les paroles, et c'est le palais qui discerne le goût des aliments*[g]. Cela signifie : si les animaux savent ces choses, à bien plus forte raison nous, qui possédons une intelligence, et pas seulement un palais pour manger, comme eux ; ou alors cela signifie : parce que je ne suis pas sans intelligence, je sais cela. Si Dieu, en effet, nous a donné un palais pour discerner le goût des aliments, il nous a donné aussi une intelligence pour prendre nos décisions, et la durée pour nous permettre d'acquérir la science. < Il est naturel, en effet, à l'intelligence et au palais (de discerner et de goûter), mais trouver la sagesse est une affaire de temps[1] >.

Mais il faut du temps
pour comprendre certaines situations

6. *Il faut bien du temps, en effet,* dit-il, *pour acquérir la sagesse, et une longue vie pour acquérir la science*[h]. Dans ce passage, il s'ensuit que l'intelligence est naturelle aux hommes, à l'égal du manger ; or, au début, il dit : « Êtes-vous seuls, par hasard, à être des hommes[i] ? » Tant que je suis un homme, veut-il dire, je peux comprendre ce que, vous aussi, vous comprenez. « Il faut bien du temps, dit-il, pour acquérir la sagesse. » Il me semble qu'il s'en prend à eux. Croyez-vous donc, dit-il, avoir tout trouvé ? Car même si nous possédons une intelligence pour discerner, nous avons pourtant besoin de beaucoup de temps pour trouver.

7. *C'est en lui,* dit-il, *que résident sagesse et puissance, en lui*

developpement sur la science de Dieu où elle n'avait plus aucun sens. Sur ces bouleversements du texte de nos manuscrits, cf. *Introd.*, p. 46.

βουλὴ καὶ σύνεσις[j]. Ἡ γὰρ πᾶσα σοφία, φησί, παρὰ τῷ
Θεῷ ἐστιν ἀθρόος, καὶ χωρὶς χρόνων ἐκεῖ ἐστιν. [...] Μὴ
γάρ, ἐπειδὴ ταῦτα ἴσμεν, τὸ πᾶν ἴσμεν; Οἶδα μὲν ὅτι
5 πονηροὶ κολάζονται. ἀλλ' ἰδοὺ καὶ ἐγώ, δίκαιος ὤν, κολά-
ζομαι, ὥστε χρόνου δεῖ, ὥστε μαθεῖν ταῦτα, τοῦ πολλὰ
παραδείγματα τοιαῦτα φέροντος.

Ὁρᾷς πόσον ἐστὶν ἡ τῶν Γραφῶν ἐμπειρία. Ὅπερ
ἔχουσιν οἱ γέροντες ἀπὸ τῆς πείρας τῶν πραγμάτων, τοῦτο
10 σὺ μετὰ πολλῆς τῆς περιουσίας, ὁ νέος, ἀπὸ τῆς διηγήσεως
τῶν πραγμάτων. Πολλὰ ἔπαθον ἐκεῖνοι, πολλὰ εἶδον · καὶ
σὺ πολλὰ ὄψει, ἐὰν θέλῃς τὰς Γραφὰς ἐπιέναι μετὰ
ἐπιστασίας πολλῆς. Διὸ καί τις ἔλεγεν · «Πᾶσαν διήγησιν
θεῖαν θέλε ἀκροᾶσθαι[k]», καὶ πάλιν · «Διήγημα πρεσβυ-
15 τέρων μὴ παρίδῃς[l].» «Καὶ γὰρ αὐτοὶ ἔμαθον παρὰ τῶν
πατέρων αὐτῶν[m].» Οὐ χρεία σοὶ χρόνου · ἂν γὰρ αὐτὸς
θέλῃ δοῦναι, οὐδὲ χρόνου χρεία.

8. Εἶτα περὶ τῆς δυνάμεως αὐτοῦ διαλέγεται τῆς
κολαστικῆς καὶ τιμωρητικῆς. **Ἐὰν καταστρέψῃ, φησί, τίς**
οἰκοδομήσει; Ἐὰν δὲ καὶ ἀποκλείσῃ κατὰ ἀνθρώπου,
τίς ἀνοίξει; Ἐὰν κωλύσῃ τὸ ὕδωρ, ξηρανεῖ τὴν γῆν.
Ἐὰν δὲ καὶ ἐπαφῇ, ἀπώλεσεν καταστρέψας αὐτήν ·
παρ' αὐτῷ κράτος καὶ ἰσχύς, παρ' αὐτῷ ἐπιστήμη καὶ
σύνεσις[n].

9 Εἶτα καὶ περὶ τῆς σοφίας · **Διάγων, φησί, βου-**
λευτὰς γῆς αἰχμαλώτους, κριτὰς δὲ γῆς ἐξέστησεν,
καθιστάνων βασιλεῖς ἐπὶ θρόνων καὶ περιζωνύων

---

2 ἡ γὰρ > p ‖ φησί > p ‖ 3 ἀθρόος : ἀθρόως p ‖ 3-4 μὴ γάρ : μὴ δὲ p ‖ 6
ταῦτα + χρόνου p ‖ 8 ὅπερ : ὅσον γὰρ p ‖ 10 σὺ : σοι LM ‖ 16 αὐτῶν +
ὥστε p

8, 2 καταστρέψῃ : καταβάλλῃ p ‖ φησί > p ‖ 3 δὲ > p

9, 1 εἶτα — σοφίας > p ‖ φησί > p ‖ 2 γῆς > p ‖ 3-4 περιζωνύων —
αὐτῶν : καὶ περιέδησεν ζώνῃ ὀσφύας αὐτῶν p

que résident conseil et intelligence[j]. Toute la sagesse, en effet, dit-il, se trouve en Dieu, dans sa plénitude, et elle s'y trouve sans avoir besoin de temps. [...] Est-ce que, par hasard, sous prétexte que nous savons cela, nous savons tout? Je sais que les méchants sont punis; mais voici que moi aussi, malgré ma justice, je suis puni; aussi, faut-il du temps pour comprendre cela, lui qui apporte bien des exemples analogues.

Vois-tu la profonde expérience que donnent les Écritures? Ce que, précisément, les vieillards possèdent par l'expérience des événements, toi, le jeune, tu le possèdes surabondamment, grâce à ce que l'on t'a raconté des événements. Eux ont éprouvé bien des souffrances, vu bien des choses; toi aussi, tu en verras beaucoup, si tu consens à parcourir les Écritures avec une grande attention. C'est pourquoi aussi un auteur disait : «Accepte d'écouter tout récit divin[k]», et, dans un autre passage : «Ne méprise pas un récit des Anciens[l]»; «car en fait, eux-mêmes ont été à l'école de leurs pères[m]». Tu n'as pas besoin de temps; car si Dieu lui-même veut bien l'accorder, il n'y a pas même besoin de temps.

Moi aussi je sais toute la sagesse de Dieu

8. Ensuite, il parle de son pouvoir de punir et de châtier. *S'il détruit*, dit-il, *qui reconstruira? S'il enferme un homme, qui (lui) ouvrira? S'il arrête l'eau, il desséchera la terre. S'il la déchaîne, il bouleverse (la terre) et la fait périr : en lui force et puissance, en lui science et intelligence*[n].

9. Ensuite, il parle aussi de sa sagesse. *Il emmène*, dit-il, *les conseillers de la terre en captivité, il frappe de démence les juges de la terre, il établit les rois sur les trônes, et leur met une ceinture*

---

j. Job 12, 13 ‖ k. Sir. 6, 35 ‖ l. Sir. 8, 8 ‖ m. Sir. 8, 9 ‖ n. Job 12, 14-16

αὐτοὺς ζώνην ὀσφύος αὐτῶν. Ὁ ἐξαποστέλλων ἱερεῖς
5 αἰχμαλώτους, δυνάστας δὲ γῆς κατέστρεψεν, διαλλάσσων χείλη πιστῶν, σύνεσιν δὲ πρεσβυτέρων ἔγνω,
ἐκχέων ἀτιμίαν ἐπ' ἄρχοντας, ταπεινοὺς δὲ ἰάσατο°.
Οὐχὶ σοφίας καὶ ταῦτα, φησίν; Οἶδα ἐγὼ καὶ τὰ πλεῖστα
αὐτῶν, φησίν, ἔργα τοῦ Θεοῦ παράδοξα.

10. Ὁ ἀποκαλύπτων, φησί, βαθέα ἐκ σκότους, ἐξή-
γαγεν δὲ εἰς φῶς σκιὰν θανάτου · πλανῶν ἔθνη καί
ἀπολλύων αὐτά, καταστρωννύων ἔθνη καὶ καθοδηγῶν
αὐτά, διαλλάσσων καρδίας ἀρχόντων γῆς. Ἐπλάνη-
5 σεν δὲ αὐτοὺς ὁδῷ ᾗ οὐκ ᾔδεισαν. Ψηλαφήσαισαν
σκότος καὶ μὴ φῶς. Ἐπλανήθησαν δὲ ὥσπερ ὁ
μεθύων[P].

4 ὁ > p ‖ 6 ἔγνω : ἀφείλετο p ‖ 8 φησίν > p
10, 1 ὁ > p ‖ φησί > p ‖ 5 δὲ > p

autour des reins. C'est lui qui envoie les prêtres en esclavage, qui renverse les puissants de la terre, qui change les lèvres de ceux qui sont fidèles, qui connaît l'intelligence des vieillards, qui répand le déshonneur sur les chefs, et guérit les humbles[o]. N'est-ce pas là encore, déclare-t-il, des preuves de sagesse? Je sais, pour ma part, dit-il, que la plupart d'entre elles sont des œuvres merveilleuses de Dieu.

10. *C'est lui,* dit-il, *qui fait sortir des choses profondes de l'obscurité, et qui produit à la lumière l'ombre de la mort; c'est lui qui fait errer les nations, qui les fait périr, qui abat les nations et les guide, qui change les cœurs des chefs de la terre. Il les égare sur une route qu'ils ne connaissaient pas. Qu'ils tâtonnent dans l'obscurité, sans lumière! Ils errent comme l'homme ivre*[p].

o. Job 12, 17-21 ‖ p. Job 12, 22-25

XIII

1. Ἰδοὺ ταῦτα ἑώρακέν μου ὁ ὀφθαλμὸς καὶ τὸ οὖς μου ἀκήκοεν. Καὶ οἶδα ὅσα καὶ ὑμεῖς ἐπίστασθε. Καί γε νεώτερος ὑμῶν ὤν, οὐκ εἰμὶ ἀσυνετώτερος ὑμῶν[a]. Τί γάρ; Εἰ καὶ νεώτερός εἰμι, φησίν, οἶδα ταῦτα σαφῶς.

2. Οὐ μὴν δὲ ἀλλὰ πρὸς Κύριον λαλήσω ἐγώ, ἐλέγξω δὲ ἐναντίον αὐτοῦ, ἐὰν βούληται[b]. Ὁρᾷς · τοῦτ᾽ ἔστιν ὅπερ εἶπον. Μὴ νομίσητε, φησίν, ὅτι βαρὺ καὶ ἐπαχθὲς εἶπον, ὑπὸ ἀγνοίας ταῦτα λέγειν · οἶδα μὲν γὰρ
5 ἅπερ εἶπον · οὐ μὴν ἀποστήσομαι τοῦ λέγειν πρὸς τὸν Θεόν (μὴ γὰρ πρὸς ἄνθρωπον λέγω;), πρὸς τὸν Θεὸν τὸν εἰδότα τὰ ἀπόρρητα τῆς διανοίας · βέλτιόν μοι, φησί, πρὸς τὸν Θεόν κρίνεσθαι ἢ πρὸς ὑμᾶς.

3. Ὑμεῖς γάρ ἐστε ἰατροὶ ἀδικίας ἄδικοι, καὶ ἰαταὶ κακῶν πάντες. Εἴη δὲ ὑμῖν κωφεῦσαι καὶ ἀποβήσεται ὑμῖν εἰς σοφίαν[c]. Ὅταν γάρ τις τὰ μὴ λόγον ἔχοντα φθέγγηται, βέλτιον σιγᾶν, καὶ σιωπῶν μᾶλλον ἔσται σοφὸς
5 ἢ λέγων.

4. Ἀκούσατε δὴ ἔλεγχον στόματός μου, κρίσει δὲ χειλέων μου προσέχετε. Πότερον οὐκ ἔναντι Κυρίου

1, 1 ὁ ὀφθαλμός μου ~ p ‖ 1-2 ἀκήκοέ μου τὸ οὖς ~ p ‖ 4 τί γάρ — σαφῶς > p
2, 1δὲ > p ‖ ἐγὼ πρὸς κύριον λαλήσω ~p ‖ 2 ὁρᾷς + ὅτι p ‖ 3 ὅτι : εἴ τι p ‖ 4 ἀγνοίας + με p ‖ 5 ἀποστήσομαι : ἀποστήσωμαι p ‖ 7 βέλτιον + δὲ p ‖ μοι > p
3, 1 ὑμεῖς + δὲ p ‖ ἀδικίας > p ‖ 3 σοφίαν + τοῦτ᾽ ἔστιν p ‖ 3-4 ὅταν — σιγᾶν : ὅταν τις τὰ μὴ λόγον ἔχοντα φθέγγηται βελτιόν ἐστι σιωπᾶν p ‖ 4-5 καὶ — λέγων > p
4, 1 δὴ > p ‖ κρίσει : κρίσιν p ‖ 2 ἔναντι : κατέναντι p

3, 3-5 : ὅταν — λέγων abcyz

CHAPITRE XIII

Suite de la réponse de Job

Pourtant je parlerai au Seigneur

1. *Voici : mon œil l'a vu et mon oreille l'a entendu. Et je connais tout ce que vous savez, vous aussi. Sans doute, je suis plus jeune que vous, mais ne suis pas moins intelligent que vous*[a]. Eh quoi! bien que je sois plus jeune, dit-il, je connais cela[1] clairement.

2. *Néanmoins, je parlerai au Seigneur, et j'argumenterai en sa présence, s'il le désire*[b]. Tu le vois : c'est bien ce que j'avais dit. Ne croyez pas, dit-il, que, si j'ai dit quelque chose de pénible et d'insupportable, c'est par ignorance que je le disais : je sais, en effet, ce que j'ai dit; cependant, je ne renoncerai pas à parler à Dieu – est-ce à un homme, en effet, que je parle? – à Dieu qui connaît les secrets de ma pensée : il vaut mieux pour moi, dit-il, être jugé devant Dieu que devant vous.

Car vous, vous êtes injustes

3. *Vous êtes tous, en effet, d'injustes médecins, et des guérisseurs de malheur. Ah! si vous pouviez être muets, vous finiriez par aboutir à la sagesse*[c]. Car, lorsqu'on prononce des paroles qui n'ont pas de sens, il vaut mieux se taire, et, à rester silencieux, il y aura plus de sagesse qu'à parler.

4. *Entendez donc l'argument de ma bouche, et prêtez attention au jugement de mes lèvres. N'est-ce pas devant le Seigneur que vous*

---

a. Job 13, 1-2 ‖ b. Job 13, 3 ‖ c. Job 13, 4-5

---

1. «Cela», c'est-à-dire tout ce qu'il a développé au chapitre précédent.

λαλεῖτε, ἔναντι δὲ αὐτοῦ φθέγγεσθε δόλον[d]; Καλῶς γε
λαλοῦντες. Ὃ λέγει τοιοῦτόν ἐστιν · οὐ νομίζετε τὸν Θεὸν
5 ἀκούειν, φησίν, ἃ λέγετε, ὅτι μετὰ δόλου διαλέγεσθε · οὐχὶ
προαιρέσει ἀγαθῇ, ἀλλὰ πλῆξαι βουλόμενοι μόνον καὶ τὴν
δόξαν τρῶσαι τὴν ἐμήν · εἰ γὰρ καὶ τὰ ῥήματα ὀρθά, ἀλλ'
οὐ μετὰ διανοίας ὀρθῆς, οὐχ ὥστε διορθῶσαι, οὐχ ὥστε
νουθετῆσαι, οὐχ ὥστε βελτίω ποιῆσαι, (οὐ γὰρ ἀγνοοῦντα
10 διδάσκετε), ἀλλ' ὥστε καταβάλλειν.

5. Ἦ ὑποστέλλεσθε; φησίν · αὐτοὶ ὑμεῖς κριταὶ
γίνεσθε, καλῶς γε λαλοῦντες. Ἐὰν γὰρ ἐξιχνιάσῃ
ὑμᾶς, εἰ καὶ τὰ πάντα ποιοῦντες προστεθήσεσθε
ὁδῷ αὐτοῦ, οὐθὲν ἧττον [εἰ] ἐλέγξει ὑμᾶς[e]. «Ἐὰν
5 ἐξιχνιάσῃ ὑμᾶς», φησίν. Νῦν, ὑμεῖς οἱ λαλοῦντες, νῦν, εἰ
ἐφ' ὑμῶν τὸ πρᾶγμα ἐκρίνετο, οὐκ ἂν ταῦτα ἐφθέγξασθε ·
τοῦτ' ἔστιν · εἰ ὑμεῖς ἦτε ἐγώ, καὶ ἐξήταζεν ὑμῶν τὰ
πράγματα ἀκριβῶς, οὐκ ἂν ἐγένεσθε κριταὶ καθάπερ νῦν.
Ἢ πάλιν ἄλλως ἰδοὺ λέγω καὶ ταῦτα · οὐ δύνασθε γενέσθαι
10 κριταὶ τοῖς ἐμοῖς ῥήμασιν, ὑμεῖς οἱ ταῦτα λαλοῦντες · κἂν
γάρ, φησί, πλείονα τούτων εἴπητε, καὶ πάντα ποιήσητε
ὥστε ὑπὲρ τοῦ μέρους αὐτοῦ εἰπεῖν, οὐδὲν ἧττον ἐλέγξει
ὑμᾶς, καὶ ἀπαιτήσει λόγον καὶ εὐθύνας.

---

3 φθέγγεσθε : φθέγγεσθαι p ‖ 3-10 καλῶς — καταβάλλειν > p
5, 1 φησίν > p ‖ 2 γίνεσθε : γένεσθαι p ‖ γὰρ > p ‖ 3 καὶ : γὰρ p ‖ 4 ὁδῷ
αὐτοῦ : αὐτῷ p ‖ οὐθὲν : οὐθ' ἕν Μ οὐδὲν p ‖ εἰ : ἐλέγχων p ‖ 5 ὑμεῖς : ἡμεῖς
LM ‖ νῦν εἰ (Lp) : νυνὶ Μ ‖ 6 ἐφθέγξασθε : φθέγγεσθαι p ‖ 7 ἦτε : εἴτε Μ ‖
ἐξήταζεν : ἐξήταζον p ‖ 10 κἂν : καὶ L ‖ 11 φησί > p ‖ ποιήσητε (p) :
ποιήσετε LM

d. Job 13, 6-7 ‖ e. Job 13, 8-10

1. Les mots : καλῶς γε λαλοῦντες n'appartiennent pas à ce verset et
sont ici déplacés. On les retrouve d'ailleurs à leur place normale, à la fin
du verset 8 (en 5, 2), où ils sont caractéristiques du texte A. Ici, nous

parlez, et devant lui que vous vous exprimez avec fourberie[d]*?* En dépit de vos belles paroles[1]. Voici ce qu'il veut dire : vous ne croyez pas, dit-il, que Dieu écoute ce que vous dites, car la fourberie inspire vos discours ; ce n'est pas une bonne intention qui vous anime, mais seulement la volonté de porter des coups et de blesser ma réputation ; car même si vos paroles sont droites, elles ne sont pas exprimées, du moins, avec une intention droite ; elles ne cherchent pas à redresser, à reprendre, et à rendre meilleur − en effet, vous n'enseignez pas un ignorant −, mais elles cherchent à abattre.

Et si vous persévérez, Dieu vous punira

5. *Allez-vous cesser ?* dit-il. *Vous-mêmes, vous devenez des juges, en dépit de vos belles paroles. Si Dieu, en effet, vous suit à la trace, vous aurez beau tout faire pour vous placer sur sa route, néanmoins*[2] *il vous condamnera*[e]. «S'il vous suit à la trace», dit-il. Maintenant, vous[3] qui parlez, maintenant, s'il s'agissait de vous dans l'affaire qui est jugée, vous n'auriez pas parlé ainsi ; c'est-à-dire : si vous étiez à ma place, et que Dieu examine vos affaires avec rigueur, vous n'auriez pas jugé mes paroles comme maintenant ; ou bien, voici que je dis cela, encore sous une autre forme : vous ne pouvez être juges de mes paroles, vous qui parlez ainsi ; car, dit-il, même si vous en dites davantage, et si vous faites tout pour parler en sa faveur, il ne vous en confondra pas moins, et il vous demandera des comptes et des explications.

---

considérons ces mots comme faisant partie du commentaire de Chrysostome, mais on pourrait sans dommage les supprimer.

2. Le [εἰ] est dans **L** et dans **M**. Comme il se trouve dans un texte scripturaire, on l'a maintenu entre crochets, mais on ne l'a pas traduit. Il n'a aucun sens.

3. Nous avons adopté avec **p**, en ligne 5 : ὑμεῖς, contre ἡμεῖς qui est la leçon de **LM** et n'a aucun sens.

6. Εἰ δὲ καὶ κρυφῇ πρόσωπα θαυμάζετε, πότερον
οὐχὶ δεινὰ αὐτοῦ στροβήσει ὑμᾶς; Φόβος δὲ Κυρίου
ἐπιπεσεῖται ὑμῖν, καὶ ἀποβήσεται ὑμῶν τὸ γαυρίαμα
ἴσα σποδῷ, τὸ δὲ σῶμα πήλινον. Κωφεύσατε, φησίν,
5 ἵνα λαλήσω[f]. Τοῦτ' ἔστιν· σιωπήσατε, καὶ ἀναπαύσομαι, φησί, θυμοῦ μου[g]. Ὁρᾷς ὅτι οὐχὶ δικαιοῦντος ἦν
τὰ ῥήματα, ἀλλὰ παραμυθία τις τῆς ὀδύνης.

7. «Καὶ ἀναπαύσομαι, φησίν, θυμοῦ μου», ἀναλαβὼν
τὰς σάρκας μου τοῖς ὀδοῦσί μου[h]. Ὥσπερ, φησίν, οἱ
κατεσθίοντες ἑαυτοὺς παραμυθίαν ἔχουσί τινα, ὥσπερ οἱ
τὰς σάρκας τὰς ἑαυτῶν καταδάκνοντες ἐν ταῖς ὀδύναις
5 ἔχουσί τινα παραμυθίαν, οὕτω καὶ ἐγὼ ταῦτα φθεγγόμενος.
< Ἆρα οὖν ἐκείνους ἐλεῶμεν μᾶλλον ἢ εὐθύνας ἀπαιτῶμεν;
Ἢ ἀνθρωποβόρους εἶναί φαμεν; Οὐδαμῶς, ἀλλὰ δακρύομεν
καὶ θρηνοῦμεν. >

8. Ψυχὴν δέ μου, φησίν, θήσω ἐν χερσί μου, ἐάν με
χειρώσηται ὁ δυνάστης, ἐπεὶ καὶ ἦρκται[i]. [...] Τοῦτον
παρὰ πάντα τήρει τὸν λόγον «Ψυχὴν δέ μου, φησί, θήσω
ἐν χερσί μου.» Τοῦτ' ἔστιν· ἀνελῶ ἐμαυτόν. Ὥσπερ οἱ
5 ἀναιροῦντες, οὕτω καὶ ἐγὼ παραθυμοῦμαι· τοῦτό μοι
παραμύθιόν ἐστιν· ἐὰν μή με ἀνέλῃ ὁ Θεός, αὕτη μού
ἐστιν ἡ παραμυθία τὸ φθέγγεσθαι.

9. Οὐ μὴν δέ, φησίν, ἀλλὰ λαλήσω καὶ ἐλέγξω

6, 1 πρόσωπα : πρόσωπον p ‖ 2 κυρίου : παρ' αὐτοῦ p ‖ 3 καὶ > p ‖ 4
φησίν > p ‖ 5 τοῦτ' ἔστιν σιωπήσατε > p ‖ 6 φησί > p ‖ θυμοῦ + τοῦτ'
ἔστιν σιωπήσατε p ‖ μου > p ‖ δικαιοῦντος + ἁπλῶς ἑαυτὸν p
7, 3-4 ὥσπερ — τὰς² > p ‖ 6 ἐλεῶμεν : ἐλεοῦμεν p ‖ ἀπαιτῶμεν :
ἀπαιτοῦμεν L^pc
8, 1 φησίν > p ‖ χερσί : χειρί p ‖ 3 θήσω : θήσομαι p

6, 5-7 : τοῦτ' ἔστιν — ὀδύνης (5-6 : τοῦτ' ἔστιν — θυμοῦ μου. > yz)
abcyz
7, 3-5 : ὥσπερ — φθεγγόμενος abcyz

f. Job 13, 10-13 ‖ g. Job 13, 13 ‖ h. Job 13, 13-14 ‖ i. Job 13, 14-15

6. *Mais si, en outre, secrètement, ce sont les personnes que vous honorez, son châtiment ne vous balaiera-t-il pas? La crainte du Seigneur s'abattra sur vous, et votre superbe deviendra comme de la cendre, et votre corps de la boue. Soyez muets,* dit-il, *pour que je parle*[f]. C'est-à-dire : taisez-vous, *et je mettrai,* dit-il, *un terme à ma fureur*[g]. Tu vois que ses paroles n'étaient pas simplement celles d'un homme qui cherche à se justifier, mais qu'elles étaient, pour ainsi dire, une consolation à sa souffrance.

7. «Et je mettrai, dit-il, un terme à ma fureur», *en prenant mes chairs avec mes dents*[h]. Tout comme ceux, dit-il, qui se dévorent eux-mêmes ont une consolation, tout comme ceux qui mordent leurs chairs à belles dents éprouvent un certain adoucissement dans leurs souffrances, il en va de même pour moi, quand je m'exprime ainsi. < Ne faut-il pas avoir pitié de ces gens-là, plutôt que leur demander des comptes? Est-ce que nous disons que ce sont des anthropophages? Pas du tout, mais nous pleurons et nous nous lamentons[1]. >

8. *Je placerai,* dit-il, *ma vie dans mes mains, si le Puissant met la main sur moi, puisque, aussi bien, il a commencé (à le faire)*[i]. [...] Observe surtout cette parole : « Je placerai ma vie, dit-il, dans mes mains.» C'est-à-dire : je me détruirai moi-même[2]! Comme ceux qui se détruisent, moi aussi je trouve une consolation; c'est là ma consolation; si Dieu ne me supprime pas, ma consolation, c'est de m'exprimer.

9. *Pourtant,* dit-il, *je parlerai et je vous confondrai en sa*

---

1. Nous avons dû déplacer ce passage (l. 6-8) qui se trouvait primitivement après le texte scripturaire du § 8, avant Τοῦτον.
2. Le parallélisme avec θήσω nous invite à voir dans ἀνελῶ une forme de futur. On sait que le grec tardif a créé, sur l'aoriste εἶλον, une forme de futur ἐλῶ. Cf. BLASS-DEBRUNNER, *A Greek Grammar,* 74, n° 3.

ὑμᾶς ἐναντίον αὐτοῦ, καὶ τοῦτό μοι ἀποβήσεται
εἰς σωτηρίαν· οὐ γὰρ εἰσελεύσεται ἐναντίον αὐτοῦ
δόλος[j]. Τοῦτ᾽ ἔστιν· τοῦτό μοι ἔσται παραμυθία· «Οὐ
5 γὰρ ἐναντίον αὐτοῦ εἰσελεύσεται δόλος.» Ὁρᾷς ὅτι οὐχὶ
καθάπερ ὑμεῖς ἑτέρᾳ διανοίᾳ φθέγγομαι. Οἶδα ὅτι οὐδέν
ἐστιν ὕπουλον παρ᾽ αὐτῷ.

10. Ἀκούσατέ μου τὰ ῥήματα· ἀναγγελῶ γάρ,
ὑμῶν ἀκουόντων. Ἰδοὺ ἐγὼ ἐγγύς εἰμι τοῦ κρίματός
μου[k]. Βούλομαι, φησί, κριθῆναι· οὐ παραιτοῦμαι
δικαστήριον.

11. Οἶδα δὲ ἐγὼ ὅτι δίκαιος ἀναφανοῦμαι. Τίς γὰρ
ἐστιν ὁ κριθησόμενός μοι, ὅτι νῦν κωφεύσω καὶ
ἐκλείψω; Δυεῖν δέ μοι χρεία· τότε ἀπὸ τοῦ προσώπου
σου κρυβήσομαι. Τὴν χεῖρά σου ἀπόσχου ἀπ᾽ ἐμοῦ,
5 καὶ ὁ φόβος σου μή με καταπλησσέτω· εἶτα καλέσεις, ἐγὼ δέ σοι ὑπακούσομαι· λαλήσεις, ἐγὼ δέ σοι
δώσω ἀπόκρισιν[l]. Πάλιν τὸ αὐτό φησι· μή με φοβήσῃς,
μή μοι τὸ ἀξίωμα τοῦ Θεοῦ παραγάγῃς, καὶ κρίνομαι·
ἥμαρτον, κἀγὼ λέγω. Ἀλλὰ πολλῷ μείζονα ἀπολαμβάνω,
10 φησίν.

12. Πόσαι εἰσὶν αἱ ἁμαρτίαι μου; καὶ αἱ ἀνομίαι
μου τίνες εἰσί; δίδαξόν με. Τί τοῦτό μοι εἴργασται,
φησίν; Διὰ τί με ἀποκρύπτῃ, ἥγησαι δέ με ὥσπερ
ὑπεναντίον σου, ἢ ὥσπερ φύλλον κινούμενον ὑπὸ

9, 4 τοῦτ᾽ ἔστιν — παραμυθία > p
10, 1 ἀκούσατέ μου : ἀκούσατε, ἀκούσατε p ‖ 3-4 βούλομαι — δικαστήριον > p
11, 1 δὲ > p ‖ 4 σου[1] + οὐ p ‖ 5-7 λαλήσεις — ἀπόκρισιν, καλέσεις —
ὑπακούσομαι, ~ p
12, 1 μου > p ‖ 2 μου : ἐμοῦ p ‖ δίδαξόν με τίνες εἰσί ~ p ‖ 3 με[1] : ἀπ᾽
ἐμοῦ p ‖ ἀποκρύπτῃ : κρύπτῃ p ‖ ὥσπερ > p ‖ 4 σου : σοι p

9, 4-7 : τοῦτ᾽ ἔστιν — παρ᾽ αὐτῷ abcyz
10, 3-4 : βούλομαι — δικαστήριον abcyz

*présence, et cela deviendra mon salut; car la fourberie ne paraîtra
pas devant lui*[j]. C'est-à-dire : ce qui sera pour moi une
consolation, c'est que : «la fourberie ne paraîtra pas devant
lui.» Tu vois : je ne parle pas comme vous, avec une
arrière-pensée. Je sais qu'il n'y a en lui aucune dissimu-
lation.

Seigneur, laisse-moi parler devant ton tribunal

10. *Écoutez mes paroles, car je vais faire une déclaration en
votre présence. Voici que je suis sur le point d'être jugé*[k]. Je veux,
dit-il, être jugé; je ne refuse pas un tribunal.

11. *Oui, je sais que ma justice apparaîtra clairement. Qui donc
le disputera avec moi pour que, maintenant, je sois muet et que
j'abandonne? Mais deux choses me sont nécessaires; alors, je me
cacherai*[1] *loin de ton visage. Éloigne ta main de moi, et que ta
terreur ne me frappe pas, puis, tu m'appelleras, et moi je te
prêterai l'oreille; tu parleras, et moi je te donnerai une réponse*[l]. Il
répète à nouveau la même chose : ne m'effraye pas, ne viens
pas me présenter ta dignité de Dieu, et je me laisse juger;
j'ai péché, et je le dis. Mais, dit-il, je reçois en échange des
châtiments beaucoup trop grands.

Pourquoi suis-je ainsi traité comme ton ennemi?

12. *Quel est le nombre de mes fautes? et quelles sont mes
transgressions. Enseigne-le moi.* Pourquoi ai-je été traité ainsi?
veut-il dire. *Pourquoi te caches-tu loin de moi, et me considères-tu
comme ton ennemi? Vas-tu prendre garde à moi comme à une*

11, 7-10 : πάλιν — φησίν (7 : πάλιν τὸ αὐτό φησι > yz) abc*yχ*

j. Job 13, 15-16 ‖ k. Job 13, 17-18 ‖ l. Job 13, 18-22

1. Le texte reçu porte : οὐ κρυϐήσομαι, qui, seul, a un sens. La leçon :
κρυϐήσομαι vient de S que notre texte suit parfois. Nous avons respecté
le texte scripturaire.

5 ἀνέμου εὐλαβηθήσῃ, ἢ ὡς χόρτον φερόμενον ὑπὸ πνεύματος[m]; Τίνος ἕνεκεν, φησίν, οὐ ποιεῖς δῆλα πράγματα; Τίνος ἕνεκεν οὐ λέγεις · διὰ τόδε σε κολάζω; Οὐ μικρὸν εἰς παραμυθίαν τοῖς τιμωρουμένοις τὸ μαθεῖν τὴν αἰτίαν τῆς κολάσεως. Διὰ τοῦτο οὗτος μέν φησι ·
10 Δίδαξόν με τὰς ἁμαρτίας μου, ὁ δὲ Θεὸς οὐχ ἕξει διδάξαι. Ἀλλὰ τί φησιν; «Ἄλλως με οἴει σοι κεχρηματικέναι ἢ ἵνα ἀναφανῆς δίκαιος[n].»

«Ἤγησαι δέ με», φησίν, «ὡς φύλλον κινούμενον ὑπὸ ἀνέμου.» Τοῦτ' ἔστιν · οὐδένα μου ποιεῖ λόγον, καταφρο-
15 νεῖς μου, διαπτύεις · ἐν τῷ παρόντι αὐτοὺς διδάσκει. «Ἢ ὡς χόρτον φερόμενον ὑπὸ πνεύματος εὐλαβηθήσῃ;»

13 **Ἀντίκεισαι δέ μοι, ὅτι κατέγραψας κατ' ἐμοῦ κακὰ καὶ περιέθηκάς μοι νεότητος ἁμαρτίας**[o]. Ὁρᾷς πῶς οἶδεν ἑαυτὸν ἁμαρτωλόν, καὶ ἀπὸ ἡλικίας βούλεται τυχεῖν συγγνώμης, ἢ καὶ ἀπὸ τῆς ἡλικίας δεῖξαι ἑαυτὸν
5 ἁμαρτωλόν.

14. **Ἔθου δέ μου τὸν πόδα ἐν κωλύματι καὶ ἐφύ-λαξάς μου πάντα τὰ ἔργα · εἰς δὲ ῥίζας ποδῶν μου ἀφίκου, οἳ παλαιοῦνται ἴσα ἀσκῷ ἢ ὥσπερ ἱμάτιον σητόβρωτον**[p]. «Ἔθου», φησί, «τὸν πόδα μου ἐν κωλύ-
5 ματι.» Τοῦτ' ἔστιν · ἔδησας. «Εἰς δὲ ῥίζας ποδῶν μου ἀφίκου.» Τοῦτ' ἔστιν · ὅλον με ἐπῆλθες καὶ ἐξήτασας, καὶ ἀπὸ τῶν ποδῶν ἕως κεφαλῆς ἔπληξας, οὐδὲ ἐν ἐμοὶ

---

6 δῆλα + τά p ‖ 7 λέγεις + ὅτι p ‖ 8-9 οὐ μικρὸν — κολάσεως > p ‖ 9 διὰ τοῦτο > p ‖ 13 *ante* ἤγησαι *add.* τὸ p ‖ φησίν > p ‖ 13-14 κινούμενον ὑπὸ ἀνέμου > p ‖ 14 ποιεῖ : ποιῆσαι p ‖ λόγον + φησί p

13, 1 δὲ > p ‖ 2 καὶ > p ‖ περιέθηκας + δέ p ‖ ἁμαρτίας νεότητος ~ p ‖ ὁρᾷς (p) : ὅρα LM ‖ 3 τυχεῖν > p

14, 1 καὶ > p ‖ 1-2 ἐφύλαξας + δὲ p ‖ 2 ῥίζας + τῶν p ‖ 3 οἳ παλαιοῦνται : ὃ παλαιοῦται p ‖ 4-6 ἔθου — ἀφίκου > p ‖ 7 κεφαλῆς + με p

---

12, 8-9 : οὐ μικρὸν — κολάσεως abcyz
13, 2-5 : ὁρᾷς — ἁμαρτωλὸν abc yz

feuille agitée par le vent, ou comme à une herbe emportée par un souffle[m]*?* Pourquoi, dit-il, n'agis-tu pas clairement? Pourquoi ne dis-tu pas : voilà pourquoi je te punis? Ce n'est pas une mince consolation, pour ceux qui sont châtiés, d'apprendre la cause de leur punition. C'est pourquoi Job dit : Enseigne-moi mes fautes, mais Dieu ne pourra pas les lui enseigner. Mais voyons, que dit Dieu? «Crois-tu que j'ai agi pour une autre raison que de faire apparaître ta justice[n]?»

«Tu me considères, dit-il, comme une feuille emportée par le vent.» C'est-à-dire : tu ne fais aucun cas de moi, tu me méprises, tu me craches dessus; dans l'occurrence, c'est à eux que s'adresse l'enseignement. «Ou vas-tu prendre garde à moi qui suis comme une herbe emportée par un souffle?»

13. *Tu t'opposes à moi, car tu as dressé contre moi comme une liste de méfaits, et tu m'as entouré des péchés de ma jeunesse*[o]. Vois-tu comment il se sait pécheur, et veut obtenir le pardon à cause de sa jeunesse, ou montrer qu'il est pécheur en raison de sa jeunesse.

Pourquoi un tel châtiment?

14. *Tu as placé mon pied dans un piège et tu as surveillé tous mes actes; tu as atteint jusqu'à la racine de mes pieds qui vieillissent comme une outre ou comme un vêtement rongé par les vers*[p]. «Tu as placé, dit-il, mon pied dans un piège.» C'est-à-dire : tu l'as lié. «Tu as atteint jusqu'à la racine de mes pieds.» C'est-à-dire : tu m'as assailli complètement, et examiné à fond, tu m'as frappé des pieds à la tête et tu n'as

m. Job 13, 23-25 ‖ n. Job 40, 8 ‖ o. Job 13, 25-26 ‖ p. Job 13, 27-28

μέρος ἐγκατέλιπες ὑγιείας. Πάλιν τὸ μέγεθος λέγει τῆς
συμφορᾶς, πάλιν τὴν εὐτέλειαν τῆς φύσεως κωμῳδεῖ.
10 «Παλαιοῦνται», φησίν, «ἴσα ἀσκῷ.» Τίνος ἕνεκεν ἀσκὸν
παρήγαγεν; Ὅτι κενός ἐστιν ὁ ἀσκός, πνεῦμα μόνον ἔχων ·
οὕτως ἐστὶ καὶ τὸ σῶμα τὸ ἡμέτερον · τοῦτο καὶ τοῖς
παλαιοῖς ἔθος λέγειν ὅτι «ἀσκός ἐσμεν πεφυσημένος». Μή
μοι τὸν ὄγκον ἴδῃς μηδὲ τὸ δέρμα διαταθέν, ἀλλ' ἐννόησον
15 τὰ ἔνδον καὶ ὄψῃ πολλὴν τὴν κενότητα · εἶτα καὶ ἐφ'
ἕτερον ἔρχεται παράδειγμα. «Ἢ ὥσπερ ἱμάτιον», φησί,
«σητόβρωτον.»

8 ἐγκατέλιπες (cj) : ἐγκατέλειπες (itac.) LM κατέλειπες p ‖ ὑγιείας :
ὑγιές p ‖ 9 τὴν εὐτέλειαν : τὸ εὐτελές p ‖ 10 παλαιοῦνται — ἀσκῷ > p ‖
τίνος + δὲ p ‖ 12 ἐστὶ + φησί p ‖ 13 παλαιοῖς : πολλοῖς pabcyz ‖ 16 φησί
> p

14, 8-15 : πάλιν — κενότητα (> 12 : οὕτως — ἡμέτερον) abcyz

laissé subsister en moi aucune partie saine. A nouveau, il parle de la grandeur de son malheur, à nouveau il raille la bassesse de la nature. «Ils vieillissent, dit-il, comme une outre.» Pourquoi prend-il l'exemple de l'outre? C'est que l'outre est vide et ne contient que du vent : ainsi en va-t-il de notre corps; les Anciens aussi avaient coutume de dire que «nous sommes des outres gonflées[1]». Ne me considère pas son volume, ni la tension de sa peau, mais songe à ce qui est à l'intérieur, et tu verras la grandeur de son vide; puis il en vient à un second exemple : «Ou comme un vêtement, dit-il, rongé par les vers».

---

1. Allusion à un proverbe d'Épicharme, cité par CLÉMENT D'ALEXANDRIE, *Stromates,* livre IV, p. 584, 5 (éd. Keibel).

1. **Βροτὸς γὰρ γεννητὸς γυναικός**, εἶτα καὶ ἀπὸ τῆς γεννήσεως, **ὀργῆς πλήρης**[a], τοῦτ᾽ ἔστιν ἀθυμίας, οὐχὶ λύπης.

2. **Ἢ ὥσπερ ἄνθος ἀνθῆσαν ἐξέπεσεν, ἀπέδρα δὲ ὥσπερ σκιά, καὶ οὐ μὴ στῇ**. Οὐχὶ καὶ τούτου λόγον ἐποίησω, καὶ τοῦτον ἐποίησας ἐν κρίματι εἰσελθεῖν ἐπὶ σοῦ[b]; Ὁρᾷς πῶς οὐκ ἀπὸ τοῦ δίκαιος εἶναι, ἀλλὰ ἀπὸ τῆς
5 εὐτελείας τῆς φύσεως βούλεται ἀπαλλαγῆναι; Τοῦτον ἔδει ἐξετασθῆναι, φησί, τοῦτον ἔδει εὐθύνας ἀπαιτηθῆναι, τὸν «σήμερον ὄντα καὶ αὔριον οὐκέτι[c]»;

3. **Τίς γὰρ ἔσται καθαρὸς ἀπὸ ῥύπου; Οὐδείς, ἐὰν καὶ μιᾶς ἡμέρας γένηται ὁ βίος αὐτοῦ ἐπὶ τῆς γῆς. Ἀριθμητοὶ δὲ μῆνες αὐτοῦ παρ᾽ αὐτῷ. Εἰς χρόνον ἔθου, καὶ οὐ μὴ ὑπερβῇ. Ἀπόστα ἀπ᾽ ἐμοῦ, ἵνα**
5 **ἡσυχάσω καὶ εὐδοκήσω τὸν βίον μου, ὥσπερ μισθωτός**[d]. Ὁρᾷς πάλιν ἐπὶ τὴν φύσιν καταφεύγοντα, ὅτι οὐδὲ δυνατόν, φησίν, εἶναι καθαρόν. Οὐ μόνον διὰ τὸ εὐτελές, οὐδὲ διὰ τὸ ὀλιγοχρόνιον, οὐδὲ διὰ τὸ ἀθυμίας γέμειν ἐν τῷ βίῳ, ἀλλ᾽ ὅτι οὐδὲ δυνατὸν καθαρὸν εἶναι. «Ἀπόστα ἀπ᾽
10 ἐμοῦ», φησίν, «ἵνα ἡσυχάσω καὶ εὐδοκήσω τὸν βίον μου

1, 1 γὰρ γεννητὸς > p ‖ γυναικός + ὀλιγόβιος p ‖ 1-2 εἶτα — γεννήσεως > p ‖ 2 ὀργῆς πλήρης : καὶ πλήρης ὀργῆς p ‖ 2-3 τοῦτ᾽ ἔστιν — λύπης > p
2, 3-4 ἐν — σοῦ : εἰσελθεῖν ἐνώπιον σου ἐν κρίματι p ‖ 4-7 ὁρᾷς — οὐκέτι > p
3, 1 ῥύπου + ἀλλ᾽ p ‖ 2 μιᾶς ἡμέρας : μίαν ἡμέραν p ‖ γένηται > p ‖ 7 καθαρὸν εἶναι ~ p ‖ 8 ἀθυμίας (pabcz) (y def.) : ῥαθυμίας LM ‖ 9-11 ἀπόστα — μισθωτός > p

2, 4-7 : ὁρᾷς — οὐκέτι (l. 7 : οὐκέτι : οὐκ ὄντα) abcyχ
3, 6-9 : ὁρᾷς — εἶναι abcyz

CHAPITRE XIV

Fin de la réponse de Job a Sophar

Seigneur, l'homme est éphémère
comme la fleur qui se fane

1. *Car l'homme, né de la femme* – ainsi, c'est depuis sa naissance – *est plein de colère*[a], c'est-à-dire de découragement, non de chagrin.

2. *Semblable à une fleur, après la floraison, il tombe, et s'en va comme une ombre, sans pouvoir subsister. N'as-tu pas, cependant, tenu compte de lui, et ne l'as-tu pas fait entrer en jugement devant toi*[b]? Vois-tu comment ce n'est pas en raison de sa justice qu'il veut être libéré, mais en raison de la faiblesse de sa nature? Fallait-il, dit-il, l'examiner à fond? Fallait-il lui réclamer des comptes, «puisqu'il est aujourd'hui, mais demain ne sera plus[c]»?

Laisse-moi vivre ma petite vie

3. *Qui donc sera pur de souillure? Personne, même si sa vie sur la terre ne dure qu'un jour. Ses mois sont comptés par Dieu. Tu lui as assigné une durée qu'il lui est impossible de dépasser. Éloigne-toi de moi, pour que je sois tranquille, et sois satisfait de ma vie, comme un salarié*[d]. Le vois-tu, qui se dépêche à nouveau de se réfugier dans sa nature, car il n'est même pas possible, dit-il, d'être pur. (Il l'implore) non seulement à cause de notre faiblesse, ou à cause de notre caractère éphémère, ou du découragement dont notre vie est pleine, mais parce qu'il n'est même pas possible d'être pur. «Éloigne-toi de moi, dit-il, pour que je sois tranquille et sois satisfait de ma

a. Job 14, 1 ‖ b. Job 14, 2-3 ‖ c. Cf. Matth. 6, 30 ‖ d. Job 14, 4-6

ὥσπερ μισθωτός.» Τὸ ὀλιγοχρόνιον πάλιν καὶ ἐπίπονον καὶ
ταλαίπωρον. Καταπονούμενον καὶ ταλαιπωρούμενον κέλευσον ἐν ἡσυχίᾳ εἶναι. Εἶτα, δείκνυσιν ὅτι πάντων ἀθλιώτερος
ὁ ἄνθρωπος, καὶ δένδρων καὶ ποταμῶν καὶ θαλάσσης.

4. **Ἔστι γάρ**, φησί, **δένδρων ἐλπίς, ἐὰν δὲ καὶ
ἐκκοπῇ, πάλιν ἀνθήσῃ καὶ ὁ ῥάδαμνος αὐτοῦ οὐ μὴ
ἐκλείπῃ. Ἐὰν γὰρ γηράσῃ ἐν γῇ ἡ ῥίζα αὐτοῦ,
ἐν δὲ πέτραις τελευτήσει τὸ στέλεχος αὐτοῦ, ἀπὸ**
5 **ὀσμῆς ὕδατος ἀνθήσῃ, καὶ ποιήσει θερισμὸν ὥσπερ
νεόφυτον. Ἀνὴρ δὲ τελευτήσας ᾤχετο, καὶ πεσὼν
βροτὸς οὐκέτι ἔσται**ᶜ. Εἶτά φησι · **Χρόνῳ δὲ σπανίζεται
θάλασσα, ποταμοὶ δὲ ἐρημωθέντες ξηρανθήσονται.
Ἄνθρωπος δὲ κοιμηθείς, οὐ μὴ ἀναστῇ καὶ οὐ μὴ**
10 **ἐξεγερθῇ, ἕως ἂν ὁ οὐρανὸς παλαιωθῇ, καὶ οὐκ
ἐξυπνισθήσονται ἐξ ὕπνου αὐτῶν**ᶠ. Τοῦτο λέγει ὅτι οὐδὲ
θάλασσα τοῦτο πάσχει τῷ χρόνῳ · ἀλλὰ ταῦτα μὲν ἀθάνατα
ὡς καί τινες τῶν ἔξωθεν εἰρήκασιν · ἕως ἄν, φησί, ποταμοὶ
ῥεύσωσι, καὶ σκιαὶ τῶν δένδρων ὦσιν, οὐ θάλασσα, οὐ
15 ποταμὸς διακόπτεται · ὁ δὲ ἄνθρωπος ὑπομένει τοῦτο. Εἴθε
γὰρ τοῦτο ἦν, ὥστε ἀποθανεῖν ἡμᾶς καὶ πάλιν ἀναζῆν, ἀλλ᾽
οὐκ ἔστι τοῦτο.

11-13 πάλιν — εἶναι (abcz) : πάλιν καὶ τὸ ἐπίπονον. Καὶ ταλαιπωρούμενον κέλευσον ἐν ἡσυχίᾳ εἶναι LM πάλιν καὶ ταλαίπωρον καὶ ἐπίπονον
αἰνίττεται. κἂν ταλαίπωρόν με, φησί, κέλευσον ἐν ἡσυχίᾳ εἶναι p
4, 1 φησί > p ‖ δὲ καί : γάρ p ‖ 2 πάλιν : ἔτι p ‖ ἀνθήσῃ : ἀνθήσει L
ἐπανθήσει p ‖ 5 καὶ ποιήσει : ποιήσει δὲ p ‖ 7 εἶτά φησι > p ‖ δὲ : γάρ p ‖ 8
ποταμὸς δὲ ἐρημωθεὶς ἐξηράνθη p ‖ 9-10 καὶ οὐ μὴ ἐξεγερθῇ > p ‖ 10
οὐρανός + οὐ μὴ συρραφῇ p ‖ παλαιωθῇ > p ‖ 14 ῥεύσωσι : ῥεώσι p ‖ καὶ
+ αἱ p

11-13 : τὸ ὀλιγοχρόνιον — εἶναι (12 ταλαίπωρον + παριστῶν) abc, z (y
def.)
4, 14-17 : οὐ θάλασσα — τοῦτο abc, z (y def.)

e. Job 14, 7-10 ‖ f. Job 14, 10-12

vie comme un salarié. » C'est le caractère éphémère, pénible
et malheureux de la vie qu'il exprime à nouveau. Et parce
que je suis accablé et malheureux, ordonne que je sois en
paix. Puis, il montre que l'homme est plus malheureux que
tout [1], que les arbres, les fleuves et la mer.

L'homme, une fois mort,
ne reprend pas vie comme les arbres

4. *Il y a, en effet*, dit-il, *un espoir pour les arbres, car l'arbre,
s'il est coupé, fleurira à nouveau, et il est impossible que son surgeon
disparaisse. Car si sa racine vieillit dans la terre, et si son tronc
meurt* [2] *dans les cailloux, le parfum de l'eau le fera fleurir, et il
donnera des fruits, comme un jeune plant. Un homme, au contraire,
qui est mort, est définitivement disparu, et un mortel qui est tombé,
n'existera plus* [e]. Puis, il ajoute : *Avec le temps, la mer s'épuise,
et les fleuves, privés d'eau, s'assèchent. Quand un homme, au
contraire, s'est endormi (dans la mort), il n'a plus aucune chance
de ressusciter et de s'éveiller, jusqu'à ce que le ciel tombe en ruines,
et ils ne s'éveilleront pas de leur sommeil* [f]. Il veut dire que même
la mer, avec le temps, ne subit pas le sort (de l'homme);
mais ces réalités, elles, sont immortelles, comme l'ont dit
certains auteurs païens; aussi longtemps, veut-il dire, que
les fleuves couleront, que les arbres donneront de l'ombre,
ni mer, ni fleuve ne disparaîtront; c'est au contraire ce
destin qui attend l'homme. Ah! si seulement il nous était
possible de mourir et de renaître ensuite, mais il n'en est
pas ainsi.

---

1. « L'homme est plus malheureux que tout. » Reprise du thème déjà
exprimé chap. V, **6**, 5-11. Voir *supra*, p. 245 s.

2. τελευτήσει : confusion entre les formes -η et -ει, par itacisme.

5. Εἰ γὰρ ὤφελον ἐν Ἅδῃ με, φησί, φυλάξεις, καλύψεις δέ με ἕως ἂν παύσηταί σου ἡ ὀργή, καὶ τάξεις μοι χρόνον ἐν ᾧ μνείαν μου ποιήσῃ. Ἐὰν γὰρ ἀποθάνῃ ἄνθρωπος, ζήσεται συντελέσας τὰς ἡμέρας τοῦ βίου αὐτοῦ; Ὑπομενῶ ἕως πάλιν γένωμαι; Εἶτα καλέσεις με · ἐγὼ δέ σου ὑπακούσομαι; Τὰ δὲ ἔργα τῶν χειρῶν σου μὴ ἀποποιοῦᵍ. Οὐ τοίνυν ἔστι, φησίν, ὑπομεῖναι · εἰ γὰρ τοῦτο ἦν, ὑπέμεινα ἄν, ἕως πάλιν ἀναστῶ. «Εἰ γὰρ ὤφελον», φησίν, «ἐν Ἅδῃ με καλύψεις», 10 καὶ ὑπέμενον, ἕως ἂν τοιοῦτος γένωμαι, καί, καλέσαντός σου, ὑπήκουον, ἀλλ' οὐκ ἔστι ταῦτα. Τί οὖν, εἰ καὶ μὴ ἔστιν ἐν τούτων, διὰ τὸ ἔργον εἶναι σὸν μὴ ἀπορρίψῃς με.

6. Ἠρίθμησας δέ μου τὰ ἐπιτηδεύματα, καὶ οὐ μὴ παρέλθῃ σε οὐδὲν τῶν ἁμαρτιῶν μου · ἐσφράγισας δέ μου τὰ ἁμαρτήματα ἐν βαλαντίῳ, καὶ ἐπεσημήνω δέ, εἴ τι ἄκων παρέβηνʰ. Ἀπὸ τούτου βούλομαι σωθῆναι, 5 φησίν, ἀπὸ τοῦ ἔργον χειρῶν σου εἶναι, ἀπὸ δὲ δικαιοσύνης οὐδαμῶς, οὐδὲ ἀπὸ τοῦ δύνασθαί σε ἀπαιτῆσαι ἢ ὅτι ἐπιλέλησαι τῶν πλημμελημάτων τῶν ἐμῶν; Οὐ γὰρ δυνατὸν λαθεῖν σέ τι τῶν ἐμῶν κακῶν.

7. Εἶτά φησι · Καὶ πλήν, ὅρος πῖπτον πεσεῖται, καὶ πέτρα παλαιωθήσεται ἐκ τοῦ τόπου αὐτῆς · λίθους ἐλέαναν ὕδατα, καὶ κατέκλυσαν ὕδατα ὕπτια τοῦ χώματος τῆς γῆς · καὶ ὑπομονὴν ἀνθρώπου ἀπώ-

5, 1 ὤφελον : ὄφελον p ‖ φησί > p ‖ φυλάξεις : φυλάξας p ‖ 2 καλύψεις : ἐκάλυψας p ‖ 3 γὰρ > p ‖ 5 ἕως + ἂν p ‖ 6 με > p ‖ 7-12 οὐ — με > p
6, 2-3 ἐσφράγισας — βαλαντίῳ : ἐσφράγισας δὲ ἐν βαλαντίῳ τῆς ἀνομίας μου p ‖ 3 καὶ > p ‖ 5 ἔργον — εἶναι : ἔργον εἶναι τῶν χειρῶν σου p ‖ 6 ὅτι > LM ‖ 7 οὐ : οὐδὲ p
7, 1 εἶτά φησι · καὶ > p ‖ πεσεῖται : καταπεσεῖται p ‖ 4 ἀνθρώπου + οὐκ p

6, 4-6 : ἀπὸ — ἀπαιτῆσαι abc, z (y def.)

g. Job 14, 13-15 ‖ h. Job 14, 16-17 ‖ i. Job 14, 18-22

5. *Plaise au ciel,* dit-il, *que tu me gardes*[1] *dans l'Hadès, que tu me caches jusqu'à ce qu'ait cessé ta colère, et que tu me fixes un temps pour te souvenir de moi. Si un homme meurt, en effet, (re)vivra-t-il après avoir achevé les jours de sa vie? Attendrai-je jusqu'à ce que je naisse à nouveau? Ensuite, m'appelleras-tu, et moi, te prêterai-je l'oreille? mais ne repousse pas les œuvres de tes mains*[g]. Donc, il n'est pas possible, dit-il, d'attendre; car si cela avait été possible, j'aurais attendu jusqu'à ce que je ressuscite à nouveau. «Plaise au ciel, dit-il, que tu me caches dans l'Hadès!» et j'y attendrais jusqu'à ce que je parvienne à cet état, et à ton appel je prêterais l'oreille; mais il n'en est pas ainsi. Eh bien donc! même si rien de tout cela n'est possible, ne me rejette pas, puisque je suis ton œuvre.

L'homme ne peut échapper à Dieu

6. *Tu as compté mes démarches, et aucune de mes fautes ne risque de t'échapper; tu as scellé mes fautes dans une bourse, et tu as même noté si j'avais commis quelque transgression involontaire*[h]. Je désire être sauvé, dit-il, parce que je suis l'œuvre de tes mains, et nullement parce que je suis juste, ni parce que je peux te demander justice ou parce que tu as oublié mes offenses; car il n'est pas possible qu'aucun de mes méfaits t'échappe.

Dans la nuit, il ne se souvient que de ses souffrances

7. Puis il ajoute : *Et d'ailleurs, une montagne, en tombant, s'écroulera, et un rocher disparaîtra de sa place; les eaux ont usé les pierres, les eaux déchaînées ont submergé la digue de la terre; tu as détruit la résistance de l'homme en le poussant vers sa fin, et il a*

---

1. **L** et **M** rejoignent, ici encore, la leçon de **A.** Sur la construction de ὤφελον avec l'indicatif futur pour exprimer un souhait que l'on peut atteindre, voir BLASS-DEBRUNNER, *A Greek Grammar...,* 384.

5 λεσας, ὥσας αὐτὸν εἰς τέλος, καὶ ᾤχετο · καὶ
ἐπέστησας αὐτῷ τὸ πρόσωπόν σου καὶ ἐξαπεστάλη ·
πολλῶν δὲ γενομένων τῶν υἱῶν αὐτοῦ, οὐκ οἶδεν, ἐάν
τε ὀλίγοι γένωνται, οὐκ ἐπίσταται, ἀλλ' ἢ αἱ σάρκες
αὐτοῦ ἤλγησαν, ἡ δὲ ψυχὴ αὐτοῦ ἐπ' αὐτῷ ἐπένθη-
10 σεν[i]. Ὅτι κολάζεται, φησίν, ἄνθρωπος, καὶ πολλοὺς ἔχων
υἱούς, οὐκ οἶδεν · μετὰ γὰρ τὸ ἀποθανεῖν αὐτόν, πολλάκις
καὶ τῆς εὐπραγίας ἧς ζῶν ἀπήλαυσεν ἂν ἀποστερεῖται.
Τί γὰρ ὄφελος παῖδας καταλείπειν, ὅταν αὐτὸς ἀπέλθῃ;
Ὁρᾷς · πανταχοῦ τὸ ὀλιγοχρόνιον αἰτιᾶται καὶ τὸ μηκέτι
15 ἔχειν ἀναστρέψαι μηδὲ ἐπανελθεῖν ἐνταῦθα. Θῶμεν γάρ,
φησίν, ὅτι καταλιμπάνει υἱούς · ἀλλ' οὐκ αἰσθάνεται τῶν
ἀγαθῶν · ἄν τε ὀλίγοι γένωνται, ἄν τε πολλοὶ οἱ παῖδες,
οὐκ οἶδεν. Τί τοίνυν ἀθλιώτερον, ὅταν εὖ πράττων ἀγνοῇ,
ὅταν μόνος ἀπέρχηται, εἰδὼς τὰ οἰκεῖα κακά; Εἰ δέ τι
20 μέλλει χρηστὸν αὐτῷ συμβαίνειν μετὰ τὴν τελευτήν, τοῦτο
δὴ οὔτε οἶδεν οὔτε εἴσεται, ἀλλ' ὅτι μόνον «αἱ σάρκες
αὐτοῦ ἤλγησαν καὶ ἡ ψυχὴ αὐτοῦ ἐπένθησεν».

6 αὐτῷ : αὐτοῦ p ǁ ἐξαπεστάλη : ἐξαπέστειλας p ǁ 8 τε : δὲ p ǁ ἐπίσταται
+ περὶ αὐτῶν p ǁ 12 ἧς : ἢ LM ǁ 13 καταλείπειν : καταλιπεῖν p ǁ 14 ὁρᾷς
+ πῶς p ǁ 15 ἀναστρέψαι : ἐπαναστρέψαι p ǁ 19 ἀπέρχηται : ἀπέρχεται L^{ac}
ǁ 20 μέλλει (p) : μέλλοι LM ǁ 21 δὴ : δὲ LM ǁ 22 αὐτοῦ : ἐπ' αὐτῷ p

disparu; tu as dressé ta face contre lui, et il a été congédié. Que ses
descendants soient devenus nombreux, il l'ignore; sont-ils en petit
nombre, il n'en a pas connaissance : il ne sait rien, sinon que ses
chairs ont souffert et que son âme s'est affligée sur lui-même[1]. Car
l'homme est châtié, dit-il, et, même s'il a de nombreux fils,
il ne le sait pas : car après sa mort, il est privé souvent
même du bonheur dont il avait l'habitude de jouir de son
vivant. A quoi lui sert, en effet, de laisser après lui des
enfants, une fois qu'il est parti? Tu le vois : partout il met
en cause le caractère éphémère de la vie, et l'impossibilité
de retourner en arrière et de revenir ici-bas. Admettons
donc, dit-il, qu'il laisse des fils après lui; en tout cas, il ne se
rend pas compte de sa richesse; que ses descendants, en
effet, soient nombreux ou peu nombreux, il n'en sait rien.
Qu'y a-t-il donc de plus pénible que d'ignorer ses succès,
de s'en aller seul, en connaissant ses propres maux? Et si
quelque bonheur devait lui échoir après sa mort, cela
justement, ni il ne le sait, ni il ne le saura; mais il sait
seulement «que ses chairs ont souffert et que son âme s'est
affligée».

TABLE DES MATIÈRES

TEXTE ET TRADUCTION

SOURCES CHRÉTIENNES

Fondateurs : H. de Lubac, s.j.
† J. Daniélou, s.j.
C. Mondésert, s.j.
Directeur : D. Bertrand, s.j.
Directeur-adjoint : J.N. Guinot

Dans la liste qui suit, dite «liste alphabétique», tous les ouvrages sont rangés par nom d'auteur ancien, les numéros précisant pour chacun l'ordre de parution depuis le début de la collection. Pour une information plus complète, on peut se procurer deux autres listes au secrétariat de «Sources Chrétiennes»
29, rue du Plat, 69002 Lyon (France) – Tél. : 78.37.27.08 :

1. la «liste numérique», qui présente les volumes et leurs auteurs actuels d'après les dates de publication; elle indique les réimpressions et les ouvrages momentanément épuisés ou dont la réédition est préparée.
2. la «liste thématique», qui présente les volumes d'après les centres d'intérêt et les genres littéraires : exégèse, dogme, histoire, correspondance, apologétique, etc.

LISTE ALPHABÉTIQUE (1-345)

SOUS PRESSE

Grégoire de Nazianze : **Discours 38-41.** P. Gallay et C. Moreschini.

Césaire d'Arles : **Œuvres monastiques,** tome I : **Œuvres pour les moniales.** A. de Vogüe, J. Courreau.